DEUX ÉTUDES SUR SARTRE

FRANÇOIS GEORGE

DEUX ÉTUDES
SUR SARTRE

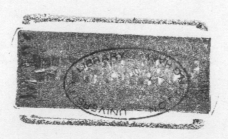

© Christian Bourgois Éditeur, 1976
ISBN 2-267-00042-3

A Isabelle

PREFACE

*La première de ces études, je l'ai écrite à vingt ans. Elle
illustre à sa manière la célèbre phrase de Nizan : « Je ne lais-
serai personne dire que c'est le plus bel âge de la vie. » Mais
je n'allais pas en Arabie, même Saint-Germain-des-Prés me paraissait trop loin, et l'après-guerre aussi, je m'arrêtais dans ma
banlieue, au Rendez-vous des Sportifs. J'y passais toute la journée
à lire ou à écrire — les sportifs ne se souciaient aucunement
de ma présence, il y avait à côté une clinique psychiatrique au
régime libéral, les pensionnaires venaient souvent boire un
verre. Tout de même, j'intriguais Jojo, le bougnat, qui ne buvait
jamais assez pour faire passer toute la poussière de charbon
qui lui collait, à l'en croire, dans le gosier. Il me demandait la
permission de consulter mes livres, regardait les titres longuement, comme pour leur laisser toutes chances d'éveiller
quelque chose dans sa mémoire, puis s'en retournait pensive-
ment vers le comptoir. Parfois, le soir, quand il était tout à
fait saoûl, il me mettait en garde contre les livres, qui ne sont
pas la vie, et m'exposait ses propres théories, tirées de l'expérience.*

*Le souci de justifier mon existence devait l'emporter sur mon
angoisse de passer ainsi les heures de ma jeunesse. Je ne perdais
pas mon temps, j'utilisais ma névrose. Camus a bien parlé des
gens de son pays qui, nus et bronzés sur la plage, étaient des
dieux à vingt ans, et des morts à trente, parce que seul l'esprit
nous arme contre le temps ; et le peuple pied-noir, dépourvu de
mythe, a été dispersé du jour au lendemain. J'avais le désespoir
léger. Sans amertume je formais ce couple austère, l'homme et
la Valeur. Ce serait plutôt maintenant que je m'inquiète ; quelle*

incrédulité, quel désert au début de la jeunesse, comme dirait le poète. Je me prenais pour le philosophe librement entré dans la Caverne, puisque en sortir est impossible — la vérité était que mon Œdipe me laissait en liberté surveillée dans la culture.

Si j'allais au café, c'est parce que ça me paraissait un comportement digne d'un philosophe, comme l'étonnement ou le doute [1]. *Et si on faisait philo, les copains et moi, c'était, qu'on le veuille ou non, à cause de Sartre. Il avait marqué notre enfance, Jean-Paul Sartre : bien avant de pouvoir s'enquérir de ce qu'il recouvrait, on avait entendu le nom bien rythmé et prestigieux comme aucun autre, qui représentait plus que la philosophie ou la littérature : la pensée même et le scandale de l'intelligence. Sartre semait le désordre dans les familles. Mon frère aîné, à seize ans, en lisait à table, puis il assenait de grandes tirades moralisantes à mon père qui, humaniste classique, tout en étant près d'admettre qu'il était ce qu'il s'était fait, voyait avec inquiétude la guerre religieuse couver sous son toit.*

Quand à dix-huit ans je découvris L'Etre et le Néant *parmi les sportifs, et avec le regret qu'il n'y eut pas dans cet établissement un garçon que j'aurais pu confronter à la description du livre, mais le patron faisait tout lui-même, homme de droit divin, il m'apparut comme un grand poème philosophique, un hymne à la gloire de ce héros, le sujet, qui fait exister les arbres et les fleuves, les villes et les champs, poésie romantique de l'impossible aussi puisque je ne puis être Dieu et fuis vers un avenir qui s'évanouit comme l'horizon. Etre soi, c'est venir à soi, notre vie est faite « d'attentes d'attentes attendant des attentes », je suis toujours par-delà mon être-là, réclamant un après, convaincu d'une sorte d'immortalité. J'attendais bien quelque chose sur cette banquette et en attendant je découvrais des mots merveilleux que je prenais pour des pouvoirs, intentionalité, temporalité, transcendance. Avec une émotion d'explorateur je découvrais la source du temps, au cœur de la psyché, dans ce néant qui surgit pour séparer d'elle-même la réalité humaine, un néant qui n'est pas, qui est été.*

Ce qui me plaisait dans cette philosophie, c'est qu'elle était comme une remémoration quasi instantanée, qui éclairait avec le minimum de retard la présence au monde, et surtout lui trouvait un sens. Il suffisait de reconstituer l'activité de la conscience à partir des qualités perçues dans le monde lui-même, puisque c'est elle qui lui donne des valeurs. Il y a un monde charnel pour le désir, un monde magique dans l'émotion, un monde technique

---

1. Sartre avait expliqué, au grand scandale du Père Troisfontaines, que l'avantage du café est qu'on y échappe à la vie de famille. Cf. Michel Contat et Michel Rybalka, *Les Ecrits de Sartre*, 46/103.

pour le sujet pratique qui veut planter un clou ou réparer son carburateur.

Le monde nous renvoie notre image : avant d'être ressentie pour elle-même la fatigue se traduit par un changement à vue du paysage, les routes s'avèrent soudain interminables, les côtes plus dures, le soleil plus ardent, mon vélo pèse une tonne. Que mon pneu crève et la distance avec le village va augmenter énormément. Je puis d'ailleurs aimer cette révélation du monde, goûter son âpreté à travers ma fatigue, nouer ainsi une familiarité plus profonde avec lui qui est une manière d'appropriation.

Quoi qu'il en soit, le monde se confond avec le champ de ma liberté, de mon projet, de mon action possible. Ce rocher m'apparaît infranchissable seulement parce que j'ai formé l'idée de l'escalader, mais pour l'avocat qui en ce moment plaide en ville, ayant revêtu son corps malingre de sa robe, le rocher n'est pas difficile à franchir, il est « fondu dans la totalité monde sans en émerger aucunement ». Il y a donc un mariage du sujet et du monde, qui fait par exemple que ma lampe n'est pas l'objet anonyme que j'ai trouvé à la salle des ventes, elle est devenue une certaine nuance lumineuse de mon travail nocturne, la complice de ma veille studieuse. Je plaignais le petit fonctionnaire de Mont-de-Marsan qui rêve d'aller à New York et qui par là même se situe dans l'insatisfaction en ce chef-lieu des Landes. J'aimais cet épicier qui rêve, dans le chapitre sur la mauvaise foi, et qui offense la clientèle parce qu'il a cessé d'être tout à fait un épicier. J'ai donc écrit cette première étude, qui devait être retravaillée. Le temps a passé et je la publie aujourd'hui telle quelle ; je ne pouvais me reglisser dans ma peau d'il y a sept ans, c'est pourquoi j'ai écrit quelque chose d'autre.

Cette fois encore, je suis resté très près des textes [1]. Malgré les conseils du charbonnier Jojo, j'ai eu beaucoup de mal à naître des livres. Mais en faisant de Sartre un physicien du mécanisme de la liberté, je poussais ses thèmes à l'extrême sinon à l'absurde, en un mouvement lui-même sartrien : une situation n'est jamais assez malheureuse par elle-même, il faut en rajouter afin de la reprendre à son compte. On peut imaginer une adresse ironique au père, une variante du qui perd gagne : la loi que tu formules et que j'ai à subir comme le monde que tu as fait, elle est encore plus terrible que tu ne le dis, au point de se retourner contre toi. Cette fois-ci, tout au moins ai-je essayé de ménager une distance, pour mieux voir. Dirai-je que j'ai

1. Il s'agit donc d'une lecture qui n'en exclut pas une autre. Par exemple je pense que Michel Contat qui vient de réaliser avec Alexandre Astruc l'excellent film *Sartre par lui-même* pourrait écrire un livre très différent qui ne serait ni plus ni moins vrai.

essayé de faire à Sartre ce que lui-même a fait à Baudelaire, à Genet, à Flaubert ? Je m'en garderai. Il pratique une sorte de projection réfléchie qui établit une réciprocité : Flaubert à travers Sartre parle de Sartre. On est toujours impliqué par celui dont on parle, et si jamais cela en vaut la peine un troisième larron pourra s'occuper de mon rapport à Sartre — ou moi-même, quand j'aurai cent ans. Mais je ne me suis pas risqué à trop jouer de ce ressort. Volontiers, je qualifierai ma propre méthode d'anti-psychanalytique. En effet, autant que possible, je n'ai pas cherché à réduire Sartre à du connu, à des schémas dont il serait devenu un exemple, une belle illustration. J'ai cherché au contraire à dégager ce que lui-même peut nous apprendre sur des thèmes qui sont freudiens, comme la paternité et l'inceste, et sur d'autres qui ne le sont pas essentiellement, comme le droit, la propriété, le néant, l'histoire. Je n'ai rien interprété, j'ai été patient : j'ai attendu de le voir par un autre texte se répondre, se confirmer ou se reprendre, déplacer le problème ou le poser en termes nouveaux, etc. En outre, j'ai pris garde que rien n'est univoque, que toute cohérence n'est jamais que présomptive, que la contradiction n'est souvent que le signe du rapport difficile entre les multiples registres de notre existence, par exemple l'inconscient et l'histoire.

Ainsi, l'absence du père chez Sartre, ce n'est pas pour commencer une intuition psychologique, ce serait plutôt un renseignement administratif. Il n'empêche qu'étudier la question du père chez Sartre n'en est pas moins capital autant pour nous que pour lui, car il s'agit d'élucider l'étrange paternité qu'il aura exercée sur une ou deux générations. Au reste, c'est seulement écouter comme il faut la belle voix ironique et grave des Mots et prêter attention au moment où elle se casse un peu : on dira que j'étais un monstre d'orgueil, non, j'étais orphelin de père. Et il ajoute ces mots qui vont loin : « faute d'un tsar ».

Disons-le à ce propos : tout le monde a subi l'ascendant de Sartre, pourquoi le dénier par l'injure et l'exécration, il vaut mieux chercher la raison de ce prestige. Pas de haine qui ne procède d'une admiration primitive à laquelle on refuse de céder par une sorte de peur (s'il est, je ne suis pas), et qui ne constitue un hommage détourné et mesquin. Et pas d'admiration hyperbolique qui soit pure de tout désir de meurtre œdipien ou du mépris plus ou moins secret de l'esclave pour le maître. Personnellement, il y a des textes de Sartre qui me déplaisent, je ne donne pas à cette irritation la valeur d'une critique rédhibitoire, comme ces personnes si assurées de leur droit d'exister qu'elles estiment en avoir assez dit quand elles ont exprimé avec force leur exaspération. Je n'en ai pas fait non plus, par un travers

contraire, le signe certain d'une vérité me mettant en cause.
— Donc : ni hagiographie ni polémique.

La seule attitude qui convienne, qui est de reconnaissance,
consiste à tâcher de surmonter une ambivalence inévitable en
posant les bonnes questions : quelle est, au-delà même de la vérité
ou de la non-vérité de ses thèses, la signification de Sartre, que
nous dit-il profondément, au-dessous d'énoncés explicites souvent
simplifiés grossièrement, en quoi nous touche-t-il. L'époque s'est
réfléchie en Sartre, et ses erreurs éventuelles ont autant d'importance que les vérités qu'il lui a été donné de mettre au jour. Il
enseigne que le sujet, le pour-soi, est échappement à soi et à
l'être, et notamment à la chair, au désir brut. Il a raison,
puisqu'il décrit une structure fondamentale de l'expérience de
l'homme occidental. Et j'espère avoir apporté quelques éléments
qui permettraient d'étayer cette thèse inadmissible : le pour-soi
est névrosé.

Aujourd'hui, le petit maître, dès qu'il bafouille lacanien, n'affi-
che plus que mépris pour Sartre, alors que dans l'histoire des
idées la dérivation de Sartre à Lacan paraîtra évidente. Entre le
pour-soi qui ne cesse pas de ne pas être et le sujet lacanien qui
s'évanouit à apparaître, la ressemblance est grande. La différence
est plus nette par rapport à l'Autre : Sartre n'a pas feint de le
représenter. D'autre part, on peut dire que personne n'a relevé
son défi philosophique, sauf Merleau-Ponty qui n'a pas eu le
temps de terminer son ouvrage et qui disait d'ailleurs qu'en un
sens l'ontologie de L'Etre et le Néant *répond à toutes les ques-*
tions (il est vrai qu'il ajoutait : *mais n'est-ce pas qu'elle est*
insaisissable ?). Les métaphysiciens ont disparu dans les biblio-
thèques. A Sartre, on reproche de n'avoir pas bien compris
Marx, Freud, ou encore Nietzsche — mais si c'était la singularité
de ce qu'il avait lui-même à dire qui l'en avait empêché ?
Ajoutons qu'on l'avait installé, dans le désarroi du siècle, à
une incroyable position de maître à penser absolu, et on lui
a demandé d'assumer tout, Marx, Lénine, Trotsky, Freud, Proust
Einstein : la déception est normalement née d'une attente déme-
surée. Bref, peut-être pourrait-on lui faire ce crédit de le considérer lui aussi comme un auteur original, chose qui se perd.
Lui ne travaillait pas sur les textes, comme nos archivistes, il
a lu bien sûr mais quand il cite un auteur c'est souvent de travers. Lui, avec une naïveté grandiose, celle des Descartes, celle
de Husserl, il s'est installé à sa table de café sans rien dans les
poches pour commencer la pensée.

Ce qu'on lui reproche surtout, ce qui paraît vieux jeu vraiment,
c'est son humanisme. On trouve chez Sartre une apologie de
l'homme, qui de fait, s'il est comme il le montre l'être qui

existe de justesse, *essaie aussi de se fonder dans l'histoire, de se faire être. Mais surtout il y a chez lui une théorie du* sacrifice humain. *L'imitation du Christ a cessé d'être symbolique, naguère un ancêtre plus ou moins mythique s'était une fois pour toutes sacrifié pour nous tous, au XX*e *siècle on a remplacé ce mythe plutôt commode par des tueries massives. Sartre a donc ébauché une définition de l'humain dont à vrai dire le besoin se fait sentir. Il s'agit d'un enjeu de quelque importance, et non comme certains le prétendent d'une approximation épistémologique, voire d'un thème folklorique.*

Cela nous ramène au père et à l'état-civil. Père : mort. Comme Dieu, qui nous a quitté, qui nous a tourné le dos, il est parti en voyage, comme on dit aux enfants — et s'il est ailleurs il pourrait bien nous revenir, un jour ou l'autre, sous la forme d'un extra-terrestre, pourquoi pas. On fait grief à Sartre d'avoir fait une littérature philosophique et une philosophie littéraire, ce fut justement sa perspicacité. La philosophie progresserait en posant au lieu de la traditionnelle question : qu'est-ce que ? *la question :* qui ? *Qui est le Néant ? Car c'est quelqu'un et non une abstraction, de même que la négation n'est pas une simple opération de l'esprit mais d'abord un événement douloureux, un traumatisme.*

Et puis Sartre a été généreux, il a donné le change. Il a voilé ses certitudes primordiales, que l'homme est impossible, que le monde est inhabitable, que la vie, à y regarder de près, est invivable. Il a refoulé l'évidence du malheur, il en a fait un problème relatif. Bref, il a cherché le moyen de combattre le désespoir [1]. *Quant à la politique, dont il faut bien dire un mot, on pourra regretter qu'il ne s'en soit pas tenu à l'anarchisme qui était dans son caractère et qui aurait donné à sa démarche, de* La Nausée *à l'essai qu'il prépare actuellement sur le pouvoir et la liberté, une continuité saisissante. Un anarchisme intellectuel présente peut-être un risque de bienséance, peut-être qu'au* Figaro *on n'y trouverait rien à redire : les bourgeois, parfois, ne détestent pas que d'autres aient plus de rigueur qu'eux sur les principes, cela conforte leur image de l'homme. Tant pis. Même s'ils peuvent apparaître comme un moindre mal et comme la seule efficacité, les appareils n'ont que faire d'un franc-tireur rallié, alors qu'il est toujours bon que face aux chefs, aux moutons qu'ils enragent et aux laquais, il y*

---

1. A ce propos, un regret : peut-être Sartre est-il resté trop sérieux. Par exemple, s'il avait consenti à faire des pièces sans « thèse », il aurait pu être un extraordinaire auteur comique. La manière étourdissante dont il a décapé un vaudeville d'Alexandre Dumas témoigne de ce don du théâtre à l'état pur.

*ait un homme libre. Cette intransigeance constitue même la
seule chance pour la pensée critique de disposer d'une petite
efficience. Descartes ne voulait pas se mêler des affaires du
prince, mais le* cogito *implique une politique minimale : la lutte
contre l'autorité, la foi, les églises* [1]. *Sartre, on peut sans doute
l'en remercier, ne nous a pas donné un nouveau code moral,
mais il a indiqué un point essentiel : il faut consentir à la liberté
(qu'il est impossible de nier raisonnablement du point de vue
de l'action), ce qui signifie supporter l'angoisse, laquelle suffit
souvent à nous faire accepter l'ordre venu d'en haut.*

*Le lecteur notera des redites : c'est que dans un univers
significatif qui, idéalement, peut se définir comme un objet
absolu, tout symbolise tout, on peut changer d'étage mais
non de matériel, et les mêmes traits servent à composer plusieurs figures. On entre dans une œuvre comme dans un moulin,
dit Sartre. Je préférerais la comparer à un pays borné et inépui-
sable, où l'on se promène des après-midis entières et dont on
découvre sans cesse de nouveaux aspects, tout en voyant toujours le même clocher. On se retrouve brusquement sur la place
du village alors qu'on s'en croyait loin, on découvre un jour que
les deux « côtés » qu'on avait toujours cru opposés se rejoignent
en fait.*

*Naturellement, je n'ai tenu compte que de ce qui est écrit,
publié* [2]. *Or,* L'Idiot de la Famille *a donné l'exemple d'un rema-
niement de toute l'œuvre, notamment par une critique implicite
de* La Nausée, *qu'on doit désormais lire autrement. Sartre en
effet analyse ce projet qui fut le sien d'échapper à la condition
humaine en la dénonçant, de s'arracher à l'espèce en se donnant
le bénéfice d'une malédiction particulière, qui fait de vous un
damné privilégié, un élu des enfers. Mieux même, ce qui est
maintenant présenté comme singularité névrotique de Flaubert
appartenait jadis à la subjectivité comme telle. L'auteur de*
Madame Bovary *trouve sa nature dans le refus de toute nature,
il savoure l'âpre jouissance de donner par un effort presque
insoutenable une dignité ontologique à la négation radicale :
il se veut celui par qui le néant arrive dans le monde... Entre
Flaubert et Sartre lui-même, les analogies sont nombreuses :*

1. Ce fut d'ailleurs la position primitivement défendue par Sartre.
Je pense qu'il a eu tort de changer d'orientation, sous le coup de
l'indignation, avec *Les Communistes et la Paix.* Quant aux maoïstes,
il fut extravagant de se régler sur leur exemple.
2. Je dois à l'amitié de Michel Contat d'avoir pu consulter les chapitres inédits des *Chemins de la Liberté* et certains textes de jeunesse,
à paraître prochainement dans « la Pléiade ».

ces deux enfants imaginaires et posthumes ont fait de leur conscience un piège-à-images et voient la vie d'outre-tombe. L'identification, en tout état de cause, passe par un tiers commun, l'écrivain. En tant qu'écrivain, Sartre est un séquestré comme Gustave, parce que, pour l'écrivain, l'époque de la vie est révolue, le livre en marque la fin : elle n'a plus qu'à s'écrire. Une fois, il y a quelques années, à Rome, je lui disais qu'il me semblait bien étrange, ce personnage de l'écrivain moderne, qui à vivre en reclus pourrait apparaître plus comme un monstre que comme un témoin, j'évoquais cette vie de fantôme que menèrent Flaubert, Proust, Kafka, Joyce... Il me dit : « Ajoutez Sartre ». J'en fus très étonné, même si je venais de l'arracher, pour aller manger des glaces au chocolat derrière le Panthéon, à sa chambre d'hôtel où il travaillait depuis le matin à L'Idiot de la Famille. Comme tout le monde, je n'avais été sensible qu'à sa vie extérieure, aux meetings, à ses interventions publiques, des « 121 » au tribunal Russell, et j'ignorais comment il avait véritablement vécu, sous le regard de l'Autre comme d'autres sous le soleil de Satan.

Mais au jeu de la communication humaine aussi, il arrive que qui perd gagne. Le prisonnier à travers les murs nous interpelle ; tapant comme un sourd sur la tuyauterie de cette vieille taule qu'on appelle l'Occident il fait un raffut de tous les diables. Et c'est ici qu'il faut comprendre que ses fantasmes, qui tiennent aux sortilèges particuliers d'une enfance, nous concernent et nous engagent, s'inscrivent dans un échange entre lui et nous, entre l'époque et lui, à moins d'imaginer régressivement une relation unilatérale d'infection, de corruption, d'empoisonnement (qu'est-ce que c'est que ce bonhomme qui nous a fait couper dans ses lubies). C'est aussi la raison pour laquelle je n'ai pas négligé de lui apporter la contradiction, manière grecque de dialectiser, souvent d'ailleurs je n'ai fait que lui susciter des interlocuteurs. Ce n'est pas là prétendre détenir une vérité supérieure, mais organiser une mise à l'épreuve, un débat, ce procès historique où de toute façon nous sommes tous impliqués ; et pour qu'il sache, dans ce train qui l'emmène vers Dijon, puisque comme les chevaux de bois sur le manège nous ne pouvons le rejoindre, qu'on ne l'oublie pas à Paris.

I

LE MÉCANISME DE LA LIBERTÉ

« La vie de Dieu et la connaissance divine peuvent
donc bien, si l'on veut, être exprimées comme un
jeu de l'amour avec soi-même ; mais cette idée
s'abaisse jusqu'à l'édification et même jusqu'à la
fadeur quand y manquent le sérieux, la douleur, la
patience et le travail du négatif. *En soi* cette vie est
bien l'égalité sereine et l'unité avec soi-même qui
n'est pas sérieusement engagée dans l'être-autre et
l'aliénation, et qui n'est pas non plus engagée dans
le mouvement de surmonter cette aliénation. Mais
cet en-soi est l'universalité abstraite dans laquelle
on fait abstraction de sa nature sienne qui est
d'*être pour soi*, et donc en général de l'auto-mouve-
ment de la forme. »

HEGEL, *Phénoménologie de l'Esprit.*

« Il y a les hommes, mon vieux, il y a les
hommes. »

SARTRE, *la Nausée.*

I

EN CHEMIN

> Voici le miracle : le cadavre reparaissait, le
> lendemain, sur la surface de l'océan, qui reportait
> au rivage cette épave de chair. L'homme se déga-
> geait du moule que son corps avait creusé dans
> le sable, exprimait l'eau de ses cheveux mouillés,
> et reprenait, le front muet et penché, le chemin
> de la vie.
>
> LAUTRÉMONT, *Chants de Maldoror.*

Le savoir établit la nécessité. Mais il laisse libre son origine. Il
ne peut prétendre la récupérer pour se fermer sur lui-même.

De plus, cette libre origine, loin de s'effacer au cours de son
progrès, ne cesse de l'accompagner. Nous avons commencé à
savoir, nous ne cessons pas en continuant. Nous découvrons
la nécessité — c'est nous qui la découvrons.

Ainsi, rappelle Sartre, Descartes a montré que nous nous
sentons toujours responsables des vérités que nous découvrons :

> « *C'est qu'il entre toujours, dans l'ivresse de comprendre,
> la joie de nous sentir responsables des vérités que nous décou-
> vrons. Quel que soit le maître, il vient un moment où l'élève est
> tout seul en face du problème mathématique ; s'il ne détermine
> pas son esprit à saisir les relations, s'il ne produit pas de lui-
> même les conjectures et les schèmes qui s'appliquent tout
> comme une grille à la figure considérée et qui en dévoileront
> les structures principales, s'il ne provoque enfin une illumina-
> tion décisive, les mots restent des signes morts...* »* [1].

Il y a là une liberté nécessaire : car l'élève — et le savant
est toujours l'élève de Dieu — ne peut comprendre le fait qu'en
le refaisant, comme s'il le créait.

Mais qui est aussi singulière, puisque la création est déjà
faite, que la libre réinvention ne fait que retrouver des vérités
acquises, établies avant elle.

Il semble que, sans la liberté qui anime le chercheur, et

---

1. Sartre, *Situations I.*

sans avoir besoin de lui être manifesté, cet « ordre préétabli de relations » dont parle Sartre n'en existerait pas moins avec la même nécessité. Si la liberté devient opérante, elle ne peut toutefois aboutir qu'à lui, et selon lui. Les vérités ne nous ont pas attendus pour être vraies. La liberté ne fait donc que jouer, sans aucunement l'altérer, à l'intérieur de l'ordre préétabli des relations, de la structure, et à tous égards, il s'agit d'une liberté jouée.

« Tout est fixé : l'objet à découvrir et la méthode... C'est donc un paradoxe assez frappant que l'attitude du mathématicien ; et son esprit est semblable à un homme qui, engagé dans un sentier fort étroit où chacun de ses pas et la position même de son corps seraient rigoureusement conditionnés par la nature du sol et les nécessités de la marche, serait pourtant pénétré par l'inébranlable conviction d'accomplir librement tous ces actes » [1].

Certes, un tel chemin n'est pas, pour Sartre, celui de la liberté.

Pour qu'il le devienne, il faut, et il suffit, qu'un abîme s'ouvre à son côté.

« ... je suis sur un sentier étroit et sans parapet qui longe un précipice. Le précipice se donne à moi comme à éviter, il représente un danger de mort. En même temps, je conçois un certain nombre de causes relevant du déterminisme universel qui peuvent transformer cette menace de mort en réalité : je peux glisser sur une pierre et tomber dans l'abîme, la terre friable du sentier peut s'effondrer sous mes pas. A travers ces différentes prévisions, je suis donné à moi-même comme une chose, je suis passif par rapport à ces possibilités, elles viennent à moi du dehors, en tant que je suis aussi un objet du monde, soumis à l'attraction universelle, ce ne sont pas mes possibilités. A ce moment apparaît la peur qui est saisie de moi-même à partir de la situation comme transcendant destructible au milieu des transcendants, comme objet qui n'a pas en soi l'origine de sa future disparition. La réaction sera d'ordre réflexif : je « ferai attention » aux pierres du chemin, je me tiendrai le plus loin possible du bord du sentier. Je me réalise comme repoussant de toutes mes forces la situation menaçante et je projette devant moi un certain nombre de conduites futures destinées à éloigner de moi les menaces du

1. *Ibid.*

monde. Ces conduites sont mes *possibilités. J'échappe à la
peur du fait même que je me place sur un plan où mes
possibilités propres se substituent à des probabilités transcendantes où l'activité humaine n'avait aucune place.* [1] »

Je n'ai pas peur de l'abîme, je n'ai pas peur d'y tomber.
J'enraye cette probabilité transcendante, qui me menaçait dans
la mesure où je suis transcendant ou mondain, en mettant en
œuvre mes possibilités : faire attention, me tenir éloigné, etc.
J'ai peur de m'y jeter. La liberté se fait connaître, sinon
reconnaître (ce qui serait déjà l'oublier en pensant à autre
chose, à un concept) dans le vertige : le vertige est « angoisse
dans la mesure où je redoute non de tomber dans le précipice, mais de m'y jeter », dit Sartre.
Je n'ai pas peur de l'abîme, ni de la terre qui peut s'effriter,
ni de la pierre qui peut se dérober, ni de la loi de la chute des
corps, ni du déterminisme universel, ni de tout ce qui est
objectif. J'ai peur d'un pouvoir qui se donne impérieusement
comme le mien, de ma liberté. L'abîme apprend au passant sa
liberté, — son abîme.

« ... *ces conduites, précisément parce qu'elles sont mes possibilités, ne m'apparaissent pas comme déterminées par des
causes étrangères. Non seulement il n'est pas rigoureusement
certain qu'elles seront efficaces, mais surtout il n'est pas rigoureusement certain qu'elles seront tenues, car elles n'ont pas
d'existence suffisante par soi ; on pourrait dire, en abusant du
mot de Berkeley, que leur « être est un être-tenu », et que leur
« possibilité d'être n'est qu'un devoir-être tenu* [2]. »

La liberté se fait pour le coup éprouver selon sa vérité de
fondement sans fondement, d'*Ab-grund* du soi. Ces conduites,
parce qu'elles sont possibilités et *mes* possibilités, ne m'apparaissent pas comme nécessaires. Elles n'ont encore aucune
réalité, elles ne sont pas déterminées de l'extérieur par des
causes. Bref, elles n'existent pas par elles-mêmes. Qu'est-ce qui
les tient à l'être ? En recourant à mes possibilités face au
danger objectif, en faisant attention, en me tenant éloigné du
bord, je romps le déterminisme qui rendait ma chute probable,
qui me menaçait « en tant que je suis *aussi* un objet du
monde ».
Je ne le suis plus : j'ai pris du recul. Je romps avec le

1. *L'Etre et le Néant.*
2. *Ibid.*

monde et je m'en remets à moi-même, si bien que le monde me laisse seul et libre, m'abandonne sur le bord de l'abîme. J'échappe à sa juridiction, je n'appartiens plus au système des objets. A ma liberté, le monde ne saurait faire le moindre signe, il ne la supporte pas, elle est libre de toute justification. Elle m'a fait échapper au déterminisme, et à ses risques calculables, mais je ne lui échapperai pas. Je suis avisé du prix de cette négation de l'ordre protecteur finalement, provident quoi qu'il en soit, de l'être. Il ne me protège plus, lui dont je me protège. Il ne me reste que *moi*, dont l'être précisément se retire, qui se défait comme un mirage, devant la verticalité du présent, l'impossible de mes possibles.

« *De ce fait, leur possibilité a pour condition nécessaire la possibilité de conduites contradictoires* (ne pas *faire attention aux pierres du chemin, courir, penser à autre chose*) *et la possibilité des conduites contraires* (*aller me jeter dans le précipice*). *Le possible que je fais* mon *possible concret ne peut paraître mon possible qu'en s'enlevant sur le fond de l'ensemble des possibles logiques que comporte la situation. Mais ces possibles refusés, à leur tour, n'ont d'autre être que leur « être-tenu », c'est moi qui les maintiens dans l'être, et, inversement, leur non-être présent est un « ne pas devoir être tenu ». Nulle cause extérieure ne les écartera. Moi seul je suis la source permanente de leur non-être, je m'engage en eux ; pour faire paraître* mon *possible, je pose les autres possibles afin de les anéantir. Cela ne produirait pas l'angoisse si je pouvais me saisir moi-même dans ces rapports avec ces possibles comme une cause produisant ses effets. En ce cas l'effet défini comme mon possible serait rigoureusement déterminé. Mais il cesserait d'être* possible, *il deviendrait simplement à-venir. Si donc je voulais éviter l'angoisse et le vertige, il suffirait que je puisse considérer les motifs (instinct de conservation, peur antérieure, etc.) qui me font refuser la situation envisagée comme déterminante de ma conduite antérieure, à la façon dont la présence en un point déterminé d'une masse donnée est déterminante des trajets effectués par d'autres masses : il faudrait que je saisisse en moi un rigoureux déterminisme psychologique. Mais précisément je m'angoisse parce que mes conduites ne sont que* possibles *et cela signifie justement que, tout en constituant un ensemble de motifs* de repousser cette situation, je saisis au même moment ces motifs comme insuffisamment efficaces* [1]. »

1. *Ibid.*

Ma liberté est libre de toute nécessité. Rien n'est fondé pour
elle et elle ne peut rien fonder. Un silence s'est fait, un silence
d'origine. Il lui appartiendrait de créer, d'inaugurer. Mais c'est
l'origine du néant. L'existence m'est donnée, comme à nouveau
et comme neuve, mais pour rien et comme rien, contingence
absolue. Je me détermine moi-même, mais négativement, comme
n'étant pas un objet du monde. Ce moi n'a aucun contenu, il ne
peut en avoir, il en est par principe la répulsion : car ma possibilité m'échapperait dès qu'un tant soit peu la réalité l'inves-
tirait, elle rejoindrait les probabilités transcendantes dont je
me suis détaché. Mais c'est pourtant ce qui doit arriver. Et,
par là, la probabilité transcendante, dominante, s'impose comme
ma possibilité.

« *Je m'approche du précipice et c'est moi que mes regards
cherchent en son fond. A partir de ce moment, je joue avec
mes possibles. Mes yeux, en parcourant l'abîme de haut en bas,
miment ma chute possible et la réalisent symboliquement ;
en même temps la conduite du suicide, du fait qu'elle devient
" mon possible " possible fait paraître à son tour des motifs
possibles de l'adopter (le suicide ferait cesser l'angoisse)*[1]. »

Si j'ai peur de moi plus que de l'abîme, c'est que ce moi est
du côté de l'abîme, m'attire de son fond. Il n'est pas une
réalité sur laquelle je pourrai compter, m'appuyer (je suis
raisonnable, je n'ai aucune intention de me suicider, je n'ai pas
lieu de me laisser fasciner de la sorte) ; il est resté dans le
monde l'objet qu'il y est, comme il est ce que je serai tout
à l'heure, comme il est même ce que je suis maintenant, et
ce que je vais faire sera ce qui aura toujours été moi.
    Son poids m'entraîne, me tire vers l'être : il est ma proba-
bilité d'être. J'ai peur de *me jeter*, d'un moi me jetant, peur
de me jeter dans un moi qui se jette.

L'abîme, s'il consonne avec mon abîme, est toutefois un
être du monde, il a de l'être : « Un abîme n'est pas rien, il a ses
bords, ses entours »[2]. A ma liberté qui n'est pas, il fait justement la fascinante proposition d'être. Elle ne serait plus,
et l'angoisse cesserait : j'abandonnerai cette impossibilité d'être
qui me fait toujours viser les choses et toujours ajourner mon
séjour en elles, je tomberai comme une chose rejoindre les
choses, gagnerais par ma disparition un être définitif.

1. *Ibid.*
2. Merleau-Ponty, *Signes.*

Tel est le langage ou le silence qui me viennent de l'abîme. Mon temps, qui naguère s'unifiait dans la paisible certitude de me rendre quelque part, voilà qu'il s'éparpille en instants sur ma route, aucun pas ne garantit plus le suivant. J'ai rencontré ma liberté, fondement de tout projet. Mon existence est muette, stupide et interrogative, en proie au nécessaire projet d'être libre. Le silence se fait, le passé et l'avenir qu'il impliquait ne font plus entendre aucun appel, il tiendrait à ma liberté d'inaugurer solennellement, et simplement se révèle mon existence donnée pour rien. Elle ne dispose d'aucun moi hérité du passé qu'elle pourrait faire répondre à la proposition fallacieuse du néant au nom d'exigences sérieuses, de fins essentielles, ce moi n'a rien à répondre à rien parce qu'il est positif, il faut le refaire, le retrouver, — le moi que j'invoque est l'abîme où je m'engloutis.

Je ne suis pas contemporain de mon être dans la mesure où je suis temporel : le temps comporte la possibilité de ce suspens du présent qui me sépare, par rien, de mon être sans que je cesse d'en être transi. Cet auxiliaire bienveillant de l'homme dont parle Aristote montre à nu le néant qui l'articule : à moi de franchir l'abîme, à moi d'être moi, — mon être justement est par-delà le néant, à venir, moi qui n'est pas moi. Je suis en équilibre sur le fil du rasoir de l'instant.

Mais vient le moment où le vertige cesse, « *on s'éloigne brusquement du bord du chemin et l'on reprend sa route* [1]. » La temporalité à laquelle nous étions accoutumés se reforme, oublie son interruption aberrante. Ce ne fut même pas un incident, et on arrivera à bon port. On aura simplement fait sa route, et on goûtera le repos de son terme. Comme s'il n'y avait pas eu d'abîme, ni par conséquent de vertige ni de liberté ; comme si le chemin avait été celui du savoir et du déterminisme. Puisque, sur le chemin que longe l'abîme, rien finalement n'arrive, l'un et l'autre seraient à droits égaux, et ne seraient pas, chemins de la liberté.

*
**

Le vertige de la liberté est ausi bien « vertige de la possibilité ».

« *Une jeune mariée avait la terreur, quand son mari la laissait seule, de se mettre à la fenêtre et d'interpeller les passants à la façon des prostituées. Rien dans son éducation,*

1. *L'Etre et le Néant.*

dans son passé, ni dans son caractère ne peut servir d'expli-
cation à une crainte semblable. Il nous paraît simplement
qu'une circonstance sans importance (lecture, conversation, etc.)
avait déterminé chez elle ce qu'on pourrait appeler un vertige
de la possibilité. Elle se trouvait monstrueusement libre et
cette liberté vertigineuse lui apparaissait à l'occasion *de ce*
geste qu'elle avait peur de faire [1] »

Il se peut que Sartre trouve aujourd'hui « enfantine » sa
thèse d'alors [2]. L'autorité du savoir vient à bout de ces certitudes aventurées, et on préfère les déplacer. Pour le psychiatre
en effet, l'affaire est claire : il s'agit là d'un cas de phobie
d'impulsion, et *l'on sait* qu'elle ne passe pas à l'acte.

Mais, pour la conscience, qui, dans son présent, n'en sait
rien — le savoir (ce qu'on sait aussi) n'y pouvant d'ailleurs
changer quoi que ce soit —, c'est, de fait, la révélation de
l'absolue et désastreuse liberté. Cette jeune femme peut, en
effet, interpeller les passants, elle ne voit rien qui puisse
l'en empêcher, rien qui l'en protège.

Pourquoi ne se conduirait-elle pas comme, pourquoi même
ne serait-elle pas une prostituée ? A cause de son passé, de
son éducation, de son caractère ? Ce ne sont pas des causes,
et il n'y a pas de cause qui tienne, cela est sans force contre
sa fascination. Ou rien, dans son passé, dans son éducation,
dans son caractère, ne la préparait à saisir la différence entre
son état de jeune mariée et celui de prostituée. Il faudrait
qu'elle saisisse en elle un rigoureux déterminisme, mais précisément il n'y a à sa disposition que des possibles. Tout au
plus, elle est une femme : mais précisément que cela signifie-
t-il, *pour quoi* l'est-elle ? La rationalité factice du moi se disloque, cette dislocation engageant le sujet dans une situation
où il ne peut voir de recours. A l'ordinaire, comme la voix
ou les actes, l'entourage est complice de nos intentions, avec
ses significations tacites et ses petites urgences, les gestes
naissent des objets qui se disposent pour les suggérer, les
induisent dans le corps propre. C'est en réalité nos intentions
amorties qu'on lit dans ce décor familier, sous forme d'exigences ou de « praticables », la conscience s'y oublie, s'y
dissimule sa vie constituante. Au lieu qu'il renvoie les possibilités projetées, il arrive que ce soit ce qui y était l'impossible

1. *La Transcendance de l'Ego.*
2. C'est ce qu'écrit en note Sylvie Le Bon qui a assuré la réédition
de l'ouvrage : « Il estime en particulier enfantine son ancienne
interprétation de l'attitude névrosée de la « jeune mariée » soignée
par Janet ».

qui soit soudain révélé : il ne reste rien de ce monde bien
ordonné, s'y substitue sa disparition, l'abîme qu'il ne pouvait
que cacher, et son appel insensé. Par rapport aux objets du
ménage qui deviennent insignifiants, la fenêtre représente un
appel vertigineux. Elle est le cadre d'une possibilité absolue,
et si maintenant elle signifie simplement l'absence, elle annonce
aussi la constitution — possible — d'une présence irréparable,
dévastatrice, la possibilité de la chute. Certes, l'état de promeneur exclut l'acte de se jeter dans le précipice voisin, et
de même l'état de jeune mariée exclut celui de prostituée. Mais
ce sont là des notions et des possibilités objectives. Pour cette
jeune mariée, assurément, la prostitution se donne pour le
moins comme « à éviter ». Cependant, elle ne peut rien concevoir qui puisse la garantir absolument de ce risque, elle se
sent dans une certaine mesure passive par rapport à cette
possibilité. Elle est mariée, certes, mais elle est aussi femme,
comme telle en proie au désir, aux jeux de la séduction, à la
perversion. D'une certaine manière, ce ne sont pas là *ses*
possibilités, d'où sa peur, qui est saisie d'elle-même comme
autre qu'elle-même. La réaction pourra être d'ordre réflexif :
se tenir éloignée de la fenêtre, penser à son mari, etc. Mais
ces possibilités ont pour condition la possibilité des conduites
contraires : se précipiter à la fenêtre, cligner de l'œil, etc.
Elle a peur de *se* prostituer. Elle se rapproche de la fenêtre
et c'est elle qu'elle cherche en son angle, elle joue avec ses
possibles, elle aperçoit le motif de faire sien ce possible autre
qui l'angoisse : faire cesser l'angoisse. Est née la conscience
qu'il n'y a pas de recours en elle contre elle-même — ce
n'est pas exactement cela : qu'il n'y a pas en elle de recours
contre ce qui n'est pas elle, car le recours serait l'Autre, c'est
pourquoi elle a peur d'y recourir pour se protéger de soi. —
Pourtant, comme à chaque fois, notre « malade » verra la
crise cesser d'elle-même, son mari rentrera, sa vie reprendra
son cours naturel et protégé, comme le marcheur reprend son
chemin.

Il n'y a pas là plus de liberté, dira-t-on avec bon sens, que
dans une perte d'équilibre, que si, le pied me manquant, je
roulais effectivement comme une pierre au fond de l'abîme.
Il n'y a là qu'un symptôme, la fascination par une possibilité
qui reste possibilité, qui est possibilité truquée. Enfin, le caractère pathologique est évident, le cas au demeurant est classique ;
c'est comme si les concepts psychiatriques, semblables à des
esprits malfaisants, sortaient brusquement des manuels pour
sauter sur leur victime humaine afin de s'en faire un exemple :
dans cette adéquation du concept à l'existence, l'aliénation

est indiscutable. Ce trouble n'a rien en lui-même de positif. Sa vérité est ailleurs, un travail serait nécessaire pour la déchiffrer. En tout état de cause, il ne saurait servir d'argument à une philosophie de la conscience qui serait soucieuse de sérieux et de dignité. Ici, la tentation même est inauthentique, puisqu'elle ne saurait se réaliser, le vertige lui-même est imaginaire, le mirage est un mirage. Sartre donne pour exemplaire une conscience qui précisément n'arrive pas à être vraiment conscience, qui est fausse, qui doit s'en remettre à une autre pour avoir sens, il prend donc le néant pour l'être, bref, il se trompe.

Mais précisément, Sartre entend s'occuper du négatif, de la négation inhérente à la possibilité, qui redouble quand celle-ci est falsifiée. En outre, il est sûr que ce « vécu » n'a en lui-même aucune réalité objective, mais suffit-il, pour s'en débarrasser, de reconnaître le subjectif pour *rien*, alors qu'il apparaît pour le moins comme ce qui résiste à l'objectif ? Aucun savoir ne peut relever le sujet de la tâche d'être soi, c'est-à-dire pour soi. Et parce que la chute de l'en-soi[1] qui me constitue comme pour-soi est pur événement, non-savoir radical, le savoir, pour le sujet, est immédiatement hors de sa portée. Et l'existentialisme était sage quand il disait que la névrose n'est pas un objet de savoir, mais une façon d'exister.

La fausse possibilité est en effet la vérité de la possibilité. Car celle-ci est par elle-même fausse ou disparaissante. Le possible nous leurre. Il disparaît aussi bien en se réalisant qu'en ne se réalisant pas. Que je cède à cette possibilité, c'en est fait d'elle et de ma liberté, elle aura glissé comme un songe, et je me retrouverai au fond de l'abîme ; là, il n'y aura plus de liberté, rien ne surpassera alors la fermeture du réel.

Le vertige de la possibilité est aussi bien vertige de la nécessité. Possibilité et nécessité forment un étrange couple : quand l'une s'annonce, se propose à la liberté, fragile et inconsistante, l'autre est déjà là, tapie dans l'ombre, imminente, vertigineuse, — et telle est précisément la possibilité. Nous ne sommes jamais qu'au bord de l'abîme, ou du déterminisme, ou encore de la liberté, et il faut notre mauvaise foi pour y trouver l'occasion d'une émotion. Car l'abîme est un existant, comme aussi la phobie d'impulsion, il a sa place dans la géographie comme elle dans la nosographie ; quant au bord, il est un lieu qui appartient à l'espace ni plus ni moins que les autres, cerné par eux. Bref, nous sommes toujours quelque part, toujours repérables dans l'espace ou dans la clinique.

1. Cf. deuxième partie : *l'Existence et son Double*.

La liberté, elle, est utopie. Elle n'est pas. Elle ne peut gagner l'être qu'elle convoite qu'en se perdant comme non-être. C'est parce qu'elle nous entête que nous croyons voir dans le monde du non-être, c'est elle, par exemple, qui nous fait voir le bord comme autre chose qu'un rebord. Mais refuser de donner l'actualité à la possibilité, c'est simplement maintenir l'actualité actuelle, s'éterniser dans son état de promeneur et de névrosé.

Pourtant, ce rien qu'elle est, nous avons à l'être, parce que nous avons le sens du possible, et qu'ainsi, à tout moment, il est vrai que j'ai des possibles. Je l'oublie, en général : c'est-à-dire qu'ils vont de soi, ils sont de simples prolongements de la réalité, des pointillés, ils font partie de l'exercice habilité de l'existence.

Mais enfin c'est cette santé qui est trompeuse, et demeure la possibilité absolue, qui déborde et rejette ces possibles atténués, recrée le vertige qui va avec elle, — dans ce présent qui joint à la possibilité de la chute la chute prochaine de la possibilité.

**

Considérons l'exemple du garçon de café[1], — plutôt que le garçon de café lui-même, qui doit avoir perdu tout naturel depuis qu'on a tant parlé de lui. Mais précisément on disait qu'il n'en avait jamais eu. Il semble bien qu'il n'a pas changé.

Il est toujours *ce* garçon de café. Singularité, sans doute, transie de généralité. Mais c'est ce qui le sauve de la contingence. Donc, il est là, universel et probablement nécessaire, là *pour* servir la clientèle. Il a une finalité. Lui ne s'embarrasse pas de possibles et ne laisse pas de passer à l'acte. Ses actes découlent de ses propriétés. Il agit (se précipite vers le client, recueille la commande avec sollicitude, porte le plateau avec

---

1. *L'Etre et le Néant* : « Considérons ce garçon de café. Il a le geste vif et appuyé, un peu trop précis, un peu trop rapide, il vient vers les consommateurs d'un pas un peu trop vif, il s'incline avec un peu trop d'empressement, sa voix, ses yeux expriment un intérêt un peu trop plein de sollicitude pour la commande du client, enfin le voilà qui revient, en essayant d'imiter dans sa démarche la rigueur inflexible d'on ne sait quel automate, tout en portant son plateau avec une sorte de témérité de funambule, en le mettant dans un équilibre perpétuellement instable et perpétuellement rompu... Toute sa conduite semble un jeu... Mais à quoi joue-t-il donc ? Il ne faut pas l'observer longtemps pour s'en rendre compte : il joue à être garçon de café. » Nous devons ajouter que nous avons rencontré des garçons de café qui ne ressemblaient pas à celui-là, et qui même étaient de parfaits goujats.

témérité) comme la définition du triangle se développe en théorèmes. Toutes ses conduites sont contenues en lui implicitement. Jamais une erreur. Il lui suffit d'ouvrir son concept, de l'analyser. Bref, on ne peut entretenir le moindre doute sur sa santé, il se porte comme l'être, il y persévère naturellement. Il n'est pas simplement empirique, il n'est pas fortuit, il n'est pas un événement ou un accident. Il ressemble à une conséquence bien déduite, il est porté à l'existence par la rationalité du réel, comme le comptoir et le percolateur.

Ainsi, nous aussi à notre place, nous n'avons qu'à consommer ces identités, nous n'avons qu'à penser : *ceci* est un garçon de café, et, si l'on veut des précisions, un garçon de café est un garçon de café, comme on peut le voir.

Tout aurait pu continuer de cette manière avantageuse si un jour le philosophe n'était rentré dans l'établissement. Par parti pris, il n'a pas voulu croire à l'existence d'un homme accordé à sa finalité comme la plante à sa forme. Contre l'évidence, il affirma : cet homme n'est pas un garçon de café. La chose fit rumeur, et celui-ci, dès lors, s'est senti comme démasqué. Il a avoué son imposture. — Ce n'est pas qu'il modifie son comportement, même légèrement ; mais il met une sorte de malignité à être ce qu'il est.

L'égalité n'est obtenue que par compensation du plus et du moins : notre homme n'est si magnifiquement garçon de café que parce qu'il ne l'est pas assez. Cette certitude que nous avons dans l'attitude qui nous est naturelle n'est pas naturelle : en fait, elle nous est imposée par le garçon de café lui-même, par son effort continu et subreptice pour la déposer en nous. Au vrai, il est un trou dans le monde. L'univers rassurant des essences où tout se laisse penser en termes d'identité et d'appartenance [1], où les Salauds pensent avoir leurs titres de propriété, repose sur sa subversion latente, sur ce fond inhumain d'existence.

Cet élément du décor, sans nullement changer, sans introduire le moindre désordre, se change en menace. Sous le regard du philosophe, au même moment, se dissout, fait naufrage, l'Homme absolument positif que le monde aurait lui-même indiqué comme son centre. Au lieu de cela, il y a le sacrifice de ce négatif, le garçon de café, pour que l'être — y compris le sien, bien sûr — soit. Il fait son service, c'est-à-dire

1. Cf. *la Nausée* : « J'étais comme les autres, comme ceux qui se promènent au bord de la mer dans leurs habits de printemps... Je pensais l'*appartenance*, je me disais que la mer appartenait à la classe des objets verts ou que le vert faisait partie des qualités de la mer »...

fait sans discontinuer la preuve de l'existence du garçon de
café. Rien ne le supporte, il faut qu'il se débrouille tout seul :
aucune nature, aucune Idée du garçon de café en soi ne vient
le soutenir ; et, quant à nous, nos préjugés sur l'essence
humaine sont révoqués en doute.

Pas de nature, pas d'Idée. Mais il faut qu'il fasse comme
s'il y en avait une ; il faut qu'il fasse qu'il y en ait une. Certes,
il existe une fonction définie, ce qu'on appelle métier, — mais
elle est générale alors qu'il est singulier, relativement nécessaire
alors que vraisemblablement il est entré quelque hasard dans
le choix de sa profession, qu'il n'était pas né pour ça, pas plus
que pour rien d'autre d'ailleurs. Elle est précisément ce qu'il
n'est pas. Elle est et il existe. Elle est un ensemble de possibilités
abstraites, formelles, que lui, comme sujet de fait, doit maté-
rialiser dans la chair de ses possibilités propres, pour qu'il y
ait, dans ce café comme dans tous, un garçon.

Ces possibles, qui ne sont pas les siens, c'est son être ; il
est confronté toujours à ces possibilités impossibles, il doit
s'abîmer dans ce qu'il n'est pas. Aucune téléologie pour prendre
soin de lui : à lui de franchir à chaque instant l'écart qui
sépare le singulier de l'universel, l'existence du concept. A lui
de jouer. A lui d'être « soi ». L'essence n'est pas un don de
nature. Elle se mérite. Elle n'est que par le sacrifice de l'existence. Elle est identité à soi. Existant, le garçon de café ne
l'est pas, et doit l'atteindre.

C'est d'ailleurs ce qu'il nous dirait si l'on pouvait recueillir
son témoignage, ou plutôt, c'est ce qu'il ne cesse de nous dire.
« Je suis, dit-il, garçon de café. » Comment le sujet, en l'occurrence la subjectivité, s'épuiserait-elle dans un pareil prédicat,
sans un mortel effort ? D'ailleurs, il faut et il ne faut pas
qu'il s'y réduise : s'il faut qu'il disparaisse dans sa fonction,
il faut bien aussi qu'un rien d'existence vienne la soutenir et
l'animer. Il ne doit pas en venir à se confondre avec l'image
qui le hante. Il se détermine donc comme n'étant pas cet
objet du monde — un garçon de café —, sans être pourtant et
sans rechercher autre chose ; il tend sans cesse à être ce qu'il
est, pour ne l'être pas. Comme sa marche est une suite de
chutes rattrapées, comme il rétablit à chaque instant l'équilibre
du plateau, il détruit l'essence du même mouvement qu'il la
réalise, parce qu'au fond elle n'est pas quelque chose qui
doive être réalisé, et que son être lui échappe dans la mesure
même où il lui est relatif, car, comme tout être, c'est un
être absolu.

Il faut donc que la non-coïncidence se maintienne toujours,
sans jamais être qualifiable (il s'agirait alors d'un manquement,

d'une faute professionnelle). Il faut qu'à la fois la coïncidence soit visée et ratée par le même sujet. Les soupçons du philosophe sont justifiés, le garçon de café est un être de mauvaise foi.

Ce qui manque au garçon de café, c'est son être objectif de garçon de café. Certes, il est bien garçon de café, et non diplomate, médecin, ou acteur de cinéma. Mais cette facticité de sa condition est pour lui insaisissable. Insaisissable, comme la mort qui réaliserait la coïncidence, où il serait enfin ce qu'il est, mourant en garçon de café et en héros de l'ontologie. Mais non : encore une fois, le décalage se reproduira : il ne saurait être alors que ce qu'il aura été, et ne sera plus. Ce n'est pas cette mort, pourtant la seule, que le garçon de café avait espérée, s'était choisie, préparait, mais une autre, une mort glorieuse, où le *pour* aurait enfin rejoint le *soi* tant servi, le figeant pour l'éternité immanent à son ego transcendant de garçon de café. Cet homme, sous nos yeux, ne cesse de mourir, il s'y obstine, sa vie est mort continuée. Pourtant, la mort viendra d'ailleurs, des ténèbres que la conscience ne peut percer parce qu'elle est lumière, incidence extérieure ultime empêchant *in extremis* la coïncidence.

Il n'est pas le seul à avoir la prénotion de la thèse sartrienne sur la transcendance de l'ego. On raconte que saint Vincent de Paul, comme on voulait l'empêcher de s'exposer aux plus grands périls pour secourir les malheureux, répondit : « Me croyez-vous assez lâche pour préférer ma vie à moi ? » La vie, dont il serait impossible de dire assez l'insuffisance, est, n'est que le moyen de faire le moi, œuvre dont l'échec est le plus grand risque ; j'y tiens plus qu'à la prunelle de mes yeux. Moi doit naître quand je mourrai. La mort, « notre active fille et servante », en retirant l'existence donne l'être. Mais justement, elle est insaisissable, elle échappe toujours, et l'être avec elle.

La passion du garçon de café continue. Elle a un caractère de dérision qui heureusement nous évite de voir trop crûment son échec. Car enfin, il perd sur tous les tableaux. Dans la mesure où il est garçon de café, il ne l'est pas. Dans la mesure où il essaie de ne pas l'être, il l'est, mais, bien sûr, il n'est pas fondement de son être. Il lui faudrait, pour cela, exister à distance de soi. Or, justement, c'est le cas. Il est en position de fonder son être, et *par là* il ne peut le faire. Il est *pour* fonder son être, garçon de café pour réaliser ce garçon de café qui serait garçon de café, mais la distance qui est à cela nécessaire est aussi infranchissable, et rend l'acte impossible. « *En ce cas, l'être soutient à l'être ses propres possibilités, il en est le fondement et il ne se peut donc pas que la nécessité de l'être puisse se tirer de sa possibilité. En un mot, Dieu, s'il existe, est contingent* [1]. » Comme Dieu, le garçon de café est en fait contingent. D'ailleurs, on le comprend, dans l'univers de la pensée sartrienne, ces distinctions n'ont plus cours, le garçon de café est l'homme, et l'homme Dieu, Dieu servant les apéritifs et ramassant les pourboires.

« *La claire vision du phénomène d'être a été obscurcie souvent par un préjugé très général que nous nommerons le créationnisme. Comme on supposait que Dieu avait donné l'être au monde, l'être paraissait toujours entaché d'une certaine passivité. Mais une création* ex nihilo *ne peut expliquer le surgissement de l'être, car si l'être est conçu dans une subjectivité, fût-elle divine, il demeure un mode d'être intra-subjectif. Il ne saurait y avoir, dans cette subjectivité, même la* représentation *d'une objectivité et par conséquent elle ne saurait même s'affecter de la* volonté *de créer de l'objectif. D'ailleurs l'être, fût-il posé soudain hors du subjectif par la fulguration dont parle Leibniz, il ne peut s'affirmer comme être qu'envers et contre son créateur, sinon il se fond en lui : la théorie de la création continuée, en ôtant à l'être ce que les Allemands appellent la « selbstständigkeit », le fait s'évanouir dans la subjectivité divine. Si l'être existe en face de Dieu, c'est qu'il est son propre support, c'est qu'il ne conserve pas la moindre trace de la création divine. En un mot, même s'il n'avait pas été créé, l'être-en-soi serait* inexplicable *par la création, car il reprend son être par delà celle-ci. Cela équivaut à dire que l'être est incréé.* » [2]

La philosophie classique considère cette chute comme l'origine et comme la cause du mal. C'est toujours la même histoire du créé qui s'arrache au créateur, se referme sur soi ou en soi, comme le livre existe indépendamment de son auteur, ou même fait l'auteur : car de celui-ci, il ne reste précisément que l'auteur, l'homme qui a fait ce livre. De même, du garçon de café il ne peut rester que le garçon de café. S'il joue à être ce qu'il est, ce n'est pas seulement, ce n'est pas d'abord, pour autrui, pour se réaliser comme « pour autrui », ou si l'on préfère sur le mode du pour autrui, c'est avant tout pour soi, pour se réaliser comme soi ou moi, pour se résorber *en soi*, donc bel et bien pour être ce qu'il est, — ce qu'il est effectivement en l'Autre, et notamment pour les autres. Il n'est pas

1. *L'Etre et le Néant.*
2. *L'Etre et le Néant.*

identique à soi, c'est-à-dire qu'il a son identité à soi en l'Autre,
elle est son aliénation. La mort est derrière lui, il la répète,
elle coïncide avec la facticité insaisissable de sa position :

« *Ce* fait *insaisissable de ma condition, cette impalpable
différence qui sépare la comédie réalisante de la pure et
simple comédie, c'est ce qui fait que le pour-soi, tout en
choisissant le* sens *de sa situation et en se constituant lui-
même comme fondement de lui-même en situation*, ne choisit
pas *sa position. C'est ce qui fait que je me saisis à la fois
comme totalement responsable de mon être, en tant que j'en
suis le fondement et, à la fois, comme totalement injustifiable.* » [1]

Le garçon de café est garçon de café et hors de cela *rien*.
Or, il ne l'est pas. C'est sa façon de l'être. Comme nous disions
plus haut, c'est à lui de faire *comme si*, avec une absolue
liberté : personne ne peut servir les consommations à sa place.
Tout s'arrête à lui, et tout y recommence, c'est pourquoi le
voilà solennel, inaugural, initiatique. Le voilà par exemple qui
empoche le pourboire : c'est un geste professionnel, un élément
objectif de sa condition. Mais va-t-il opter pour l'humilité, la
revendication, la noble indifférence, voire la condescendance ?
Quelle que soit l'attitude, elle le confirmera décidément comme
garçon de café, empochant le pourboire comme tant d'autres,
au même moment, dans tous les cafés du monde.
 La différence entre le cas du garçon de café et ceux que nous
avons précédemment cité, c'est que lui demeure finalement
dans l'imaginaire. Captivé par l'image du garçon de café, le
sens du possible n'est pas éveillé en lui (tout laisser là, jeter le
café à la tête du client). Il n'a pas de doute sur sa vocation,
il connaît sa profession. Il ne voit pas l'abîme à ses pieds.
Bref, il joue, il bluffe, il se trompe, il nous trompe, et, à
force de s'irréaliser autant qu'il peut dans ce personnage qu'il
n'est pas, il est bien réellement garçon de café, dont il n'y a
rien à dire.

*
**

On dira que ce garçon de café prend bien de la peine pour
rien. Il joue à être ce qu'il est, alors qu'il l'est, quoi qu'il
fasse. Mais on l'a dit : c'est tout homme et c'est tout l'homme.
 Le sort du consommateur, par exemple, est-il si différent ?
Il n'est pas facile non plus de boire. Je veux combler ma

---

1. *L'Etre et le Néant.*

soif, je poursuis donc une soif-comblée. Mais, la poursuivant, je la supprime, j'annule le pour-soi soiffard, et en même temps le soi de la soif qu'il projetait. Je me dépasse vers le moi-ayant bu, ayant bu ce néant qui me sépare de moi ayant bu. En un mot, il faudrait que le buvant se boive pour que s'institue sur le mode de l'en-soi la totalité bue, comme synthèse du désir et de l'accomplissement, du soi-soif et du soi sans soif. La soif a soif d'être soif comme soif sans soif. La soif s'assoiffe : elle a soif d'un soi qui ne serait ni pour-soi ni pour-soif ou pour la soif, mais la soif ne peut se remplir elle-même, elle est remplie par le boire, et, dans cette recherche toujours vaine, la soif se boit. En buvant pour constituer ma soif comme être, je la bois et pose son non-être, en même temps que je repose le verre vide sur la table. Parce qu'elle n'est pas assez, parce qu'elle est, à l'origine, un certain manque de soif, elle disparaît, sur le chemin de son accomplissement, précisément de ce surcroît de soif. En même temps qu'elle entreprend de s'éterniser ou de passer à l'être, elle se passe, se fait soif sifflée. Dans la mesure où la soif a soif de soi, où, de même, le buvant doit se boire pour être soi-buvant, il peut me sembler que je n'aurai jamais fini de boire. Je me projette buvant jusqu'au fond de l'avenir. Mais le buvant ne vient jamais à bout de se boire, reste devant son verre à demi-vide. Et, dans un instant, il sera facile de dire ce qui s'est produit : j'ai bu [1].

« La soif n'est jamais assez soif en tant qu'elle se fait soif, elle est hantée par la présence du soi ou soif-soi. Mais en tant qu'elle est hantée par cette valeur concrète elle se met en question dans son être comme manquant d'un certain pour-soi qui la réaliserait comme soif comblée et qui lui conférerait l'être-en-soi. Ce pour-soi manquant c'est le possible. Il n'est pas exact, en effet, qu'une soif tende vers son anéantissement en tant que soif : il n'est aucune conscience qui vise à sa suppression en tant que telle. Pourtant, la soif est un manque, nous l'avons marqué plus haut. En tant que telle, elle veut se combler, mais cette soif comblée, qui se réaliserait par l'assimilation synthétique, dans un acte de coïncidence, du pour-soi-désir avec le pour-soi-réflexion ou acte de boire, n'est pas visée comme suppression de soif, au contraire. Elle est la soif passée à la plénitude d'être, la soif qui saisit et s'incorpore la réplétion comme la forme aristotélicienne saisit et transforme la matière, elle devient la soif éternelle. C'est un point de vue très postérieur et réflexif que celui de l'homme qui boit pour

---

1. C'est ce que Rimbaud a appelé *Comédie de la Soif.*

se débarrasser de sa soif, comme celui de l'homme qui va dans les maisons publiques pour se débarrasser de son désir sexuel. La soif, le désir sexuel, à l'état irréfléchi et naïf, veulent jouir d'eux-mêmes, ils cherchent cette coïncidence avec soi qu'est l'assouvissement, où la soif se connaît comme soif dans le temps même où le boire la remplit, où de ce fait même du remplissement, elle perd son caractère de manque tout en se faisant être soif dans et par le remplissement. » [1].

Chaque entreprise du pour-soi s'accompagne du même fantasme et de la même stupeur, mais qui s'oublient en même temps qu'ils choient dans le passé, passent dans l'en-soi avec la gueule de bois du pour-soi. On va répétant que l'homme est « doué » de négativité, que c'est par là qu'il ne cesse d'édifier, par-delà la nature, une culture, qu'il s'approprie, par le savoir, le réel, qu'il devient lui-même en surmontant son insatisfaction fondamentale et permanente, mais on semble peu pressé de reconnaître que l'ivrogne aussi bien que l'Esprit absolu s'acquitte de ce service du pour-soi et de cette prescription de la valeur.

La condition humaine est de *faire l'homme*, comme l'enfant, par exemple, fait l'adulte : parce qu'il ne l'est pas, et aussi parce qu'il est destiné à l'être et à s'y perdre, le crée ou sert à le faire, le devient précisément ainsi. L'adolescent se sait jouer, aussi joue-t-il faux, et le sait encore. Il joue à faire l'homme, alors qu'il ne l'est pas en soi, n'est pas confirmé par l'être. C'est un adolescent, voilà tout ; et même, pour les autres, qui en parlent comme nous, l'adolescent en soi. L'adulte ne peut que néantir son être d'adulte, mais il faut qu'il l'ait ou que cet être l'ait. Est venu un temps où, les circonstances aidant, on peut assumer une fonction, on est quelque chose, garçon de café ou patron, où, comme le chef dont l'enfance est passée, on laisse pousser sa moustache. On n'est pas salaud de naissance. Devenir objectif, tout est là.

Les actes faciles, que tous accomplissent pour vivre, même les fonctions naturelles, et même ce qui est le plus facile parce que c'est la pente de toute vie, comme vieillir, constituent pour chacun l'énorme, l'écrasante difficulté de sa vie. Personne ne peut vivre à ma place. Les conduites générales sont devant moi comme des problèmes insolubles qui n'ont pas même de noms pour moi, dont je dois trouver la solution, comme je dois retrouver par moi-même les vérités permanentes de la science. Tout cela, ces rôles généraux, ces stéréotypes, il faut l'être

1. *L'Etre et le Néant.*

chacun pour soi. Comme les idéalités, selon Husserl, sont distinctes des « consciences » dans lesquelles elles se constituent, l'être, l'être diversement qualifié, l'être ceci ou cela, les moments de la vie humaine avec leurs egos objectifs, sont des choses transcendantes vers lesquelles il faut que l'homme se transcende, ou des valeurs dont la réalisation n'est pas d'avance inscrite. L'existence n'est rien sans elles qu'elle n'est pas : quand elle ne se transcenderait plus vers ces idéaux impossibles, les possibles et la réalité de tous, il n'y aurait plus même dans le présent le goût fade de soi. La seule chance de l'existence est de disparaître. Si elle reste en elle-même, son infortune est grande. Aussi faut-il que la place du sujet — qui, pourtant, devrait être au moins une fois « en personne » — soit toujours occupée par autre que lui. Toute notre existence se passe à s'épuiser dans des essences, à se cacher, à s'esquiver, et il faut une vigilance de tous les instants, sans défaut, pour s'aliéner, les autres n'y aident guère. C'est à soi seul, librement du fond de sa solitude, de redoubler d'efforts pour se fondre dans la masse des autres, afin d'être un autre que les autres comme les autres, et aussi un autre que soi, c'est-à-dire afin d'être soi, enfin pour être un homme ou, si l'on veut, pour être l'homme.

Il faut que l'homme se sacrifie à l'homme. C'est ce que nous appellerons : le sacrifice humain. Ce faisant, il obéit à une nécessité, il ne lui fait aucun don. Exister, comme disait Kant, n'ajoute rien. Qu'y a-t-il de plus dans la vie effectivement vécue que dans tout ce qu'on peut dire d'elle ? L'existence est une détermination extérieure. Exister, c'est ne pas être en soi, être pour soi. Mais exister, c'est aussi avoir à être un autre, quelque en-soi, ce qu'on est, garçon de café ou philosophe. Il me faut tendre sans cesse vers ce que je ne suis pas et ce que je ne pourrai pas ne pas avoir été, ce que je ne peux pas ne pas être. L'être du pour-soi est ailleurs, c'est pourquoi il est toujours et a à être, à récupérer cet être perdu hors de lui, est voué à s'échapper à soi puisqu'il est hors de l'être. La relation se creuse entre un *pour* et un *soi,* les sépare de la distance infinie du néant, « décomprimant » l'égalité absolue de l'être, en l'occurrence du Moi = Moi. L'altérité n'est pas extérieure au pour-soi, elle le compromet et le définit. Le pour-soi connaît l'autre que l'en-soi ignore, il connaît donc l'en-soi comme autre que lui, et son malheur est d'être relatif à l'absolu.

Ce qui manque au pour-soi, c'est l'en-soi qu'il est ; le pour-soi manque de son être pour autant qu'il l'a. Je suis par position autre que tout ce qui peut être dit ou constitué de moi, autre que tout ce que je peux en dire. Je demeure en-deçà du lan-

gage. Je reste muet, moi qui parle. La subjectivité n'est absolument rien d'objectif. On a vu l'effort du garçon de café pour
réaliser son identité à soi, son appartenance à la classe des
garçons de café et au logos universel, c'est grâce à lui que
nous sommes confortablement installés dans du sens institué,
dans un texte sans lacunes. Mais il règne là-bas, dans cette
poche intérieure du monde, un déchirant silence. La subjectivité se tait parce qu'elle est la contradiction nécessaire à
l'établissement de l'identité qui lui est extérieure. Sartre a
décrit la manœuvre de Kierkegaard [1], organisant un faux savoir
à l'aide de « pseudo-concepts », renvoyant par leur inconsistance à la subjectivité annulée dans le rapport au vrai, et qui,
là, apparaît, n'apparaît qu'un instant au moyen de cette déception que suscite l'énoncé à ne signifier rien. Sa vérité se paie
de la non-vérité. L'impossibilité du discours renvoie à sa possibilité ordinaire.

Le fantôme subjectif, tellement il est inconsistant, reste
opaque à la lumière du savoir. Car, quand même nous saurions
tout de nous, quand même n'aurions-nous plus rien à apprendre
de nous, il nous faudrait encore nous vivre, nous faire.

Ainsi la subjectivité a-t-elle tant besoin des mots. Pure effectivité, historicité, événement, non-savoir, elle est tirée par eux
comme le flot par la lune. " *Vus du sein de cette fluidité, au
contraire, les mots paraissent fixes comme des étoiles* "[2]...
Les mots proposent à sa transcendance d'être ce qu'ils disent ;
ils lui enseignent les valeurs qu'il lui faut atteindre, tout en les
montrant lointaines comme des étoiles. Les mots parlent d'être
ce qu'ils sont, formes sans matière, actes purs, invitent le
sujet à se rendre identique à leur identité, à occuper une
place d'opérateur toute positive, — mais celle-ci s'avère selon
lui n'être pas si facile à tenir, on a vu plus haut ce qu'il en
est par exemple quand *je bois*.

S'il est vrai que la subjectivité se perd dans les mots, les
mots aussi la sauvent. Témoin, ce brave M. Achille, si ravi
d'être un « vieux toqué » :

« *Tiens, c'est toi, vieille saleté, crie-t-il, tu n'est donc pas
mort ?* »
Il s'adresse à la bonne :
« *Vous acceptez ça chez vous ?* »
*Il regarde le petit homme, de ses yeux féroces. Un regard
direct, qui remet les choses en place. Il explique :*

1. Sartre, *L'Universel singulier,* dans *Kierkegaard vivant.*
2. *Situations I.*

« *C'est un vieux toqué, voilà ce que c'est.* »

Il ne se donne même pas la peine de montrer qu'il plaisante. Il sait que le vieux toqué ne se fâchera pas, qu'il va sourire. Et ça y est : l'autre sourit avec humilité. Un vieux toqué : il se détend, il se sent protégé contre lui-même ; il ne lui arrivera rien aujourd'hui. Le plus fort, c'est que je suis rassuré moi aussi. Un vieux toqué : c'était donc ça, ce n'était que ça... M. Achille est heureux comme il n'a pas dû l'être depuis longtemps. Il bée d'admiration ; il boit son Byrrh à petites gorgées en gonflant les joues. Eh bien, le docteur a su le prendre ! » [1].

Il a tout lieu d'être satisfait, il est connu, il est reconnu. Le jugement est indiscutable : cette angoisse piteuse, cette intériorité inavouable, ces pensées de crabe : affaires de vieux toqué, ni plus ni moins. De plus, il a un rôle. Tout cela constitue une matière, qui agit comme un *analogon*, lequel, animé par une certaine intention, le rend signifiant dans un monde où tout a du sens, où en tout cas il y a une classe toute formée où l'attend sa place, la classe des vieux toqués. Le réel lui fait grâce. Des vieux toqués, il y en a, il en faut. Evidemment, on pourrait dire, un existentialisme obstiné dirait que M. Achille n'est pas un vieux toqué, précisément parce qu'il l'est et peut à bon droit être dit tel, — parce que personne n'est ce qu'il est et que sa singularité est irréductible aux notions communes. Tout vieux toqué qu'il soit, il aurait assurément assez de bon sens pour refuser d'être ainsi rejeté dans le pur négatif. Bien sûr, dans le langage, on n'y est jamais que par et pour l'autre, ma détermination me reste extérieure. De même le garçon de café est extérieur à son personnage, qui commence par être une parole, — comme un sort jeté, un énoncé qui se transforme en vie, en destin, en habitude. Les hommes se cachent dans le langage. Le langage est le meilleur moyen de cacher l'homme. Il n'y a d'ordre humain possible que si s'efface ce désordre, l'homme existant, — cette saleté. Les mots du diagnostic nous transportent sous le vrai soleil, dans le monde des essences. La vie apparaît comme leur expérience, s'annule heureusement dans leur connaissance. Etre, ne fût-ce que d'un être parlé ; être quelque chose, ne fût-ce qu'un vieux toqué. M. Achille voulait simplement être positif et n'espérait pas mieux. Ainsi puis-je obtenir satisfaction dans le langage.

De même que nous réactivons les vérités établies, il semble que notre vie elle-même soit Réminiscence. Elle rétablit au

---

1. *La Nausée.*

moyen de sa transcendance la facticité d'une vie ancienne, passée, depuis toujours, articulée une fois pour toutes, comme les mots l'attestent. Réminiscence, ou paramnésie. « Le néant qui surgit au cœur de la conscience *n'est pas*. Il *est été*[1]. » Ce qu'*est* le pour-soi, il l'*était*. C'était quelque chose qu'on pouvait être, d'habituel, de reconnu, de fréquenté. Rien d'unique ou de singulier. Le temps d'une existence privée n'est que le délai nécessaire à cette confirmation, à cette vérification. Quels que soient les points d'achoppement éventuels, une vie d'homme se sera écoulée, selon le sexe et l'âge auxquels nul n'échappe. Si le pour-soi est toujours autre que ce qu'on peut dire de lui, il est et n'est que cet échappement. Qu'y aurait-il d'autre que ces choses qu'on raconte ? Etre un enfant, un adolescent, un homme jeune, moins jeune, encore étonnamment jeune. En chaque homme, se remémore en variant à peine une vie de toujours. Nous disions : devenir objectif, tout est là. Il faut que l'enfance d'un chef se passe. Ma vie a été celle d'un autre. Elle s'est passée à travers moi, s'est constituée. En même temps qu'elle passe, elle s'ordonne déjà, alors qu'elle est pourtant la mienne, au mépris de ma liberté, de ma capacité de décider et d'agir, en vie faite.

Nous ne pouvons en réaliser la facticité, mais rien d'autre ne se réalise. La facticité, dit justement Sartre, est « souvenir d'être ». Souvenir : ce que je suis, je le suis immédiatement, sans distance, et pourtant c'est quelque chose de reculé, qui appartient à un passé. Mon présent s'épuise à vouloir présentifier ce qui est un passé radical, ce qui ne peut en venir à se poser comme chose actuelle, car il est origine et comme telle inaccessible. Comme l'a dit Leibniz, notre privilège est d'avoir le *souvenir de ce que nous sommes*. Aussi le présent est-il répétition, répétition de l'effort fait pour que l'être ne soit plus un souvenir, un n'être-plus, pour qu'il soit ici et maintenant. Effort insensé, puisque dans ce cas il ne me laisserait aucune place, et que, pour que je sois, il faut qu'il ait été. L'être est passé, il appartient à une vie antérieure, et, pour en avoir une notion si exigeante, sans doute faut-il qu'en quelque temps nous lui ayons été mêlés. La vérité est la remémoration du temps où nous étions de l'être... Toujours est-il que vivre mon présent, c'est essayer de vivre ce passé. Il n'y a dans le présent qu'une trace de l'être.

Après la réminiscence viendra la paramnésie : ce sera comme si rien ne s'était passé. Le pour-soi s'efface lui-même. Ses conquêtes sont en même temps sa perte. Le pour-soi, qui n'est soi qu'en n'étant rien, mais qui ne cesse d'avoir été quelque

1. *L'Etre et le Néant.*

chose, fait revenir ou se revenir l'être dont il se rappelle. Chemin faisant, il fait un chemin, constitue un être qui s'ajoutera aux autres, aura comme eux des déterminations extérieures. Et cette vie que nous existons sans l'avoir commencée, dont la fin nous échappe aussi, la mort travaillant sans cesse à nos côtés pour les réunir, s'ordonne derrière nous comme une vie qui a commencé et qui finira, comme une vie qu'on se rappelle. L'erreur initiale est de se prendre pour soi. Celui qui se prend pour soi est pris au jeu du pour-soi, peine perdue de l'homme. Car l'homme est en soi. Il n'y a qu'un chemin pour lui.

II

L'EXISTENCE ET SON DOUBLE

> Un jeune jardinier persan dit à son prince :
> — J'ai rencontré la mort ce matin. Elle m'a fait
> un geste de menace. Sauve-moi. Je voudrais être,
> par miracle, à Ispahan ce soir.
> Le bon prince prête ses chevaux. L'après-midi,
> ce prince rencontre la mort.
> — Pourquoi, lui demande-t-il, avez-vous fait ce
> matin, à notre jardinier, un geste de menace ?
> — Je n'ai pas fait un geste de menace, répond-
> elle, mais un geste de surprise. Car je le voyais
> loin d'Ispahan ce matin et je dois le prendre à
> Ispahan ce soir.
>
> Jean COCTEAU, *le Grand Ecart.*

La vie est bien facile. Elle passe en nous quoi que nous fassions, elle s'écoule, nous fait glisser suivant sa pente. Sa tolérance est extrême. Il n'est rien que nous fassions qu'elle n'accepte, à quoi elle ne donne licence, dont elle ne fournisse les moyens. Au besoin, elle truque les délibérations de notre volonté, ayant déjà fait les choix pour nous. Nous ne devrions donc pas avoir de soucis à nous faire quant à l'existence.

La fade, l'obscène, la dégueulasse existence nous porte comme des épaves, — pourtant, il faut se faire, et en se faisant, faire. Nous sommes tenus à l'être, mais il nous faut nous y tenir : telle est la différence entre la position et la situation.

Comme la recherche de la vérité selon Aristote (on ne manque jamais l'être, on n'atteint jamais — ou presque — ce qu'on visait), vivre est le plus facile et le plus difficile. Le plus difficile, puisqu'il arrive toujours un moment où on ne le peut plus. Le plus facile, puisque jusqu'à cette limite, c'est ce qu'on ne cesse de faire. Il n'y a donc qu'à se laisser aller, voudrait-on conseiller, au lieu de souffrir pour rien. Mais là encore, nous n'avons pas le choix : l'existence nous fait nous laisser aller.

La vie donc est bien difficile. Car tout est possible à l'homme. Au moins, pour Dieu, il y a de l'impossible, parce qu'il y a ce qui le fait être Dieu, et il ne peut pas faire de miracles : il ne peut pas ne pas être Dieu. Il ne peut mentir, par exemple, puisque, comme le dit Descartes, « il n'est sujet à aucuns défauts, et n'a rien de toutes les choses qui marquent quelque imperfection. D'où il est assez évident qu'il ne peut être trom-

peur, puisque la lumière naturelle nous enseigne que la tromperie dépend nécessairement de quelque défaut »[1].

C'est là qu'intervient la différence entre Dieu et le garçon
de café. Ici, le garçon de café croit en Dieu, — s'il ne se prend
pas pour Dieu.[2]

L'homme a beau faire, il ne peut pas ne pas être l'homme.
Mais cette impossibilité ne lui impose aucune limite, ne l'aide
d'aucune détermination. Ses limites lui sont absolument extérieures : c'est son existence, sa mort, son état-civil ontologique,
absolument hors de sa portée. Quoi qu'il fasse, il ne cesse
d'être humain. Notamment, il est sujet à tous les défauts et
a tout des choses qui marquent quelque imperfection ; d'où
il est assez évident qu'il peut être trompeur, et plus encore
trompé.

Tout lui est possible, mais il ne lui est pas possible d'échapper à soi. Il ne lui est pas possible d'être sans possibles. En se
projetant vers eux, il s'enveloppe dans son propre élément.
Echapper à soi constitutivement est la plus sûre manière de
rester enfermer en soi ; c'est se réaliser. Il est chez lui partout,
il ne s'égare jamais, mais aussi jamais il ne se trouve. L'inhumain même est comme une de ses inventions, ou de ses
simulations ; il est comme l'horizon qui n'est pas une propriété
objective du paysage, mais la marque du rapport qu'il entretient avec le regard. L'homme compose avec sa limite. Sa
transcendance même le condamne au supplice de l'immanence[3].

C'est que Dieu est un concept, et l'homme est réel ; aucun
concept ne lui correspond. Pas de nature : il ne peut donc se tenir
à l'écart, exclu de soi. Tout ce qu'il fait s'inscrit simplement
dans son histoire. N'ayant pas de possibilités déterminées, il
est décidément voué à l'impossible. Rien ne l'arrête, mais rien
l'arrête. La limite, pour n'être nulle part, est partout, et le
vertige toujours imminent. Aussi préfère-t-il se dérober au
regard de Dieu — qui ne voit que ce qu'il y a — et se réfugier
une fois pour toutes dans le non-être, élire domicile dans le
néant comme au lieu de son anti-nature. En tant qu'homme,
il loge là : il ne se réduit plus à l'idée du créateur, enfin il
existe. Ainsi se constitue, par surcroît, l'infiniment infini,
l'Etre auquel s'ajoute la restriction. Mais cet infini négatif, qui
comprend le néant, n'est pas un objet de pensée, ne se connaît
ni ne se prouve.

Par le savoir, il essaie bien de s'objectiver, de se savoir, en

1. Descartes, *Méditations métaphysiques*.
2. Est-il besoin de le dire, Dieu, s'il existait, ne croirait pas au
garçon de café.
3. *Situations I*.

trouvant quelque vérité capable de le faire patienter. Mais justement, il ne peut se voir du dehors ; non qu'il ne puisse glisser d'aventure hors de soi, mais parce que ce serait encore son regard, même chargé d'inhumanité féroce, qu'il porterait sur soi.

Sartre écrivait dans *Situations I* :

« *On avait de grandes ambitions inhumaines, on voulait atteindre, en l'homme et hors de l'homme, la nature sans les hommes, on entrait à pas de loup dans le jardin pour le surprendre et le voir enfin comme il était quand il n'y avait personne pour le voir.* »

Mais cette méchanceté du positivisme est en fait bien naïve...

« *J'ai connu une petite fille qui quittait son jardin bruyamment puis s'en revenait à pas de loup pour « voir comment il était quand elle n'était pas là.* [1] »

Vingt-cinq ans plus tard, Sartre décide de constituer un savoir de l'homme, mais pose comme condition de le faire reposer sur le non-savoir :

« *L'anthropologie ne méritera son nom que si elle substitue à l'étude des objets humains celle des différents processus du devenir-objet. Son rôle est de fonder son savoir sur le non-savoir rationnel et compréhensif...* » [2].

C'est en fait une vraie dérision que le savoir. On pourrait en dire, ni plus ni moins, *mutatis mutandis*, ce que nous disions plus haut du boire. On pourrait même ajouter que mieux vaut boire, et que le buveur en sait davantage sur l'être que le savant avec ses grandes ambitions objectivantes. Le savoir relève d'une valeur qu'il ne constitue pas. Il est incapable d'engendrer sa propre généalogie, de se comprendre lui-même, il ne se sait pas lui-même. Savoir se savoir, tel est le vœu irréalisable du savoir. Sa condition, c'est précisément le manque de savoir qu'il prétend exorciser. Il n'est qu'une manière plus sophistiquée, plus ambitieuse et plus naïve que les autres de ne pas savoir.

Ce qu'il faudrait savoir, pour vraiment savoir, c'est la valeur du savoir qui n'a pas d'existence positive et qui rend négatif le savoir constitué. Comme le boire, le savoir illustre le débat

1. *Situations I.*
2. *Critique de la Raison dialectique.*

sans fin du pour-soi et de la valeur, il est pris dans ce tourniquet qui fait l'être négatif et le néant positif. Le fond du problème, c'est qu'il y a donc un antagonisme insurmontable entre le savoir et la subjectivité. Si je sais, j'ignore comment, ou j'ignore qui sait. Le savoir en lui-même est projection vers un soi futur, guéri de tout appétit de savoir : savoir coïncidant avec soi et délivré de sa source. Là encore, on cherche donc l'abolition du négatif, la coïncidence, l'absolution. On peut appeler cela vérité. Mais le vrai, en se développant à travers la subjectivité, la supprime : elle disparaît en même temps qu'elle s'accomplit, à mesure que le savoir s'égale à la vérité. C'est dire qu'il ne s'accomplit jamais vraiment : comment pourrait-il se libérer de cette subjectivité originaire, à laquelle nous nous avons reconnu plus haut une fausseté de principe en même temps qu'une vérité indéterminable ? Bref, le savoir ne peut être au mieux qu'une autre forme de l'oubli. Et si nous voulons nous en tenir à l'existence, et considérer sa vérité comme indépassable, il faut nous résigner à tout ignorer d'elle.

Tout part de cet incroyable redoublement : l'existence existe ; tout existe, à l'absolu, et il nous faut exister. L'existence s'augmente d'une relation à l'existence qui est existence elle aussi. Que peut-elle être, celle-là, qui ne se réduit pas à l'être brut de l'existence ? Elle s'y rapporte comme à l'absolu, comme au terme de son projet, et donc, quant à elle, n'est que le processus de son annulation. Elle est ce qui lui manquerait s'il pouvait lui manquer quelque chose, elle est le manque qui lui manque, et comme il ne lui manque rien, elle est ce rien. Ce qui s'ajoute à l'existence et du même coup s'en retranche, ce ne peut être que rien. Car il n'y a rien, sinon l'être.

L'intuition de l'existence ne dissocie pas celle du monde et de la nôtre, la facticité et la transcendance, dans la mesure où elles se touchent, ne sont séparées par rien. Cette détermination ambiguë est sa feinte niaise. Il n'y a de transcendance qu'à partir de la facticité, car il faut bien partir de quelque part, de quelque être, et moi-même, à l'origine comme à la fin, il reste que je suis un être. Mais aussi cet être n'apparaît que rétrospectivement, c'est moi qui le fais être. L'en-soi *existe* le pour-soi, puisque celui-ci n'est rien que son propre effacement. Inversement, le pour-soi *existe* l'en-soi dont il fait son expérience. Sa vie s'en nourrit, il le nourrit de sa vie. La facticité est chose faite, elle est aussi factice. La subjectivité est faite existence ; mais elle fait exister.

L'existence est ce chiasme, ce paradoxe, cette confusion, parce que j'existe.

J'existe : ce *je*, cet invraisemblable supplément, cette inat-

tendue superfétation, est l'indice ou l'épicentre de la néantisation, unique événement de l'être.

L'énoncé est inouï. L'existence n'est pas un prédicat, et le
sujet est existant. Le sujet ne saurait s'épuiser dans le prédicat
sans disparaître ; mais l'effet est le même, car il a à le faire
et ne fait rien d'autre, puisque le prédicat est l'être, et parce
que le sujet n'est pas substance, n'est rien.

Il n'y a pas seulement l'existence pourtant, il y a aussi
un existant. S'il doit exister, il faut qu'il soit par quelque
côté irréductible à l'existence. Il faut qu'il ne se contente pas
d'exister, il faut aussi qu'il n'existe pas. Au point que sans
moi, l'existence est inconcevable. Il n'y aurait personne pour
concevoir et rien à concevoir. Le tout n'est tout que par rien.
L'existence requiert une inexistence.

Ce n'est pas tout. Puisqu'il est manque, cet existant, l'être,
sans y être pour rien, l'investit d'un désir. De son propre désir,
qu'il ne pouvait mettre ailleurs. Etre soi : tel apparaît le désir
de l'être, qui n'affecte pas l'être certes, mais qu'assume le
pour-soi.

Garçon de café ou philosophe, je suis tenu à l'être, mais il
faut s'y tenir, car, si nous lui appartenons, il n'en est pas
moins hors de nos prises comme un souvenir. J'ai à être ; à
rejoindre ce qui est, comme ce que je suis. Il y a un être qui
existe l'existence au lieu d'y reposer tranquillement.

Par le fait, il se trouve emprisonné dans une sorte de téléologie. Il faut transcender l'existence vers ce qu'elle est... Etant
le corrélatif de l'en-soi, il est l'en-soi devenu pour-soi afin
d'être en-soi pour-soi. L'être l'a choisi comme son instrument
pour se fonder, avoir sa raison d'être. Pour être l'être, l'être
s'augmente d'un néant qui le détermine. L'inessentiel lui est
essentiel. En l'existant, l'existence veut s'exister. Il est sa chance.
Alors, vivre, au lieu d'aller de soi, lui demande à s'accomplir,
réclame de lui un effort inutile et nécessaire.

S'être, tel serait le projet de l'être. L'en-soi est l'adéquation
sans la subjectivité. Dans le cas du pour-soi, comme il est
visible, le soi n'est que visé. Ce qu'il faudrait atteindre, serait
la jonction de la différence et de l'identité, une vacillation
stable, une inquiétude pour ainsi dire assurée.

Mais c'est déjà à tort qu'on parle d'en-soi. Il nous semble
que l'être, à travers nous, se rapporte à lui-même, et du même
coup se sépare de soi, c'est-à-dire produit le soi et en fait une
tâche irréalisable. Le soi est l'abîme ouvert dans le pour-soi,
dans la présence à soi qui s'est constituée, la distance « dans »
le pour-soi est à la fois nulle et infinie, puisqu'elle est distance
à l'être, et le trait d'union est comme la suture d'une plaie

absolument béante. Sartre appelle « acte ontologique » l'accident ou la chute auxquels il faut remonter pour essayer d'expliquer cette étrange situation.

> « *Ainsi, le néant est ce trou d'être, cette chute de l'en-soi
> vers le soi par quoi se constitue le pour-soi. Mais ce néant ne
> peut « être été » que si son existence d'emprunt est corrélative
> d'un acte néantisant de l'être. Cet acte perpétuel par quoi l'en-soi
> se dégrade en présence à soi, nous l'appellerons acte ontologique.
> Le néant est la mise en question de l'être par l'être, c'est-à-dire
> justement la conscience ou pour-soi. C'est un événement absolu
> qui vient à l'être et qui, sans avoir l'être, est perpétuellement
> soutenu par l'être* [1]. »

Cet acte n'est acte de personne. Il n'est pas acte de l'être
bien sûr, qui n'est en rien susceptible d'agir, ni du sujet qui
l'a à son passif. Il n'y est même pas présent, puisque c'est de
cet acte qu'il reçoit sa propre présence. Quel que soit par la
suite son effort continuel, qui d'ailleurs en procède, pour s'ins-
taurer comme cause de soi, il ne pourra annuler les effets de
son absence à l'acte même qui le constitue. Quelle que soit la
liberté dont il s'emploiera à faire preuve, il reste que le sujet
est contraint à être sujet par un acte dont il n'est aucunement
auteur et où il ne fait pas même acte de présence. Il restera
qu'au commencement, par une inadvertance irréparable, il a
fait défaut. Là encore le garçon de café s'aperçoit qu'il n'est
pas Dieu, en qui acte et sujet coïncident. — Ainsi la conscience
ou pour-soi ne fait jamais que simuler d'être sa propre cause.
Elle se sait elle-même comme venant d'ailleurs. Causée comme
être, elle se cause comme n'étant pas, néantise son existence
pour la reprendre à son compte. Bref, l'acte n'a besoin d'aucune
conscience ni d'aucun sujet pour être acte et pour être constituant. C'est littéralement un acte pur [2]. C'est uniquement dans
la mesure où le sujet manque à lui-même dans cet acte constitutif qu'il peut, à la différence de Dieu, lui arriver quelque
chose, à partir de là. Je suis suscité par un acte où je ne suis
pas et où je ne suis pour rien. J'étais déjà là : il n'empêche
que ni le *je* transcendantal ni la conscience irréfléchie ne
peuvent suffire à récupérer dans la seconde cette *première fois*,
cette *autre fois*. Le pour-soi, comme dit Sartre, est *toujours déjà
né*, mais il *est né*, a été contraint à être pour soi, placé d'emblée
par-delà l'activité et la passivité, écartelé. Bref, tout peut être

---

1. *L'Etre et le Néant.*
2. Ces thèmes anticipent sur la théorie du sujet ultérieurement développée par Lacan.

ramené en face du « je pense », sauf sa propre existence *de fait*, irréductible reste.

Cet acte est création continuée, cause qui m'a produit et qui me conserve, instant par instant. Sartre d'ailleurs se réfère explicitement à la pensée cartésienne :

« *Cette saisie de l'être par lui-même comme n'étant pas son propre fondement, elle est au fond de tout* cogito. *Il est remarquable, à cet égard, qu'elle se découvre immédiatement au* cogito *réflexif de Descartes. Lorsque Descartes en effet veut tirer profit de sa découverte, il se saisit lui-même comme un être imparfait, « puisqu'il doute ». Mais, en cet être imparfait, il constate la présence de l'idée de parfait. Il appréhende donc un décalage entre le type d'être qu'il peut concevoir et l'être qu'il est. C'est ce décalage ou manque d'être qui est à l'origine de la seconde preuve de l'existence de Dieu. Si l'on écarte en effet la terminologie scolastique, que demeure-t-il de cette preuve : le sens très net que l'être qui possède en lui l'idée de parfait ne peut être son propre fondement, sinon il se serait produit conformément à cette idée. En d'autres termes : un être qui serait son propre fondement, ne pourrait souffrir le moindre décalage entre ce qu'il est et ce qu'il conçoit, car il se produirait conformément à sa compréhension de l'être et ne pourrait concevoir que ce qu'il est. Mais cette appréhension de l'être comme un manque d'être en face de l'être est d'abord une saisie par le* cogito *de sa propre contingence. Je pense donc je suis. Qui suis-je ? Un être qui n'est pas son propre fondement, qui, en tant qu'être, pourrait être autre qu'il est dans la mesure où il n'explique pas son être.* » [1]

Comme chez Descartes, le sujet s'apparaît comme n'étant pas ce qui le fait être. Chez Descartes, je ne suis pas Dieu, chez Sartre, je ne suis pas l'être, c'est-à-dire que ce n'est pas seulement la perfection qui me fait défaut, mais l'existence elle-même. Ce sont là mes causes, qui m'ont créé et me conservent comme malgré moi. Il faut même que je sois comme n'étant pas pour que Dieu ou l'être soient. Bref, le sujet est mis en place par un événement qui n'est pas de son ressort ; il est né ; là où il se détermine originairement, il n'est pas en acte, et quels que soient les pouvoirs dont son histoire ultérieure le parera, il restera tributaire d'autre chose.

Si l'être, vraiment, a voulu se fonder, avoir une raison, il a fait un faux calcul ; il a commis une erreur, c'est-à-dire un

_____
1. *L'Etre et le Néant.*

non-être. Le pour-soi est la bévue ou le tort de l'être. Le décollement de l'être par rapport à soi, vers soi, pour soi, est ce qui fait le soi, et ce qui le rend, comme être, impossible. L'être ne peut *se* fonder, il ne peut que se dégrader en pour-soi, auquel il ne peut arriver que de retomber dans l'en-soi. L'homme — si l'on veut bien nous permettre d'employer ici ce mot — est à la fois le manque et le supplément. Il ajoute à ce qui ne manque pas, c'est ce qu'il ajoute qui manque plutôt. Il est le suppléant de l'être, convoqué par erreur, n'ayant aucun remplacement à effectuer, aucune place n'étant vacante. Supplément nul, et non avenu. Je suis un manque (comme non-être) qui ne manque pas, puisque l'être est l'être.

Il reste de ceci que l'existence englobe l'être et le néant. L'être est partout, mais aussi il n'est nulle part. Le néant n'est nulle part, mais il est aussi partout. L'être et le néant sont la même pensée, la pensée de l'existence. Tout est : rien n'est. C'est par l'existence, disions-nous, que l'existence existe : soit comme facticité, soit comme transcendance. La facticité fait exister la transcendance et inversement. Dans l'un et l'autre cas, l'existence implique la même critique ou la même relativisation de l'essence. Aucune définition ne leur correspond, de même qu'on ne définit ni l'être, ni le néant. L'une et l'autre disparaissent. L'existant n'est pas un ensemble de traits identifiables, réunissant des possibilités : c'est un oubli, une négligence, un retard : il a à être, à se mettre à jour, il n'est jamais ponctuel. Contrairement à l'existence factice, qui, elle, se réduit à un point indéterminable, en même temps que, du même coup, par le même événement primordial et absurde, elle devient antérieure, passée.

Il y a donc l'existence comme facticité et l'existence comme transcendance. Comme l'une n'est pas le fondement de l'autre, il faut dire qu'elles se fondent mutuellement. L'existence est dans chacune de ses régions absolue. L'existence de la conscience ainsi ne fait place qu'à elle-même, choisissant ses possibilités au lieu d'être choisie par elles.

« *Or la conscience se saisit d'abord dans son entière gratuité, sans cause et sans but, incréée, injustifiable, n'ayant d'autre titre à l'existence que ce seul fait qu'elle existe déjà. Elle ne saurait trouver hors d'elle des prétextes, des excuses ou des raisons d'être, puisque rien ne peut exister pour elle si d'abord elle n'en prend conscience, puisque rien n'a d'autre sens que celui qu'elle veut bien y attacher.* »[1]

1. *Baudelaire.*

L'en-soi nous submerge, certes, tout est investi par l'être, mais la conscience est cœxtensive à l'être. Le monde n'est rien d'autre que ce dont nous avons ou pouvons avoir conscience.

L'existence est conscience, d'abord parce que le seul mode possible d'existence pour une conscience, c'est l'existence absolue. Tout s'y passe. Elle s'approprie ce qui n'est absolument extérieur que pour et par elle.

« *Cela veut dire aussi que le type d'être de la conscience est à l'inverse de celui que nous révèle la preuve ontologique : comme la conscience n'est pas* possible *avant d'être, mais que son être est la source et la condition de toute possibilité, c'est son existence qui implique son essence... Et c'est en vain qu'on tenterait d'invoquer de prétendues* lois de la conscience, *dont l'ensemble articulé en constituerait l'essence : une loi est un objet transcendant de connaissance ; il peut y avoir conscience de loi, non loi de la conscience. Pour les mêmes raisons, il est impossible d'assigner à une conscience une autre motivation qu'elle-même. Sinon il faudrait concevoir que la conscience dans la mesure où elle est un effet, est non consciente (de) soi. Il faudrait que par quelque côté, elle fût sans être conscience (d') être... En fait, l'absolu est ici non pas le résultat d'une construction logique sur le terrain de la connaissance, mais le sujet de la plus concrète des expériences. Et il n'est point relatif à cette expérience, parce qu'il est cette expérience. Aussi est-ce un absolu non-substantiel... La conscience n'a rien de substantiel, c'est une pure « apparence », en ce sens qu'elle n'existe que dans la mesure où elle s'apparaît. Mais c'est précisément parce qu'elle est pure apparence, parce qu'elle est un vide total (puisque le monde entier est en dehors d'elle) c'est à cause de cette identité en elle de l'apparence et de l'existence qu'elle peut être considérée comme l'absolu.* »[1]

La conscience ne tolère rien d'extérieur, elle prend l'événement en charge. Elle est tout ce qui arrive. Il n'y a rien en elle et il n'y a rien qui ne soit en elle. Elle ne reçoit rien qu'elle ne se donne. Aucun don ne lui est fait qu'elle ne se fasse. La subjectivité est infinie en son genre, elle ne saurait rencontrer l'objectif en son sein. Elle n'est pas relative même à l'existence, ou cette relation, elle l'enveloppe. Il n'y a rien qui existe d'abord et qu'elle viendrait éclairer ensuite. Elle est l'absolue contemporaine. Elle diffère radicalement de la connaissance, elle-même s'ignore, ne venant pas éclairer, plus spécialement qu'une autre, sa propre existence. Ou elle est absolument liée à

1. *L'Etre et le Néant.*

l'existence, n'en est pas divisible. Ainsi, par exemple, elle est « ce monde difficile », « hostile » ou « favorable », elle est la manière dont le monde se présente à moi : rien, donc, comme un « je trouve le monde difficile » etc. « *Le Je Pense apparaît sur un fond d'unité qu'il n'a pas créé* »[1]. Ainsi, le plaisir auquel la conscience *s'ajoute* n'est plus le plaisir, c'est la conscience-du-plaisir. Il faut voir que pour Sartre, la conscience se précède toujours elle-même, et toute *prise de conscience* s'effectue sur la base d'une conscience préexistante, ou plutôt de son existence absolue. Il y a d'abord une sorte de conscience-zéro (qui n'est *rien* que ce dont elle est conscience), condition de toutes les autres : si bien qu'en ce sens aussi la conscience est infinie, car à une conscience réflexive on peut toujours, en droit, en ajouter une autre, elle se relance elle-même indéfiniment. Avoir faim, par exemple, c'est avoir conscience d'avoir faim, mais cela n'implique que le rapport à soi constitutif de la conscience, *antérieurement* à la réflexion qu'il rend possible : ainsi, c'est « *voir les pains, les viandes briller d'un éclat douloureux aux devantures des boutiques* », ou encore c'est être « *jeté dans le monde de la faim* ». Pareillement, le désir est conscience, c'est-à-dire que désirer c'est voir-une-femme-désirable, selon la totalité indécomposable de la perception[2]. Pour mieux se faire comprendre, Sartre, dans *l'Etre et le Néant*, écrit par exemple la conscience (de) soi ou la conscience (du) monde. On pourrait même aller plus loin et écrire simplement : il y a (conscience de) soi, (conscience du) monde. Mais dire par exemple : la croyance est (conscience de) croyance, ce n'est aucunement une tautologie ni un jugement d'identité : la différence est au contraire radicale.

Il n'y a aucune possibilité de la conscience, sa réalité est radicale. Il ne lui appartient pas d'être ou non conscience : elle a toujours été déjà instituée. Elle est le plaisir ou la peine, ou l'attention ou la réflexion, non sur le mode d'un quelconque savoir, mais sur le mode de l'événement concret, exclusif. Si bien que ce non-savoir, à sa façon, sait tout (et plus que le savoir qui n'en sait pas long). Elle n'a rien à apprendre, puisque tout sens s'origine en elle. Il y a de quoi s'irriter : car on prend conscience aussi que c'est une illusion. Celle-ci donc se dé,-place, est elle-même illusoire. Si la conscience est illusion, elle est l'illusion par et pour laquelle il y a des illusions. Elle est fausse illusion. Elle est ce qui donne à l'illusion le peu de réalité qui lui est nécessaire pour être illusoire. On peut encore

1. *La Transcendance de l'Ego.*
2. *Situations I.*

ajouter qu'elle s'affecte elle-même de ses qualités : triste, joyeuse, coupable, antisémite, etc., qualités qui lui viennent d'ailleurs, sans doute, mais elle se fait le fondement de ce dont elle n'est pas l'origine, à défaut de pouvoir s'affecter de son être, ce qui est son utopie, son futur. Bref, on ne peut pas dépasser vraiment le « point de vue » de la conscience, comme on a dit, car le point de vue est point de conscience. Merleau-Ponty demande comment, ainsi définie, la conscience de Sartre une fois qu'elle est engagée dans le sommeil, pourrait en sortir [1]. La réponse est simple et connue : en se réveillant.

*
**

Certes, tout est nature. Tout est fait, jusqu'à notre intérieur, jusqu'à nos pensées, de la même chair.

« *Ma pensée, c'est* moi : *voilà pourquoi je ne peux pas m'arrêter. J'existe par ce que je pense... et je ne peux pas m'empêcher de penser... Les pensées naissent par-derrière moi comme un vertige, je les sens naître derrière ma tête... si je cède, elles vont venir là devant, entre mes yeux — et je cède toujours, la pensée grossit, grossit, et la voilà, l'immense, qui me remplit tout entier et renouvelle mon existence... Le cœur existe, les jambes existent, le souffle existe, ils existent courant, souffrant, battant tout mou, tout doux... l'existence prend mes pensées par-derrière et doucement les épanouit par-der-rière...* [2] ».

La nature est derrière et devant nous, avant nous, partout autour de nous. Nous grouillons en elle, parmi tout ce qui grouille, fœtus avortant en son sein. Tout effort est vain pour se déprendre de cet être absolu, de cette densité qui nous transit, dont la morne turgescence se poursuit en nous.

« *Cette énorme fécondité molle, il a surtout horreur de la sentir en soi-même. Pourtant la nature est là, les besoins sont là, qui le « contraignent » à les assouvir. Il suffit de relire le texte que nous avons cité plus haut pour voir que c'est avant tout cette* contrainte *qu'il déteste. Une jeune Russe prenait des excitants lorsqu'elle avait envie de dormir : elle ne pouvait consentir à se laisser envahir par cette sollicitation sournoise et irrésistible, à se noyer tout à coup dans le sommeil, à n'être plus qu'une bête qui dort.* » [3]

1. Merleau-Ponty, *Résumés de Cours.*
2. *La Nausée.*
3. *Baudelaire.*

« *Du physiologique, elle appelle ça. Elle a horreur du phy-siologique, chez elle et chez les autres... C'est sincère, dit Mathieu. Elle reste des jours entiers sans se nourrir, parce que ça la dégoûte de manger. Quand elle a sommeil, la nuit, elle prend du café pour se réveiller.* » [1].

Mais, quels que soient les artifices dont il use et s'use, quel que soit le néant qu'il essaie de créer en lui, condition de son être, l'existant n'en est pas moins gavé d'existence. L'exis-tence s'étend à perte de vue devant lui. C'est la mer (côté facticité) et c'est le mal de mer (côté transcendance). Nous ne pouvons réagir que par le dégoût, la nausée. Mais cet écœurement, c'est plus que jamais nature ; il est écœurant. C'est la nature qui s'écœure en moi. J'ai la nausée : je ne suis pas ma nausée. Ma nausée redouble de n'être pas ma nausée.

Ma nausée existe. Elle est une preuve supplémentaire de l'existence. En voulant rejeter la nature, nous nous réduisons plus sûrement à elle. C'est le cas, en particulier, quand il s'agit de suicide. Evidemment, il pourrait sembler que je me fais effectivement cause de moi-même en me créant comme néant, que cette fois je ne suis redevable en rien de l'être, et que, comme on le disait plus haut, le sujet va apparaître dans et par sa disparition même. Mais non moins évidemment, c'est pour retomber de tout mon haut dans l'être. L'émanci-pation totale est reddition sans conditions. La transcendance exacerbée restaure une facticité inentamée. L'absolu de la déna-turation ramène à l'absolu de la nature.

« *Je rêvais vaguement de me supprimer, pour anéantir au moins une de ces existences superflues. Mais ma mort même eût été de trop. De trop, mon cadavre, mon sang sur ces cailloux, entre ces plantes, au fond de ce jardin souriant...* » [2].

L'existence du monde et la mienne, sans se confondre, sans n'en faire qu'une seule, se touchent, rien ne les sépare. Aussi peut-on renverser tout ce qui a été dit, car comme tout est nature, tout est conscience. La nausée est cette culmination spontanée de la facticité et de la transcendance. On dira alors : ce n'est pas la nature en moi qui s'écœure. Dirai-je le contraire, je le dirai. Ce serait encore faire sa place à l'incroyable *je*. Ce n'est pas la nature en moi qui s'écœure : c'est moi qui fait

1. *Le Sursis.*
2. *La Nausée.*

que la nature en moi s'écœure. Ou, pour parler simplement, comme plus haut : j'ai la nausée.

L'existence naturelle ou l'existence de fait enveloppe la subjectivité, bulle dans son protoplasme, — ce qui suscite, et ce que confirme, la nausée —, mais la subjectivité est constituante, elle n'est rien, mais elle est tout, elle fait exister. Puisque enfin, l'être n'est tout que par rien, n'est un que redoublé.

C'est ici que l'en-soi, pour nous, va faire difficulté. Parler d'existence en soi, même, va constituer un problème. Certes, on peut dire que celle-ci se présente comme une évidence à la réflexion.

« Je regarde cette feuille blanche, posée sur ma table ; je perçois sa forme, sa couleur, sa position. Ces différentes qualités ont des caractéristiques communes : d'abord elles se donnent à mon regard comme des existences que je puis seulement constater et dont l'être ne dépend aucunement de mon caprice... Elles sont présentes et inertes à la fois. Cette inertie du contenu sensible, qu'on a souvent décrite, c'est l'existence en soi. » [1]

Mais précisément, il s'agit d'une évidence réflexive, là où on est en droit d'attendre autre chose. En effet, il s'agit de reconstituer notre situation première dans l'être, notre expérience elle-même, pré-réflexive. Pareillement, on peut reprocher à Sartre d'avoir construit, dans l'Etre et le Néant, le concept d'en-soi. Comme concept aussi, l'en-soi est injustifiable. On pourrait dire que l'en-soi est posé par Sartre comme la matière est niée chez Berkeley : comme ce qui est vu comme n'étant pas vu, ce qui est conçu comme n'étant pas conçu, inséparable de ce qui est vu et conçu, — et radicalement autre (c'est-à-dire, qui n'est pas du vu inactuel, du visible). Sartre montrerait comment Hylas l'emporte sur Philonous, dans la mesure où il ne s'en laisse pas persuader [2], parce que nous gardons un

---

1. L'Imagination.
2. Cf. Berkeley, Trois dialogues entre Hylas et Philonous. Sartre voulant montrer par là que c'est moi qui recrée la signification même qui existe, a souvent dit à propos de l'écriture que sans moi il n'y aurait que des taches noires sur des feuilles blanches. C'est trop ou trop peu : en toute rigueur, on peut dire que ces taches n'existeraient même pas, car c'est moi qui les imagine en ce moment, comme ce qui est quand je n'y suis pas, de même que Berkeley convient qu'un désert absolu peut bien exister en l'absence de tout témoin — sauf de moi-même qui y pense précisément maintenant pour réfuter l'idéalisme de l'esse est percipi. Ces taches noires existent tout au plus pour l'analphabète, qui, comme le berger du Sursis, sait très bien qu'il s'agit d'autre chose.

lien indéfectible d'amitié, même chargé d'ambivalence, avec
la matière. N'est-ce pas d'ailleurs cette notion d'existence en
soi qui évite à Sartre de tomber dans l'idéalisme pur ? Son
dessein est en effet de constituer une philosophie qui, établissant la conscience comme absolu, n'en soit pas pour autant
« immatérialiste ». Il y a donc lieu de remarquer que dans
l'introduction de *l'Etre et le Néant* où il met en place ses
concepts   fondamentaux,   Sartre   s'institue   en   critique   de
Berkeley. L'être, dit-il, n'est pas réductible à l'être perçu ou
au percevoir, au percipi ou au percipere. Il y a d'abord existence du percipere : la conscience n'est pas la connaissance,
s'opposant l'objet, son être-conscience est primordial. D'autre
part, la conscience implique un *autre* que soi. Mais l'autre,
par cela qu'il est l'autre, et bien que ce soit comme sa vocation,
ne peut être l'absolument autre. Ainsi, l'en-soi, l'autre pour
moi, est le même que moi : cela se voit en ceci que, comme
nous l'avons déjà dit, l'existence s'équivaut en-deçà de l'opposition construite du sujet et de l'objet comme si elle formait
une seule trame. Sartre reconnaît un mode d'être « transphé-
noménal », qui est plus supposé que vraiment posé, en tout cas
inféré du phénomène. L'être en soi, c'est le phénomène d'être
en tant qu'il implique le transphénomène comme être en soi.

Si on laisse de côté cette procédure qui le fait apparaître,
qu'est-ce d'ailleurs que cet être dont on nous dit qu'il est « en
soi » ? Il est tout et rien, comme la conscience. Il est tout,
bien sûr, puisqu'il est l'être même. Il n'est rien, puisqu'il est
ce qui est néantisé par la conscience, ce qui est illuminé par
le projet signifiant du pour-soi, et qui ne se donne donc jamais
comme en-soi, mais comme décors ignobles, provinces abjectes,
ou charmantes moisissures.

Le mieux qu'on pourra dire, c'est que l'en-soi est un point
ou qu'il y a *point d'en-soi*, comme il y a, dans la physique,
point de matière, et autrement, comme il y a la position irréductible à la situation, le fait au sens, comme il y a finalement
la mort, — insaisissable, immatériel, irréel.

Ou alors, il est une abstraction, une signification vide, faisant
le vide de toutes les significations vécues, qui, loin d'être immédiate, suppose l'élimination de toutes les différences de
l'expérience.

Pourtant, il n'en est pas comme de l'Etre hégélien, il ne passe
pas immédiatement dans le néant. Il faut qu'il soit pour que le
pour-soi le néantise et soit à son tour, puisque le néant n'opère
que sur fond d'être : il est la seule opération possible de
l'être sur lui-même, par rapport à soi, celle qui justement
introduit le mirage de soi. Le néant est la faveur que l'être

se fait, tandis que le sujet naît en marge de la logique. Pour que le pour-soi soit environné de ce qui correspond à son projet, pour qu'il se reconnaisse dans un monde qui soit le sien, il faudrait cette rencontre oubliée, supposée.

Certes, notre vie s'écoule naturellement dans un milieu différencié, et n'a pas de rapport à l'être massif. Mais la différence est la synthèse, un mélange de l'être et de néant, peut-être peut-elle être ramenée à ce clivage primordial.

Nous parlons d'un monde différencié, qui est notre monde. Or, c'est un monde fragile, menacé de destruction, dans la mesure même où il résulte d'une construction, comportant par là en son être la probabilité du non-être.

L'être n'est pas fragile ; mais *un* être, mais *les* êtres. « *Ainsi, c'est l'homme qui rend les villes destructibles, précisément parce qu'il les pose comme fragiles et comme précieuses et parce qu'il prend à leur égard un ensemble de mesures de protection. Et c'est à cause de l'ensemble de ces mesures qu'un séisme ou une éruption volcanique peuvent détruire ces villes ou ces constructions humaines... Il faut donc bien reconnaître que la destruction est chose essentiellement humaine et que c'est l'homme qui détruit ses villes par l'intermédiaire des séismes ou directement, qui détruit ses bateaux par l'intermédiaire des cyclones ou directement.* » [1]

L'homme n'est pas la cause de l'être des villes, dans la mesure où c'est de l'être ; mais de leur non-être qui accompagne l'être pour le spécifier. Par là, du moment qu'il construit, il a en vue la possibilité de détruire, en fomente le projet, dût-il employer à cet effet le cyclone ou le séisme. Du point de vue de l'être, le non-être, même le non-être relatif de la destruction est impensable, il n'y a rien que de l'être et rien n'est pensable. Aussi peut-il sembler que l'être différencié se différencie sur fond d'en-soi, inséparablement de l'opération du pour-soi, que, donc, l'en-soi, pour être occulté par ces différences, n'est cependant pas exclu de notre expérience fondamentale. L'existence se dissimule, aussi bien l'existence brute, la pure et simple existence, que le projet du pour-soi revêt de significations : cette existence-là, quant à elle, se dissimule sa propre opération de signification. Donc est oublié ce face-à-face, d'ailleurs irreprésentable, de l'existence et de l'existence. Mais son rapport à soi est pourtant notre acquis, sur lequel nous ne revenons pas, la constitution d'une forme qui, sans doute heureusement, n'est jamais donnée à vide, et reçoit sans cesse des contenus

1. *L'Etre et le Néant.*

différents. L'existence s'est précipitée dans une forme d'existence.

De l'en-soi, nous ne sommes jamais sortis, jamais nés. Notre naissance a reculé à l'infini sans quitter sa date infime. Certes, le pour-soi naît avec un passé, est toujours déjà né, et sa mémoire remonte jusqu'au fond de l'être, mais ce passé n'a pas passé, n'a rien dépassé, rien aboli... Ce qui est néant présent nous tient à l'être présent, nous gardons un lien pour ainsi dire vital avec l'en-soi, son absence actuellement flagrante n'empêche pas que nous nous le représentons comme l'autre côté du présent. Nous ne nous en sommes nullement émancipés, puisque notre acte de naissance n'est pas en notre possession, ni à notre actif, mais est de ce côté-là comme l'inscription d'une main anonyme.

Pourtant, le pour-soi est fondement de tout sens, notamment, comme on vient de le voir, du sens de fragilité, de destructibilité ou même de destruction. Comment en serait-il autrement puisque l'être en tant qu'être est incapable de porter en lui-même le moindre sens ? Tout a sens pour le pour-soi parce qu'il existe en donnant du sens, ne peut exister autrement. La question est donc de savoir comment il peut être accessible à ce qui n'a pas de sens, comment cela même peut se présenter à lui, ou bien, éventuellement, de savoir si ce n'est pas lui qui constitue ce manque de sens comme limite inférieure du sens. Comment l'en-soi peut-il venir à être directement perçu par moi ? Nous ne pouvons que répéter que l'être de l'en-soi est paradoxal, puisqu'il n'est pas un sens que je pose, moi qui pose tout sens, mais un sens natif, autochtone, de l'être ; ce qui ne résout rien, puisqu'il ne peut être en fait que son manque de sens, alors qu'enfin, d'autre part, le sens ne manque pas à l'être.

On peut faire cette remarque que le pour-soi, d'abord, dépasse l'en-soi sans y prendre garde. Il n'est accessible qu'à une vue dégrisée, dont c'est encore l'ivresse. Car ce n'est pas vraiment qu'il n'y ait plus de sens, l'absurde n'est jamais que la lie du sens. L'en-soi donc ne se profile que dans le reflux du projet, retombant, se défaisant, et encore il ne se profile qu'obliquement, car c'est encore une aventure que la nausée, c'est, si l'on veut, la transcendance minimale. Egalement d'ailleurs, c'est dans la déception, nous l'avons vu, que le sujet s'apparaît. L'expérience de l'en-soi peut donc difficilement être considérée comme habituelle ou exemplaire ; elle est accidentelle ou professionnelle ; ou bien elle requiert une complicité, une mauvaise foi ; plutôt qu'une expérience, c'est alors une expérimentation. L'en-soi serait dans ce cas le sens du monde tel qu'il m'apparaît quand je me réduis au seul projet d'exister, de survivre. Il est ce dont j'ai la nausée. L'en-soi, c'est ce qui reste quand il n'y a plus rien à faire, sinon, à la rigueur, une ontologie.

Donc, ce qui est absolu, l'être pur, est aussi le plus évanouissant. Sa présence massive est insaisissable. Il est invisible. Admettons que l'être se révèle dans l'impossibilité à le saisir. Il n'est pas dissociable de soi. L'objet ne le possède pas comme une qualité, ne le masque ni ne le dévoile, n'y participe pas et finalement n'a avec lui aucune relation, puisque l'être ne peut souffrir aucune relation ni non plus aucune différence.

Le visible, c'est où je suis. La lumière est produite par la néantisation, l'éclatement des possibles. Sans cela, rien ne troublerait la nuit de l'être. Cela forme la clairière du présent. Où je suis, donc, l'être n'est pas, du moins pas comme tel, pas en personne. Tout ce qui est, parce que je suis, se trouve environné de néant, et parce qu'il apparaît à moi qui suis, perd son être grossier et têtu, a la politesse de signifier. Néantiser l'existence, c'est la condition de notre existence. L'existence exclut l'existence. Telle est la force propre au *cogito* qui lui fait constituer l'inconstitué. La présence réelle de l'être est hors d'atteinte comme celle la nuit, elle aussi néant de toutes les différences. Il faut allumer, a-t-on dit, pour la voir, et on en tirait la conclusion que c'est là un projet chimérique. A vrai dire, c'est la seule façon de la voir. La lumière révèle les ténèbres en même temps qu'elle se révèle elle-même, elle les masque en les éclairant parce que ce sont les ténèbres. Elle va chercher les objets dans l'ombre, les rappelle à leur identité, les adapte à nos intentions, les articule en entourage. Evidemment, on peut croire que leur vie impensable s'obstine néanmoins malgré tous les feux d'artifice. Au-delà de leurs lumières précaires, s'étendrait la nuit devinée où, comme dans l'absolu de Schelling, toutes les vaches sont noires. « La lumière pure et l'obscurité pure sont deux vides qui, comme tels, ne diffèrent pas l'un de l'autre. On n'arrive à distinguer quelque chose que dans la lumière déterminée (et la lumière est déterminée par l'obscurité) ... [1] »

Nous avons vu que la facticité ne constitue pas la matière du présent, voué au jeu de la transcendance, et qu'elle en est plutôt comme la naissance, et qu'elle ne peut y être vécue que comme la remémoration d'un passé radical, jamais vécu, jamais passé. Toutefois, de cet événement préhistorique, inconnaissable, l'hypothèse est obligatoire. Il y a quelque chose

1. Hegel, *Science de la Logique.*

qui nous lie en-deçà de toute signification donnée à l'existence.
C'est ce qui nous discrédite ; car alors toute *Sinngebung* apparaît comme une sorte de gesticulation dont on ferait aussi
bien de se dispenser. Il y a ainsi quelque chose de dérisoire
dans l'existence du pour-soi, mais son excuse est valable :
l'en-soi est néant, puisqu'il est néantisé. Nous ne le voyons
jamais face à face, nous ne l'affrontons pas. On pourrait dire
qu'il est le *bord* de l'être.

Il n'est d'autre loi de l'être que sa prolifération sans loi —
mais c'est sa loi. Il n'est d'autre nécessité que la contingence,
mais c'est bien la pire. Etre sans raison, pour rien, de trop :
c'est le cas de toute existence. Tout ce qui est possible à
partir de l'être, c'est le non-être, mais c'est aussi *seulement le
possible*, car le néant n'est jamais là, se dérobe, se déplace
sans cesse, — c'est-à-dire qu'il n'a pas à se réaliser. Le possible
qui exerce sa fascination est en vérité l'impossible. Il est ce
qu'il est, il reste pur, c'est un droit abstrait dont nous n'usons
pas ou que nous exerçons sans en jouir. Car la distance du
pour-soi à ses possibles, c'est la distance nulle de l'être à
l'être qui la constitue. Tandis qu'il se représente l'en-soi comme
l'identité éternellement calme, le pour-soi vacille sur son chemin
parce qu'il a toujours l'illusion d'une déviation possible. Celle-ci
n'est que possible et est impossible, car si elle se produit elle
se fait route. Mais c'est ce possible qui pour nous soutient le
réel, et, toutes ces oscillations se décomptant elles-mêmes, la
vacillation fait la ligne, la droite voie. L'homme *est* ses possibles
comme il est leur néantisation. La possibilité, l'illusion toujours
renaissante du futur, s'effacent à mesure que nous progressons,
laissant derrière, autour de nous l'être intact, ou y inscrivant
comme une chose en plus le sillage d'une vie faite. La mort
est le point, le terme logique de cette histoire. Quand elle
advient enfin dans cette vie, elle se rencontre elle-même.

Les possibilités du sujet Kierkegaard sont d'ores et déjà
déterminées, réalisées d'avance avant qu'il en prenne possession
par le savoir absolu hégélien, qui vaut pour l'être. Et pourtant,
cette vie, en tant qu'elle est vécue, ajoute bien quelque chose :
précisément *rien*, dit Sartre[1]. De toute manière, ce que je
fais n'est que ce qui se fait, « par son action finie l'agent
dévie le cours des choses, mais conformément à ce que doit
être ce cours même »[2].

Je suis donné à moi-même comme projet, et ce que je fais
est aussi bien ce qui se fait de moi. Tant d'efforts, dira-t-on,

---

1. *L'Universel singulier*, in *Kierkegaard vivant*.
2. *Ibid.*

pour faire ce qui se fait tout seul, ce qui se ferait de toute façon... Mais précisément ce qui se fait tout seul, ce qui se ferait de toute façon, se fait de cette façon-là. Rien ne se fait tout seul. Quelque chose suit son cours. Par l'homme, le cours des choses se dévie de façon à suivre son propre cours. La déviation qui arrive par l'homme est le parcours même, qui se dévie pour mieux suivre son itinéraire.

Mais la morose consolation de nous penser « jetés » à l'être nous est interdite. Aucune paresse n'est possible, il n'y a pas d'« argument paresseux » qui tienne. Car, quoi qu'il en soit, nous devons faire quelque chose, il ne nous regarde pas que ce soit rien. Puisque, tant que nous vivons, nous avons des possibles, que notre conscience est happée par le futur, que c'est vivre. Nous jouons à ce jeu par lequel l'être nous joue et nous déjoue. Comme dans *Huis Clos*, le dernier mot est bien : « Continuons »..

Ce n'est pas le sujet, même comme conscience, c'est l'existence elle-même qui est de mauvaise foi. Il me faut entreprendre de vivre, alors que de toute façon, j'entreprends de vivre, en effet, et fais ce que je peux. Oblomov, affalé sur son lit, existe ; comme le temps passe par lui, il se temporalise, il passe le temps. Fuir la vie est une manière de la vivre. Je me fais quoi que je fasse.

Il me faut penser mes pensées, vivre ma vie. Il faut, dit-on, être un homme. On a cru pouvoir à partir de là tirer une morale qui soit celle de l'existentialisme[1]. On dit alors : reprendre en main notre existence fortuite, être activement ce que nous sommes par hasard, sur le ton de la prescription. Mais c'est là simplement notre condition. Nous ne pouvons pas nous laisser aller, à moins de nous-faire-nous-laissant-aller. La valeur est le fait. Notre activité doit subir les effets de notre passivité primordiale. L'existence est toujours là comme passivité active. Tel est le sort de l'être qui fait son être de l'être inconsistant du possible, qui a l'obligation d'être sa propre nature, pour qui l'être est une valeur : il doit prendre la peine d'être, c'est-à-dire qu'il doit perdre sa peine.

Ce n'est pas que les possibles soient niés, comme par le dominateur mégarique[2]. Bien au contraire, ils sont englobés dans l'être, contingent de toute nécessité. Le dominateur sar-

---

1. Par exemple Merleau-Ponty, dans *Sens et Non-Sens*, à la fin de l'article intitulé *le Roman et la Métaphysique*.
2. L'argument *dominateur* ou « raison paresseuse » a été formulé par les Mégariques. On peut le résumer ainsi : puisqu'une proposition est vraie ou fausse indépendamment du temps et du lieu de son énonciation, puisque de deux propositions contradictoires l'une est vraie, l'autre fausse, nécessairement, de deux jugements portant sur un

trien ne nous démontre pas astreints à la nécessité, mais à l'impossible du possible. Contingence, *anankè*. Cela aurait pu être autrement. Mais c'est comme ça.

Comme dit le vieux Kant dans *l'Anthropologie du point de vue pragmatique* : « Toutes les prédictions qui annoncent le destin inéluctable d'un peuple, destin qu'il mérite et que son *libre arbitre,* par conséquent, doit provoquer, présentent une absurdité, en dehors du fait que la connaissance anticipée en est inutile, puisqu'on ne peut s'y soustraire ; dans ce décret inconditionné, on pense un *mécanisme de la liberté,* dont le concept se contredit lui-même. »

événement futur, l'un est d'ores et déjà vrai, l'autre faux. C'est cet argument qui a amené Aristote à introduire le concept de *puissance.* « Car, quant à l'avenir, il ne faut pas être quiétiste ni attendre ridiculement à bras croisés ce que Dieu fera, selon ce sophisme que les Anciens appelaient la *raison paresseuse* »... Leibniz, *Discours de Métaphysique.*
    Cf. P.-M. Schul, *le Dominateur et les Possibles,* P.U.F.

III

EXISTER

> Or, connais-tu, du jeu, une forme ou plus savante
> ou plus audacieuse que la mimétique ?... Ainsi
> l'homme qui se donne comme capable, par un art
> unique, de tout produire, nous savons, en somme,
> qu'il ne fabriquera que des imitations et des homo-
> nymes des réalités...
> ... Commençons donc par distinguer, dans la
> production, deux parties... L'une divine, l'autre
> humaine... Est productrice, disions-nous... toute puis-
> sance qui devient cause que ce qui, antérieurement,
> n'était point, ultérieurement commence d'être...
> ... Mais la conformation de la justice, et, en géné-
> ral, de toute la vertu ? N'y en a-t-il pas beaucoup
> qui, sans la connaître, mais s'en étant fait, je ne
> sais comment, une opinion, s'évertuent sur le faux
> semblant qu'ils s'en sont forgé et se travaillent à
> le faire apparaître en eux comme réellement présent,
> le mimant le plus qu'ils peuvent en actes et en
> paroles ?
>
> PLATON, *Le Sophiste.*

Il nous est impossible, nous dit Sartre, d'être quoi que ce
soit sans jouer à l'être [1]. L'homme a à être parce qu'il a son
être et que celui-ci est comme une valeur à réaliser : encore
faut-il réaliser cet avoir. Il manque d'être quoi qu'il en ait.
Son être est en jeu. L'enjeu est son être. Mais en jouant, il est
joué. Il joue à ne pas jouer, ne joue pas à jouer. Il joue au
non-jeu, mais finalement joue le jeu, comme on dit, c'est-à-dire
fait ce qu'il est contraint de faire. Sans connaître l'être, il s'en
est fait, on ne sait comment, une opinion, et s'évertue sur le
faux-semblant qu'il s'est forgé, et se travaille à le faire apparaître en lui comme réellement présent, le mimant le plus
qu'il peut, en actes et en paroles.

Nous sommes joués, nous nous réalisons à l'inverse de notre
intention et de notre effort : le garçon de café se réalise comme
tel en se déterminant à n'être pas garçon de café. Plutôt que
nous ne jouons une condition, une condition se joue en nous.
Les jeux sont faits, il reste à jouer. Tout est joué d'avance.
Mais il nous faut battre les cartes.

1. Nous dirons : même sartrien.

L'être, toujours, même absolument contraignant, nous advient comme une obligation, nous ménage un certain recul, espace où à la fois la liberté s'exerce et se nie. Ainsi même la douleur présente ce paradoxe. Je joue à souffrir aussi longtemps que je ne suis pas devenu chose souffrante, et il n'y a pas de chose souffrante. Je ne souffre pas assez ou pas comme il faudrait, pas comme *il* faut, parce que *je* souffre, et que tout, donc, ne se réduit pas à la souffrance. Elle est cet acte passif qui m'échoit et me constitue, mais qui tout de même passe par ma conscience et requiert son aval. Car ce *je* ne s'épuise dans la souffrance, il pourrait être absorbé par autre chose, il guette plus ou moins sournoisement son terme, s'en détache déjà dans la mesure où il pourrait s'en détacher, — à condition bien sûr qu'elle commence par se détacher de lui. De fait, il ne s'y épuise, il ne s'y réduit. il ne peut plus s'en détacher, qu'au moment où il disparaît, où il s'évanouit. La douleur triomphe enfin et l'investit tout entier, mais il n'est plus là, et l'évanouissement du je, c'est aussi l'évanouissement de la douleur. Là où elle est, je ne suis pas. Mais elle n'est que si je suis, et là où je suis, ou en moi. Ma douleur s'irrite et s'accroît de n'être pas ma douleur. Au cœur de la souffrance se fait souffrir le manque de la souffrance.

« *On souffre et on souffre de ne pas souffrir assez. La souffrance que je ressens... n'est jamais assez souffrance du fait qu'elle se néantit comme en soi par l'acte même où elle se fonde. Elle s'échappe comme souffrance vers la conscience de souffrir... Je voudrais à la fois l'être et la subir, mais cette souffrance énorme et opaque qui me transporterait hors de moi, elle m'effleure continuellement de son aile et je ne peux la saisir, je ne trouve que moi, moi qui me plains, moi qui gémis, moi qui dois, pour réaliser cette souffrance, jouer sans répit la comédie de souffrir... Chaque plainte, chaque physionomie de celui qui souffre vise à sculpter une statue en soi de la souffrance... Ma souffrance souffre d'être ce qu'elle n'est pas, de n'être pas ce qu'elle est ; sur le point de se rejoindre elle s'échappe, séparée d'elle par rien, par ce néant dont elle est elle-même le fondement... Mais elle ne peut être souffrance que comme conscience (de) n'être pas assez souffrance en présence de cette souffrance plénière et absente.* »[1]

« Goetz. — *Comme tu souffres !*
Heinrich. — *Pas assez !*[2] »

1. *L'Etre et le Néant.*
2. *Le Diable et le Bon Dieu.*

Je souffre à ce point que j'ai l'illusion ridicule de ne pas vraiment souffrir. Il y a quelque chose d'irritant, notions-nous plus haut, dans cette prétention de la conscience à fabriquer et à rendre factice tout ce qui lui arrive, à s'en faire la responsable alors qu'elle n'y est pour rien, n'est que victime. Mais, disions-nous, cette illusion est aussi indestructible que la conscience, illusion elle-même, et mère des illusions. Car l'illusion encore, par le même jeu, alors que c'est sa loi de constitution (d'être illusoire), c'est elle qui la fabrique. Car enfin la douleur est là, elle est irrécusable et insupportable, je la sens passer ; c'est-à-dire aussi qu'aussi fort qu'elle m'accable, je sens qu'elle passera, il est exclu qu'elle coïncide exactement avec moi. Mais enfin, elle est un fait, un donné. La névropathe de Janet qui joue parce qu'elle ne peut pas ne pas jouer est une névropathe, aussi vrai que M. Achille est un vieux toqué. L'en-soi est la calme identité ; l'être est absolument identique à soi dans l'exclusion de tout rapport à soi. Le pour-soi est simplement la vacillation, pouvant donner à chaque instant avec le vertige de la chute l'illusion de la transgression possible, mais en définitive comme rapport à soi il ne trouble pas l'identité précisément parce qu'il n'est rapport qu'à soi. Ici, la nécessité règne, mais ne gouverne pas. Elle se réduit à l'annulation par soi, au va-et-vient de la contingence incapable de s'accomplir en nécessité, et qui par là justement la subit.

Exister est une essence de fortune. Le manque de l'essence se substitue à elle. L'existence est plus exigeante qu'une essence : elle exige que le temps, la vie, la liberté, soient mon temps, ma vie, ma liberté.

Il y a un moi, objet qui nous résume et nous définit. Mais il y a aussi l'obligation permanente de le refaire. Imaginons un acteur sur la scène, ayant oublié son texte, ou même, venu à l'improviste, et remplaçant de dernière minute, ne connaissant pas son rôle, qui tâcherait désespérément d'improviser, en somme jouant à jouer, et voyant peut-être avec surprise les autres s'accommoder avec un parfait naturel de cette gesticulation. Une fois le rideau tombé, il veut apprendre quel était son rôle, celui qu'il devait jouer : celui-là précisément qu'il a tenu, mot pour mot, geste pour geste. Pas un trou, pas une hésitation : les trous, les hésitations, étaient eux-mêmes du rôle.

La liberté, c'est l'être à faire. Utopie de l'homme, ce faiseur, être à qui la liberté est naturelle (comme disait Rousseau) : non une propriété qui entre autres appartiendrait à sa nature, mais le manque de cette nature, dissimulant que lui manque une nature. La nécessité, donc, de *faire* l'homme, de *faire* le moi. Au sens où on fait le pitre ou on fait l'imbécile. Faire et contrefaire. L'homme est une chimère. Est homme l'être qui se fait passer pour lui, fait croire à la réalité de l'utopie — imposteur de lui-même.

Dès le principe, la liberté est jouée, feinte et feintée. Elle est le pouvoir que nous avons de reconduire, selon le probable, la situation qui nous est faite, à partir de la position factice qui nous transcende. L'être peut faire confiance au néant. La liberté est l'activité du tissu de l'être se reconstituant sans cesse, comme les cellules de son immense organisme, se régénérant dans ces zones d'absence vivace, les subjectivités. La liberté gomme les causes et elle-même, effacement s'effaçant. Elle fait l'être, comme la présence à soi le soi, comme l'oscillation la ligne ou la marche. — Nous résumons ici les chapitres précédents, il serait inadmissible qu'on n'en ait rien tiré.

Si l'homme ne peut pas être (ce qu'il est), il ne peut pas non plus ne pas être ; il ne peut pas être libre, il ne peut pas ne pas l'être. La vérité est que l'homme, cerné de toutes parts par l'être, ne sait pas être, pas plus qu'il ne sait être libre, et d'abord parce qu'il n'est pas libre d'être. Etre néant, sa liberté est néante. La liberté de l'homme, c'est la liberté d'Œdipe.

Cela dit, il est normal qu'elle se révèle dans l'épreuve de ce qui la nie, car c'est elle qui cède, qui met à sa place une liberté rompue. Puisque c'est elle qu'on torture, on peut dire qu'elle est « aussi grande dans les pires tortures que dans la paix de ma maison » [1].

Devient-elle alors, comme le dit Merleau-Ponty, comme un « acquis primordial » [2] ? Mais, puisqu'elle est néantisation, il s'agirait d'un acquis néantisé, ou du fait que notre acquis se néantise. Que nous ne le sommes ni ne l'avons, mais avons à l'être. L'existence ne se dégage pas progressivement de l'essentiel — ou du naturel — par un travail lent fait sur lui, la possibilité même de ce travail, c'est la rupture brutale, irréparable. Par la néantisation, l'existence précède l'essence dans la mesure même où elle en est précédée. Ce n'est pas là comme un « état de nature », mais bien de non-nature, — sauf à vouloir dire que le manque de l'essence en tient finalement lieu. Non que nous ne fassions cette liberté, mais nous ne faisons qu'elle, ne pouvons faire qu'elle.

Certes, il n'y a rien à reprendre aux descriptions de Merleau-Ponty : il n'y aurait rien d'autre à dire en effet de la liberté,

1. Cf Merleau-Ponty, *Phénoménologie de la Perception*, chapitre sur la Liberté.
2. *Ibid.*

si l'on ne cherche pas à mettre à jour son ressort, la néantisation — ce qu'en un sens on peut et même on doit —, si en
un mot on renonce à la prendre sur le fait. La sagesse de la
réflexion de Merleau-Ponty ne peut rien contre la folie cohérente de Sartre, qui est plutôt celle-là même de l'existence.
Il faut alors admettre la conclusion[1] : qu'on peut raisonnablement attendre d'un despote qu'il se convertisse à
l'anarchisme.

Ce n'est pas vrai, et nous savons pourquoi. Non que le
despote ne soit libre, mais parce que c'est un despote. Le cas
n'a d'ailleurs rien d'exceptionnel. La liberté tyrannique se nie
dans et par son affirmation. Comme la facticité se réduit à
une position insaisissable qui ne s'inscrit pas dans la situation
qu'elle ouvre, de même qu'inversement le voir ne saurait être
reporté sur la carte du visible, il y a que l'en-soi nous cerne
et nous tient à distance. La facticité nous encercle, mais nous
ne la voyons pas parce que nous sommes aveugles aux limites
comme aux transitions. Notre comportement en tient compte
aussi bien qu'il s'effectue au présent : la facticité concède à
la liberté un espace qui est illimité mais qui n'est pas infini. La
situation elle-même est la condition et le piège de la liberté, elle
l'ouvre sur l'infini tout en la limitant, comme pour Kant les
formes de l'intuition *a priori* limitent le savoir.

Si le garçon de café est libre, c'est pour rien, puisqu'il est
garçon de café. Nous n'apprenons rien : nous savions bien qu'il
n'y a aucune raison de considérer un garçon de café comme
un modèle de liberté, et on nous le confirme, on ne nous dit
pas autre chose. Tout dépend de la rigueur avec laquelle on
pense le négatif. Que la liberté soit nulle est impliqué dès le
moment où le philosophe décrit. Il décrit ce qu'il voit. Cette
liberté n'est pas une nouveauté miraculeusement découverte
qui pourrait autoriser les projets les plus audacieux : nous
sommes déjà projet. On peut s'étonner, certes, de voir découvrir la liberté dans la compulsion, de voir baptiser « vertige
de la possibilité » ce qui est simplement pour le psychiatre
phobie d'impulsion. Mais le philosophe répondra qu'il ne s'était

1. « Si en effet je me faisais ouvrier ou bourgeois par une initiative
absolue, et si en général rien ne sollicitait la liberté, l'histoire ne com-
porterait aucune structure, on ne verrait aucun événement s'y profi-
ler, tout pourrait sortir de tout. Il n'y aurait pas l'Empire britannique
comme forme historique relativement stable à laquelle on puisse donner un nom et reconnaître certaines propriétés probables. Il n'y aurait
pas dans l'histoire du mouvement social de situations révolutionnaires
ou de périodes d'affaissement. Une révolution sociale serait en tout
moment possible au même titre et l'on pourrait raisonnablement attendre d'un despote qu'il se convertisse à l'anarchisme ». Merleau-Ponty,
Phénoménologie de la Perception.

nullement engagé à souscrire, au retour de son long détour, pour quelque idéologie garantissant le progrès humain. Il montre donc la réalité comme ce que nous avons fait, faisons, de notre liberté, il montre qu'elle est mise dans l'obligation de renoncer à elle-même. Si on cherche la liberté, c'est que tous les chemins y mènent, mais aucun n'y arrive (ce serait la déterminer). On ne saurait trouver la liberté qu'en chemin et on suit toujours ses chemins. La liberté néantisante est ce qui fait que *nous sommes*, une situation, un rôle, un jeu, un moi, sans nous y réduire et sans nous en dissocier. Elle n'est pas un pouvoir, elle se révèle plutôt à travers mon impuissance, dans la vacance du *moi*.

C'est pourtant moi le fondement des valeurs, mais on devine déjà comment je m'y prends. L'opération humaine est l'inverse de l'opération divine, elle est cause que ce qui antérieurement était cesse d'être. Rien n'existe que par moi qui lui donne sens ; on comprend bien que c'est un pis-aller, je ne suis pas Dieu. Mais enfin, la valeur est impartie à la néantisation. Je ne puis faire que le sens du monde ne vienne par moi veut dire simplement que le monde a sens pour moi. Je suis responsable de l'existence qui répond de moi. L'homme est responsable de ce qu'il ne fait pas, de ce qui le fait. Je ne suis pas la cause de mon désir, mais je désire. Je ne suis pas responsable de mon insomnie, mais *je ne m'endors pas*, et quand je m'endors, c'est ma liberté qui s'endort. Ainsi, c'est ma liberté qui fonde les valeurs. Elle fonde un moi fondant les valeurs. N'exagérons rien : dans l'exemple célèbre de *l'Existentialisme est un Humanisme* [1], on voit bien que le sujet n'invente pas les valeurs, il ne dépend pas de lui qu'elles soient reconnues et impérieuses pour lui comme pour tous, il s'y soumet, y croit, les respecte. Mais il lui faut choisir, car il se trouve qu'elles sont incompatibles, il lui incombe par malheur de décider, de donner la préséance à telle ou telle. S'il y a de l'absurde, c'est en ceci : il nous faut constituer du sens institué.

Le fondement véritable nous échappe, pour nous il n'est pas, nous le néantisons. Si je suis fondement, c'est négativement : fondement du fondement, ce à partir de quoi la question ou la crise du fondement est ouverte. Je suis, moi, l'infondé, mon

1. Un élève de Sartre était la seule consolation de sa mère. Allait-il s'engager dans les Forces Françaises Libres, l'abandonner et peut-être la tuer de désespoir ? Son engagement, d'ailleurs, ne servirait peut-être à rien ,alors qu'il pouvait tenir auprès de sa mère une conduite concrète et efficace. Il lui fallait choisir entre deux morales, l'une de l'individuel, l'autre de l'universel.

projet de me fonder est vain. Je ne puis être fondement que du non-sens, même du non-sens du sens. On pourrait dire que je suis fondement du sens parce que j'ai le sens du fondement, mais le fondement mis en question s'ajourne et se dérobe.

On pourrait dire que les valeurs, comme tout ce qu'il y a pour moi, sont. Mais, comme dans la glace en face de moi peut soudain m'apparaître un visage inconnu[1], le monde peut s'engloutir, c'est-à-dire, je peux chavirer avec la petite cargaison de valeurs qui m'était, comme à quiconque, confiée. De cette chute, il est vrai, je serais responsable. Il n'est pas vrai que ce n'est que pour une réflexion idéaliste que je puis n'être qu'un « flux anonyme et préhumain qui ne s'est pas encore qualifié »[2] ; *la Nausée* le montre, et s'il y a là idéalisme, c'est celui de la conscience. Mes rapports avec le monde ne vont nullement de soi : la fatigue, l'insomnie, l'ivresse, suffiraient à ruiner mon engagement. En un mot, je suis le fondement des valeurs en tant que je ne suis pas le fondement de moi-même, en tant que je suis pour-soi (c'est-à-dire pour la valeur). Or, rien ne peut me protéger de moi, et surtout pas le moi. Il me faut soutenir mon rapport aux valeurs, non qu'elles cesseraient d'exister bien sûr si je faisais défaut, pas plus que la route qu'on n'a pas prise, que les endroits où nous ne sommes pas, que tout ce que nous oublions du monde. Finalement, tout cela relève de la contradiction ou de la malédiction inhérente au *je*, à la fois fonction universelle et expression de l'individu limité, incarné, borné. Cette contradiction est l'origine d'une irréparable violence. Car le passage à l'universel que la parole requiert de moi, je ne l'effectue qu'en le refusant, et inversement je ne pourrais le refuser qu'en l'effectuant. Car *je* décide de l'homme. Je prends toute décision comme si elle devait être aussitôt universalisée, alors que je pourrais être tranquille. Autrement dit, ce je m'aliène. Le *moi* est l'instance de l'humanité, il est une catégorie du *on*. Mais je suis l'unique représentant habilité de l'homme. C'est pourquoi je me donne en exemple de cette essence, et je dédie mes gestes à tous, car ils témoignent de cette nécessité qui est à tous visible, et qui se réalisera dans le monde où nous serons tous enfin interchangeables.

Comme Sartre parle de « vertige de la possibilité », on pourrait parler de vertige de la passivité. La passivité est into-

1. Cf. *La Nausée*.
2. Merleau-Ponty, *Phénoménologie de la Perception*.

lérable, mais surtout elle est impossible. D'abord, on a vu comment, le renversement du passif en actif est l'opération par laquelle je me constitue. Ainsi la contrainte se transforme en mission, le donné en valeur, le résultat en projet, — le passé en futur. Je suis donné à moi-même comme devant tomber, j'intériorise cette probabilité, en fais une possibilité dont je suis le fondement, je reprends mon chemin et poursuis ma chute. Car je m'emploie toujours à venir *à la place* du fondement, à me substituer à son absence.

Etre fait actif ou se faire passif, c'est tout un. De son non-être, il faut vouloir son être. Cette différence par rapport à ce qu'on est, il ne faut pas la cultiver, mais l'abolir. L'inclusion réelle — c'est-à-dire la position factice, l'inscription dans le registre de l'être, la trace pour nous effacée — fait l'objet de l'inclusion intentionnelle [1]. Ainsi, je me choisis ce que je suis choisi. C'est moi qui m'inflige les coups que me portent les autres.

Mon être supporte une manière d'être dont il n'est pas la source, pas plus qu'il n'est la sienne, mais *ma* passivité est immédiatement au-delà de la passivité, cela par l'imposture de la liberté qui la met à mon nom. « Supporter passivement », dit Sartre, est une conduite que je tiens aussi bien que « rejeter activement » : je ne cesse pas d'exister, d'être libre. La différence s'efface entre ce qui m'arrive et ce que je fais. Le donné ne vient pas nous déterminer extérieurement, il est ce que nous nous donnons à vivre. Sortir de sa condition est aussi bien y rentrer, lui échapper est la réaliser. *En le dépassant :* voilà comment nous nous avérons soumis au donné [2].

La transcendance est notre facticité. S'irréaliser dans un rôle est notre manière de le réaliser. *Les Mains sales* illustrent cette piperie. Certes, si le bourgeois n'est pas bourgeois, il n'est pas davantage prolétaire. Mais le prolétaire non plus, du point de vue de l'ontologie. Il y a pourtant une différence : c'est que le bourgeois est bourgeois, passer du côté des prolétaires continue son jeu de bourgeois, son être sur le mode de ne l'être pas. Ce transfuge prend sur lui toutes les dimensions

1. Il va de soi que nous employons ces expressions en les détournant du sens qu'elles ont chez Husserl. Par inclusion réelle, nous entendons donc la position factice. Et par inclusion intentionnelle, le monde tel qu'il est présent à la conscience, tel qu'il est signifié en elle, à peu près ce que Sartre appelle dans *l'Etre et le Néant* le « circuit de l'ipséité ».
2. C'est à peu près l'idée qu'on retrouve à la base de la « méthode progressive-régressive » exposée dans la *Critique de la Raison dialectique.*

de l'altérité et est traître à toutes les causes. Il se représente aux bourgeois dont il se sépare comme aux prolétaires qu'il vient rejoindre. Ce passage implique qu'il connaisse sa liberté, dans la mesure même où il éprouve ne pas pouvoir faire autrement, ce que ne connaissent pas les autres. Il l'utilise selon sa propriété : rompre, seul pouvoir dont il dispose, mais qui est de trop, et on le lui fera bien sentir. Cette liberté, il s'emploie certes à la lier, mais trop tard. Un bourgeois, même assez libre pour néantiser son être de bourgeois, reste un bourgeois. Il a simplement fait un *geste libre de bourgeois* en faisant l'aumône de lui-même au peuple. Et l'ouvrier, dont l'action militante est, elle, déterminée par son être prolétarien, ne s'y laisse pas prendre : « *Il y a un monde entre nous : lui, c'est un amateur, il y est entré parce qu'il trouvait ça bien, pour faire un geste. Nous, on ne pouvait pas faire autrement.* »

Etre activement mon être passif, et être sur le mode du n'être pas, voilà ce qui détermine le cadre de mes rapports avec autrui ou le problème d'autrui. *Je suis ce que vous m'avez fait :* ainsi l'objet devient sujet et se retourne comme une arme. En même temps qu'il se résigne à n'être que cela, sur le ton du ressentiment, le sujet s'affirme différent. Il se détache des autres au moment même où il se reconnaît irréparablement lié à eux, et seulement dans cette mesure.

C'est parce que je ne suis pas ce que je suis *pour autrui* que je m'y réduis, ne suis que cela. Parce que pour autrui *je suis.* J'ai une essence : ce que je suis sans pouvoir l'être, ce que mes gestes tâchent toujours en vain de découvrir ou de sculpter, cette forme objective qui surpasse mes moyens subjectifs et refuse de se donner à moi. Autrui, qui est objet pour moi, mais pour qui je suis objet, me renvoie ce travail d'objectivation sous forme aliénée.

Je ne suis plus une liberté pure, une présence à moi-même transparente et vide : un *écran* s'intercale entre moi et moi, entre mon passé et mon avenir, par exemple : cet être objectif que je suis pour autrui (et qui est mon corps, mon caractère, etc.), pour moi insaisissable. L'Autre apporte le sérieux à mon existence (en son absence, je pouvais me distraire à m'objectiver pour moi-même, à me prendre à témoin, à me regarder, cette dissociation n'était qu'un jeu). Dès qu'il est là, plus d'annulation : au contraire, tous les essais, toutes les erreurs, toutes les approximations qui, faute de coïncider jamais vraiment avec la réalité en restaient plus ou moins au stade du projet, s'inscrivent, s'enregistrent de façon indélébile, s'accumulent, *se réalisent enfin* et font résonner une cacophonie innommable dans ce lieu de nulle part, la mémoire de l'autre[1]. L'autre, pourquoi ? Parce que c'est un autre. N'importe qui fait l'affaire. « *Qu'avons-nous besoin de Dieu ? L'Autre suffit, n'importe quel autre*[2]. » L'autre comme autre n'est pas ce qu'il est. L'autre est autre qu'autre. Ici, il s'agit de l'autre non qualifié, toutes déterminations et caractéristiques personnelles effacées, en un sens de l'autre aliéné : c'est mon autre, l'autre pour moi ; j'en ai l'emploi, j'en fais usage, il fait l'affaire, il est l'Autre.

Bref, cet autre n'existe en aucune manière dans la mesure même où il est l'autre. Il est *mon phénomène*, bien que pour moi il soit irréductible, désignant, comme nous disions à propos de l'en-soi, la dimension du transphénomène, signe de la finitude de ma transcendance, de la transcendance de l'être par rapport à moi, de mon échec — mais pour moi. Il est donc l'autre pour rire, il a un masque d'autre. L'autre est masqué ou nous masquons l'autre ; le visage est le vrai masque ou le masque est le vrai visage. La sincérité dit : je veux montrer un visage et non un masque, mais précisément le visage qu'on veut montrer est un masque, c'est-à-dire que la mauvaise foi caractérise nécessairement les relations avec autrui. *Autrui est un masque*, non de son visage, mais de son absence. Et tel est justement le visage.

La subjectivité ou le pour-soi n'a pas de visage. Le visage, ce n'est pas l'autre, et c'est lui : proprement ce en quoi l'autre est l'autre, — le signe d'une rupture immédiate, irrémédiable. Ce que je vois de toi est ce que tu ne vois jamais, et c'est *toi*. Inversement tout ce qui est moi pour les autres est autre pour moi. Autrui est autrui, *un autre*, précisément dans la mesure où il n'est pas pour moi ce qu'il est pour soi. Il n'est pas l'autre : il est moi. Mais il n'est pas moi. Notre perspective est nécessairement fausse parce qu'elle est nôtre et parce qu'elle est perspective. Nous devons voir l'autre comme autre que ce qu'il est. La perception ici va normalement, naturellement à l'erreur, qui ne peut jamais être vraiment rectifiée. On voit l'autre, on ne le voit pas. Je vois en même temps l'autre comme autre que ce que je vois, comme non-autre, comme moi : je le vois comme je me verrais moi-même si je me voyais.

Il y a donc un autre utile, qui joue le rôle d'autre à la

<hr/>

1. Cf. *les Séquestrés d'Altona* : « Imagine une vitre noire. Plus fine que l'éther. Ultrasensible. Un soufle s'y inscrit. Le *moindre* souffle. Toute l'hisitore y est gravée, depuis le commencement des temps jusqu'à ce claquement de doigts. »
2. *Situations I.*

perfection, un Autre à la demande : l'autre fait l'Autre [1], sans bouger de sa place, effarant d'immobilité, de silence, d'éternité.

« Mais si je n'existe originellement que par et pour l'Autre, si je suis jeté, dès que je parais, sous son regard et si l'Autre m'est aussi certain que moi-même... Voilà cette femme immobile, haineuse et perspicace, qui me regarde sans mot dire, pendant que je vais et viens dans la chambre. Aussitôt tous mes gestes me sont aliénés, volés, ils se composent, là-bas, en un horrible bouquet que j'ignore ; là-bas, je suis gauche, ridicule. Là-bas, dans le feu de ce regard. [2] »

Sartre ne distingue pas l'altérité de fait, contingente, relative, l'altérité pour moi, et l'altérité de principe, invariable, constitutive, qui est l'Autre pour l'autre aussi, essentielle donc, car l'autre n'est pas autre par soi, mais par l'Autre justement, et accidentellement par moi. Sartre a maintenu l'équivoque, a permis la coïncidence de l'accidentel et de l'essentiel : n'importe quel autre pouvant être l'Autre, faisant l'affaire, être autre de circonstance, mais aussi l'Autre qui n'est que le refus d'être autre qu'autre.

C'est pourquoi l'on peut dire que tout autre est analogue à ce *« sinistre entrevu, saisi à travers un voile... Mais l'objet est là, il attend, et demain peut-être le voile s'écartera, nous le verrons en pleine lumière... Le sinistre est total, nous le savons, il est profond mais pour aujourd'hui nous l'entrevoyons seulement »* [3]. Pour aujourd'hui, nous sommes saufs, et demain est demain, ; la révélation est le contenu donné au futur comme tel. L'objet attendra puisque l'autre est là, le voile restera, nous protégeant de l'inqualifiable. Parce que le sinistre est demain ; la révélation est le contenu donné au futur

Nous disions donc que dès que l'autre est là, nous ne pouvons plus nous livrer à notre jeu d'effacement perpétuel : nos faits et gestes deviennent à la fois ineffaçables et inaccessibles, et d'abord parce qu'il n'y a en un sens inscription que d'écarts ou de différences, ou que l'inscription ne peut être que l'enregistrement de l'écart, de la différence, parce qu'autrui est déjà le *décalage* de lui-même, qu'il en va de même de moi pour lui, et qu'en un mot je ne suis jamais où il est.

Je le vois, il me voit : le regard fait le va-et-vient, distribuant

---

1. Lacan a introduit une distinction radicale, construisant la notion d'Autre antérieurement à toute phénoménologie des relations avec autrui.
2. *Situations I.*
3. *Esquisse d'une Théorie des Emotions.*

les rôles de sujet et d'objet, mais *ce n'est jamais le même regard* : précisément, *l'autre regard* ne revient pas, vient vers moi comme à son terme. Ce terme que je poursuivais est là donné, où le regard de l'autre s'arrête. Identité qui maintient la non-identité : car l'autre me place où je ne suis pas, me rend l'être qu'il m'a pris, mais hors de ma portée, sans que je puisse être cet être que je suis pourtant. L'angle du pour-soi avec lui-même est confirmé, je ne suis pas où je suis. Bref, l'être qu'il me renvoie est être-autre, ou ce qu'on me rend n'est pas ce qu'on m'avait pris : c'est quelque chose qu'on me rend. Le retour ne recouvre pas l'aller : il y a en fait deux allers en « opposition réelle », suivant le mot de Kant, l'un positif, l'autre négatif [1] ; l'un a le dessus, ou la loi, l'autre le reste.

N'existe pas le regard même, qui ne serait pas assujetti, mais sujet pur, contemplant la relation sans s'y compromettre comme absolu, œil n'entrant pas dans le circuit de l'échange, dans la structure truquée de l'intersubjectivité —, mais tel est justement le regard, tel m'apparaît l'autre, et je ne puis dire, cherchant un recours illusoire : « Dieu sait ce que je suis pour lui ! », puisque j'ai décidé que Dieu c'est lui. « *Mon inquiétude vient de ce que j'assume nécessairement et librement cet être qu'un autre me fait être dans une absolue liberté :* « *Dieu sait ce que je suis pour lui ! Dieu sait comment il me pense !* » *Cela signifie* :

« *Dieu sait comment il me fait être* », *et je suis hanté par cet être que je crains de rencontrer un jour au détour d'un chemin, qui m'est étranger et qui est pourtant mon être et dont je sais, aussi, que, malgré mes efforts, je ne le rencontrerai jamais* [2]. »

Ce que je suis sans pouvoir l'être, ce que je suis ou ma mort, ce à quoi j'échappe et qui m'échappe, ce qui fait l'inquiétude de ma vie et que je projette de rejoindre par ma disparition —, tout cela est le spectacle d'autrui : me voyant, il me prévoit ; de son absence, il m'enferme dans le présent, mon demain ou mon jamais est pour lui maintenant. Pour lui, je suis ce que je suis, futur compris, il fait de mes possibilités des « mortes-possibilités » :

---

1. Cf. Kant, *Essai pour introduire en philosophie le concept de grandeur négative.*
2. *L'Être et le Néant.*

« *Autrui, c'est la mort cachée de mes possibilités en tant que je vis cette mort comme cachée au milieu du monde... Pour autrui, je suis irrémédiablement ce que je suis et ma liberté même est un caractère donné de mon être. Ainsi l'en-soi me ressaisit jusqu'au futur et me fige tout entier dans ma fuite même, qui devient fuite prévue et contemplée, fuite donnée[1]* ».

Autrui me vole mon être et ma mort, qu'il dépouille de toute intériorité, dont il fait un pur dehors (ce qu'elle est). Il me mortifie, et ainsi, si la mort transforme ma vie en récit, c'est autrui qui me raconte. Voilà pourquoi on peut vouloir être, sous le regard de l'Autre, un cadavre de mots. L'ego est bien mort cette fois, au vrai sens de la mort, et le bon ego, c'est l'ego mort.

Autrui, ce salaud, tue mes libres possibilités, qui deviennent de ce fait mortes-possibilités, désagrège mon univers où il s'est introduit de biais par une effraction sournoise, me vole mon espace pour déployer ses propres distances aux choses ; alors que j'étais tranquillement en train de regarder par le trou de la serrure, il me surprend dans ce cul-de-sac, me bloque dans l'encoignure sombre, m'inonde de lumière, braque son arme sur moi. Il est une violence pure et gratuite.

Autrui me tire du néant. De rien, il fait quelque chose. Je suis autre, avons-nous vu plus haut, que ce qu'on peut dire de moi, c'est-à-dire que je ne suis au fond rien, échappement perpétuel : mais tout change du point de vue de l'autre, à qui ce qu'il peut énoncer sur moi apparaît comme qualités, déterminations d'une réalité fondamentale qui est *moi*. Il me constitue, me confère un être substantiel, dont ma liberté devient un attribut. Ainsi ne juge-t-il pas ce que je fais, mais ce que je suis. Le regard de l'Autre, eût dit Ponson du Terrail, me tient à bout de bras. Il me fait être et me rend identique à moi-même. Par lui, je puis enfin être vrai, car il est la source de toute vérité. Or, toute l'affaire du pour-soi, nous l'avons vu, est de s'identifier à soi.

Il y a donc là possibilité d'un renversement : de l'autre qui est apparu comme négation de mon projet, je puis faire mon projet, il apparaît maintenant comme ma chance d'être fondement de mon être, car enfin ce fondement est localisé, l'Autre s'étant incarné. Je n'ai qu'à aller l'y chercher. Si je pouvais circonvenir la liberté de l'Autre, je serais fondement de mon être. L'amour est cette démarche. Il semble à la conscience de

1. *Ibid.*

soi qu'elle va trouver satisfaction dans une autre conscience de soi. Au lieu de poursuivre indéfiniment un à-venir qui se dérobe à tout effort pour le vivre comme présence, articulant mon temps et ma relation à autrui, je vais atteindre mon identité à moi-même au sein du présent avec l'Autre. Telle est la joie d'aimer quand elle existe : il n'y a plus de futur.

Je joue gros jeu : je veux récupérer tout, réaliser mon néant d'être en avoir, mon avoir en être, je veux être l'Autre, je veux être Dieu, je veux être Moi, toutes ces formules équivalentes désignant l'identité que *je* serai, identité supportant le jeu, supportant la différence. L'autre voit l'autre suivant une non-coïncidence radicale des perspectives : mais je vais refermer l'angle, et réaliser du même coup ma coïncidence avec moi-même et avec l'autre. — C'est dans l'amour, contrairement à l'avis d'Aristote, que je pourrais cesser d'être relatif à l'absolu.

« *Ainsi, mon projet de récupération de moi est fondamentalement projet de résorption de l'autre. Toutefois ce projet doit laisser intacte la nature de l'autre. C'est-à-dire que : je ne cesse pas pour cela d'affirmer autrui, c'est-à-dire de nier en moi que je sois l'autre... Etre à soi-même autrui — idéal toujours visé concrètement sous forme d'être à soi-même* cet autrui *— c'est la valeur première des rapports avec autrui ; cela signifie que mon être-pour-autrui est hanté par l'indication d'un être-absolu qui serait soi en tant qu'autre et autre en tant que soi et qui, se donnant librement comme autre son être-soi et comme soi son être-autre, serait l'être même de la preuve ontologique, c'est-à-dire Dieu.* [1] »*

En vérité, l'adéquation ou la perfection est décidément interdite. Et je ne connais que la répétition de son échec. Aimer, c'est vouloir qu'on m'aime, donc qu'on veuille que j'aime ; si j'aime, je n'aime pas. C'est que je veux fonder l'autre comme me fondant.

Mais, dit Spinoza, nous ne devons pas demander à Dieu de nous aimer. Narcissisme absolu, il dort, et ce sommeil infiniment grand nous en voudrait de le déranger de notre désir, si c'était possible. Repos de l'existence en soi, que nous ne sommes pas, que nous ne connaissons pas, mais auquel nous sommes toujours reconduits.

Car il s'agissait d'apercevoir l'autre comme non-autre, comme existence absolue, par-delà ce qu'il est et signifie pour moi.

---

1. *L'Etre et le Néant.*

C'est que l'autre, en vérité, n'est jamais mon autre, ou ce pour-soi dont je suis manquant en tant que je suis pour-soi : il n'y a pas de synthèse des consciences, pas de *soi*, car elles sont identiques, et non complémentaires. Ma vue d'autrui, encore une fois, est truquée. Il existe, lui aussi, mais je n'assiste pas à son existence, il ne m'apparaît que dans son oubli de soi, dans sa redondance d'autre. — Les autres sont là, disposés avec sagesse : un penseur absolu les a assignés à des places qui sont les leurs. Tous les cheveux de leur tête ne sont pas comptés, mais un registre contient leurs noms et qualités, une structure les garde, ils ont des familles. Ce sont des moments du système de l'extériorité auquel chacun de nous est seul à faire exception, ou qui est pour lui. Moi, je ne suis ni le père ni le fils. Je suis à la place qui échappe aux règles de permutation, qui n'en est pas une [1].

Nous nous imaginons toujours, dit Proust, que l'autre nous écoute avec nos propres oreilles : cette foi est inséparable du dialogue, qu'on interromprait si on la perdait. Nous nous imagnions cela parce qu'autre chose est inimaginable. Je vois moins l'autre que je ne l'imagine, ou je ne puis le voir qu'en l'imaginant. Je lui confère l'être, à lui qui n'est rien, je le mets où il n'est pas, c'est-à-dire que je me rapporte à lui. En ce sens, il n'y a pas de rapport à l'autre. Lui et moi nous tombons mal, nous sommes mé-chéants, comme dit Alain. L'autre est l'effet d'un jeu d'apparences, un faux-semblant. Le mirage, c'est que je prends l'autre pour un autre, voire pour l'Autre, alors qu'il est tout simplement moi sans être moi. L'Autre existe parce que j'existe. Moi, je suis ce que l'être n'est pas : l'Autre. Je ne suis pas ce que je suis, je joue à l'Autre, je me prends pour l'Autre, je suis l'Autre, l'Autre étant ce qu'il n'est pas et n'étant pas ce qu'il est, tout comme moi.

A moins que je ne me trompe. *L'Autre*, dont je fais le porteur du principe d'identité, *n'est pas*, pas davantage que le néant. Ce point est capital. Je prétendais tout à l'heure être ce que je suis, non en moi naturellement, mais là-bas, en l'Autre — être même que l'Autre : cela précisément est impossible. L'Autre où je me figure avoir mon identité à moi-même n'est pas identique à soi. Certes, le pour-soi a son identité à soi en l'Autre, mais cela veut dire simplement que je suis pour l'Autre, c'est-

1. « Nul n'est mieux qualifié que le commis-voyageur, là-bas, pour placer la pâte dentifrice Swan. Nul n'est mieux qualifié que cet intéressant jeune homme pour fouiller sous les jupes de sa voisine. Et je suis parmi eux et, s'ils me regardent, ils doivent penser que nul n'est mieux qualifié que moi pour faire ce que je fais... J'ai envie de partir, de m'en aller quelque part où je serais vraiment *à ma place*, où je m'emboîterais... Mais ma place n'est nulle part... » *La Nausée*.

à-dire que je ne suis pas et dois me faire être. L'Autre n'a ni ne peut donner d'identité. Pourtant le pour-soi ne cesse de l'interroger et de s'entendre répondre : Je suis celui qui est toujours autre —. En vérité, l'Autre est une désignation, ou la négativité requise par toute désignation. Mais de qui ? Force est de répondre : de l'Autre ; de cette présence qui, à être évoquée, est déjà, a toujours été absence, et m'invite moi-même à me dérober.

N'étant rien, je me suis imaginé qu'être serait être reconnu. L'Autre m'a donné l'être : qu'il me le confirme. Mais celui que je choisis pour cette tâche n'y est pas : il a autre chose à faire : à se faire reconnaître. Il est toujours ailleurs, jamais où je le demande. Chacun, n'étant rien, se fait annoncer par l'autre ce qu'il est : mais aussi bien la vérité ne cesse de courir de l'un à l'autre, est insaisissable, ne peut être déposée. Nous voulons, disait Pascal, redoubler notre néant d'une vie imaginaire en autrui ; augmenter notre vie de celle des morts. Mais l'autre est un risque inutile. Je reste donc avec ce fardeau, mon être-pour-autrui, l'autre n'est que l'expiation que je m'inflige pour n'être pas le fondement de mon être.

La mort peut venir me saisir à tout instant comme l'autre peut soudain tourner vers moi son regard, c'est la même chose.
A la conception cartésienne du temps, qui en fait une « poussière d'instants », Sartre a opposé celle de Husserl et de Heidegger, qui fait prévaloir la cohérence dialectique de *ma temporalisation :* ainsi l'avenir est déjà dans le présent comme ce qui lui manque, et le présent n'est rien d'autre que son anticipation. Le temps n'est pas une sorte de contenant extérieur, il est inséparable de l'éclatement du pour-soi, de la déhiscence de l'être. Autrement dit, l'analyse de la temporalité n'est pas un chapitre juxtaposé aux autres suivant un ordre des matières, elle est intérieurement liée à celle de la subjectivité elle-même. Le temps n'advient pas à la conscience, elle est temporelle parce que tout son être est de se faire, de se jeter vers un avenir — ses possibilités —, de « se totaliser » indéfiniment. Selon la phénoménologie, le temps relève de la subjectivité constituante : car il est subjectif tout en ne dépendant pas de moi, il témoigne d'une synthèse ou d'une activité passive. Aussi bien la théorie du temps doit-elle être ramenée à celle de « l'acte ontologique », de cet acte irrécupérable et constitutif, où s'inaugure la présence à soi de la conscience, héritant déjà d'un passé, ouverte déjà à un avenir. Et pourtant, chez Sartre, il n'est pas difficile de retrouver l'instant avec tous ses privilèges cartésiens. Chez Sartre aussi il se définit

par l'incidence virtuelle, par l'imminence de la mort, compagne inséparable de notre vie. La belle continuité synthétique représentée par la phénoménologie, et que Sartre oppose à la fatalité de Faulkner, à l'absurde de Camus [1], apparaît presque comme une défense apollinienne contre ce danger. A tout instant, la Parque peut donner son coup de ciseau. La temporalisation de la conscience, c'est-à-dire du projet, ne serait qu'une couverture pouvant se déchirer, précisément, à tout moment, laissant apparaître la succession naturelle, sans rime ni raison, des instants, atomes temporels. Par exemple, je puis me trouver soudain arrêté devant l'abîme, sans que le soutien du passé ni que l'appel de l'avenir me permettent d'enjamber mon vertige. Bref, l'instant apparaît bien comme un effet de l'Autre, de sa transcendance irréductible à mon rapport à moi-même qui d'ordinaire assure la liaison de l'avant et de l'après.

 « *Qui dit " instant " dit instant fatal : l'instant c'est l'enveloppement réciproque et contradictoire de l'avant par l'après ; on est encore ce qu'on va cesser d'être et déjà ce qu'on va devenir ; on vit sa mort, on meurt sa vie ; on se sent soimême un autre, l'éternel est présent dans un atome de durée... » [2].*

Le temps est bien d'abord une succession d'instants qui, même si la conscience peut l'oublier, sont séparés chacun de l'autre par un néant, en droit infranchissable, de sorte que le passage n'est jamais garanti, que la rupture est toujours sur le point de se produire, qu'il faut qu'à chaque fois se renouvelle le miracle de la « création continuée », car encore une fois je ne suis pas le fondement de mon être. Un présent fatal risque toujours de survenir, m'isolant de mon passé et de mon avenir comme domaines de mon être, faisant décidément la preuve de mon néant.

Et la Mort, qui en est l'inspiratrice (dans le cas de l'abîme, on lui échappe, on obtient un sursis, c'est tout), comme l'Autre, est Juge, car comme l'Autre elle me fait ce que je suis, me constitue sans appel. Ainsi se fondait un argument de Merleau-Ponty dans une discussion aussi philosophique que politique [3]. Le « gauchiste » se félicite de l'échec d'une manifestation commandée par le parti communiste. « *Qu'est-ce que vous faites ?* lui demande Sartre. Si le monde s'arrêtait à l'instant,

1. *Situations I.*
2. *Saint Genet.*
3. *Les Aventures de la Dialectique.* Le chapitre intitulé « Sartre et l'ultra-bolchévisme » répond au texte de Sartre « les Communistes et la Paix ». Ce débat se situe entre 1952 et 1955.

et si vous étiez jugé sur votre mauvaise joie, vous seriez celui qui applaudit à l'effondrement de la classe ouvrière... Une politique qui se priverait de tout recours contre la situation de fait et ses dilemmes ne serait pas une politique vivante : ce serait celle d'un mort en sursis, menacé de paraître à chaque instant devant son juge... Chacun pense à propos de l'événement. Mais c'est de loin, et en voyage, que la crise est un coup de tonnerre au milieu du silence. Le politique, lui, l'a vu naître, et, quand elle éclate, il en est déjà à demain. » Visiblement, Merleau-Ponty oppose, dans l'esprit de la phénoménologie, le rapport de l'individu solitaire et décentré à la mort, qui est finalement celui du *cogito*, à la temporalité vivante de l'action, conçue comme naissance continuée, reprise du passé dans le présent, maturation, passage permanent, alors que les notions qui nourrissent la philosophie sartrienne de l'action sont celles de création *ex nihilo*, d'action pure, d'initiative absolue, d'invention libre sans appui dans les choses. Pour Sartre, au lieu d'être déterminé dialectiquement par son existence [1], le choix militant du prolétaire serait ainsi un soudain effet de la valeur, qui, elle aussi, est non-être. Là encore, intervient la transcendance : l'acte ne vient de nulle part, il est le coup de foudre de la liberté, ce qui fait dire à Oreste : la liberté a fondu sur moi et m'a transi, la nature a sauté en arrière, je me suis retrouvé seul et sans âge... Comme la mort donc, la liberté peut advenir à tout moment, faire soudain irruption d'un ailleurs que rien dans toute mon existence antérieure ne laissait deviner. L'instant se définit donc par la possibilité de la *conversion*. En ce sens, il est une menace permanente pour mon projet actuel, qui quelle que soit sa continuité est exposé à cette brisure. Je suis « hanté par le spectre de l'instant ».

En d'autres termes il y a chez Sartre deux pensées du temps, chacune dépendant de la manière dont le sujet se rapporte au monde. Dans le temps de l'aventure la vie s'organise et prend forme, chaque moment n'existe qu'en fonction du suivant. Mais Roquentin vit dans un temps affalé, dans un vain fourmillement d'instants, alors que *Some time of the days* lui indique que le bonheur est leur bel enchaînement.

Revenons-en au champ de présence : chaque présent égrène les mêmes secondes que les autres, mais, comme il nous faut faire parler les uns pour les autres le discours du monde, pour qu'il soit, comme le café, un « plein d'être », comme

---

1. Ceci ramène au débat sur la liberté. Pour Merleau-Ponty, il n'y a pas d'efficace du non-être, mais plutôt une mise en forme ou une réorganisation comparables à celles qui interviennent au niveau de la perception et dont rend compte la théorie de la Gestalt.

nous devons employer notre négativité à en faire un texte sans lacunes, il ne suffit pas que le temps universel l'inclue et le charrie avec les autres. Il faut qu'il se fasse, lui, d'emblée constitué et constituant, dans cette zone insensée qui s'indique dans l'espace mais ne se localise pas, où d'ailleurs les messages du monde n'arrivent jamais sûrement et toujours à moitié effacés, d'où ne viennent jamais que de vains signaux, puisqu'elle est par principe inaccessible, bref dans cette zone de détresse irrémédiable où, privée de toute garantie, une existence comme les autres se vit minute par minute, et qu'on peut appeler subjectivité. Cette absence définitive est aussi la base de la liberté. La liberté est en perdition dans le présent, il est le non-lieu de la liberté déboutée. J'ai un présent, je me déplace toujours à l'intérieur de ce champ singulier où l'être manque, où il faut se faire : non que l'être s'interrompe vraiment, on le retrouvera après le passage du présent, dans le passé, mais il se redouble d'une subjectivité où il joue, se fait nécessité possible. Le déterminisme est caché par le nuage de poussière soulevé par l'existence se faisant, je ne cesse pourtant pas d'être déterminé ni d'être quelque part, et l'on saura ce qu'il en était.

Ce qui fascine alors la conscience, c'est qu'elle est à l'origine, au point producteur de l'irrémédiable, au contact de ce qui, dans un instant, ne pourra pas ne pas avoir été. Quelque chose est en train d'arriver, de se faire lui aussi. Condamnée à l'imminence, la conscience assiste au miracle de la naissance de l'être. Ainsi le présent est-il directement en rapport avec la transcendance, avec Dieu. D'ailleurs, c'est bien dans le présent de la situation ainsi déterminée que l'Autre de son regard m'épingle, me bloque. Mais aussi le présent est le moment d'une demande, d'une adresse, car nous y sommes en proie à l'harassante obligation d'être libre, et cherchons naturellement à nous en décharger : j'interroge l'Autre sur ma vérité, mon devoir, ma destination, je sollicite mon élection.

« *Il fait quelques pas dans la chambre, il demande du secours, un signe... Rien ne l'aidera, rien ne se produira*[1] »

Aucune révélation ne nous est faite, mais cela même ne nous délivre pas : n'est-ce pas un signe que cette *obstinée* absence de signe, puisque de toute façon c'est à moi d'en saisir le sens, c'est-à-dire de le constituer ? Maître souverain du sens, mais ne sachant rien, j'attends anxieusement ce qui arrive.

1. *L'Age de Raison.*

Je guette les signes, ou aussi bien j'attends des ordres que je ne reçois pas. J'en avais, peut-être, mais le présent pur les rend caducs.

« *L'ordre ? Il n'y avait plus d'ordre. Ça vous laisse tout seul les ordres, à partir d'un certain moment. L'ordre est resté en arrière et je m'avançais seul...* », dit Hugo. Tout ce qui me déterminait, me faisait marcher, littéralement, m'abandonne, je suis affreusement libre, vide, invoquant vainement une transcendance quelconque. Nous en sommes revenus une fois de plus à la situation-limite du bord de l'abîme. Evidemment, je puis faire comme Gœtz, aider l'Autre :

« *Donne tes stigmates ! Donne-les !... Es-tu sourd ? Parbleu, je suis trop bête ; aide-toi, le Ciel t'aidera ! (Il tire un poignard de sa ceinture, se frappe la main gauche avec sa main droite, la main droite avec sa main gauche, puis le flanc. Puis il jette le couteau derrière l'autel, se penche et met du sang sur la poitrine du Christ). Venez tous ! Le Christ a saigné...* »

Le présent, défini par l'incidence du futur, est l'acte même, acte permanent, mais qui par là même est aussi l'éternelle puissance, toujours préméditation de l'acte qu'il va être, est déjà : sa réalité est sa possibilité. Sartre ne craint pas de nous infliger l'idée que le présent n'est pas, mais dans la perspective nouvelle de la néantisation. Le présent vivant est notre vie : notre décentrement, l'impossibilité de la nature ou du repos. Le présent n'est pas parce qu'il est le non-lieu de la néantisation : *Hic Rhodus, hic salta*, ici est l'être, ici tu néantises. Je suis toujours *en présent :* que je m'en aperçoive, je me désespère, il m'apparaît, au lieu de l'occasion du salut, comme le tout de l'existence qui m'enferme sans recours, désert de la valeur, humiliation de la facticité : c'est ce que Sartre appelle le présent « naturaliste », celui de *la Nausée*. Alors — mais c'est là exactement le revers du rapport à la transcendance, le côté d'ombre — je me sens « oublié, délaissé dans le présent », comme l'enfant dans le cabinet noir, c'est un présent de pénitence.

Car le présent est négatif en deux sens : il n'est pas et opère ma transcendance, mais aussi il la nie, vient me rappeler ma facticité. Il « nous blesse », comme dit Pascal, dès que nous ne le brûlons plus vers l'avenir comme une station secondaire. Il y a le présent qui temporise.

Le présent est le nerf du temps, et d'une autre manière il le nie, institue l'éternité — la sienne. Il signifie la réclusion perpétuelle dans ma liberté, comme dans ma conscience. Comme

le présent, on peut dire que le passé et l'avenir sont néant :
mais ce sont aussi des gouffres d'être. Chacune de ces « ek-
stases » *a tout le temps* et est négation du temps, chacune
d'elle est totalitaire, draine tout l'être à elle : passé, présent
et avenir sont des absolus incompossibles. D'où la mauvaise
foi du temps. Le passé n'a jamais été présent, nous sommes
toujours déjà nés, le pour-soi vient au monde avec un passé,
et le futur ne devient jamais présent, l'identité à soi est
toujours remise au lendemain. Ainsi le passé me revendique
toujours, tourne discrètement en dérision la liberté comme les
déclarations d'indépendance d'un enfant, comme si mon essence,
qu'il détient, ne cessait de me téléguider dans l'improvisation
néantisante du présent, et, paternellement, il s'attribue la responsabilité des éventuels dégâts. De toute façon, il était bien
sûr que je continuerai mon chemin au lieu de me jeter dans
l'abîme. Pourtant, quand, dans cette situation incomparable
je me suis tourné vers lui pour lui demander secours, il m'a
laissé me débrouiller tout seul. C'est un acte de ma part si
j'adhère décidément à mon passé, me comporte même comme
il était probable : seul cet acte qu'il faut délibérer réactive la
substance que je suis au passé, mais aussitôt accompli il
apparaît comme en étant un effet. *Wesen ist was gewesen
ist* [1].

Je joue mon présent parce qu'il ne peut être vécu que
comme prélude, je m'attends, je ne cesserai de m'attendre
jusqu'au jour où ça cessera. En attendant, l'éternel futur de
l'être est toujours ajourné. Mon essence est au passé, mon
être est au futur, et je gesticule dans un présent, le passé et
le futur n'étant simplement que le présent sans moi. Pourtant,
le présent est déterminé par le futur : c'est parce que je
manque de ce que je serai que je ne puis être pleinement
présent à moi-même, ou c'est parce que je ne coïncide pas
dans l'instant avec moi que je suis ouvert au futur. Il est ce
manque même au sein de la présence. Inutile de dire qu'il est
impossible, étant ce que j'ai à être sans jamais pouvoir l'être,
comme le passé est ce que je suis sans l'être davantage. Je
me fais pigeonner par le fantasme de l'être, je me berce de
l'illusion de cet avenir qui résoudrait le problème de mon
existence de lui-même, à ma place, en fait en mon absence.

En un mot, il ne suffit pas de subir le temps, il faut le
vivre, c'est-à-dire le doubler sur toute sa longueur de son
projet. Mais enfin je ne vis ni passé, ni présent, ni futur :

1. Jeu de mots de Hegel cité par Sartre, l'être (l'essence) est ce qui
a été.

je suis hors du temps, je me temporalise — l'être hors de soi étant justement le temps. Mais la temporalisation est la feinte de l'éternité, et la vie pour nous n'est que l'occasion d'espérer de vivre.

Nous vivons isolément des vies générales. Nous vivons la génération, la poussée indivise, la transcendance objective du temps naturel, mais selon cette implication du singulier et de l'universel qui fait de la sexualité, tout particulièrement, cette « immense affaire » dramatique et scurrile. Elle est le comble de la généralité, et il faut l'exister, la reprendre comme ce qu'il y a de plus individuel. Elle est toute générale, mais elle est à exister comme absolument singulière. Soit, par exemple, dans l'Etre et le Néant, cette bonne femme à son premier rendez-vous : « *Elle sait fort bien les intentions que l'homme qui lui parle nourrit à son égard* », la généralité de la situation est accablante, mais la subjectivité doit la vivre, alors comment ? Il faut qu'elle se mette de mauvaise foi. Cet avenir patent, écœurant de probabilité, il faut le vivre comme l'imprévisible qu'il veut être en droit, le réaliser, — faire ce qui se fait (sinon qui le ferait ?), en déguster une à une les illusions, les désillusions. Sartre conclut : « *On sait ce qui se produit alors* » : on en sait toujours trop, cette situation, j'en connais par cœur le mode de résolution[1], mais je dois « jouer le jeu », la limitant à son présent, m'aveuglant à son pauvre sens, feignant de croire à l'originalité qu'elle simule — mais n'est-elle pas originale puisqu'elle m'advient ? La mauvaise foi est d'être sujet. La subjectivité n'existe qu'à refuser l'existence, par là elle se définit comme rien, alors qu'elle est tout entière engagée dans l'être, de la même façon que le stoïcien, comme l'a montré Hegel, ne cesse de faire prévaloir la forme abstraite de son jugement, bien contraint d'accepter les contenus que le dehors lui impose.

Bon an, mal an, des taux se réalisent, des normes sont atteintes, sont satisfaites des prévisions qu'aucun plan n'établit mais qui se réalisent bien plus sûrement par le simple fait de notre coexistence. Il faut croire que chacun y travaille, en dehors de ses heures de sa vie subjective, en tant qu'individu général. L'individuel, qui en lui-même n'est pas de l'ordre des

---

1. *La Nausée* ; « ... ils m'agacent. Ils vont coucher ensemble. Ils le savent. Chacun d'eux sait que l'autre le sait. Mais, comme ils sont jeunes, chastes, et décents... » La bonne foi, serait-ce Roquentin ? La « reprise de l'être pourri par lui-même » serait la nausée, la transcendance connaissant jusqu'à la lie son pourrissement dans la facticité. Mais en un sens, allant jusqu'au bout, ne renonce-t-il pas à la subjectivité, et, comme l'exemple le montre, ne prend-il pas la place de ce « on » qui sait, autre forme de mauvaise foi ?

lois, est comme récupéré à un niveau supérieur, celui du déterminisme statistique, et les transcendances corroborent l'état de fait. Sartre a été impressionné par la théorie du fait social ébauchée par Durkheim dans *le Suicide*, qui a trouvé sa traduction littéraire chez Dos Passos.

« *Chacun de ses personnages est unique ; ce qui lui arrive ne saurait arriver qu'à lui. Qu'importe, puisque le social l'a marqué plus profondément que ne peut faire aucune circonstance particulière, puisque le social c'est lui. Ainsi, par-delà le hasard des destinées et la contingence du détail, nous entrevoyons un ordre plus souple que la nécessité physiologique de Zola, que le mécanisme psychologique de Proust, une contrainte insinuante et douce qui semble lâcher ses victimes et les laisser aller, pour les ressaisir sans qu'elles s'en doutent : un déterminisme statistique. Ils vivent comme ils peuvent, ces hommes noyés dans leur propre vie, ils se débattent et ce qui leur advient n'était pas fixé à l'avance. Et pourtant leurs pires violences, leurs fautes, leurs efforts ne sauraient compromettre la régularité des naissances, des mariages, des suicides. La pression qu'exerce un gaz sur les parois du récipient qui le contient ne dépend pas de l'histoire individuelle des molécules qui le composent* [1] »

Nous voilà de nouveau englobés par l'être. Sartre s'est employé à reconstituer ce climat dans *le Sursis*, quand la pression des molécules se traduit par le mot : guerre. Il écrit plus tard à propos de Genet :

« *Avant, je rêvais de prouver par mon crime que j'échappais à toute essence ; après, mon essence c'est mon crime, il m'étrangle de sa poigne de fer. Il devrait révéler à l'univers la puissance de l'exception, de la singularité : voici qu'il s'inscrit dans l'être et devient un objet parmi d'autres objets ; il entre dans les statistiques : qu'était-ce ? Un inceste, un viol, un infanticide ? Il y a tant d'infanticides par an, tant de viols, tant d'incestes : il n'y en aura pas plus cette année que l'an dernier.* »

Et plus loin : « *On ne vole pas contre la statistique* », c'est-à-dire que le délinquant respecte au moins cette loi-là, obéit en ce sens à l'ordre, est finalement l'instrument que la société utilise pour réaliser ses normes annuelles et garantir par là la situation de l'emploi dans la magistrature. Quels

1. *Situations I.*

que soient les désordres empiriques, les moyennes sont confir-
mées de la même manière que selon la théodicée les malheurs
du monde participent de la perfection de l'œuvre divine. Le
social est ainsi réel, mais d'une façon qui m'échappe : la
subjectivité fait erreur sur la réalité, ne pouvant comprendre
que la perception immédiate le manque, car elle est en fait
abstraite, bref, que ce qui existe en dehors d'elle n'est pas un
ensemble d'objets individualisés mais un tissu de probabilités.
L'individu, proprement, ne compte pas, il est purement négatif,
ce qui donne un nouveau sens à la phrase de Céline placée
en épigraphe de *la Nausée* : « C'est un garçon sans importance
collective, un individu. » On connaît déjà le taux des suicides
pour cette année, parce qu'en vérité c'est la société elle-même
qui se suicide un peu à travers les individus. A part cela,
comme dit Durkheim, les événements de la vie les plus divers
et même les plus contradictoires peuvent également servir de
prétextes au suicide, et peu importe. L'exemple du suicide nous
fait toucher nos limites : la valeur, impossible visé par la
transcendance, la fin qui anéantit le sujet, et d'autre part la
facticité, la cause, qui n'est pas moins dangereuse. Relèvent-
elles de la même extériorité ? L'opération même du suicide
les identifie, les unit en abolissant le sujet qui en était l'intervalle, qui en était écartelé.

Mais, comme le dit Sartre, les événements évidemment ne
sont pas écrits d'avance : ils requièrent même de sérieux
efforts. Il parle par exemple du geste que nous devons faire
pour décrocher au Ciel des lieux communs ceux qu'appelle la
situation (mais c'est à nous de juger de la correspondance),
à chaque fois nouveau, et qui s'efface en même temps qu'il
s'effectue, comme l'opération de la conscience cognitive redé-
couvrant les vérités mathématiques. Toutes pareilles aux idéalités dont parle Husserl dans sa logique transcendantale, les
banalités peuvent être indéfiniment répétées comme « identiquement les mêmes », au sein du présent vivant du temps
mort.

L'erreur de la subjectivité est inéluctable, et la traduction
de son existence dans l'existence objective revient sous forme
de facticité insaisissable, incommensurable à son projet. L'*être*
est l'évidence qu'il n'y a rien à *faire*, mais *il faut* faire quelque
chose, ou ce ne serait pas la peine d'être libre. Mais le néant
ne peut rien causer, tout appartient à l'extériorité, l'acte en
tant qu'il est mien s'efface. Je me fais conscience (d') agir [1],
et, contemporain de cette conscience, il arrive un événement

---

1. Nous proposons donc d'écrire : je me fais (conscience d') agir.

dans le monde. Il y a un instant, j'étais encore un passant comme les autres. Mais *on* a tiré, *on* a lancé une bombe —, et le monde se réorganise avec une rapidité foudroyante autour de moi objet. Le geste auquel rien ne m'obligeait, qui restait en suspens, dans la tiédeur transparente de la conscience, ayant passé je ne sais quelle limite sans que je m'en aperçoive clairement, le voilà au-dehors avec cette grimace du monde, nécessaire, elle, faisant cause commune avec cet énorme déclenchement qui n'a de causes que mondaines. En revanche, je suis défini sans reste par cet acte objectif, ou comme reste de cet acte, c'est-à-dire comme quelque chose d'existant, c'est-à-dire comme quelque chose de trop. Quelle maladresse ! J'ai fait du beau travail. Je suis (je me fais) le fondement de ce dont je ne suis pas l'origine, mais inversement je ne suis pas le fondement de ce dont je suis l'origine. Je fais quelque chose : cela m'échappe, rentre sous la juridiction divine de l'être, — à moins d'exister tristement, de trop sous le soleil. Mais, comme l'a dit Malebranche, la causalité que je crois exercer est illusoire : toute l'activité est en Dieu, avec l'être et la positivité. Tout au plus suis-je cause occasionnelle : un processus passe par moi, m'utilise faute de mieux, un courant me traverse. Je remue le monde comme je remue mon bras, sans savoir comment, mais le monde n'est pas mon monde, tout se passe en lui selon les lois de son être : il n'y a plus de commune mesure entre ma conscience et lui qu'entre l'âme et le corps dans la philosophie classique. L'être attaqué par le négatif se reforme immédiatement. On pourrait même dire, plus profondément, que l'activité est une notion humaine qui n'a pas sa place dans l'être.

Sartre reprend le noyau logique de l'argument mystique de Malebranche : l'être est cause de lui-même, exclusivement. Il n'est point de force qui ne soit la sienne, et seul donc il a pouvoir, compétence pour agir sur lui-même. Ainsi, pour en revenir au cas intéressant du suicide, ou du viol, de l'inceste, du meurtre, *à l'occasion* du geste que je fais, un résultat déterminé par la structure objective de l'être se réalise. Je ne suis tout au plus qu'un intermédiaire contingent dont la singularité se supprime nécessairement.

De surcroît, mon acte fait *son homme*. Moi, je ne saurais coïncider avec lui : il m'expulse, me vomit, me désavoue, il ne veut rien avoir à faire avec moi[1]. « *Un acte ça va trop vite.*

---

1. A la fin de la *Phénoménologie de la Perception*, Merleau-Ponty laisse la parole à Saint-Exupéry : « Mais c'est ici qu'il faut se taire, car seul le héros vit jusqu'au bout sa rellation aux hommes et au monde... : « ... Tu loges dans ton acte même. Ton acte, c'est toi... »

Il sort de toi brusquement et tu ne sais pas si c'est parce que tu l'as voulu ou parce que tu n'as pas pu le retenir. Le fait est que j'ai tiré... » dit Hugo [1], et plus loin : « *C'est un assassinat sans assassin* ». L'acte est en vérité vierge de sujet. Pour le devenir, pour advenir à cette place, il faut vraiment le vouloir, comme Oreste qui veut à toute force avoir un crime à soi, ou il faut comme Hugo être bien entêté de sa subjectivité petite-bourgeoise. On peut d'ailleurs en dire autant de la parole ; Oreste répond à Jupiter qui trouve son nouveau langage choquant pour ses oreilles :

« *Pour les miennes aussi, Jupiter. Et pour ma gorge qui souffle les mots et pour ma langue qui les façonne au passage : j'ai de la peine à me comprendre...* »

Je suis surpris par les mots que je dis, c'est-à-dire : je suis conscient. Il faut bien que la parole me vienne pour que je sache ce que je voulais dire. Le mieux que je puisse faire, c'est d'acquiescer à ce que je dis, mais ce n'est là que sauver les apparences, et c'est, somme toute un point d'amour-propre, un péché d'orgueil.

Que je glisse hors du monde, il restera plein, je puis en être sûr. Car je ne suis qu'être à la manque — manque de rien, dont rien ne manque, rien que manque et rien que rien. La négintuition [2] à la portée de tous : le néant, c'est ce qui, une fois qu'on l'a retiré, ne manque pas. Tout est en dehors de moi, tout existe, le monde est une fois pour toutes au complet depuis qu'il est monde. La conscience, c'est l'absolu, pour autant que les événements ont en elle leur sens. Il n'y a pas d'argument contre cet idéalisme-là.

Alors, comment l'être pourri pourra-t-il, lui-même, se reprendre [3] ? Quel humanisme est possible si l'homme n'est pas ? Quelle positivité attribuer au négatif ? Ces questions méritent réponse. Nous y consacrerons une prochaine étude.

----

1. *Les Mains Sales.*
2. Terme forgé par Merleau-Ponty dans *le Visible et l'Invisible* : « L'intuition de l'être est solidaire d'une sorte de négintuition du néant ».
3. « S'il est indifférent d'être de bonne ou de mauvaise foi, parce que la mauvaise foi ressaisit la bonne foi et se glisse à l'origine même de son projet, cela ne veut pas dire qu'on ne puisse échapper radicalement à la mauvaise foi. Mais cela suppose une reprise de l'être pourri par lui-même que nous nommerons authenticité et dont la description n'a pas place ici ». *L'Etre et le Néant.*

Tout homme est un étranger chez les hommes. Il lui faut prendre les coutumes du pays. Les autres ont déjà leurs places, leurs droits, leurs traditions, leurs préceptes confortables, les salauds.

C'est notre façon d'être seul que de ne pas être seul à être seul, de ne pas être le seul qui soit seul. L'extrême singularité à la fois repousse l'humanité à distance et l'accapare, la dénie aux autres, et en même temps elle se confond avec l'extrême universalité : la singularité indépassable d'un homme, qui l'isole radicalement des autres, l'empêche de se reconnaître en eux, en fait un homme. L'humanité est monstrueuse, d'une monstruosité redoublée, en ce qu'elle n'est faite que de monstres incomparables qui se comparent précisément par là ; la banalité coïncide avec l'exception, mais l'identité ne va pas sans la différence radicale ; l'absence de nature qu'exprime la notion d'existence tient lieu de nature ; la cohésion du monde humain n'est faite que de rapports d'exclusion.

Je suis je, mais je, c'est tout un chacun, c'est n'importe qui. L'apparition bouleversante de la conscience de soi, qui, une fois qu'elle a eu lieu dans l'enfance, ne cesse plus de nous accompagner, quelque effort que nous fassions pour nous en divertir, est parfaitement vide, souligne Sartre : l'enfant a acquis « *la conviction qu'il n'est pas n'importe qui, or il devient précisément n'importe qui en acquérant cette conviction. Il est autre que les autres, cela est sûr ; mais chacun des autres est autre pareillement. Il a fait l'épreuve purement négative de la séparation et son expérience a porté sur la forme universelle de la subjectivité, forme stérile que Hegel définit par l'égalité Moi = Moi. Que faire d'une découverte qui fait peur et ne paie pas ?* [1] ». Aussi bien tous les efforts déployés par quelqu'un pour être quelqu'un ne font finalement que remplir une différence formelle immédiate, elle-même en soi appel d'un contenu. Voilà comment Sartre peu écrire à la fin des *Mots* : « *Si je range l'impossible Salut au magasin des accessoires, que reste-t-il ? Tout un homme, fait de tous les hommes, et qui les vaut tous et que vaut n'importe qui.* »

Au terme de ses confessions, Sartre se présente donc comme un anti-Rousseau : il ose croire être fait comme tous ceux qui existent ; s'il est autre, au moins il ne vaut pas mieux, et si le genre humain doit se souvenir de lui, que ce soit comme d'un être ordinaire. Il est Sartre, soit, voilà ce qui lui est

1. *Baudelaire.*

arrivé : mais ce Sartre lui échappe, il n'est pas Sartre. Aujour-
d'hui, il demande à prendre place parmi les autres, homme
parmi les hommes. A tout prendre, il se contenterait d'être
sujet pur, de s'installer au croisement du singulier et ne l'universel, en ce point exquis de la dialectique. Cela lui conviendrait
assez. Mais si, on l'a vu, aucune place n'est tenable pour le
sujet, celle de sujet l'est moins que toute autre. Le plus singulier s'avère le plus universel, sans s'arrêter à ces intermédiaires que sont un nom, un visage, une vie : mais la facticité
est que j'ai ce nom, ce visage, cette vie, dont je ne puis sortir,
alors que d'un certain point de vue, qui est le même, selon
l'expérience de la facticité encore, ils apparaissent interchangeables. Le rien qui fait le problème de l'existence n'est pas
rien. Personne n'est personne. Etre n'importe qui, c'est ne pas
se prendre pour n'importe qui. Et si vous en rencontrez un
qui vous déclare tranquillement être le premier venu, méfiez-
vous, celui-là n'est pas comme les autres, et d'ailleurs pour
aujourd'hui la preuve en est facile à donner : c'est Sartre.

Sans doute y-a-t-il ce passage dans *le Sursis :*

« On est toujours n'importe qui », *dit-il. Il rit :*
— C'est idiot.
— Comme vous êtes triste, dit Odette.
— Pas plus que les autres. Nous sommes tous énervés par
ces menaces de guerre.
Elle leva les yeux et voulut parler, mais elle rencontra son
regard, un beau regard calme et tendre. Elle se tut. N'importe
qui : un homme et une femme qui se regardaient sur une
plage ; et la guerre était là, autour d'eux ; elle était descendue
en eux et les rendait semblables aux autres, à tous les autres.
Il se sent n'importe qui, il me regarde, il sourit, mais ce n'est
pas à moi qu'il sourit, c'est à n'importe qui. Il ne lui demandait
rien, sauf de se taire et d'être anonyme comme d'habitude... »

Et c'est vrai, ces personnages ont bien le sentiment d'être
n'importe qui, mais c'est parce qu'il y a la guerre, qui fait de
Mathieu un soldat pareil à des millions d'autres, et d'Odette
une jeune veuve ou une infirmière. C'est parce que la guerre
tourne vers eux le visage de la mort, qui sidère toute individualité — sinon, comme le dit Hegel, les hommes s'enfonceraient
décidément trop, dans leur particularité, dans leur jouissance
d'eux-mêmes, et dans leur amour... Il est temps de régénérer la
substance sociale, l'être général, qui n'existe en temps normal
que pour les savants sous forme de statistiques, de rassembler
tout le monde sous le regard du « Maître commun ». Mais

la vie implique qu'on vive comme si on n'était pas n'importe qui — en quoi on l'est. L'impossibilité d'être n'importe qui est, encore une fois, celle de coïncider avec ce qu'on est, et aussi d'être libre.

Voilà quelqu'un qui dit qu'il est n'importe qui : il se détermine à s'indéterminer : il sort du jeu, mais y rentre aussitôt. Il n'est pas n'importe qui *pour* dire qu'il est n'importe qui. Là encore, recommencent la non-coïncidence, et la mauvaise foi, et l'inégalité du Moi = Moi. Epreuve sans doute ultime de l'impossibilité de rejoindre, d'être autrui, de prendre place parmi les hommes.

On a pu attribuer à Sartre une sorte de « cannibalisme intellectuel »[1] : n'a-t-il pas dévoré Baudelaire, Genet, Flaubert ? Aujourd'hui, il a trouvé un morceau royal : lui-même, — semblable à l'animal mythologique que les compagnons d'Ulysse appelaient Catoblépas, et qui, quand il est affamé, se nourrit de ses propres pieds[2]. « *Allez vous y reconnaître. Pour ma part, je ne m'y reconnais pas et je me demande parfois si je ne joue pas à qui perd gagne et ne m'applique à piétiner mes espoirs d'autrefois pour que tout me soit rendu au centuple. En ce cas je serais Philoctète : magnifique et puant, cet infirme a donné jusqu'à son arc sans condition : mais, souterrainement, on peut être sûr qu'il attend sa récompense. Laissons cela. Mamie dirait : Glissez, mortels, n'appuyez pas.* » Ce saint des temps modernes désespère de Dieu, et pour être plus sûrement sanctifié, refuse la sainteté.

Exposant « *gaîment que l'homme est impossible* », Sartre a donné une formule du pessimisme plus radicale que celle de Schopenhauer (le monde est le pire des mondes possibles : un peu plus mauvais encore, il s'effondrerait dans le néant). C'est dire qu'il est une contradiction, une erreur : son existence est précisément cette impossibilité logique — mais qu'il existe (et l'on a vu que cette existence est fuite en avant faute d'avoir résolu le problème initial) n'y change rien : son existence est destruction différée, traduite dans la perpétuelle désagrégation interne qui le fait être à défaut d'être vraiment. On retrouve chez Sartre l'idée pascalienne de l'historicité : un événement incompréhensible est arrivé — seule manière de comprendre l'énigme de notre condition —, qui est la chute de l'être dans l'existence.

Ainsi va la dialectique de Sartre, mobile et immobile, affolée et sidérée, volubile et muette. Car l'en-soi ne manque pas du

---

1. Le mot est de Lévi-Strauss.
2. Cf. Jean Giraudoux, *Elpénor*.

pour-soi, qui renvoie indéfiniment à ce qu'il ne peut être : lui-même. La dialectique sartrienne n'échoue pas, elle est échouée, elle est ce qui s'échoue, raison de tout échec, condamnée à ce sort dès le moment initial où *l'absolu est séparé* : le rapport insurmontable à l'en-soi se traduit par l'impossibilité de liquider la phase inaugurale ; la téléologie, dès lors, est reprise dans l'immanence. Dialectique du recto et du verso : chaque terme n'est que l'impossibilité de l'autre, tout son être s'épuise à n'être pas l'autre. Ce négativisme, en définitive, ne touche à rien, il fait place nette et laisse tout en plan. Quoi qu'on fasse, ce sera finalement comme si de rien ne s'était passé, la totalité du sens ne sera jamais que beaucoup de bruit pour rien, le sujet continuera à peser sur l'être de tout son poids de néant. Ne ferait-il pas mieux, comme le sceptique, de suspendre son jugement — et son désir, et son action ? Il y a toujours dans la tempête un point où le vent ne souffle pas : va-t-il s'y établir pour y contempler l'« inutilité théâtrale de tout » ? Va-t-il jouir, seul, de la paix, pour avoir reconnu la guerre universelle, de tout avec tout, et pour rien ? Mais, de même que l'origine est contradictoire, il ne trouvera jamaix la paix, jamais que la guerre de la paix avec la guerre. Comme repos, il aura su gagner l'absolu mouvement. Les justes et les fripons, disait Robespierre, disparaissent également, mais à des conditions différentes.

Aussi ne faudrait-il pas croire que notre homme se foute de tout, bien au contraire, il est toujours sur la brèche, à l'ouvrir ou à la colmater. Rien ne supporte le philosophe, pas l'être bien sûr, ni même sa philosophie, ni une mission ou un mandat, encore moins les autres — encore que certains chefs puissent accueillir avec bienveillance le féroce infirme retour du négatif : l'homme existe, il a des besoins, quant au garçon de café, c'est avant tout un exploité, on est bien heureux qu'il le reconnaisse. Le fils prodigue a musardé, d'ailleurs il n'a pas rebroussé chemin, mais il s'est fait adopter en route par une sainte famille marxiste.

C'est que, comme les autres, il est pris au jeu, au « supplice de l'immanence ». Il n'est pas sauvé parce qu'il se sait perdu, parce qu'il n'y a pas de salut, et parce que comme les autres, il le cherche. Mais quoi ? La philosophie du néant s'anéantit. Si, par extraordinaire, vous entriez dans cette philosophie, vous seriez aussitôt rejeté au-dehors, dans le monde, en pleine poussière, car cette philosophie n'a pas de dedans, c'est cette fuite absolue hors d'elle-même, ce refus d'être philosophie qui la constituent. Aussi bien l'ontologie ne peut engager à l'action mais n'en détourne pas. Nous ne saurions prendre prétexte d'elle. Que tout revienne au même, c'est ce que nous ne pouvons penser, ce en quoi elle n'est pas pensable — marque ultime de l'impossible rapport de cette philosophie existentielle à l'existence. En tout cas, elle ne permet pas une attitude universelle qui rassemblerait la vérité des autres : ce serait une conduite parmi d'autres, avec la même vanité d'universalité. C'est encore tenir son rôle que de le refuser. En définitive, cette philosophie en elle-même ne peut pas plus nous désoler que nous réjouir : par rapport à elle, je peux choisir, par exemple, le désespoir, mais elle me prévient d'avance que c'est moi qui ferais ce choix. Si tu entends quelqu'un se plaindre des femmes, disait Spinoza, dis-toi qu'il a été mal accueilli par sa maîtresse. Ce n'est pas parce qu'on s'est levé du pied gauche que Chestov est un grand philosophe.

La philosophie doit se taire devant le silence du réel, mais, au-delà d'elle qui ne nous dit rien, nous avons à choisir, avec une entière responsabilité, sans pouvoir nous dire que nous sommes de toute façon leurrés. Il faut se résigner à l'action. Voici le miracle : le sujet revient du point de non-retour, exprime le négatif, reprend le chemin de la vie.

Mais en elle-même, il est vrai, cette philosophie ne pardonne pas, parce qu'elle pousse plus loin que toute autre l'impossibilité de penser. Glissez, mortels... Plus que jamais, c'est d'étonnement [1] qu'il s'agit : on nous dit ce dont le sujet *ne revient pas*, d'être. On nous fait entendre le double cri de l'existence : je voudrais être, je voudrais ne jamais être né. On nous dit la vérité sur l'homme : qu'il n'est pas l'homme. Le philosophe nous rappelle ce que nous savons sans le savoir avant tout savoir, et que le savoir ne sait pas : la petite affaire d'exister, cette fortune, oubliée par ceux qui reviennent nuitamment dans le jardin de l'homme. Si le philosophe fait de l'existence un non-savoir radical et le négatif de tout savoir, c'est qu'il sait ce qu'il en est : un être qui n'est pas, un fait qui est un devoir, qui est à faire, une nécessité qui est aussi la liberté, une passivité active ou inversement, une singularité universelle ou réciproquement, une mauvaise foi sincère, une puissance en acte, un silence loquace, une transparence opaque, un qui perd gagne, mais ne gagne que perte, ou plutôt que victoire ou défaite, la Défaite qui rend possibles et la victoire et la défaite.

1967

---

1. « Elle est tout à fait d'un philosophe, cette passion : s'étonner » Platon, *Théétète*.

Post-Scriptum

JEAN GIRAUDOUX, JEAN-PAUL SARTRE
ET LA PHILOSOPHIE D'ARISTOTE

Un jour, Sartre reconnut en Giraudoux un disciple d'Aristote. Dans ses romans ne décrit-il pas une sorte de Terre des Idées : les formes y sont inséparables de la matière, la perfection est réalisée par chaque individu adéquat à son type, par chaque existant coïncidant avec son essence [1]. Naturellement, une telle doctrine est à l'opposé de l'existentialisme, qui veut montrer le monde tel qu'il est : tout y est rencontre, accident, l'événement résiste aux catégories, la signification est toujours en sursis et incomplète.

En fait, Aristote, comme Sartre, s'est posé la question : qu'est-ce que l'être ? — et comme lui il a conclu à *l'équivoque de l'être* [2]. Il a distingué deux mondes, le supra-lunaire et le sublunaire, ce dernier, le nôtre, étant caractérisé par sa contingence. Ainsi a-t-il fait à l'existence sa part, posant que notre monde ne peut être entièrement déduit du principe, et que dans cette mesure même Dieu ne peut le connaître, car, comme il est absolue perfection et pur rapport à soi, ce serait pour lui changer vers le pire. De son côté, Sartre a expliqué que Dieu ne peut connaître l'homme pour autant que celui-ci échappe à sa plénitude.

Chez Aristote comme chez Sartre, l'absolu est séparé, le relatif s'oppose à l'absolu comme le contingent au nécessaire, et, on va le voir, le mouvant à l'immobile. Notre monde est précisément celui de la relation. Mais les dieux, a dit Aristote, ne sauraient être ni justes, ni courageux, ni tempérants, etc.,

---

1. « Jean Giraudoux et la philosophie d'Aristote », dans *Situations I*.
2. Cf. Pierre Aubenque, *Le Problème de l'Etre chez Aristote*.

puisque ces vertus impliquent un rapport, à une situation, à
un besoin. D'autre part, Aristote a donc distingué entre l'être
qui est et l'être qui tend à être. Le monde est mû par sa fin,
par l'amour que lui inspire l'Etre parfait. On retrouve un
finalisme analogue chez Sartre, le pour-soi étant à la poursuite
de l'En-Soi-Pour-Soi, c'est-à-dire du pur rapport à soi immobile, de l'absolue jouissance de soi, dont il ne fait pas, il est
vrai, une réalité mais une ou la valeur.

Comme le pour-soi ne cesse pas de tendre vers l'être parfait,
le monde d'Aristote n'en finit pas d'essayer d'être Dieu, c'est-
à-dire qu'il est le mouvant opposé à l'immobile. Son mouvement
est infini et il est la marque même de son imperfection : il se
définit comme « l'acte de ce qui est en puissance en tant qu'il
est en puissance », c'est-à-dire comme ce qui n'en a jamais fini
de devenir autre. Une telle formule conviendrait comme un
gant au pour-soi. Sartre a d'ailleurs proféré un énoncé rigoureusement aristotélicien dans *L'Etre et le Néant* : « le mouvement est la maladie de l'être. » En effet, pour Aristote,
comme le dit M. Aubenque, le mouvement est ce qui expulse
l'être de lui-même.

Chez Sartre tout de même que chez Aristote, l'existence,
contingente, vouée au mouvement, est fascinée par l'être nécessaire et immobile. Ici et là on retrouve la même structure de
l'être-pour. Aristote dit que les astres sont pleinement ce qu'ils
sont comme Sartre écrit que les mots sont fixes comme des
étoiles et drainent le vécu. Seules sont positives les essences,
mais quelque chose est arrivé, quelque chose d'impensable, un
passage au moindre-être, une dégradation, une chute qu'on ne
peut que constater et non déduire puisque l'être parfait ne
peut comporter le manque, comme la perfection du paradis
interdit de comprendre le péché originel.

Le monde rêve de l'accomplissement qui est sa fin, mais les
lacunes font partie de son tissu ; nous nous proposons d'achever
un inachevé essentiel, telle est la condition contradictoire de
l'action. Mais Giraudoux pensait peut-être que c'est la tâche de
l'artiste d'imiter par la fiction la perfection. Aristote dit bien
que si le charpentier, le cordonnier ont une fonction, une
activité spécifique à exercer, l'homme comme tel n'en a pas.
Mais chez Giraudoux, le mouvement qui porte Pierre à l'existence en fait la plus parfaite réalisation des maris polytechniciens, de même « Edmée qui est certainement la mère le plus
nettement mère — comme toutes les mères, l'épouse le plus
nettement épouse — comme toutes les épouses — est aussi
le plus nettement, le plus profondément Edmée ».

Pour Sartre, les personnages de Giraudoux sont des possédés, puisqu'ils ne peuvent que réaliser leurs formes substantielles. Mais après tout, en plein monde existentiel, n'avons-nous pas vu le garçon de café s'employer à imiter jusqu'à coïncider presque avec elle l'essence de garçon de café ? Elle le fascine et le possède à sa manière, d'un certain point de vue le garçon de café est un élu, et c'est lui qui par son jeu perpétuel nous persuade de la validité d'un aristotélisme sommaire. Certes, on peut dire qu'il n'est garçon de café que par accident, il aurait pu être ingénieur ou médecin si l'enseignement était démocratique, et d'autre part il faut le voir du dedans : là, le pour-soi ne connaît pas de repos intelligible. Il n'empêche qu'il fait semblant d'avoir mission de représenter la vérité universelle des garçons de café, alors qu'il n'est qu'un magma de cellules, une ronde insensée d'atomes. Le négatif n'étant rien, on peut appliquer à Sartre ce que lui-même disait de Giraudoux : « une forme, tapie au fond de l'avenir, guette sa matière, elle l'a élue, elle l'attire à soi. » Le garçon de café se conforme volontairement à son archétype ; il se choisit perpétuellement ce qu'il est ; renégat de la subjectivité, il rallie le camp aristotélo-giralducien.

Le pour-soi, ce serait plutôt le sophiste dont parle Platon, qui a pour refuge le non-être et qui est le maître des simulacres, imitant la création à l'envers, substituant le néant à l'être, l'imaginaire au réel, jouant de la négativité inhérente à la relation. Thèse que d'ailleurs Aristote a rejeté : l'Autre pour lui n'est pas le non-être mais l'être en un autre sens, la relation est un genre de l'être. Quoi qu'il en soit, la pensée antique n'a pas reconnu l'énigme du sujet, de cet être qui est autre que l'être et rien d'autre, qui ne peut être ajouté à la suite des genres ni à la liste des catégories, des ingrédients de la cuisine du monde, puisque c'est lui qui les pose devant soi.

LA QUERELLE DE LA LÉGITIMITÉ

J'aperçois toute la généreuse imposture.
Edmond ROSTAND, *Cyrano de Bergerac.*

PREMIÈRE PARTIE

L'ÊTRE ET LE DROIT

I

QUID JURIS

Ce que Sartre montre le mieux, en ne se lassant pas de répéter que notre existence est fortuite, de trop, donnée pour rien, c'est qu'elle n'est pas un simple fait, mais un problème de droit. Ne répondant à aucune demande de l'être où elle survient, elle ne peut évidemment se justifier : mais cela veut dire qu'elle devrait le faire, qu'elle est en faute, parce qu'il se trouve que nous existons dans l'élément de la loi. Or, le fait est que celle-ci est absente de l'être ; du coup, elle le discrédite en bloc, et nous accable comme pure forme, vide impérieux, ce qu'elle est déjà chez Kant : la pure exigence, la pure obligation de la faire exister en nous sacrifiant à elle. L'existence est hantée par cette question latente : mérite-t-elle d'exister ? L'existence se présente comme facticité simple et gratuite, mais il suffit d'un air de musique pour lui rappeler ce qui lui fait irrémédiablement défaut sans être pour autant quelque chose lui-même. L'être est réduit à rien par une valeur venue de nulle part qui n'est rien non plus.

C'est d'ailleurs à elle-même que l'existence doit des comptes sur son irruption absurde. Comment en serait-il autrement ? Cet être où elle apparaît comme imposture, précisément il n'exige rien de lui-même, n'a posé aucun principe, n'a pas d'*a priori*. Il existe, c'est tout, dans les bornes absolues de son inerte éternité. Il n'empêche : il ne suffit pas d'exister, il faut encore en avoir le droit, et comme il n'y a nulle part où le prendre, nous sommes condamnés aux faux-fuyants et à la mauvaise foi. Sartre décrit le pire des mondes : nous y sommes laissés à nous-mêmes, « libres », par la vacance de la loi. Mais la loi, nous avons à l'inventer en toute responsabilité — et dans la mesure même où cette nécessité nous ne l'inventons pas, notre essai est voué à l'échec, n'est que notre expiation.

Voilà au moins l'une des motivations de ce sentiment si fréquent dans l'univers de Sartre : la honte [1]. On n'en finirait pas d'en recenser tous les cas possibles, en voici quelques-uns pris au hasard : on a honte de soi, de son visage, de son corps, de sa nudité sans défense, on a honte d'être une femme avec un gros derrière, honte d'être un homme au pénis flasque, honte d'être un mâle forcément abusif ou honte d'être homosexuel, honte d'être seul ou d'éprouver avec les copains une « grosse honte commune », honte de ne pas être prisonnier avec eux ou d'avoir été pris, honte d'avoir perdu la guerre mais d'abord de l'avoir faite, honte parce que les autres sont beaux, ou parce qu'ils sont vulgaires, et qu'on s'est saoûlé avec eux pour s'éviter la honte de les mépriser, on a honte naturellement d'être un intellectuel bourgeois, enfin en tout état de cause on a honte de ne pas avoir honte comme il le faudrait. — Je veux mourir de honte (elle est intention de ne pas être, de rentrer sous terre) pour me soustraire au verdict, mais du même coup je me soumets à cette loi qui est muette, qui ne dit rien sur moi, ne reconnait pas mon existence, donc me condamne au non-être ou me laisse croupir. N'étant que sa propre place vide, elle est absolument interdictrice. J'existe par fraude, je suis dans l'univers comme un passager clandestin. Je ne saurais entrer dans la loi, semblable à l'homme de la campagne dont parle Kafka [2] : en effet, elle n'est rien d'autre que mon impossibilité à plaider mon procès, cela en un sens parce que je suis libre...

C'est ici que Sartre s'arme contre la justice. Il intente un procès au droit. La honte se renverse en orgueil : au lieu de déguster mon amère illégitimité, j'affirme un droit supérieur dont je suis l'instrument désigné, que j'ai mission de révéler. C'est-à-dire que je publierai ce scandale, l'absence de la loi, et ferai à tous devoir de l'inventer, de la ressusciter, de préparer sa restauration. C'est ce que plus tard il appellera son

---

1. Sa pensée est une hontologie, dirait Lacan.
2. L'homme de la campagne, devant la porte de la loi, tombe sur un garde à l'aspect terrifiant qui lui interdit d'avancer. Il attend indéfiniment que l'ordre change, en vain, et au moment de mourir, il demande au garde : « Puisque tout le monde désire tellement entrer dans la loi, comment se fait-il que depuis tant d'années j'aie été le seul à me présenter à cette porte ? » A quoi le garde répond : « Cette porte n'existait que pour toi. Maintenant que tu es mort, je la ferme et je m'en vais ». — Sartre cite ce texte dans L'Etre et le Néant, et ajoute que « chacun se fait sa propre porte ».

« truc »[1] : en proie à la contingence comme tout un chacun, il récupère la valeur de principe qui doit être la sienne en s'en faisant le héraut, le témoin. D'abord, le sujet abandonné a fait l'expérience de son illégitimité. Mais en la proclamant, il dénonce celle des autres : personne n'est légitime, pas même le garçon de café. Ainsi se redresse finalement le personnage accablé de *La Nausée*, formant le projet de raconter une histoire « qui fasse honte aux gens de leur existence ». Comme si tout ce qu'on pouvait faire pour se débarasser de la culpabilité était de la projeter sur les autres.

Rétrospectivement, Sartre lui-même explique son intention : je décrivais l'existence injustifiée de mes congénères, mais du même coup je me sauvais, je m'en tirais, j'étais élu, à titre d'annaliste des enfers[2]. Il passe à l'universel par le chemin du *cogito* : je suis je, mais pour le moins je ne suis pas le seul à l'être — par là même il prend une position particulière, il devient représentatif, il est mandaté. Je suis illégitime, mais les autres *je* le sont aussi, et moi j'ai au moins le mérite de le savoir. Attitude qui rappelle celle de Socrate, seul à savoir qu'il ne sait rien ; l'oracle d'Apollon l'a mandaté pour faire honte aux gens de leur ignorance. Socrate dit que le savoir s'est comme désséché ou retiré[3] : de la même manière, Sartre est mandaté par l'absence, et dans un cas comme dans l'autre, il s'agit d'un code qui se dérobe. Le philosophe est l'homme insupportable qui, prenant sur lui la négativité, dévoile la vacance radicale dont ce dérobement affecte la vie. D'où un procès contradictoire dans lequel les rôles permutent. Sartre retourne l'accusation, ayant trouvé une possibilité paradoxale de devenir le juge. L'illégitimité est légitime, étant la condition de l'homme : pensée qui procède évidemment de la disparition de l'être de droit, déterminant notre situation historique. Il n'y a plus de droit divin, puisque l'être n'a pas été institué par un quelconque décret, l'être de droit ne saurait donc être qu'une imposture. Mais aussi la crise est plus grave que celle d'Athènes : comment obtenir de l'Autre qu'il joue son rôle de fondement, comment provoquer l'oracle révélant la volonté divine ? Etre dans le droit peut-il être autre chose que jouir de la faveur des dieux ? Pourtant, la crise ne peut avoir d'autre issue qu'une nouvelle fondation du droit. Cela ne pourra se faire qu'en approfondissant ce qui la motive, en prenant appui, non sur l'au-delà constitué des dieux, des démons et des lois de la cité, mais sur sa propre historicité, sur la prosopopée de

1. Cf. *Situations X*, « Autoportrait à soixante-dix ans ».
2. Dans *les Mots*.
3. Cf. *Ménon*.

l'Histoire. Sartre fait dire à un de ses héros : « la justice est une affaire d'hommes, et je n'ai pas besoin d'un Dieu pour me l'enseigner[1] ». Mais il arrive que cette pensée se radicalise : « Je ne suis pas sûr que la notion de justice soit indispensable à la société. Je suppose qu'elle vient elle-même d'une vieille couche théologique. Si vous n'avez pas de Dieu, elle n'a plus de sens... »[2]. Et il faut choisir l'existence contre la justice.

C'est dire l'ampleur de la lutte entreprise, qu'on pourrait appeler la révolte du fait, contre ce droit par-delà le monde, qui ne tombe pas sous la perception, mais qui en est comme l'atmosphère ou la lumière, puisque c'est lui qui nous découvre l'existence comme fortuite et injustifiable, qui infecte notre regard de négativité. C'est la lutte révolutionnaire pour fonder le simple droit d'exister, qui est « le premier des droits », comme le disait Robespierre : loin qu'il aille de soi, Robespierre avait lucidement discerné que derrière la façade de la déclaration des droits de l'homme, le jeu des lois économiques bourgeoises le mettait en cause — et plus profondément, il ressentait la nécessité d'affirmer qu'on en dispose même et surtout quand on a tué le roi.

Bref, chose qui peut paraître déconcertante venant de quelqu'un qui se dit sans surmoi, la culpabilité est omniprésente dans l'œuvre de Sartre, manière de porter le deuil de Dieu, et d'en faire le travail. Parfois Sartre rêve d'un monde qui en serait préservé, — mais c'est un rêve. Il y a en Grèce des villes heureuses, dit Electre, qui ne vivent pas dans le remords de l'horrible parricide, qui se chauffent paisiblement au soleil, où les mères ne demandent pas pardon à leurs enfants de les avoir mis au monde, où elles les regardent en souriant avec fierté... Mais, à la vérité, pour notre époque du moins, Argos n'est point l'exception, et c'est le destin courant que de « passer sa vie à l'ombre d'un meurtre ». L'âpre existentialisme l'emporte donc sur cet essentialisme charmant qui a pu s'exprimer fugitivement dans l'œuvre d'un Giraudoux[3]. Sartre lui reconnaîtra ce mérite d'avoir voulu dessiner un monde païen où le mal est improbable non « parce qu'un Dieu tout-puissant retient les hommes, mais parce que les choses s'arrangent d'elles-mêmes ». Mais il ajoute aussitôt que l'événement — n'est-ce pas le nouvel oracle ? — semble bien lui avoir donné tort,

1. Oreste dans *les Mouches*.
2. Interview de 1960 partiellement reproduite dans *les Ecrits de Sartre*.
3. D'où la différence entre l'hellénisme des *Mouches* et celui de Giraudoux, malgré l'influence, et même si le ton d'*Electre* n'est plus celui d'*Amphytrion* 38.

et qu'il aura emporté avec lui « la clé de ce monde inutile »
où les hommes n'ont pas voulu entrer [1]. Inutile, mais non pas
injustifiable : un monde sans angoisse de transcendance, jouissant de sa gratuité, heureux de ne répondre qu'à soi, où
l'éthique et l'esthétique se confondent parce que la beauté est
sa raison suffisante, et qui nous laisse sur notre faim de
malheur.

1. Article d'hommage publié à la mort de Giraudoux en 1944, reproduit dans *les Ecrits de Sartre*.

II

LA BATARDISE HISTORIQUE

Voyageur clandestin, Sartre s'est endormi sur la banquette, et le contrôleur le secoue rudement, exigeant son billet[1]. Il commence par plaider coupable : il n'a ni argent, ni papiers d'identité. Il ne sait pas, dit-il, comment il a pu tromper la surveillance du poinçonneur (c'est-à-dire comment il a pu entrer dans l'existence malgré la loi). Il ne conteste pas l'autorité du contrôleur, il proteste de son respect pour ses fonctions, se soumet d'avance à sa décision — et soudain il renverse le jeu, utilisant ce « truc » dont nous avons déjà parlé et qui est sa ressource fondamentale, son rebond : il révèle que des raisons importantes et secrètes l'appellent à Dijon, qui intéressent la patrie et même l'humanité. De ce point de vue supérieur, personne n'a autant que lui le droit d'occuper une place du train. Certes, cette loi transcendante contredit le règlement, mais le contrôleur va-t-il prendre sur lui de vouer l'espèce entière au désarroi pour maintenir l'ordre dans un compartiment ?

Cette parabole illustre à merveille le conflit de la contingence et de la légitimité. Sartre ajoute que l'orgueil n'est que le plaidoyer des misérables : seuls ont le droit d'être modestes les voyageurs munis de billets[2]. Comme Cocteau a écrit dans

1. Cf. *les Mots*.
2. De son côté, Freud fait remarquer dans la *Traumdeutung* que les gens qui voyagent avec une carte de demi-tarif manifestent en général à l'égard des autres un sans-gêne détestable, les traitant ouvertement en intrus. « Lorsque le contrôleur vint à passer et que je présentai le billet qui m'avait coûté fort cher, la dame lança sur un ton hautain et comme menaçant : Mon mari a une carte de circulation ! » Là-dessus Freud fit un rêve qui n'était qu'en apparence incohérent, où il tirait

Le Grand Ecart que la vie est un train qui nous emporte à **grande** vitesse vers la mort (mais lui ne voit d'autre problème que l'intérêt démesuré que nous portons au trajet, alors que nous devrions avoir la sagesse de dormir jusqu'à la gare terminus), Sartre a déjà utilisé cette métaphore ferroviaire dans *Le Sursis* : un jeune homme, c'est un voyageur qui entre la nuit dans un compartiment à demi plein, et à qui les gens installés font croire qu'il ne reste plus de place. Pourtant, se désole le jeune Philippe, qui est — on aura l'occasion d'y revenir — comme un double répulsif de Sartre, ma place doit être marquée, puisque je suis né... Et dans le même livre, nous verrons Mathieu prendre place dans le train de la guerre, pas de problème cette fois, tous les voyageurs sont positivement justifiés d'être là, pris en main par le destin souverain qui les conduit à leur perte.

Avant d'étudier le drame de l'indésiré, arrêtons-nous à cette opposition de la loi sublime et du règlement mesquin : elle nous introduit à la situation historique. En effet, l'histoire, cela veut dire d'abord qu'une scission est intervenue dans la loi, qu'au droit formel, caduc, s'oppose un droit transcendant, bref, que la légitimité n'est pas la légalité. Considérant l'histoire, Hegel, comme tout autre, y voit pour commencer le bruit et la fureur, elle lui apparaît comme le champ du malheur — mais ce malheur, par un réflexe théologique, il le comprend aussitôt comme *sacrifice*, et pose la question : pour qui donc cet autel est dressé [1] ? C'est que Dieu n'est pas absolument, qu'il doit se faire, affronter, comme l'enseigne le christianisme, l'épreuve de la finitude. En un mot, pour que l'histoire ne soit pas la négation de Dieu, il faut que Dieu se nie provisoirement dans l'histoire, afin de s'accomplir.

Il est clair, dans ces conditions, que « le droit de l'esprit de l'Univers va au-delà de tous les droits particuliers », et ceux qui résistent au nom de ces droits au progrès nécessaire ont peut-être davantage de moralité littérale que les autres, dont les crimes mettent en œuvre un ordre supérieur, mais le code auquel ils en appellent est délaissé par l'esprit vivant,

---

du couple odieux une terrible vengeance, tout en accomplissant son désir de changer de compartiment. Sartre reconnaîtrait certainement au fondateur de la psychanalyse que dans la mesure où il avait payé sa place et possédait donc un billet parfaitement réglementaire, cette contestation de sa légitimité était en effet révoltante. De même, chacun comprendra que dans une circonstance analogue, défavorisé par rapport à un aristocrate, il se soit estimé en droit de percer un trou dans le plancher du wagon afin de suivre son cycle naturel (cf. chapitre V, paragraphe II).

1. *Leçons sur la Philosophie de l'Histoire.*

n'est plus que lettre morte, et les actions des grands hommes, même s'ils sont aussi de grands criminels, sont justifiées « du point de vue du monde ». Malgré les apparences, ils ne font pas pire que de voyager sans billet : ils sont en contravention avec les règlements établis, voilà tout, et le devenir implique et justifie cette contradiction. L'effondrement du pouvoir de droit divin a institué par contre-coup la polémique permanente de la loi et de la légitimité. Pour « dépasser » la crise, Hegel a donc émis l'idée d'un Droit absolu de l'Histoire, objet d'une nouvelle théodicée, la transcendance de l'Esprit s'accomplissant à travers le temps au prix du mal. Autant que d'une ruse de la Raison on peut parler d'une ruse de la Loi : on ne la renverse que pour l'accomplir.

En tout état de cause, on voit en quoi la notion de légitimité renvoie au problème du pouvoir. On pourrait dire plus précisément à celui de la dynastie, comme en témoigne cette querelle de la légitimité qui fut fatale à la monarchie française. Par là, à travers la filiation, l'histoire individuelle s'inscrit dans l'histoire universelle. On ne quittera celle-ci que très provisoirement en relevant, à la suite de Francis Jeanson, le thème de la bâtardise chez Sartre.

Cette bâtardise, il ne faut pas la prendre à la lettre. Genet fut bien ce qu'on appelle un bâtard, mais pas Flaubert, pas Baudelaire, ni Sartre. Or, on ne nous la présente pas comme un cas particulier, un drame individuel : elle est universelle au contraire, elle est la vérité de la condition humaine, tous les hommes sont frères parce qu'ils sont des bâtards, et c'est la légitimité qui est une imposture. Parce que la mort de Dieu a placé notre époque sous le signe du *Père incertain* : devenu chimérique, manquant dans la réalité, il n'en est que plus important comme *problème*. Parler de bâtardise, c'est avoir pris acte de cette défaillance, comme *l'existence* que décrit Sartre est ce que Dieu a abandonné, laissé pour compte. Voilà une des raisons de la correspondance de l'œuvre de Sartre à son époque, de son audience ; nous verrons plus précisément en quoi il faut donner un sens large à ce qu'il écrit de son enfance pendant la grande guerre : « En ce temps-là, nous étions tous orphelins de père. »

La réalité de la bâtardise peut être envisagée elle-même, par conséquent, comme la métaphore d'une situation imaginaire — d'autant que le père n'a jamais été qu'une institution. D'autre part, sa vocation d'universalité, son caractère emblématique, pourraient être d'abord ramenés à la psychologie du « roman familial », qui donne à Freud l'occasion de parler lui aussi de légitimité. On sait ce qu'il en est : l'enfant récuse ses parents réels, qui l'ont simplement recueillis, se considérant comme le rejeton d'une famille illustre, royale pour le moins [1]. L'enfant rend donc sa famille illégitime, mais il peut aussi fanstasmer de manière à éliminer frères et sœurs, et à « faire retour », lui, dans la légitimité. Le « roman familial » procède d'une cruelle déception. L'enfant s'est aperçu qu'il n'est pas unique, que son père et sa mère ne sont pas les seuls parents. Son attitude, assurément injurieuse dans l'immédiat, témoigne si l'on y réfléchit de son adoration pour la famille telle qu'il l'a primitivement vécue, c'est-à-dire comme merveille exclusive. En un sens, il n'a que trop l'esprit de famille. Il y a bien d'ailleurs une famille telle qu'il la rêve : le roi et la reine, père et mère par excellence, sont effectivement les seuls dans le pays, telle est même la fonction des rois et des reines, très probablement : nous assurer que nous n'avons pas commencé dans la vie par nous tromper.

La bâtardise représente la forme évoluée de cette fantasmagorie : l'enfant, ayant compris, après les Romains, que *mater certissima*, *pater semper incertus*, ne met en doute que son père, dont l'incertitude constitue ainsi l'utopie, dont l'absence signe l'incomparable transcendance. Ce thème imaginaire, dont Marthe Robert a montré toute l'importance pour le roman [2], est également essentiel à l'histoire. En effet, l'historicité, c'est précisément la non-généalogie du pouvoir, qui devient indépendant de la lignée, de la descendance, qui n'est plus fondé en nature, qui ne s'hérite plus.

Marx a fait à Hegel un reproche qui n'est justifié qu'en apparence : si vraiment le pouvoir doit échoir à un individu, pourquoi à *celui-là* ? De quel droit la déduction logique coïncide-t-elle soudain avec l'accident d'une individualité empirique, ou comment la nécessité peut-elle venir soutenir la contingence radicale ? Cette incohérence est celle de la réalité, qui, étant aussi nature, se dérobe au discours. La singularité peut être pensée, située, mais *comme telle* elle échappe au concept, elle est là et voilà tout, et par conséquent il faut au moins *un* coup de force pour abolir l'écart entre la logique et l'existence. C'est la thèse que défendra à la Constituante le monarchiste Cazalès. Que le roi tienne son pouvoir de Dieu, déjà cela relève trop visiblement de la mythologie : prenant les devants, il déclare ne voir là qu'un « conte ridicule ». Mais, à défaut d'une filiation divine, la légitimité royale est conforme à une règle

---

1. Cf. *Le roman familial des Névrosés* (in « Névrose, psychose et perversion », P.U.F.), et « la Naissance de la Psychanalyse », manuscrit M.
2. Cf. *Roman des origines et origines du roman*, Grasset.

bien connue dans la fonction publique : elle tient à l'ancienneté. Ce pouvoir résulte sans doute d'un acte empirique et aléatoire comme une délégation populaire, mais il dure depuis huit cents ans, et c'est cette durée qui le fonde, effaçant la contingence de l'origine, dont on ne peut nier qu'elle ait en elle-même la honteuse nudité du fait pur. Ce que la noblesse a de remarquable, pour sa part, c'est qu'elle remonte à loin, là encore le scandale de son apparition est amnistié par prescription, tandis que le roturier est condamné à chaque génération à se reproduire comme un hasard inexcusable. Bref, la longue durée, ce n'est certes pas aussi bien que Dieu, mais c'est la seule transcendance qui nous reste, elle échappe à notre mesure, à nos prises, elle est donc un fondement adéquat pour le pouvoir. On sait ce qu'il en fut : l'Assemblée n'a pas écouté les arguments de Cazalès, qui dut démissionner et émigrer, et même elle a fini par voter la mort du roi.

C'était dans la logique de la position bourgeoise vis-à-vis de la paternité. Le Père, l'Homme, voilà deux concepts à peu près équivalents, on aura plus d'une occasion d'y insister : ce que dit Sartre de l'un est donc valable pour l'autre, à savoir que selon l'idéologie bourgeoise, puisque la propriété a remplacé la naissance, *l'humanité* n'est plus interdite par principe au plus grand nombre, à présent tout le monde peut l'acquérir[1]. De la même manière, de la paternité, elle a fait une carrière ouverte à tous. Elle pense, au fond, que le Père n'existe pas, et que donc chacun peut le devenir. Pareillement, elle a démocratisé la fonction divine : Dieu, dans l'optique bourgeoise, n'est que le premier des parvenus. Dieu, en effet, n'est rien d'autre que le concept du père. Il est père absolument, en ce qu'il n'a jamais été fils, en quoi il est inimitable et constitue le garant ultime de toute paternité empirique. Descartes l'a bien souligné : le vrai père ne peut être un fils, « en cherchant les pères de mes pères je ne pourrais pas continuer ce progrès à l'infini, pour mettre fin à cette recherche, je concluais qu'il y a une première cause »[2]. Il faut bien que la chaîne s'accroche quelque part, à une cause de soi, à un père en soi, père de lui-même, géniteur inengendré, créateur incréé.

Mais, pour la bourgeoisie, ce point sublime peut se trouver n'importe où. Ainsi, dans l'ordre économique, qui devient fondamental sous son règne, n'importe qui, en principe, peut devenir patron, prince de l'automobile, roi de l'alimentation. Le privilège aristocratique de la naissance et du « sang »,

1. Cf. *l'Idiot de la Famille*, tome III.
2. *Réponses aux objections de Caterus.*

transmis avec la paternité, est balayé. Même s'il y a par la suite héritage, le pouvoir repose toujours sur le travail, sur la praxis (qui n'est pas la production bien sûr, mais la manipulation des autres à travers celle des signes). Et le vrai patron est celui qui n'est parti de *rien*, c'est-à-dire de sa propre volonté, qui est le fils de ses œuvres. N'importe qui, ce n'est pas absolument exact : seul celui qui a bien compris la nouvelle règle du jeu, cette idée bourgeoise que la paternité est affaire de volonté.

Napoléon ne tient sa couronne que de lui-même, et il tint à le manifester par un geste fameux, réduisant le pape au rang de sacristain. Du père de Napoléon, on ne sait rien, sinon qu'il ne l'a pas fait : Bonaparte a suffi à cette tâche. Sous l'Empire, un courtisan crut avoir une bonne idée : ériger une statue à ce père inconnu, avec cette inscription : « Sors du tombeau ! Ton fils t'élève à l'immortalité ! » L'impérial *self made man* refusa sèchement, ne voulant pas voir ainsi publiée cette signification secrète de son pouvoir.

Un héros, c'est avant tout quelqu'un qui s'accroche à son roman familial. En effet, dans le mythe, le héros est toujours né en dehors des lois naturelles. Par là, il est dispensé du devoir ordinaire, de la dette envers ses parents, dont on s'acquitte en prenant leur suite, et appelé à une tâche exceptionnelle. Il est tombé du ciel, il n'a pas même besoin de trancher le nœud de vipères des liens du sang, pour parler comme le poète. Il est affranchi du passé, déterminé seulement par l'avenir de sa mission.

Sous l'Ancien Régime, le roman familial était d'une certaine manière réalisé dans la société, mais une fois pour toutes et limité à un cas unique, mais avec la Révolution chacun va pouvoir prétendre imposer son roman à la réalité sociale, il devient la mesure objective de la condition humaine[1]. Marx disait matérialistement, contre Feuerbach, que la « sainte famille » de la religion n'est que le reflet ou le prolongement de la famille sociale et terrestre, qu'il faut commencer par abolir celle-ci pour supprimer celle-là. Ce qui est vrai, c'est que la famille est à la fois sa réalité et sa représentation, sa prose et sa poésie, qu'elle contient son propre roman, et ce qui se passe dans le cas de l'historicité, c'est que la réalité est assujettie à la fiction, que le fantasme a carrière ouverte,

1. Marthe Robert expose comment le héros de roman du XIX⁰ siècle est déterminé par le personnage de Napoléon, qui a administré la preuve que « l'Histoire elle-même s'incline devant le mythe de la toute-puissance infantile pour peu que le mythe soit pris vraiment au sérieux ».

qu'il peut se réaliser avec un peu de chance à la faveur des circonstances.

Cela suppose évidemment la disjonction de la loi établie et de la légitimité, ce qui s'appelle la Révolution. Robespierre répond vivement au girondin Louvet que certes le Dix-Août était illégal, tout autant que « la Révolution, la chute du trône et de l'autonomie. Robespierre ne cesse de glorifier les principes ne peut vouloir, conclut-il, une « révolution sans révolution ». On voit ici, comme chez Hegel, que la légitimité appartient à la liberté. La liberté, cela veut dire notamment la libération des liens du sang et de la tutelle paternelle. Mais les révolutionnaires parlent aussi du joug de la liberté, de son despotisme : en fait, il n'y a là rien d'autre que l'idée kantienne de l'autonomie, Robespierre ne cesse de glorifier les principes et l'universel. Pour lui, aimer la loi, c'est s'aimer soi-même, s'aimer, certes, comme pure valeur désincarnée. Une valeur qui donc est immortelle, qui ne saurait s'anéantir, mais qui a déjà condamné à mort son existence charnelle. La loi suppose l'holocauste du narcissisme. Robespierre sanctionne sans pitié « l'ajection du moi personnel ».

Robespierre et Saint-Just eurent à cœur de subir comme les autres le poids de la loi, le faisant simplement, eux, avec complaisance, et réputant modèle obligatoire le martyre qu'ils choisissaient librement de toute leur bonne volonté kantienne. « Hors des lois, tout est stérile et mort », disait Saint-Just. Mais la loi est mortelle, en de telles circonstances, si l'on ne se décide pas à *l'être*. En termes freudiens, on pourrait dire qu'ici la distinction du *moi* et du *surmoi* est fatale, alors qu'on les verra se confondre dans le corps glorieux du héros fondateur. C'est là une exigence économique pour ainsi dire de la formation collective, qui suppose la collectivisation du narcissisme — elle est ainsi un grand corps qui s'aime, elle est le corps de cette tête, de ce chef — mais la suspend à un pôle occupé par le Maître, le Héros, définition et origine de l'amour comme Dieu est *ce qui s'aime*, absolue perfection qui donne l'exemple [1]. Robespierre sait qu'il n'y a d'autre issue à son entêtement que l'échafaud : « Que les fripons y courent par la route du crime, et nous par celle de la vertu. » Cela ne veut pas dire absolument l'échec : car la différence demeure pour la transcendance, les bons et les méchants périssent également, dit encore Robespierre, dans son dernier discours, mais *à des conditions différentes*, et c'est pourquoi il combat avec tant de vigueur le « système » des athées qui « confond la

1. Cf. Freud, *Psychologie collective et Analyse du Moi*.

destinée des bons et des méchants, ne laisse entre eux d'autre arbitre que la fortune ». Car au-delà de la mort, Robespierre sollicite le jugement de Dieu. Il n'est pas allé jusqu'au bout de la destitution de la transcendance ; travaillé par la culpabilité du régicide, il n'arrive pas à s'en sortir par la seule voie possible : en faire aussi un déicide. On le voit s'enfoncer dans cette contradiction. Le régicide suppose l'athéisme, car enfin, le roi est le lieutenant de Dieu (« Celui qui a donné des rois aux hommes a voulu qu'on les respectât comme ses lieutenants. ») C'est le sens de la cérémonie du sacre, et l'utilité de cette sainte ampoule que brisera le conventionnel Ruhl, de même que les écrouelles permettaient au nouveau roi de se manifester comme le porteur de l'efficace divine, sa cause occasionnelle : « le roi te touche, Dieu te guérit » — il est bien roi par la grâce de Dieu, l'oint du Seigneur.

La formule de l'Ancien Régime, c'est *Lex Rex*. La bourgeoisie, avec son assemblée de robins, va procéder à une scission explosive : la loi tue le roi. A partir de là, il y a trois possibilités : ou nier Dieu, c'est l'athéisme, ou se révolter contre lui, attitude luciférienne qui de toute façon ne peut guère s'exprimer ouvertement dans le champ politique, ou tâcher de démontrer que Dieu n'a pas investi les rois, que ceux-ci sont des monstres incompréhensibles, inventer une théologie très réformatrice, qui dessine de la divinité une image maternelle, la Nature, ou la Raison... Cette nouvelle religion n'a pas pris pour des raisons très profondes que nous évoquerons, et cette régression, qui s'était déjà manifestée chez Rousseau, voire chez Sade, pose des problèmes dont nous ne sommes pas sortis, pour autant que l'histoire est le vain effort de retrouver un fondement naturel. Précisément la bourgeoisie a imaginé l'histoire comme telle, en la disjoignant de la nature jusque-là dominante — comme nature représentée dans la culture évidemment.

En tout cas, la Révolution met en évidence l'antinomie du droit divin et des droits de l'homme, du droit transcendant de la volonté lumineuse, et du droit de l'immanence, des égaux, de la volonté générale. L'exécution du 24 janvier ne fait qu'accomplir une évolution amorcée depuis longtemps. Bien avant le 10 août, Brissot dénonçait « la faction régicide qui voulait créer la République », et Danton dira avant le procès : « S'il est jugé, il est mort. » Fonder la République, en effet, c'est tuer le Roi. Les discours de Robespierre et de Saint-Just reprendront cette alternative contraignante. « Louis fut roi, et la République est fondée. » De ce fait, Louis est anéanti, sinon « la révolution elle-même est en litige ». La monarchie, dorénavant, est hors la loi, *usurpatrice*. Si Louis XVI est innocent, le peuple est coupable. Saint-Just pose le problème en termes kantiens, c'est par méthode qu'il refuse toute sentimentalité dans un problème qui lui apparaît comme de logique pure. Ni pitié, ni fureur sanguinaire à la manière du *Père Duchesne*.

Ce sensationnel discours qui révéla Saint-Just et le fit apparaître comme le *héros* de la Révolution — les Girondins commotionnés allèrent jusqu'à saluer un talent qui ne manquerait pas d'être précieux à la France — constitue assurément un moment significatif de l'histoire bourgeoise, dans la dimension du mythe fondateur. La loi ne peut pas même juger le roi, disait le jeune représentant de l'Aisne, car elle l'exclut du moment qu'elle existe. La mise à mort du roi est la simple conséquence de l'existence de la loi.

D'une certaine manière, Marx n'a fait que continuer tout ce mouvement. Il précise bien que le communisme suppose l'athéisme : il affirme l'histoire comme engendrement de l'homme par lui-même à travers le travail, elle est proprement *l'acte de naissance* de l'homme. L'homme est cause de soi, né de soi, fondement de son être, tel est le sens du communisme : l'homme devient son propre père, de même que les miracles des dieux sont rendus superflus par ceux de l'industrie... Comme il est visible dans le *Manifeste Communiste*, Marx veut reprendre et poursuivre le travail révolutionnaire de la bourgeoisie. Elle a ouvert la voie. Car enfin, s'il est vrai que l'histoire est celle de la lutte des classes, il est vrai aussi que seule jusque-là la bourgeoisie a gagné. Pourquoi ? Probablement parce qu'elle ne respectait pas, au plus profond d'elle-même, le principe paternel, que son esprit objectif au contraire le met en cause, qu'en un mot, elle ne le porte pas dans son cœur. Son meilleur philosophe, Descartes, a rejeté l'autorité des pères de l'Eglise pour affirmer comme seule source de vérité le sujet individuel. Il a voulu avec acharnement être son propre départ, coïncider avec l'origine, et même ne rien savoir de ceux qui l'avaient précédé. A l'éternité d'une enfance indéfinie il a opposé la domination progressive de la nature. Certes, il a maintenu la nécessité du détour par Dieu, mais non sans suggérer l'ultime transgression. « Même, à cause que notre connaissance semble se pouvoir accroître par degrés jusque à l'infini, et que, celle de Dieu étant infinie, elle est au but où vise la nôtre, si nous ne considérons rien davantage, nous pouvons venir à l'extravagance de souhaiter d'être dieux, et ainsi, par une très grande erreur, aimer seulement la divinité au lieu d'aimer Dieu. Mais... la méditation de toutes ces choses (l'infinité de la puissance divine, l'étendue de sa providence, l'infaillibilité de ses décrets, sa grandeur et notre petitesse) remplit un homme qui les entend d'une joie si extrême, que, tant s'en faut qu'il soit injurieux et ingrat envers Dieu jusqu'à souhaiter de tenir sa place... » [1].

En quoi la bourgeoisie manque-t-elle de respect au père ? En ceci que le capital est son propre fondement ; il est bel et bien cause de soi, et il s'accumule, comme la connaissance selon Descartes, il représente un type de génération ou d'engendrement antinaturel, monstrueux, qu'Aristote par exemple avait condamné. L'auto-reproduction du capital est à sa manière un phénomène subversif : elle introduit le changement dans la société de façon incontrôlable. La production économique, loin d'être ordonnée, comme auparavant, à la reproduction sociale, ne suit que sa propre loi, ou encore avec le capitalisme, la reproduction sociale se détache donc de la reproduction sexuelle et de son symbolisme. Autrefois, la société était plongée dans l'éternité, le Père était éternel : la fonction en était toujours tenue, immuable sous ses incarnations éphémères. Alors le temps social s'écoule sans devenir historique, passer est synonyme d'être, puisqu'il ne peut rien amener à l'existence qui n'ait été déjà fondé *de tous temps*. Au contraire, le capitalisme introduit une succession constituante, condition du reste d'une éternité visée et impossible, celle de la Valeur qu'il voudrait substituer à Dieu, il a fléché le temps social. La loi bourgeoise n'est pas celle de Dieu, mais plutôt celle de son absence, d'où cette accumulation de la valeur, tâche infinie pour opérer sa résurrection, inséparable de son échec dans la mesure où le concept d'une valeur absolue est impensable. De même l'histoire s'est définie comme machine à faire des rois.

C'est dire que la situation de la bourgeoisie est particulièrement fragile : elle a porté à l'ordre patriarcal un coup terrible dont il est douteux qu'elle se relève elle-même. Elle a aboli la fonction paternelle et ne la rétablira qu'en catastrophe avec le fascisme, copié d'ailleurs sur le mouvement ouvrier. Le parricide bourgeois a détruit le droit divin, rendu le pouvoir et la loi problématiques. Un pouvoir révolutionnaire, évidemment, ne le reste pas longtemps, mais il est contraint de demeurer historique, sa légitimité reste en question, il n'est jamais vraiment fondé. Toutefois, il faut voir que Marx, reproduit par d'autres, a pris en quelque sorte la place du père manquant, et ancré la légitimité prolétarienne dans la loi de l'histoire. Avec Hegel, mais bien mieux encore avec Marx, la philosophie a rendu cet immense service de fournir un nouveau principe

---

1. Lettre à Chanut du 1ᵉʳ février 1647.

éternel garantissant la structure du monde, c'est-à-dire une assise du pouvoir (il y aura, certes, d'autres idéologies, surtout les nationalismes). Marx a d'ailleurs reconstitué une généalogie à partir du capitalisme qui les dissout : à ses yeux il n'est pas engendrement de soi-même mais de son Autre, du socialisme, et s'il n'existait pas d'abord, ce dernier serait impensable.

Robespierre avait bien essayé d'éponger la culpabilité du parricide. Nous voulons remplir les vœux de la nature, tenir les promesses de la raison, absoudre la providence du long règne de la tyrannie et du crime... La monarchie, il la nomme « l'assassinat légal », et louant le bon sens du pirate qui répondit à Alexandre : on m'appelle brigand parce que je n'ai qu'un navire, on t'appelle conquérant parce que tu as une flotte, il dénonce ce code de la monarchie qui dit : tu ne tueras point, à moins de faire périr d'un coup des milliers d'hommes... C'est au nom de monarques qui sont des assassins en gros qu'on condamne les assassins de détail. En un mot, la révolution est le passage du règne du crime à celui de la justice.

La culpabilité n'est pas pour autant exorcisée. L'opposition de la vertu et du crime se dissout comme celle de la noblesse et de la vilenie dans *Le Neveu de Rameau*, l'histoire fait circuler la dialectique. Saint-Just le dit bien : rien ne ressemble à la vertu comme un grand crime, ou encore : il est des moments critiques « où la vertu épouse le crime ». Quand Robespierre déclare que le Ciel l'appelle sans doute à tracer de son sang la route qui doit mener le peuple au bonheur, et qu'il « accepte avec transport cette douce et glorieuse destinée », que veut-il dire sinon qu'il propose héroïquement de prendre sur lui la culpabilité ? Le crime : le mot revient inlassablement dans la bouche des deux chefs montagnards. Ils s'en disent les témoins impuissants, les victimes, convaincus de ce renversement des rôles qui leur représente également les « rois et les aristocrates comme des esclaves révoltés contre le souverain de la terre »... Mais, si le tyran a été tué, Robespierre pourtant se voit toujours « esclave » — au moment même où il touche au pouvoir suprême le voilà qui rumine : « Qui suis-je ? Un esclave de la patrie, un martyr de la république... [1] » A vrai dire, il ne fait qu'anticiper, comme s'il était sous le coup d'une condamnation inexorable, déjà jugé, irrévocablement, par la fatalité. Au lieu de faire face à la situation présente, il adresse, moins à la Convention qu'à la postérité ou au Ciel, une sorte de discours posthume : « J'ai assez vécu. Réjouissons-nous et rendons grâces

1. En fait, Robespierre n'a pas prononcé ces mots, qui figurent dans les ébauches de son discours du 8 thermidor. Mais ils ne font que préciser un *leit-motiv*.

au Ciel, puisque nous avons été jugés dignes des poignards de la tyrannie. Il est plus facile de nous ôter la vie que de triompher de nos principes, et nous n'avons pas fait entrer dans nos calculs l'avantage de vivre longuement. »

Robespierre et Saint-Just voulurent imposer une politique des principes, de l'universel abstrait, on pourrait dire encore de la conscience, ou du surmoi : « Je ne connais que le juste et l'injuste, ces mots sont entendus par toutes les consciences, et il faut ramener toutes les définitions à la conscience[1]. » De cette loi transcendante, désincarnée, surhumaine, il ne leur vient pas à l'idée, je l'ai dit, d'être autre chose que les porte-parole, et c'est en quoi elle équivaut à la mort. Je citerai ici un mot de Robespierre qui est lourd de sens. Briez avait rendu si habilement compte de son échec à Valenciennes devant la Convention que celle-ci proposa son élection au Comité de Salut public. Robespierre intervient alors : l'accusé peut répondre adroitement à toutes les questions, sauf à celle-ci : *êtes-vous mort ?* Voilà la véritable exigence de cette loi suprême. « Je leur lègue la vérité terrible et la mort », lance Robespierre à ses ennemis le 8 Thermidor, dans une provocation qui ressemble un peu à celle de Socrate, et vraiment comme si toute son activité politique, comme celle du philosophe, avait eu pour objectif final la mort. N'est-il pas frappant qu'au moment où tout le monde s'attend et se résigne, en France et en Europe, à le voir devenir chef de l'Etat, il proclame, à la surprise générale, l'Etre suprême ? Sans doute hésite-t-il à s'asseoir sur le « trône coupable », mais peut-être se sent-il encore plus coupable que le trône, et dresse-t-il cette idole insolite pour que sa transcendance lui permette d'expier ses fautes par le sacrifice de sa vie[2]. On pourra objecter que Robespierre n'aurait pu l'assumer véritablement, ce pouvoir, qu'en modifiant sa politique, en abandonnant ce cours chimérique qui dépassait la révolution des propriétaires, terminée en 1791, sans pouvoir réaliser la révolution sociale préfigurée par les sans-culottes. Mais précisément, il n'a guère balancé entre le pouvoir moyennant ces conditions et la mort, il s'en est tenu à l'impossible. Il refusera de signer, au dernier moment, l'appel à l'insurrection : « *Au nom de qui ?* », demande-t-il, incapable d'admettre, en démocrate sublime, que la légitimité puisse se confondre avec sa propre personne, dont il signe du même coup la perte. Là encore, on est tenté d'évoquer Socrate acceptant une sentence qu'il estime inique, en tant

1. Saint-Just.
2. Cf. René Laforgue, *Psychopathologie de l'Echec.*

qu'elle manifeste, au-delà de ses juges empiriques et inessentiels, l'existence souveraine de la Cité. Robespierre aurait pu soutenir, sans manquer au vrai, que la révolution, au moins à ce moment, s'identifiait à lui, qu'il avait établi sa légitimité par les services qu'il avait rendus à la chose publique, que le pouvoir populaire était associé à son nom. Mais non : même aux mains des fripons, la Convention reste l'instance suprême, la représentation de la volonté générale.

Tout va se passer autrement avec Napoléon, qui lui va apaiser cette culpabilité du régicide qu'on décèle dans les discrètes paraphrases de l'époque : « la juste punition du dernier roi des Français », « le châtiment du parjure sur le glaive national », « cette conséquence si vraie, si juste, si naturelle, qui se trouvait si précisément à l'ordre du jour »[1]... Lui n'hésite pas à poser ses fesses roturières sur le trône des rois de France, comme un héritier. Héritant de surcroît de la Révolution, il bénéficie de cet effet auprès des masses : le monarque n'est pas mort, nous ne l'avons pas tué puisque le revoilà, ressuscité pour le moins.

Mais Napoléon est donc un homme nouveau qui se fonde lui-même, il ne dépend que de soi et plie l'histoire à son fantasme. Le prince n'hérite plus son pouvoir, il s'est fait lui-même, à la force des armes et du verbe. Par là, il arrive en quelque sorte à nier la relation sexuelle qui l'a engendré, et cela nous ramène au roman familial. Toutefois, si le rôle du père est escamoté, il y a bien quelque chose qui se transmet sur le versant maternel : la vie. D'une certaine manière, on peut dire que le pouvoir s'échange avec elle, comme si au lieu d'être cette dette dont on se débarrasse en la transmettant, il devenait un remboursement. La situation moderne du prince est foncièrement incestueuse. La monarchie avait ses accommodements avec l'inceste. Mais il ne sert à rien à Napoléon d'épouser l'Autriche, lui qui dit tout uniment qu'il couche avec la France ; cet essai de revenir dans la légalité marquera même le début de sa chute. Le père étant éludé, le héros apparaît à vrai dire comme une *pousse* de l'être maternel absolu, dont les métaphores peuvent être la Nation, la Mère-Patrie, ou la race aryenne. Dans le cas de Napoléon, les vérifications empiriques de cette constellation psychologique pourraient abonder si l'on se référait au curieux personnage de la rude Madame Mère, qui accueillait les exploits de son rejeton de ce froid commentaire : « Pourvu que ça dure ! » L'empereur ne lui dit-il pas :

1. Cf. Mona Ozouf, « La Fête sous la Révolution », dans l'ouvrage collectif *Faire de l'Histoire*, tome 3.

« Veillez à votre santé, si vous mouriez personne n'aurait plus d'autorité sur moi. » Le héros prenant la place du père sans qu'aucune transmission en bonne et due forme se soit opérée — il fait comme si le père, en général, n'avait jamais existé — s'institue une confusion des générations pire que celle des langues. Il est lui-même à la fois son propre père et son propre fils, accessoirement le père de son père. Peut-il prétendre, comme il le fait, ne dépendre de personne ? Non, pourtant, car la toute-puissance de ce mégalomane n'est que le prolongement ou l'expression de la toute-puissance de la mère très certaine, qu'on peut assimiler à la substance dont parle Hegel. Il ne s'agit pas là de réduction psychologique, mais de repérer un schème qui opère sous les concepts de la philosophie de l'histoire. La substance, dit Hegel, s'accomplit à travers les grands hommes, qui sont ses « organes », elle-même étant la seule puissance, absolument invulnérable puisque résidant en-deçà des phénomènes, tandis que ses moyens, ses instruments, vont à leur perte.

De plus, on n'a rejeté en vérité qu'un père réel, qui était faux : ainsi, Louis XVI, lourdaud incapable. Le problème, c'est que le vrai père est devenu inaccessible et que le monde est hanté par son fantôme. D'une certaine manière, il faut le faire être, le représenter, et telle est la vocation de la bâtardise[1]. Ce père inconnu, incertain, d'un côté il est nié, de l'autre il est sublimé, idéalisé. Le héros a la légitimité d'Oreste : Egisthe est lui-même un usurpateur, il y a là davantage qu'une simple projection défensive. Comme l'a bien vu Hegel, le héros, ce bâtard de Dieu — on pourrait dire aussi sa veuve, puisque le fantasme du paranoïaque, comme nous l'a appris le justement célèbre président Schreber, est d'être la femme de Dieu — est *passif*. Et Napoléon en avait bien conscience, lui qui se plaignait d'avoir un « maître sans entrailles », qui gouvernait ses mouvements, lui ne sachant pas où cet Autre voulait le faire aller. « Je me sens poussé vers un but que je ne connais pas ! Quand je l'aurai atteint, dès que je ne serai plus utile, un atome suffira pour m'abattre. » Hegel dit la même chose : « La fin atteinte, ils tombent, balle vide du grain... » Napoléon se rabattra sur une identification au Christ, qui peut paraître surprenante de sa part, mais qui en fait est inhérente au pouvoir moderne, ainsi que l'a suggéré Freud en la retrouvant dans un cas aussi différent en apparence que celui du président Wilson. « J'ai porté la couronne impériale de la France, la

---

1. Napoléon se serait écrié à Sainte-Hélène : « Ah ! si j'avais pu naître bâtard ! » Cf. Marthe Robert.

couronne de fer de l'Italie, et maintenant l'Angleterre m'en a donné une autre plus grande encore et plus glorieuse, celle portée par le Sauveur du monde, une couronne d'épines. »

Que le héros disqualifie le pouvoir existant au nom de l'idéal paternel, c'est ce que peut démontrer l'histoire récente. Pétain n'est pas un vrai père, puisqu'il n'a pas su défendre la patrie et l'a livrée à l'envahisseur. Ses relations personnelles avec lui [1] auront sans doute facilité à de Gaulle la tâche du 18 juin. La faillite du père permet au fils de remplir *légitimement* ses fonctions auprès de la mère. « Penché sur le gouffre où la patrie a roulé, je suis son fils qui l'appelle, lui tient la lumière, lui montre la voie du salut... Maintenant, j'entends la France me répondre. Au fond de l'abîme, elle se relève, elle marche, elle gravit la pente. Ah! mère, tels que nous sommes, nous voici pour vous servir. [2] » Mais il faut rendre aussi à de Gaulle cet hommage d'avoir aperçu de plus loin le problème du pouvoir moderne, et de l'avoir traité, dans la perspective de la pratique, dans *Le Fil de l'Epée*, où il annonce la couleur. « Nos dieux sont décrépits et la misère en tombe », rappelait d'abord cet officier inconnu. D'où une crise pour l'autorité qui doit se trouver un fondement nouveau, car, n'est-ce pas, les hommes ne sauraient se passer de chefs. Et de Gaulle, décrivant tranquillement le rôle qu'il allait jouer dix ans plus tard, énonce cette vérité : le pouvoir ne peut plus avoir d'autre fondement que la certitude narcissique du paranoïaque. Ce que les masses, naguère, accordaient de crédit à la naissance, « elles le reportent à présent sur ceux-là seulement qui ont su s'imposer. Quel prince légitime fut jamais obéi comme tel dictateur sorti de rien, sinon de son audace » ? La source du pouvoir réside uniquement dans l'individualité même de celui qui le prend, quoique ce dernier se présente toujours comme mandaté par une valeur éminente dont il est l'instrument. Quand la crise se déclare, « l'homme de caractère », brimé jusque-là par le cours ordinaire des choses, s'impose sûrement parce que, ne recourant qu'à soi, trouvant en lui-même son point d'appui, il peut reprendre à son compte une histoire qui d'elle-même glissait vers le chaos, il imprime son chiffre à toute cette confusion, rétablit un discours dont la réalité redevenue sauvage semblait interdire la possibilité et qui va réveiller des désirs et des mythes, il *parle la réalité*

1. Il avait été pour ainsi dire son fils adoptif, au point d'appeler le sien Philippe, Pétain l'ayant défendu contre les ennemis que lui valait un orgueil encore injustifié — mais ils s'étaient brouillés vers 1935 pour une question de paternité littéraire...
2. *Mémoire de Guerre*, tome I, *l'Appel*.

qui sombrait dans le bruit et la fureur. Il est spontanément
hégélien, même s'il n'a lu que Bergson, et loin de s'abriter
sous la hiérarchie, il se « dresse seul, fait front », embrassant
« avec l'orgueil du maître » une action qui grâce à lui devient,
au lieu d'une « morne tâche d'esclave », le « jeu divin du
héros » (cette formule caractérise très bien ce qu'il en est au
plus haut niveau de la *praxis*, au sens grec — pas à celui de
Marx ou de Sartre — et qui est bien le propre du maître). Le
jeu de ce héros, c'est de rétablir l'ordre et la loi, mais d'abord
et surtout le sens, autrement dit c'est de remettre les choses
au travail.

Mais qu'est-ce qui le fait reconnaître, d'où tire-t-il son autorité puisque ce n'est pas de l'existant, puisque, comme le dit
de Gaulle d'un mot qui sonne très juste, il « paie ses dettes
de son propre argent » ? Notre auteur invoque un « prestige »
qui est « pour ainsi dire un don de naissance »... Il en va
en cette matière comme de l'amour, ajoute le militaire qui est
ici encore plus proche de Freud que de Hegel, il faut faire
intervenir l'action d'un « inexprimable charme »... Les mots
les plus importants sont toutefois : « pour ainsi dire de naissance. » Le pouvoir n'est plus héréditaire, ne tire plus son
origine de la transcendance instituée, mais il faut qu'il se
présente toujours comme un fait premier, irréductible. Désormais, il est situé dans une personnalité qui ramasse en elle sa
filiation, quoique ce bloc soit illusoire comme on l'a vu.
Néanmoins, tout fondateur apparaît comme ce Narcisse « autonome et peu intimidable » (c'est lui qui hypnotise les autres)
dont parle Freud [1], qui ignore la tension du moi et du surmoi,
qui, disposant, d'une grande « quantité d'agression », se tient
prêt à l'action, pouvant aussi bien porter atteinte à ce qui est
établi que donner de nouvelles impulsions au développement
historique. Il peut donc répondre à l'épreuve du manque,
à l'attente anxieuse et indéterminée des foules. Pour Hegel,
le grand homme exécute les desseins de l'Esprit caché — en
fait, il a la capacité de percevoir l'inconscient du temps, ses
fantasmes personnels ont la propriété de s'articuler avec les
tendances de la situation. C'est tout autant l'histoire du XXᵉ siècle que la psychanalyse qui nous amènent à relativiser Hegel,
à reconnaître contre son idéalisme mystique un facteur irréductible d'altérité, d'adversité. On peut ajouter encore ce point
psychologique, c'est que le paranoïaque est un homme qui
refuse absolument *son* désir, en quoi il se prédestine à être
l'homme de la loi. Héros de l'aliénation, par cette négation son

1. *Des types libidinaux,* in « La Vie sexuelle », P.U.F.

désir devient en lui-même désir de l'Autre, et se prépare à effectuer une volonté transcendante dont il est enamouré sans même la connaître.

Sartre aura été le contemporain de celui qu'on a pu appeler le légitimiste de soi-même, et en brossant à grands trait la situation historique, nous nous sommes donné les moyens d'approfondir cette relation, d'après une démarche suivie par Sartre lui-même s'agissant de Flaubert et de Napoléon III [1]. D'une vie à l'autre, dit à peu près Sartre, l'époque communique avec elle-même, se forge des symboles qui esquissent sa signification latente et fait transparaître le programme objectif sur lequel tous ont à broder. Sartre s'est bien gardé, assurément, de l'identification qu'il dénonce chez Flaubert — d'un prince de l'imaginaire à l'autre, le Second Empire ayant été un monument d'illusion, de fausseté —, mais une passe d'armes rapide et instructive devait opposer le général au « particulier » philosophe, à propos du tribunal Russell sur les crimes de guerre américains au Viêt-nam [2].

De Gaulle s'est défini comme « un homme jeté hors de toutes les séries » [3], et le père étant, on le verra, la raison de la série, cela veut dire qu'il s'est trouvé hors de père aussi bien que de pair, — un homme seul, n'appartenant à personne, et appartenant à tout le monde, comme il le dira en 1958, qui se trouve donc tout désigné pour être le fondé de pouvoir de l'universel. Hors des séries et du cadre ordinaire, ce héros historique par vocation cherche quelle peut bien être sa place et comment il pourrait se rendre utile. « Utile, comment ? Eh bien, si le peuple le veut, comme lors de la précédente grande crise nationale, à la tête du gouvernement de la République française [4]. » Car il a un extrême désir de se justifier, de servir la transcendance, qui pour lui est « Notre-Dame la France », il veut lui rendre, depuis toujours, un « service signalé », tel est le but assigné à sa vie. Que cette certitude s'affaisse, il ne resterait que l'homme « passion inutile » de L'Etre et le Néant, qui s'enivre solitairement plutôt que de conduire les peuples... C'est en ce sens au fond qu'il confia sur le tard à Malraux : « J'ai essayé de dresser la France contre la fin du monde [5]. » En de Gaulle comme chez Sartre on trouve l'affirmation d'une légitimité dédiée à la transcendance

1. L'Idiot de la Famille, tome III.
2. Cf. Situations, IX.
3. Mémoires de guerre, l'Appel.
4. Conférence de presse du 19 mai 1958. Cf. Discours et Messages, tome I, « Avec le renouveau ».
5. Malraux, les Chênes qu'on abat.

maternelle, en l'absence du père empirique failli, raison pour laquelle le génie échoit au fils comme responsabilité à prendre du salut collectif. Ecoutons Sartre (qui évidemment n'a pas tout à fait le sérieux de De Gaulle, qui vend la mèche avec humour) : « je voulus devenir un cadeau utile à la recherche de ses destinataires, j'offris ma personne à la France, au monde [1]. » Disons que c'est là une attitude très XXe siècle.

Au départ, il y a une dénégation du père qui place le sujet hors de l'humanité, de l'espèce, comme fils de rien — entré dans l'existence sans billet, sans validation légale, enregistrement symbolique de ces « quelques gouttes de sperme qui font le prix d'un enfant ». Mais comme de Gaulle, s'étant exclu de toute place dans la hiérarchie militaire et dans l'Etat, ne peut plus en retrouver qu'une : à sa tête, parce qu'il n'en a jamais voulu d'autre, étant hors de l'espèce Sartre se rapporte à elle dans son ensemble, comme étant investi de fins supérieures. Nous voyons ici le ressort de ce renversement de la honte en orgueil, dont il est difficile d'établir l'ordre chronologique, et qui n'interdit qu'une chose, l'identification sereine de l'homme simplement homme, voyageur comme les autres. Le non-droit, délibérément choisi, ou assumé, se surcompense en légitimité absolue : je suis celui dont l'absence rendrait vain l'univers, vouerait l'espèce au désarroi, l'histoire au chaos. En un mot, comme l'atteste l'absence même d'un banal viatique paternel, un don du Ciel.

Plus ambitieux en un sens que de Gaulle, Sartre s'est donné le mandat de « protéger l'espèce ». Au commencement, il y a certes un désordre, il est ce désordre, en tant qu'il subvertit la série, la loi commune, mais, conformément à la théodicée historique, ce désordre est la condition d'un ordre supérieur qu'il va établir ; ainsi l'historicité est justifiée, de même que l'homme de caractère gaullien, pour exercer son utile talent, remplir sa mission, a besoin de la crise, car c'est elle qui destitue le père officiel.

Sartre explique cela très bien quand il expose son roman familial et héroïque : « champion de l'ordre établi, j'avais placé ma raison d'être dans un désordre perpétué. » Ce qui rapproche Sartre et de Gaulle, c'est d'avoir été des enfants de la défaite, celle de 1870 — là encore, Sartre est merveilleusement explicite : « si j'ai commis dans un siècle de fer la folle bévue de prendre la vie pour une épopée, c'est que je suis un petit-fils de la défaite. » Cette simple contemporanéité les rend également sensibles aux éclats de Cyrano de Bergerac, comme

---

1. *Les Mots*, comme toutes les citations de Sartre qui suivent.

aux exploits d'Arsène Lupin, héros solitaire aussi, bâtard qui
renaît de ses œuvres, mais nationaliste plus encore qu'anarchiste, qui veut cambrioler l'Europe au nez du Kayer[1]. Si
le mythe de l'époque voue donc ces enfants au don quichottisme,
Sartre choisira la voie des belles-lettres, mais aussi par mandat
du Très-Haut, il est écrivain comme on est chef : pour ainsi
dire de naissance (« Or voici qu'on m'avait sondé et que la
sonde avait rencontré le roc ; j'étais écrivain comme Charles
Schweitzer était grand-père : de naissance et pour toujours »).
Cela dit, c'est une mission plus importante que celle des armes
ou du pouvoir, l'enfant prédestiné ne doute pas que « les
hommes de lettres affrontent les pires dangers et rendent à
l'humanité les services les plus éminents ». Lui-même là-dessus
fait le parallèle avec les soldats (« ils risquaient leur vie en
francs-tireurs dans de mystérieux combats, on applaudissait,
plus encore que le talent, leur courage militaire »), mais en
pensant bien que l'homme de lettres, au-delà de la patrie, est
donc en rapport avec l'humanité entière ; rapport qui peut
être négatif, Flaubert et Mallarmé par exemple ont voulu nuire
à l'espèce, mais Sartre, après une brève tentation de suivre
ces fâcheux exemples voudra à l'exemple de Corneille être
son tuteur.

C'est donc ici que la différence se creuse avec le soldat et
c'est ce qu'on pourra voir cinquante ans plus tard. A propos du
tribunal Russell, de Gaulle répond à Sartre en propriétaire
de l'Etat, du haut de son fantasme réalisé, sa légitimité ayant
pris corps — d'où ce ton de supériorité : mon cher maître,
ce n'est pas à vous que j'apprendrai que toute justice appartient à l'Etat. De Gaulle s'est improvisé héritier, le trône des
rois de France étant tombé en déshérence, il est moins fondateur
que restaurateur — dans l'imaginaire, évidemment. Bref, dans
la crise historique, tandis que de Gaulle a choisi de restaurer la
loi ancienne (ce qui objectivement se réduira à une plaisanterie du genre Second Empire), Sartre s'est engagé pour la
fondation d'un droit nouveau, ce que de Gaulle ne veut pas
voir, pas plus qu'il ne peut se poser la question pourtant
décisive : et si l'Etat est injuste ? Ne doit-il pas exister une
justice au-dessus des Etats, puisque l'événement prouve qu'ils
peuvent perpétrer des crimes contre l'humanité ? Bref, c'est
bien la loi et la légitimité qui sont en cause. Qui peut exercer
la justice, comment l'instituer, puisqu'elle a perdu son fondement transcendant ? Moi-même, répond à peu près de Gaulle,
pour avoir pris en charge le pouvoir. Et son « cher maître

1. Cf. Maurice Leblanc, *813*.

auquel Sartre devait réagir vivement, que signifie-t-il sinon
ceci : soyez ce que vous êtes, restez à votre place, honorable
elle aussi, celle d'un souverain des mots, vous y avez prouvé
vos droits et elle vous est attribuée selon l'ordre des choses,
je ne songe nullement à vous la contester, que n'êtes-vous mon
Flaubert ?

De Gaulle oublie qu'il y a deux types de héros : le guerrier,
comme lui, étant entendu que pour lui, la guerre, cela ne veut
pas dire se battre sur le terrain, occupation subalterne d'un
Patton ou d'un Rommel, mais une certaine manière d'user des
signes, un rapport symbolique au pouvoir, la possibilité de
prendre authentiquement le ton du maître, et le poète, qui
fait un autre usage des signes, irréductible à la dialectique de la
domination et de la servitude. Tous deux sont en compétition,
mais à des niveaux différents. Sartre le dit bien : il a recherché
non pas exactement le pouvoir, mais la *toute-puissance*, et
comme celle-ci ne saurait être qu'imaginaire, elle se révèle
finalement impuissance, ce qu'il constate dans *Les Mots* avec
une amertume légère. Resterait à savoir si le pouvoir d'un de
Gaulle était bien réel. Mais surtout, il n'est pas sûr que Sartre
soit arrivé au dernier mot de la lucidité. Freud nous permet
d'en douter, quand il nous relate les suites du grand événement,
le meurtre archétypique du père : longtemps après, un individu
s'est détaché des autres, et a assumé le rôle du père, mais
obliquement, en poète épique — il a créé le genre. Il a « transformé la réalité dans le sens de ses désirs, il a inventé le
mythe héroïque », c'est-à-dire qu'il a imputé le meurtre du
père, en fait collectif et brouillon, à un seul héros magnifique
auquel il s'identifie secrètement, et dont il fait le plus jeune
des fils, le préféré de la mère. Bref, la représentation héroïque
du meurtre du père (mais en ce domaine comment distinguer
nettement l'acte et la représentation ?) est l'œuvre d'un poète
qui a dévoyé les signes de la tribu, qui en un sens *est* ce héros
qu'il invente, définissant du même coup *l'idéal* qui va supplanter
le père [1]. — Nous étudierons la *Critique de la Raison dialectique*
comme ce qu'elle est malgré certaines apparences, un poème
épique, un mythe héroïque [2].

Ce que veut de Gaulle, c'est nier le problème historique :
le pouvoir a toujours un propriétaire attitré, la preuve c'est
qu'il est là — le roi est mort, vive lui. Sartre pose le problème,
laisse l'histoire ouverte. Certes, il n'est pas véritablement un

1. *Psychologie collective et Analyse du Moi.*
2. Je précise dès maintenant que cet *opus magnum* de Sartre ne
sera pas pour autant épuisé par une mise en perspective dont la partialité est inévitable.

fondateur, il n'en a pas la psychologie, il manifestera au contraire souvent son besoin de ralliement. Par exemple, il dit aujourd'hui que le gauchisme n'existant pas après-guerre, il ne pouvait y adhérer : mais pourquoi ne l'aurait-il pas inventé [1] ? C'est qu'au fond il n'a aucune certitude, son attitude reste interrogative. Sans doute est-il conscient des limites de la réponse qu'il apporte au sujet de la loi. Là où de Gaulle répond : l'Etat, comme toujours, incarné en un monarque, constitutionnel au besoin, Sartre dit : le peuple. « Le fondement de la justice, c'est le peuple..., la source de toute justice est le peuple [2]. » A vrai dire, depuis le mot tonitruant de Mirabeau, cela n'est pas nouveau : c'est à l'époque que le peuple est apparu comme le seul substitut possible à la volonté divine et royale, la *vox populi* a pris la place de la *vox dei*, mais ne lui est-elle pas au fond équivalente ? La justice de nos jours est officiellement rendue « au nom du peuple français ». Sartre pourrait dire ici que les obstacles auxquels nous nous heurtons sont de « vieilles victoires pourries ». Et qu'en réalité la justice est rendue conformément aux intérêts de la classe bourgeoise. C'est vrai, au moins en partie, malgré les petits juges courageux. Mais l'illusion serait de croire que le peuple puisse jamais intervenir en personne, comme sujet plénier et souverain, sans division. Ce n'est pas par accident qu'il est comme le répondant ou le symétrique de la transcendance divine, une allégorie par conséquent, un de ces *imaginaires* qui sont indispensables à une réalité organisée. Parce que le pouvoir a besoin d'un référent, mais qui n'est proprement que *nominal*, parce qu'il lui faut s'exercer au nom de quelque chose, et qu'à la fin des fins il s'exercerait encore au nom du nom.

En un mot, nous nous trouvons toujours dans la situation historique ouverte par la révolution bourgeoise, c'est elle qui nous a légué cette notion de peuple, que les « maos » le veuillent ou non. Et c'est retomber dans une vieille chimère, sinon retaper une vieille mystification, que de donner à croire que par la médiation d'un journal par exemple le peuple puisse parler au peuple [3]. *La Cause du peuple*, dit Sartre, c'était un journal qui « appartenait à tout le monde et à personne en

1. Cf. *Situations X*, « Autoportrait à soixante-dix ans ». A la vérité, l'ultra-gauche est aussi vieille que le léninisme, quoique ultra-minoritaire. Sartre traite *Socialisme ou Barbarie* de « petit machin de rien du tout ». En allait-il autrement du parti bolchevik en 1904 ? Et qui était marxiste en 1848 ?
2. *Situations X*, « Justice et Etat ».
3. *Situations X*.

particulier », et il est frappant, qu'il reprenne ici une formulation de l'universel qu'on a entendu, on s'en souvient, d'un autre, qui précisément, du fait de ses précieuses caractéristiques, se donnait comme le pur et simple rapport à soi de la France. C'est dire qu'une telle démarche a pour effet d'escamoter la réalité du pouvoir, qui, comme le sage d'Epicure, aime à se cacher. Chacun sait aujourd'hui que *la Cause du peuple* n'était pas rédigée par « le peuple » (comment diable cela eût-il été possible), mais par quelques jeunes intellectuels qui avaient sur lui des idées très fausses, et cherchaient à se faire plébisciter par une prosopopée.

*
**

L'historicité rend familier ce monstre logique, la cause de soi, jadis cantonné dans un passé mythique, et qui maintenant peut surgir n'importe où sous nos yeux. L'historicité, c'est la rupture d'une répétition qui avait son origine hors du temps, c'est la fondation ici et maintenant. Sous ce qu'on pourrait appeler l'ancien régime, on est homme de père en fils, car être homme c'est être le fils d'un père pour être le père d'un fils, ou encore on est donc père de père en fils. Il s'agit d'*être*, et tout se passe sans difficulté au niveau de l'identification, Sartre en reconnaît le mérite à l'aristocratie foncière : « le père est nul, le fils l'est aussi, rien de plus sain[1]. » Tel est au fond le droit divin, Dieu étant le premier maillon, fondement de la série.

Mais la bourgeoisie oppose le *faire* à l'*être* : comme le dit Marx, elle a entrepris un immense travail, qu'il n'y a qu'à continuer encore plus énergiquement, alors que la féodalité se prélassait dans une fainéantise et une ignorance crasses[2]. Dorénavant, par le faire, on se fait un être, on se forge une identité nouvelle, on advient par ses seules forces à une existence symbolique originale : au lieu de le porter par tradition, le bourgeois *se fait un nom*, par son mérite, par ses œuvres, s'engendre lui-même, se constitue, se couronne. « Mon nom, je le commence, et vous finissez le vôtre », lance le jeune Voltaire au duc de Rohan, vérité qui lui vaudra quelques coups de bâton. Sartre prête une semblable insolence au bâtard Kean, qui rive son clou à un pair d'Angleterre de cette belle façon : « Vous descendez des Plantagenet en ligne directe, je dirai même que vous en descendez à toute vitesse ; moi je ne

1. *L'Idiot de la Famille*, tome I.
2. *Le Manifeste Communiste*.

descends de personne : je monte. » Par la suite il formulera l'idée de manière plus théorique : « L'aristocrate *descend* d'ancêtres plus ou moins mythiques, en tout cas inégalables et le mieux qu'il puisse faire, c'est de ne pas se montrer trop indigne d'eux. Le bourgeois *monte :* il monte du singe et qui sait si le surhomme, un jour, ne montera pas de lui. Voilà le progrès devenu loi de nature[1]. » La bourgeoisie est très exactement la classe montante.

La bourgeoisie met donc l'origine au présent, c'est ce qui paraît illogique aux défenseurs de l'Ancien Régime, Cazalès comme on l'a vu, plus tard Bonald et de Maistre : non sans apparence de raison, ils considèrent qu'une origine doit être mise à l'abri, enfouie dans un passé radical qui n'a jamais été présent, ils défendent rationnellement le mythe parce qu'il résout les difficultés, et d'abord le problème du pouvoir, en présentant la création comme toujours déjà effectuée. Pour la bourgeoisie au contraire, la fondation est quelque chose de prosaïque qui ne réclame que de la valeur personnelle. Sartre a relaté en détail la fondation d'une dynastie bourgeoise, la Maison Flaubert. Achille-Cléophas, le Père, l'a bien créé *ex nihilo*, en se faisant tout seul, c'est-à-dire en se faisant médecin contre ses origines, en devenant même le meilleur médecin de Rouen, alors que son propre père était vétérinaire, rebouteux d'animaux. Mutation inouïe dans les espèces. « Le premier oiseau, c'est Achille-Cléophas ; il eut l'audace de s'arracher au sol par un bond extravagant et de s'établir sur une branche. Après cela, bien sûr, sa descendance sera, jusqu'à la fin des siècles, ailée. » En effet, si la fondation doit avoir un sens, c'est que la chaîne s'y accroche. Le fils est donc invité à reproduire le père, mais non à l'imiter, il ne peut être véritablement comme lui, à savoir fondateur. Or, ne pas reprendre son essence, sa puissance fondatrice, c'est évidemment accepter par rapport à lui une diminution, un échec de principe, une secrète déchéance, c'est être en un sens radicalement châtré. Unique, le fondateur est l'inégalable fondement de l'égalité ultérieure. Il inaugure une nouvelle *série,* composée d'éléments homogènes et sans prestige, ses successeurs, ses continuateurs, ses reflets. Après l'acte absolu, le commencement, l'éclair de liberté, il ne reste pour les suivants que la morne répétition de l'archétype, une commémoration qui devient mécanique : le fils se fait père, c'est-à-dire représentant de l'Autre, du vrai, tandis que son propre remplacement s'annonce dans la personne de son fils. En principe, il devrait y en avoir pour des

1. *L'Idiot de la Famille,* tome III.

siècles, comme sous l'Ancien Régime. A l'expérience, le système manifeste sa déficience, on voit bien que cela ne peut durer que quelques générations, le fils ou le petit-fils fait faillite, l'arrière petit-neveu, touché par la grâce maoïste, s'établit comme O.S. à Flins.

On dira : mais pourquoi le fils n'imite-t-il pas véritablement le père, en le dépassant comme lui-même a dépassé le sien ? D'abord, parce qu'un phénomène aussi improbable ne peut pas se produire régulièrement, un commencement est nécessairement exceptionnel, sinon il deviendrait lui-même répétition. Et puis ce fils est précisément doté d'un père qui fait le poids, pas un médiocre comme le pépé, et qui le lui interdit, ce dépassement, puisqu'il a reconstitué pour un coup la fonction paternelle dans toute sa splendeur. Le dépasser, ce père-là, c'est une perspective terrifiante, et le fils aîné des Flaubert, Achille, se défilera, se limitera craintivement à n'être qu'une copie conforme et obsessionnelle du modèle incomparable. C'est dire que malgré ce dérobement il n'échappe pas à l'angoisse, parce qu'en régime historique cette perspective reste béante comme un gouffre. Ce père, ce n'est jamais qu'un homme, ce n'est pas Dieu ni un ancêtre mythique. Mais en prendre conscience, c'est émerger dans le néant. Et oser le dépasser, c'est être injustifiable, pour avoir subverti la Raison : comment peut-il y avoir quelque chose de plus dans l'effet que dans la cause ? Bénéfice fort équivoque que cet inconcevable supplément, il constitue le corps du délit, l'aveu de l'orgueilleux : qu'il a renié son ascendance, qu'à la vérité il est *fils de rien*...

III

ETRE DESIRE

D'où Flaubert, qui, comme Sartre, ne fut pas un bâtard,
tire-t-il son sentiment d'illégitimité ? Selon Sartre, de ce qu'il
est un intrus par rapport au désir de sa mère, qui voulait une
fille. Naître garçon, « magnifiquement pourvu », voilà le premier manquement au droit. La mère voit en Gustave un
« usurpateur qui s'est incarné sans visa dans la chair de sa
chair. Un Autre. Qui était du parti des Autres »... L'enfant,
pour rentrer dans le désir maternel et dans le droit, devra
trahir ce parti, expier sa différence, s'allier avec la mère
contre l'homme. Pour ce qui est de Gustave, il s'agit d'une
pure hypothèse, Sartre en convient volontiers, mais il la risque
pour ainsi dire en connaissance de cause, puisque selon lui
sa propre mère aurait éprouvé la même déception ; « avec
quel bonheur elle eût comblé sa triste enfance ressuscitée »...
Bref, la mère veut se mettre au monde elle-même, enfanter
est se ressusciter. Faire naître un être différent d'elle, un
garçon, un homme, un ennemi, une telle abnégation est au-
dessus de ses forces. Sartre retrouvera l'idée chez Flaubert :
c'est le mâle qui est impardonnable. Du coup de cette première
loi, ce qui tombe, injustifiable, c'est le phallus.

Que Flaubert ait été gavé, surprotégé, n'y change rien : il a été
aimé, sans doute, mais mal, l'excessive sollicitude à son égard
était l'envers d'un refus. Il a été traité en objet, ponctuellement,
adroitement, et n'a pas été reconnu comme valeur. Là encore,
le rapprochement avec Les Mots est tentant : « objet des soins
les plus tendres, gavé, sans désirs... » L'enfant est né comme
valeur, autant dire comme manque, comme désir, comme ouverture : il est une sorte de bouche-trou, de complément servant

à parfaire la plénitude familiale ou à saturer le désir maternel. N'étant pas introduit du fait de cette « carence de l'Autre » à la dialectique du désir, l'enfant apparaît « dans un monde ordonné comme la seule existence sans raison ». Là encore, la ressemblance saute aux yeux. « Né sans être désiré, qui diable me dira ce que je fous ici », pense le petit Gustave, faisant de nouveau écho aux *Mots :* « qui pouvait me dire ce que j'étais venu foutre sur terre[1]. » Du coup, le petit garçon est prêt à ressentir sa contingence. Ce sentiment, Sartre ne le présente plus comme une intuition métaphysique, et même, à travers Flaubert, l'auteur de *La Nausée* se critique : « C'est l'Exilé, méprisant du haut de son exil les agissements misérables des intégrés, c'est l'Inconsolé, préférant sa frustration radicale aux médiocres jouissances de ses congénères qui se contentent de si peu. » Sartre, ajoutant au passage que l'en-soi et la facticité sont des abstractions, marque bien que le sentiment de la contingence a son origine dans la déficience de l'amour : « ce sont les enfants mal aimés qui s'ébahissent d'exister sans raison. » La *raison* apparaît ainsi comme le désir, l'amour de l'Autre, fondement du *pour :* je viens au monde parce que j'y manque, pour répondre à un vœu, mais, si je ne puis le penser, je ne suis que pour moi-même, et je déguste amèrement la facticité du pour-soi...

Le droit d'exister suppose cette reconnaissance qui doit intervenir dès le besoin, qui n'est pas originairement le fait d'un organisme seul au monde, qui est « médié » par l'Autre : ainsi, le fait de manger doit s'accompagner de la reconnaissance d'un droit, comme l'a bien exprimé une malade de Laing, Joan[2] : « Lorsque vous donnez à manger à une fille, vous lui faites sentir que vous vous intéressez à la fois à son corps et à son moi, cela l'aide à se rassembler... On peut coucher avec des corps morts, mais on ne leur donne jamais à manger. » Pareillement, la culpabilité de la schizophrène de Mme Sechehaye se porte principalement sur la nourriture : Renée n'a pas le droit de manger car, dit-elle, « c'est mal, c'est impur »... La thérapeuthe devra donc devenir la « bonne mère qui nourrit son enfant et lui prouve par là qu'elle l'aime et lui donne droit à la vie »[3]. On ne comprendrait rien à la théorie sartrienne du besoin si l'on négligeait son intention, qui est d'établir une légitimité. Nous aurons naturellement l'occasion de reparler du problème de l'Autre chez Sartre —

1. C'est bien la question, dirait un lacanien.
2. Ronald Laing, *le Moi divisé*, Stock.
3. A.-M. Sechehaye, *Introduction à la psychothérapie des schizophrènes* et *Journal d'une Schizophrène*, P.U.F.

et aussi de celui de la nourriture : notons dès à présent l'importance de ce qui est reçu de l'Autre tout au début de la vie, et que ce qui compte est la manière.

Mais cela justement n'indique-t-il pas un au-delà du besoin comme simple exigence organique ? N'est-ce pas dans le désir, dans le désir de l'Autre, que se trouve la source même du droit, puisque le premier manquement est de ne pas répondre au désir de la mère ? Telle n'est pas la direction dans laquelle s'engage Sartre. Pour lui, le besoin est le « seul fondement valable », comme tel il est affirmation de droit, il écrit par exemple que dans les « cas extrêmes » de l'inanition ou de l'asphyxie, « la vie s'affirme furieusement comme un droit permanent de chacun sur toute l'espèce »[1]. Au contraire, le désir insatisfait intériorise sa condamnation, convient de son illégitimité. D'ailleurs, rêverie d'enfant gâté et vélléitaire, il tend de lui-même à l'impossible, il opte pour l'absence, devient cette « ventouse de néant qui gobe le petit monde vieilli de l'être et ne peut s'en satisfaire ». En lisant ces lignes du Sartre d'aujourd'hui, on peut se souvenir que L'Etre et le Néant définissait le pour-soi à peu près dans les mêmes termes, comme grand désir. C'est sans doute le point sur lequel se voit le mieux le passage de la première philosophie sartrienne à celle de la Critique de la Raison dialectique. Le besoin, lui, s'adresse à l'existant, son objet est déterminé et normalement présent quelque part, c'est ce qui en fait une revendication juste, et même une agression légitime : selon Sartre, c'est tout un pour le besoin « poussé à bout » de devenir agressif et d'engendrer son propre droit. C'est cette possibilité de légitime défense qui manque à l'enfant gâté et qui le voue aux mirages du désir : il ne lui a pas été permis, par trop de sollicitude, de « brailler sa faim dans la colère, de la manifester comme un impératif »[2]. On pourrait dire dans cet esprit que la grève de la faim est une manœuvre pour donner au désir le statut du besoin, afin de forcer sa reconnaissance et sa satisfaction ; le sujet le manifeste comme essentiel à son être en s'exposant pour lui à la destruction.

Mais en somme, c'est admettre qu'il n'y a qu'un droit absolu, celui de survivre. Pourquoi le besoin est-il le seul fondement véritable, au fond parce qu'il est de nature, parce qu'avec lui on bute enfin sur le roc de la réalité, du même mouvement on essaie de dissoudre le fantasme, pour trouver une garantie objective, le risque de mort, et se débarrasser de ce qu'il y a

1. L'Idiot de la Famille.
2. L'Idiot de la Famille.

d'insaisissable et d'illusoire dans notre condition. Mais est-ce possible ? La notion de besoin renvoie à un organisme en relation avec un environnement : cela est-il suffisant pour rendre compte de l'homme, et de la *praxis* ?

Un besoin primordial comme la faim, nous venons de le voir, se creuse déjà d'une autre relation, se dépasse immédiatement vers une organisation sociale, un symbolisme culturel, si bien qu'en quelque sorte chez l'homme l'organisme est dénaturé d'entrée de jeu. Quant à la sexualité, inutile de rappeler qu'elle est irréductible à l'organe et à la fonction. Après tout, on peut bien dénier le besoin de vivre : il est nécessaire de naviguer, non de vivre, proclamait la devise de la ligne hanséatique. Le désir nous expose donc à l'authenticité de la mort aussi bien que le besoin, on peut mourir en son nom, pour vingt-cinq francs, ou plutôt pour la République, comme le député Baudin. Evidemment, on pourra dire que Baudin était un jobard ostentatoire et lui opposer en l'occurrence la vérité de l'attitude sarcastique des prolétaires, ces hommes du besoin. Mais il n'y a pas de révolutions qui partent du besoin nu, la crise économique n'est jamais leur cause objective, on peut voir au contraire que c'est très souvent quand le problème de la subsistance est provisoirement résolu qu'elles démarrent, parce que les exploités, cessant d'être réduits au seul souci de leur corps, retrouvent un horizon historique.

Sartre irait donc dans le mauvais sens, en cherchant à ramener le désir au besoin comme à sa vérité, alors que le besoin de son propre mouvement se fait désir. Aussi bien, la distinction même du besoin et du désir est une pensée en extériorité, une vérité de l'entendement et non de la raison. On pourrait en trouver une preuve dans l'histoire récente, qui explique sa vogue idéologique et montre en quoi on peut l'assimiler à une opération extérieure du pouvoir et à une violence. L'évangile technocratique, c'est la satisfaction des besoins, et les grands ensembles ont ainsi été construits pour répondre à l'énorme besoin de logement qui existait en France après la guerre. Mais, une fois les programmes réalisés et mis en service, les technocrates ont vu dériver leur fonctionnalisme : ils ont dû constater que dans les grands ensembles on se suicidait, on s'adonnait à la boisson, et surtout qu'on votait à gauche. En désespoir de cause, ils sont allés consulter les spécialistes des sciences humaines. C'est que vous avez oublié le désir, ont répondu avec un air finaud les sybilles sociologues, voyant venir les contrats de recherches. Le désir est devenu comme une variante de ce fameux « supplément d'âme » qu'il serait urgent d'ajouter à notre civilisation trop mécanique, et l'on a trituré Lacan pour faire entrer ce nouveau facteur dans la programmation. Mais, quand la ville échappait encore à l'urbanisme, le besoin et le désir y trouvaient également leur satisfaction. Ce qui caractérise l'homme, ce n'est pas le désir, comme l'idée en est aujourd'hui reçue, ni le besoin, comme l'affirme Sartre à contre-courant, c'est la dialectique qui échange l'un avec l'autre. Le désir sexuel par exemple garde un bien avec l'instinct, et le besoin est historique [1].

Sartre disait à Fidel Castro en 1960 que tous ceux qui demandent, quoi qu'ils demandent, ont le droit de l'obtenir, parce que ces demandes d'une manière ou d'une autre traduisent un besoin [2]. Le dirigeant cubain alla étonnamment au-devant de sa pensée en lui répondant : « le besoin d'un homme, c'est son droit fondamental sur les autres. » Sartre encouragé lui dit alors : « Et si l'on vous demandait la lune », à quoi Castro répond : « C'est qu'on en aurait besoin. » Et Sartre en conclut que la révolution cubaine s'inspire du véritable humanisme, qui ne peut se fonder que sur le besoin. Mais il va de soi que le concept ici est tout à fait perverti : on ne peut avoir véritablement besoin de la lune — si l'Occident s'est mis en tête de la posséder, c'est à la suite d'une histoire qui contient une large part de folie — et de plus il est hors de propos de la demander au chef.

Sartre écrit que « l'homme du besoin s'adresse aux autres hommes » : en vérité, le besoin comme tel n'exige aucune humanité, les robinsonnades de l'économie bourgeoise, pour parler comme Marx, en font foi. Ce sont là des fictions, soit. Mais quand Sartre parle du vivant qui, éprouvant le besoin, reproduit sa vie en agissant sur son environnement, il ne fait que décrire l'opération de l'animal. Partir pour atteindre le fait humain de l'organisme à la recherche de la nourriture, c'est aussi une robinsonnade. Le besoin comme tel ne s'adresse pas à l'autre, puisqu'il s'épuise dans la relation transitive de l'organisme au milieu, c'est justement le désir qui naît de cet appel, et qui suppose une relation plus complexe, la relation symbolique, selon laquelle la réalité se distancie, l'autre intervenant comme un moment décisif mais aussi en fonction d'un code. Le besoin pur, en fait, n'existe pour l'homme que dans les « cas extrêmes », comme le dit Sartre, c'est-à-dire isolé par une terrible violence qui, détruisant ses conditions de vie habituelles, le réduit à l'exigence biologique : ce qui se produit dans les cas de famine. Le capitalisme du XIXe siècle avait

1. Un lacanien un peu humaniste pourrait dire ici que l'homme *fait* ses besoins.
2. Cf. *Les Ecrits de Sartre*, Entretien avec Fidel Castro.

tendance à réduire le prolétaire au besoin pur, ne voyant en lui qu'un système de muscles capable d'un certain travail et devant être reproduit. En un mot, si aucun humanisme ne peut tolérer qu'un homme soit exclu de l'humanité par la négation de son besoin, cela ne saurait suffire à le définir positivement. Sartre n'en fait pas moins du besoin le fondement du droit, et du désir celui d'un *droit noir*, revanche des maudits.

Il faut voir que pour Sartre le désir est subversion. Dans la *Critique*, il fait jouer un rôle fondamental à la notion de rareté, c'est elle qui constitue le drame du besoin et par là de l'histoire. De fait, il est certain qu'aujourd'hui le tiers monde manque de protéines, c'est même un fait quantifiable, et il y a quelques années l'U.N.E.S.C.O. avait fait distribuer aux enfants indiens des bouliers qui devaient leur permettre de calculer facilement le nombre de calories qu'il leur fallait par jour. Mais, outre que cette rareté est bien plus un résultat historique qu'un fait de nature, on voit là que c'est à l'usage des sous-développés qu'on la pense, qu'on calcule les besoins — et pourquoi ne mangent-ils pas leurs vaches, ces idiots, comme disent les bons esprits ? L'ethnologie a amplement démontré que la nourriture ne vient pas satisfaire un besoin alimentaire brut, qu'elle est prélevée dans une gamme arbitraire, un peu comme les phonèmes de la langue sont sélectionnés à partir de tous les sons possibles ; et dans un film de Losey on voit un milliardaire mourir de soif dans le désert en réclamant du champagne. Ce qui au fond est un scandale pour Sartre, c'est que la rareté puisse être comme telle *désirée* : il brocarde Flaubert qui veut des divans en peau de cygne et des hamacs en plumes de colibri simplement parce que de tels ustensiles, fort peu fonctionnels, sont des signes de rareté. La rareté elle-même, loin d'être un fait nu, s'inscrit dans la logique du désir, dont le propre est de s'articuler à un autre désir comme le disait Alexandre Kojève dans son commentaire de Hegel. Pourquoi veut-on tellement, au point d'y laisser sa vie, une décoration, un drapeau : parce que ce sont des objets de désir. Ce sont des *enjeux*, dans une vie qui se situe immédiatement au-delà de la conservation. C'est qu'il s'agit d'être désiré par l'autre (sur le mode de l'amour, de l'admiration, de l'envie, etc.), et donc le désir porte sur une valeur plus que sur un objet. Et l'on pourrait trouver là une nécessité du désirable : ce qui est institué comme tel fonctionne, le désirable, comme le désir lui-même, n'a pas de contraire. Je désire la Légion d'Honneur, ou je me détermine comme refusant de la désirer, je la refuse parce que je suis opposé au régime, mais j'accepterai volontiers des distinctions équivalentes de la part de pouvoirs qui me

conviendraient mieux. On peut évidemment tourner en dérision
un pareil comportement, mais alors il est douteux que l'homme
puisse jamais échapper au ridicule.

Sartre ne voit dans l'imaginaire qu'un dévoiement, une perversion. Il critique Flaubert dont le désir n'est pas une exigence d'assouvissement par la pratique, mais une attente rêveuse
et impuissante, le signe par excellence de son infirmité névrotique, de sa passivité constituée. Mais de même que le rêve
est un accomplissement de désir, le désir est comme un droit
de rêver. On a célébré comme libératrice cette phrase de
Nizan : « Aussi longtemps que les hommes ne seront pas
complets et libres, ils rêveront la nuit. » On n'a pas pris garde
qu'elle est stalinienne : du jour où l'Etat est suffisamment fort
pour décréter l'homme enfin réalisé, quiconque rêve, de démo-
cratie par exemple, est un traître, et, dans la société bourgeoise,
jadis ceux qui auraient été considérés comme des inspirés, se
font boucler : on ne délire pas quand on a le confort moderne,
le chauffage central, la télévision, quand les besoins sont satisfaits. En tout cas, l'homme idéal ne rêve pas : bon pied bon
œil, il attaque allègrement le réel et le domine à sa guise. Au
reste, il n'est dans sa complétude qu'un fragment de réalité
enroulée sur elle-même.

Sartre dit encore que le désir de Flaubert, éprouvant son
illégitimité, n'ose pas s'affirmer, et cherche vainement un Autre
capable de le reconnaître et de « l'instituer », un « répondant »
à l'extérieur : il ne peut mieux indiquer qu'il est dans la
nature du désir de faire appel, parce qu'il prend place dans le
champ de la parole et du droit. Tout cela, à vrai dire, est
largement établi aujourd'hui, et plus que de l'opposer à
Sartre[1] il est intéressant de comprendre les raisons de son
obstination. Il y a d'abord une volonté personnelle d'en
finir avec les truquages de l'imaginaire, de sortir de l'enfance.
Dans Les Mots, Sartre oppose au gamin trop choyé qu'il fut
l'enfant misérable dont la faim, le danger de mort par conséquent, fondent le droit de vivre : pour un peu, il dirait qu'il
a de la chance, jouissant en quelque sorte d'un privilège
inversé, et d'une souveraineté latente. C'est qu'il est du côté de
la réalité, ce petit-là. D'autre part, pour Sartre, le besoin est la
garantie du soi : le besoin est pur rapport de mon organisme
à lui-même, comme manque, certes, mais cette négation trouve
sa résolution dans et par la relation de ma praxis avec l'environnement objectif, l'intervention de l'Autre étant, comme toujours chez Sartre, accidentelle sinon intempestive. Il est sûr

---

1. D'autant qu'on pourrait ici opposer Sartre à lui-même.

que cette idée du besoin, développée au début de la *Critique de la Raison dialectique,* est elle-même imaginaire, mais sa fonction est d'éluder une présence de l'Autre qui est irrécusable dans le désir, lequel comporte une *autre négativité,* constituant pour bien dire un manque plus radical et irrémédiable que l'absence temporaire de calories. En un mot, le besoin ne contredit pas mon autonomie : au contraire, la « praxis individuelle » qui en découle manifeste ma souveraineté.

Enfin, Sartre est à la recherche de la nécessité, il rejette donc le désir en raison de son arbitraire — qui d'ailleurs, comme celui du signe, est relatif. Ici, nous en revenons à notre point de départ, précisément le problème de l'origine. Répondre à un désir, c'est insuffisant : un désir est marqué de contingence, et me met à la merci de l'Autre, ou des autres, qui peuvent l'avoir ou ne pas l'avoir. S'il doit être investi d'une légitimité authentique, à l'épreuve du doute, celui qui vient au monde doit y venir combler un besoin, en quoi il est nécessaire comme le pain : sans lui l'espèce va dépérir, loin qu'il soit l'objet superflu de quelque caprice féminin. Voilà pourquoi l'enfant en proie à l'illégitimité va se faire écrivain, dès lors il *sera apparu* parce que les autres avaient besoin de ses secours, c'est ce besoin qui l'aura engendré. On voit le bénéfice de l'opération, mais aussi son inconvénient, car à se définir de cette manière, on ne peut guère s'attendre qu'à une chose, à être mangé.

On l'a vu, la légitimité porte non seulement sur l'existence, mais aussi sur l'existence sexuée. Redonnons la parole à Joan : « Avec mes parents, je ne pouvais être un garçon et ils ne m'ont jamais clairement dit ce qu'ils attendaient que je sois, à part un garçon. » A l'occasion du sexe se formule le problème plus général de la différence entre ce que je suis et celui (ou celle) qui était attendu, soit entre mon être comme réalité et mon être comme valeur pour les parents à qui j'en suis redevable. Cette valeur-là doit constituer la loi de mon être réel : « J'avais besoin d'être dominée et de savoir ce que vous vouliez que je sois », dit encore Joan.

A la vérité, il s'agit d'une légitimité plus profonde que le droit, car, comme l'a dit Hegel, le droit institué ne permet qu'une reconnaissance abstraite, la personne formelle qu'il détermine étant sans commune mesure avec l'individu concret et contingent que je suis. Le sujet de droit est un pur avoir à être que justement je ne suis pas et qui fait problème pour moi. Nous le savons, l'être de garçon de café est une forme idéale qui ne garantit aucunement la présence empirique, et nous avons vu à quel jeu doit se livrer la subjectivité pour l'approcher sans jamais l'atteindre[1]. Pareillement, le simple statut d'enfant est stérile, il me faut une affirmation vivante de ma légitimité, celle de l'amour visant ma singularité, en tant que manque, autrement dit « avec ses défauts » par rapport à l'idéal abstrait, à l'enfant imaginaire de la législation maternelle. Au contraire, si le point de vue juridique se maintient dans toute sa rigueur, ma contingence, c'est-à-dire mon existence même, est radicalement injustifiable. Nul n'a mieux exprimé cela qu'André Gorz dans *Le Traître* : « Sa mère avait souhaité un fils, mais avait-elle souhaité le gosse qu'il était, lui ? » Aux yeux de ce gosse-là, l'attitude de la mère constitue une réponse sans équivoque, un verdict : il n'est pas le fils selon la loi, son existence n'a donc aucune base, elle est annulée, déchet du droit. « *Il n'existait plus*, souligne Gorz, puisqu'il n'était pas ce fils qu'on voulait qu'il fût et que celui qu'il était, on n'en voulait pas. » Il est donc « coupable sans recours », et cherchera le salut — le recours à la culpabilité — dans le mysticisme, occasion de se conformer à une autre loi, transcendante, la volonté de Dieu devant faire pièce au désir de la mère. Toute la question est en effet de conformer son être à la loi en tant qu'elle en est la production, l'engendrement. A cinq ans, le petit Gorz s'adresse à sa mère avec une clairvoyance pathétique : « ce fils que vous avez désiré, vous ne pouviez pas savoir que c'était moi ». Etre, c'est nécessairement être autre que ce que désirait que je sois celui qui m'a fait être, à savoir lui-même. Donc, j'émerge dans le néant et la faute. Comme le dit Sartre à propos de Baudelaire, personne ne réclame la nouveauté. Toutefois, du fait que j'ai été engendré, l'être m'apparaît comme une conséquence, un don, et plus encore une dette — et la mort de Dieu complique les choses.

L'idée que la justification ne peut venir que de l'amour revêt dans *L'Idiot de la Famille* une forme génétique, mais elle n'est pas neuve chez Sartre. J'attends de l'amour, dit *L'Etre et le Néant*, qu'il me sauve de ma facticité : aimée, répondant à un désir, mon existence n'est plus un fait mais un droit, elle est parce qu'elle « est appelée », au lieu qu'avant d'être aimés nous étions inquiets de cette protubérance injustifiée, injustifiable... « Nous sentons à présent que cette existence est reprise et voulue dans ses moindres détails par une liberté absolue qu'elle conditionne en même temps... C'est là le fond de la joie d'amour, lorsqu'elle existe : nous sentir justifiés d'exister. » Mais, ajoutait Sartre, cette entreprise est contradictoire, impossible, parce que chacun dans le couple veut être l'objet pour

---

1. Cf. *le Mécanisme de la Liberté*.

qui la liberté de l'autre s'aliène. Ainsi, Kant, ayant à cœur de démontrer que toute harmonie fondée sur le désir aboutit au chaos et que la transcendance de la loi est indispensable, raillait le drôle de ménage où « ce qu'il veut, elle le veut aussi »... Il est permis de penser que l'échec actuel du pour-soi renvoie à un échec primordial. En tout cas, légitimer son existence se résume ici à se faire aimer, ce qui signifie qu'il n'y a d'activité que pour une certaine passivité, pour forcer en quelque manière l'acte de l'Autre. Etre désiré : passivité primordiale qui nourrit l'acte futur.

Le jeune Flaubert vit donc dans le monde de *La Nausée*, « il goûte son illégitimité dans la fadeur de l'hémorragie qu'il provoque et subit », et qui lui révèle « l'interchangeabilité de toutes ses affections » : « elles naissent, s'installent, végètent et disparaissent et d'autres viennent, modes divers d'une même substance nauséabonde ». Il constitue et subit à la fois cette temporalité affalée des instants, à laquelle s'oppose, on l'a vu, la temporalité mélodique, belle parce que chaque note appelle l'autre qui lui répond : c'est ainsi que le temps est justifié comme décompression de l'être, et c'est ainsi qu'on se sauve du néant, par la force de l'amour — n'est-ce pas en son nom que nous en avons été tirés ? Voilà ce qu'est avoir reçu mandat de vivre : celui-là, « une grâce d'amour l'invite à franchir la barrière de l'instant », tandis qu'inversement la carence de cette grâce me laisse en plan sur sa crête, en proie au vertige, parce que je n'ai pas de consistance en tant que simple *moi* si je n'ai pas été investi. « La faiblesse des fins posées par la subjectivité, c'est qu'elles demeurent subjectives », écrit Sartre en 1971 comme en 1943, mais il ajoute une précision capitale. Etre attendu, désiré, c'est ce qui me permet d'enjamber l'instant, de ne pas me laisser fasciner par l'abîme [1].

Flaubert, dit Sartre, passe sa vie à se faire attendre, il essaie de compenser sa malchance originelle par des artifices dérisoires, annonçant par exemple longtemps à l'avance des visites qu'il remet. « *Ils étaient attendus, eux* », dit Sartre avec envie des cows-boys et des mousquetaires du cinéma muet : leur avenir, la jeune fille en péril ou le traître embusqué dans la forêt, gouvernait le présent, inscrit dans la musique prémonitoire qui accompagnait les images. Le mouvement infernal de la « Course à l'Abîme » symbolisait leur droit à la destinée, la rigueur du développement musical confirmait l'ordre universel, et le dernier coup de couteau coïncidait avec le dernier accord : « j'étais comblé, j'avais trouvé le monde où je voulais vivre,

---

1. Cf. *le Mécanisme de la Liberté*.

je touchais à l'absolu. » Mais les lumières se rallumaient, et dans la rue le petit Sartre se retrouvait « surnuméraire ».

La musique, les œuvres, le langage, ce sont peut-être des moyens, des ruses pour se faire attendre, par soi-même à défaut de quelqu'un d'autre. « Le parleur s'attend au bout de la phrase », s'il se déchire dans le discours c'est sans doute pour le plaisir de la rencontre. Vers 1912, Sartre jalousait Michel Strogoff pour son destin, parce qu'il était justifié dès sa première apparition, suscité du néant pour remplir une mission unique et capitale. Il a bien pu apprendre qu'on n'a pas de destin pour soi, que c'est un effet de l'Autre, ou encore qu'il n'est jamais que ma liberté dressée par mes soins comme un pouvoir étranger, ce goût ne lui a pas passé, et il s'est employé à se faire attendre par Sartre lui-même, voire par un ange blondinet du XXXᵉ siècle qui l'observera à travers un livre... Le rêve est cassé toutefois, il ne lui reste plus qu'à aller « jusqu'à Dijon où il sait bien que personne ne l'attend » — mais Sartre a aussi prétendu se faire attendre par la mort, notre active fille et servante, pour autant qu'elle sait faire de la vie un destin, une totalité achevée.

L'amour étant la cause qui unifie la temporalité, autrement morcelée, fuite et non flèche, le désir qui s'exprime est d'être l'objet d'un désir. Faute d'un père, Sartre nous dit qu'il a entrepris de se rendre indispensable à l'humanité entière. Il y a partiellement réussi, mais peut-être en a-t-il convaincu davantage les autres que lui-même, qui connaît la vanité de l'entreprise pour en avoir été le maître d'œuvre. Les messies pointent au chômage de nos jours. « L'humanité sera toujours aussi pleine qu'auparavant, sans une lacune, sans un manquant... Personne ne lui manque et elle n'attend personne [1]. »

Tout semble dit. Pourtant, un mot de Sartre va nous orienter sur une autre piste : le petit Flaubert, dit-il, vit en concubinage avec l'existence. C'est là une troisième dimension de l'illégitimité, après la bâtardise et l'usurpation, le concubinage et pas n'importe lequel, si l'on prend garde que l'existence primordiale, indivise, c'est la mère. L'enfant nous a toujours été présenté comme passif, disculpé dans la mesure même où il était diminué : l'illégitimité lui est tombée dessus comme une malédiction avant qu'il ait eu le temps de désirer quoi que ce soit. « Surnuméraire, gêneur, reflétant par sa contingence affreuse l'accident fortuit qui l'a tiré du néant, il sera, on l'imagine, un *mal-aimé*. » Parce que d'abord il est donc un *mal-né*. Et Sartre lui prête cette adresse au père : « Chaque

_____
1. *Le Sursis*.

expérience nouvelle n'est pour toi qu'une invention curieuse et bâtarde, réalisée dans un coup de rut, mais pour celui que tu arraches ainsi du néant, c'est une sentence capitale... » Le créateur sadique ne délivre qu'un mandat de souffrir, comme le Dieu des gnostiques ; délibérément, il inflige la bâtardise à sa progéniture, et s'il y a en lui un désir de créer la vie, il est donc purement égoïste et cruel. Bref, dans le cas de Flaubert, chacun des parents apparaît comme un pur rapport à soi : la mère ne tient qu'à se recréer dans un fille, le père ne cherche que son plaisir, baiser étant pour lui expérimenter. La naissance, pire qu'un accident, est un scandale, une catastrophe, elle résulte d'un accouplement monstrueux dont le résultat ne saurait l'être moins. La « scène primitive », dit Sartre, est un « désastre obscur » — suffisamment obscurci en tout cas pour que la naissance devienne une horreur impensable, tout rapport de désir ayant été nié entre les parents.

Chez Flaubert, à travers ses écrits de jeunesse que Sartre analyse avec un soin sagace, on déchiffre un roman familial d'un type rare et intéressant, qui révèle déjà toute la puissante originalité de l'auteur. Il ne se prend pas banalement pour l'enfant d'un couple royal, non, conformément à ce qui sera sa devise : « l'ignoble est le sublime d'en bas », il se fantasme avec délectation comme l'enfant d'un singe et d'une pute. Ferenczi parlerait d'un roman familial inversé, d'un roman de déchéance [1], qu'il explique par la facilité de la satisfaction des instincts en milieu populaire ; mais surtout la voie vers l'inceste est rouverte. Ainsi, Flaubert nous raconte la charmante histoire d'un fils abandonné par sa mère qui vingt ans plus tard se l'envoie au bordel pour cent sous. Autre variante, le malheureux héros est le « produit d'un croisement monstrueux » entre un orang-outang et une esclave sous le contrôle d'un savant démoniaque : le père incertain se scinde ici en deux images tout aussi négatives, d'un côté le docteur inhumain qui expérimente atrocement sur les autres, de l'autre, inhumaine par principe, la bête en rut. Nous revoilà bien au niveau de la scène primitive : le père diabolique, qui joue hypocritement dans la journée à la respectabilité bourgeoise, saute la nuit venue sur sa femme comme un singe. Et surtout, l'acte sexuel est un viol, ce qui établit la culpabilité du père, sa volonté mauvaise, et donc Gustave est l'enfant d'un viol.

Sartre, on y a déjà insisté, tend à tout rabattre sur le plan du réel, et recourt à des hypothèses plus ou moins probables,

---

1. *Considérations sociales dans les psychanalyses*, in « Psychanalyse III » (Payot).

soutenant par exemple que le petit Flaubert a été mal aimé effectivement par sa mère. Du coup, il met entre parenthèses la manœuvre du fantasme, qui cherche à nier la relation sexuelle entre les parents, et tout au moins le rapport de désir, à saboter la scène primitive. Dans ces conditions, le sentiment de contingence s'expliquerait moins par un défaut d'amour maternel que par un excès d'amour incestueux. D'autre part, être orphelin est assurément une situation réelle fort pénible. Mais aussi Sartre nous dépeint le petit Lucien, futur chef et salaud, jouant à être orphelin pour nier la scène primitive qui a bouleversé son univers, et qui dans ce cas d'ailleurs induit directement le roman familial : « A partir de ce jour Lucien fut persuadé qu'elle jouait la comédie et il ne lui dit plus jamais qu'il l'épouserait quand il serait grand. Mais il ne savait pas trop quelle était cette comédie : il se pouvait que des voleurs, la nuit du tunnel, soient venus prendre papa et maman dans leur lit et qu'ils aient mis ces deux-là à leur place... Il s'asseyait au milieu de la pelouse, sous le marronnier, remplissait ses mains de terre et pensait : Je serais un orphelin, je m'appellerais Louis... [1] » Quant à Sartre lui-même, il tient à dire que son inimitié pour la mère de Flaubert ne doit pas être comprise comme un règlement de compte déplacé avec la sienne, qu'au contraire il a bénéficié, lui, de cet amour qui lui a permis de se constituer une certitude et un moi [2]. On pourra songer à faire la part de la dénégation, d'autant qu'il est bien des textes où cette certitude du moi ne semble pas tellement acquise. Mais en fait le malentendu tient ici à l'attitude réalisante de Sartre. Sinon, comment expliquer ce thème de la contingence omniprésent dans la première partie de son œuvre, tout particulièrement dans *La Nausée* et dans *L'Etre et le Néant* ?

Comment Sartre, dans cette première époque, pensait-il donc la naissance ? Il concède du bout des lèvres que le sujet naît du monde, mais de toute façon il le lui rend bien, il fait naître le monde : le pour-soi est d'une extraordinaire fécondité, par lui la négation, le manque, le néant (qui plus tard garderont leur place originaire mais seront assimilés au besoin) mais aussi l'être lui-même, par effet dialectique, viennent à l'être, il fait tout exister dans son immense générosité. De surcroît, « Adam se choisit Adam » : c'est là le projet originel, et le péché, si bien que l'illégitimité apparaît simplement en ce sens comme la conséquence d'une autonomie absolue. Au reste, Sartre a constamment exprimé sa volonté de tout reprendre à son compte,

1. *L'Enfance d'un Chef.*
2. *Situations X*, « Sur l'Idiot de la Famille ».

de tout résumer dans sa présence, y compris son origine
— jusqu'à porter, comme le stoïcien, tout son avoir avec lui —
en quelque sorte de *se faire naître*, et de ne rien devoir. La
naissance, dit encore *L'Etre et le Néant*, a la facticité de la pure
position, c'est un évanescent « souvenir d'être ». Je ne puis
l'invoquer comme une donnée positive, car si je dis par exemple : « J'ai honte d'être né », cela prouve bien que le fait n'est
pas brut, que je lui donne sa signification, qu'en un sens « je
choisis d'être né » ; et la honte, qui nous est bien connue, ne
vient pas ici par hasard, ma naissance est une honte parce
qu'elle m'échappe, et cela veut dire aussi que je tente de la
rattraper, de la reprendre en moi.

Il n'en reste pas moins que le pour-soi, tout néant qu'il soit,
est né. A cet égard, comme la plus antique philosophie, la
pensée de Sartre peut être envisagée comme un mythe de l'être
cherchant à résoudre le mystère des origines. L'Etre, c'est ce
qu'il y avait *avant*, et que j'ai perturbé. L'Etre en lui-même
ne comporte pas la différence. La généalogie sartrienne, c'est
que rien ne peut arriver à l'être par l'être — rien ne peut
arriver que le rien. D'où le battement de la honte et de l'orgueil :
je ne suis rien, mais je suis l'unique événement de l'Etre. Et
sur la fin l'effort du pour-soi pour se fonder coïncide, *semble-t-il*,
avec la tentative de l'être lui-même pour lever sa propre
contingence.

Toujours est-il, pour ce qui nous occupe, qu'on ne peut trouver chez Sartre un statut ontologique de la différence des
sexes ; tel pourrait être le sens de sa référence fréquente à
l'homonculus du *Second Faust*, dont le drame est de n'être
pas né, de ne pas devoir son existence à la rencontre d'un
homme et d'une femme, par conséquent de n'avoir pas de sexe
lui-même, d'être marqué par une castration absolue et voué
ainsi absolument au néant.

A la vérité, la naissance est autre chose qu'un accident fortuit,
c'est même cela l'accidentel, du moins en droit — certes l'esprit
de l'existentialisme est de faire prévaloir le fait sur une norme
rarement réalisée... Mais Sartre affirme souvent cette conviction
que la femme aime son enfant *contre* son mari. N'est-ce pas
aussi l'enfant qui aime sa mère contre son père ? N'accepte-t-il
pas volontiers la trahison qu'elle lui suggère ? En un mot,
l'éternel enfant ne cherche-t-il pas à nier qu'autant que sa
mère puisse l'aimer, elle aime aussi *par ailleurs* ? Proust a admi-
rablement parlé de ce terrible ailleurs, à partir de cet épisode
initial où il obtient de sa mère, occupée à recevoir, qu'elle
vienne lui dire bonsoir dans sa chambre, tellement il ne pouvait
supporter qu'elle soit loin de lui, en un lieu pour lui interdit,

où elle goûtait avec d'autres des plaisirs inconnus... L'indulgence du père en l'occurrence sera une catastrophe, la défaillance de la loi étant décidément pire que la loi. De là ont commencé mes malheurs, dit Proust, cette scène symbolisant très probablement le fait qu'il est parvenu à troubler les rapports entre ses parents, par exemple par ses crises d'asthme.

L'enfant enrage de ne pas avoir « fait l'objet d'un décret spécial de la Providence », sans doute, mais cela peut vouloir dire simplement qu'il est furieux d'être soumis à la loi commune, et c'est en quoi il trouve un mystérieux bénéfice à considérer qu'il a été jeté par hasard dans le monde. En fait, il mène une stratégie plus retorse qu'il n'y paraît. Il pose dans un premier temps : je suis un accident, je ne suis pas légitime, il se plaint lui-même et savoure ce malheur qui lui permet de dénier sa véritable origine. Mais ensuite, un accident peut se justifier, rien qu'en se maintenant il prouve rétrospectivement qu'il n'était pas si accidentel : bref, à partir de cette position, je me justifie moi-même, je produis ma propre légitimité, je suis à l'origine de la loi qui me suscite.

L'enfant vient du néant, c'est vrai, mais il vient aussi du rapport de deux êtres. Telle est l'autre moitié de la vérité, et l'oublier c'est se condamner effectivement à ne se voir que comme néant. Mais n'est-ce pas l'enfant lui-même qui en vient à désirer de ne pas avoir été désiré ? Il ne faudrait pas, par une sollicitude abusive, le priver de son désir et de sa culpabilité... En ce qui concerne Sartre, la négation du père a trop bien réussi, puisque ce père s'est éclipsé dès son arrivée, au lieu de patienter une génération comme tout le monde, littéralement *il ne l'a pas attendu*. Sartre s'est même imaginé pire, que, l'ayant aperçu, il a constaté qu'il y avait erreur sur la personne et s'en est allé dégoûté... « La prompte retraite de mon père m'avait doté d'un Œdipe fort incomplet. » : ou trop achevé en un sens. Le petit Sartre a pris la place du père trop vite, en toute illégitimité. Le barrage s'est effondré de lui-même, la mort du père a comme il le dit très bien fondé prématurément son « importance », qu'il a mise au service de sa mère...

Tout le système des places est du coup subverti. Peut-être est-ce pour cette raison que Sartre décrit comme une expérience typique de l'illégitimité une sorte de stupeur qu'il a éprouvée dans l'espace. Il a failli perdre la tête, et, précise-t-il, c'était par sa faute : il se promenait à Brooklyn, or on ne se promène pas aux Etats-Unis. « D'une rue à l'autre, immeubles, passants et chaussées, tout était pareil... Je prenais à droite, à gauche, je tournais, je fonçais devant moi, pour retrouver les mêmes maisons de briques, les mêmes marches blanches devant les

mêmes portes, les mêmes enfants jouant aux mêmes jeux. »
Cette équivalence absolue, c'est à peu près celle de l'être-en-soi,
indifférent, indifférencié, qui le désigne lui-même comme sujet
pur interchangeable, *perdu* en tant que singulier : « mes mouvements, ma vie, ma pesanteur elle-même me parurent illégitimes,
je n'étais pas une personne réelle puisque je n'avais aucun
motif particulier de me trouver en ce point du quarante-
deuxième parallèle plutôt qu'en tout autre... Ma présence dans
l'univers mécanique de la répétition devenait un accident brut,
aussi bête que ma naissance [1]. »

Toutefois, ce n'est pas qu'à Brooklyn que Sartre a éprouvé le
sentiment de ne pas être à sa place, et plus irréparablement,
de ne pas en avoir. Le caractère injustifiable de ma position
actuelle renvoie de proche en proche à la mise en place originelle
de la naissance. Et si naître est recevoir sa place du dehors,
Sartre procède là encore au renversement : c'est par moi que la
place vient au monde, je me mets à ma place en fonction de
mes fins, de mon projet, qui la font apparaître comme exil
ou comme lieu naturel, parce que de toute façon je ne saurais
m'y réduire, suis aussi là-bas comme être des lointains. C'est
par rapport à mon rêve de vivre à New York que je souffre
d'être enterré à Saint-Amand-Montrond.

Mais cette philosophie vise à réfuter un émerveillement de
l'enfance : qu'un homme puisse avoir une place faite exprès
pour lui. « Sa place : un néant creusé par l'attente universelle [2] »
— c'est-à-dire que lui-même est *l'être*, et se manifeste comme
tel dans la mesure même où il manque. Le manque est la
meilleure preuve de la place, lieu exquis du monde, garantie
d'une naissance inscrite dans l'ordre des choses et indéfiniment
renouvelable comme une vérité idéale. Sartre finalement a cherché à se la faire, cette place, en prenant les choses à l'envers,
en cherchant à *manquer*, à provoquer le besoin de lui qui allait
le susciter derechef à son tour... Il s'est acharné à produire une
sorte de « décompression » de l'Autre.

Car en fait, la vérité, qui n'est pas une merveille, c'est que
l'Autre intervient bel et bien, il me nomme à mon poste comme
l'Éducation nationale m'envoie à Mont-de-Marsan, il m'assigne
à un endroit quelconque de l'espace comme n'importe quel
objet, en fonction de sa propre carte, alors que selon l'expérience
subjective je suis à la place unique, je suis à la place à partir
de laquelle l'espace entier se constitue... Force m'est d'admettre
qu'un système de places me préexiste et me situe originairement.

1. *Situations*, IV, « Des Rats et des Hommes ».
2. *Les Mots*.

Naître, c'est prendre place dans un réseau de parenté, à la croisée de deux lignées, à un point déterminé par d'autres et qui me détermine. Avoir une place, c'est donc être objet de l'Autre, de son désir en quelque façon que ce soit, être passif, *être déjà pensé*. Cela, Sartre l'a admis, il fait dire à Franz dans *Les Séquestrés d'Altona* : « Neuf mois avant ma naissance, on a fait choix de mon nom, de mon office, de mon caractère et de mon destin » — ou encore à propos de Flaubert il évoque ce quadrille que danseront invitablement les enfants des bonnes familles rouennaises, parce qu'ils ne sont pas d'abord des individus, des subjectivités déliées, mais des représentants de leur famille et de leur génération, que se sont machinées des « réalités prénatales » très comparables à des essences.

Il est vrai que pour certains, cela même est positif, Baudelaire par exemple adoptera l'idéologie réactionnaire de l'ordre théocratique pour avoir sa place, n'importe laquelle, en fait son orgueilleuse modestie, je veux dire sa culpabilité, ne lui permet que de prendre celle de maudit ou d'enfant terrible. D'une manière générale, le héros sartrien est exclu et revendique ce qui lui revient, une place dans le train pour le jeune Philippe, le trône d'Argos pour Oreste. Il y a un thème sartrien de l'individu face à la ville. Oreste veut donc retrouver son droit de cité, reprendre légitimement sa place dans sa ville (il se trouve que c'est la première). La doléance de Roquentin est plus ambiguë : certes, il souffre d'être surnuméraire à Bouville, ce n'est assurément pas lui que la ville attend, d'ailleurs elle n'attend rien ni personne, et en même temps il vitupère les salauds qui y ont places et droits. C'est que la ville, c'est l'ordre, comme on le voit dans *La Putain respectueuse* : elle ne peut se tromper, elle est la loi, elle a le dernier mot, Lizzie et le nègre se sentent coupables — deux orphelins coupables... —, il sera lynché, elle consentira à se faire entretenir par le chef Fred, Thomas la crapule sera innocenté.

Cela signifie que l'on est bien attendu, mais en tant qu'être général. Sartre nous dit par exemple que Flaubert ne se console pas d'être un produit du hasard, de n'avoir pas été appelé, mais aussi que tout s'est passé comme si une fin transcendante avait opéré du fond des années futures et l'avait créé dans un ventre de femme par l'intermédiaire d'un brave bourgeois, qui, s'il avait accédé à la pleine conscience de son rôle quasiment hégélien, aurait pu dire à son épouse : viens, que je te fasse un notaire. Bref, le vrai problème, c'est qu'il refuse d'avoir été appelé au monde pour n'être qu'un bourgeois, que sa singularité se révolte contre l'être de classe. D'où la seule issue possible, le recours à la grande mission littéraire, avec l'idéologie des

belles-lettres qui l'enrobe, par laquelle Sartre avoue avoir été
influencé lui-même, selon laquelle ce sont les chefs-d'œuvre à
écrire qui sont allés réquisitionner dans le ventre maternel le
grand écrivain nécessaire à leur réalisation. Sartre se verra ainsi
« né d'une attente future », et non des vicissitudes d'un trouble
passé, comme Hegel il voit l'histoire de sa fin, du point de vue
de Dieu réalisé. Mais il faut se faire sa place comme on se fait
un nom.

Pour trouver sa place, Sartre aura donc dû faire un considérable détour, suivant le chemin du roman familial de son
enfance, qu'il a pour ainsi dire négocié avec la réalité de tout
son génie. « J'abandonnai ma famille : Karlémami, Anne-Marie
furent exclus de mes fantaisies... Quand les janissaires brandis-
saient leurs cimeterres courbes, un gémissement parcourait le
désert et les rochers disaient au sable : « Il y a quelqu'un
qui manque ici : c'est Sartre. » A l'instant, j'écartais le paravent,
je faisais voler les têtes à coups de sabre, je naissais dans un
fleuve de sang. Bonheur d'acier ! J'étais à ma place. »

Il y a aussi une raison pour ainsi dire topologique de
l'exclusion du héros sartrien, c'est qu'il est celui qui voit :
« Je regarde le monde par le trou de la serrure, dit Gœtz, c'est
un beau petit œuf où chacun occupe la place qui lui est assi-
gnée », mais où lui-même n'est pas, évidemment. Pour les raisons
qu'on devine, c'est une place coupable, mais c'est ici que marche
le « truc », il inverse le signe défavorable, contre la coutume et
le règlement cette place exorbitante est habilitée comme celle
du témoin, du chargé de l'universel, du penseur observant les
quadrilles, voyeur émérite.

IV

LES AYANTS-DROIT ET LA RAISON SOCIALE

Mais dans la société il y a ceux qui ont leur place, qui les
attend, et les autres, il y a ceux qui sont bien nés, ou même
qui simplement sont *nés*, et ceux qui ne le sont pas. « Tout
membre de la classe dominante, a écrit Sartre, est un homme
de droit divin. Né dans un milieu de chefs, il est persuadé
dès son enfance qu'il est né *pour* commander, et en un certain
sens cela est vrai, puisque ses parents, qui commandent, l'ont
engendré pour qu'ils prennent leur suite[1]. » Ici, l'être apparaît
pour que la place demeure : les hommes passent, les places
restent, le pouvoir, le nom, doivent être toujours occupés.
Tel n'est pas le cas de Sartre qui n'a pas de père à qui
succéder ni de place à prendre à la tête de quelque entreprise
familiale, qui se trouve donc en ce sens hors-classe. Notons
surtout que ce n'est plus ici l'amour qui constitue la justification, mais bien la *raison sociale*, l'existence n'est pas donnée
pour rien au fils de famille, puisqu'il est être-pour-le-pouvoir,
non pour-soi, mais pour l'Autre : son existence est utile, intermédiaire, relative.

Pour Sartre, il s'agit certes d'une imposture, d'autant plus que
la bourgeoisie a détruit le droit divin. Le capitaliste n'est qu'un
maître de hasard. Nietzsche prétend que « les masses » sont
prêtes à accepter n'importe quel esclavage, pourvu que le chef
légitime son droit à commander de naissance, qui doit être le
fruit du temps : on a déjà vu cette argumentation. Il y a autre
chose. La société féodale, note Sartre[2], intégrait tout le monde,
les humbles comme les superbes, tandis que la société libérale,

1. *Situations III*, « Matérialisme et Révolution ».
2. *L'Idiot de la Famille*.

qui a commencé par proclamer l'égalité universelle, tend à exclure les plus défavorisés. Après tout, l'ordre féodal a du bon : « on reçoit sa place, on s'y tient », et la vassalité sauve de la contingence. Voilà pourquoi Flaubert, comme Baudelaire, souhaite une société « légitimement hiérarchisée » — mais Sartre veut au contraire une société légitimement égalitaire. C'est que cette place, lui l'a refusée, dans le système de relations qui dans notre société peut rester féodal dans certains cas, la famille. Dans *Les Mots* et dans *L'Idiot de la Famille*, Sartre décrit à peu près dans les mêmes termes la comédie de la vassalité : l'enfant court se jeter dans les bras de son suzerain, qui le presse sur son cœur de toute son infinie bonté. Pourquoi l'a-t-elle écœuré, cette comédie ? Serait-ce que, comme le petit Gustave, après s'être cru suscité du néant « tout exprès pour changer la gloire de son Créateur », il s'est trouvé cruellement déçu, déchu ? En tout cas, la relation filiale est féodale en elle-même : radicalement inégalitaire, légitimement hiérarchique. Et l'on sait que pour Sartre le lien de paternité est pourri...

Quelles que soient par ailleurs les vicissitudes bourgeoises du père, il reste que le pouvoir social surdétermine la logique de l'engendrement ; apparue pour que vive la classe dominante, l'existence du fils de famille n'est pas contingente, possède la nécessité objective de la fonction avec laquelle le nouveau-né est destiné à se confondre à sa majorité. Déjà elle l'attend dans l'avenir, il s'y coulera, elle est comme « la réalité métaphysique de son individu » : nous revoilà dans le monde d'Aristote. L'individu comme existence est pure matière, mais il se joint du fait du social à une forme qui, elle, est essentielle. Le bourgeois est ainsi « à ses propres yeux une personne, c'est-à-dire une synthèse *a priori* du fait et du droit. Attendu par ses pairs destiné à les relever en temps voulu, il existe parce qu'il a *le droit* d'exister ». L'existence qui est non-être coïncide avec une chose, une *exis*, un en-soi : le bourgeois sera le bourgeois, le futur chef liquide plus ou moins difficilement son Œdipe, et réalise sa seule possibilité, sa réalité latente. Le fils de marchand de vins de Bordeaux peut essayer de se soustraire à cette douce fatalité en se jetant dans la littérature ou la débauche, peine perdue, vains efforts, il vendra du vin à son tour et paiera les vendangeurs au-dessous du tarif syndical. La pesanteur sociale dément notre liberté métaphysique et institue un aristotélisme de fait. Le destin de ceux-là est celui d'une *existence identifiée à une essence*, même s'il faut, comme l'admettait Aristote, un peu de mouvement, donc un peu d'aléa, même si le résultat met empiriquement quelque temps à se concrétiser. On ne devient pas polytechnicien, on l'est de naissance, ne pas réussir au concours est une déchéance, une inadéquation accidentelle de l'individu à son type idéal, caractéristique d'un monde sublunaire qui comporte l'imperfection. Le personnage de Giraudoux est porté à l'être-polytechnicien par le mouvement même de son existence, mais mieux encore les polytechniciens sont une espèce sociale, ils ne peuvent produire que de nouveaux polytechniciens.

Sujet tout à fait singulier, contemplant une aristocratie dont il souffre de se sentir exclu, le narrateur d'*A la Recherche du Temps perdu* voit en ces derniers féodaux des êtres généraux, il parle ainsi *du* Guermantes, d'ailleurs le duc de Guermantes actuel est aussi bien *un* Guermantes du point de vue de la diachronie. Il a repris le rôle qu'ont joué avant lui ses prédécesseurs, jusqu'aux moindres gestes, aux moindres rites de la vie quotidienne. Et ces « princes de la terre », qui marchent, qui saluent, qui sortent aussi gracieusement que vole l'hirondelle, peuvent à juste titre s'estimer d'une autre race, puisque leur être équivaut si visiblement à leur droit. Au fond, c'est cette certitude même qui leur donne cette légèreté, cette aisance qui fait de leurs mouvements une danse, cette pseudo-naturalité à laquelle Proust est si sensible : « Je discernai l'espèce de la bête », écrit-il avec une fausse désinvolture pour nous présenter son Altesse la princesse de Parme. Ils sont de ces animaux qui nous fascinent parce qu'ils n'ont à s'occuper que d'eux, réalisent une perfection, une adéquation à leur forme, à leur finalité, dont ils n'ont pas même à se soucier. Autant dire des dieux.

Mais voyez la petite bande des jeunes filles de Balbec. Elles aussi, elles ont la *grâce*, qui, comme le dit Bergson, est reprise du corps par l'esprit, elles sont aussi d'une autre race, elles ont le droit d'exister. Leur « suffisance », leur « insolente indifférence », et jusqu'à la cruauté avec laquelle elles terrorisent un vieillard, témoignent d'une force naturelle, inhumaine, qui est la marque de leur supériorité. Or, Proust, ici encore, fait intervenir la notion de classe, pourtant la classe admirée est cette fois objectivement inférieure, mais peu importe, le tout c'est qu'elle soit autre — ce pourrait être aussi bien la jeunesse, ou la Légion étrangère, ou la corporation des électriciens puisque Proust a vu en elle une nouvelle chevalerie. Mais enfin, ce snob pathologique qui ne songe qu'aux salons des duchesses, le voilà qui les imagine avec ravissement, ces petites-bourgeoises, en jeunes maîtresses un peu putes de coureurs cyclistes, hétaïres du monde fabuleux des vélodromes. Cette valorisation d'un monde différent, inconnu, donc extraordinaire, merveilleux, il semble bien qu'elle soit imputable au sujet, incapable d'admettre que l'ailleurs ne soit qu'une version inactuelle de l'ici. C'est une illusion tenace mais que l'expérience peut corriger, et la faunesque Albertine, pourvue d'une surhumanité quasiment nietzschéenne, remettra plus tard les choses à leur place : c'est vrai, comme nous étions mal élevées ! Qu'il soit Guermantes ou Simonet avec un seul *n*, il semble que l'Autre ne soit investi de si beaux droits que parce que je ne vois de lui que des apparences chiffrées selon la dimension sociale — l'Autre, absorbé dans son monde qui semble une atmosphère qui émane de lui, bien à l'aise dans son rôle, toujours le mot de la situation, une coupe de champagne à la main, noyant de son regard immense et indifférent les êtres quelconques dont je suis, flotte, rayonne, domine, mais c'est simplement parce qu'il est l'Autre, parce qu'il n'est pas moi, et qu'en ce sens il *est* — sous son costume de scène il n'y a qu'un bonhomme comme vous et moi qui fait ce qu'il peut pour correspondre à ce qu'on attend de lui d'après les stéréotypes.

Les aristocrates, non sans ressentiment, Proust en vient à les considérer finalement comme des êtres quelconques, parfois plus médiocres que les autres, incultes, grossiers. Tels ils lui apparaissent à la longue, et dans son subjectivisme il n'a pas de mal à reconnaître que tout dépend donc du regard qu'on porte sur eux, mais il est vrai que ce regard est conditionné, part d'en bas. Précisément, ils occupent une situation particulière, et la différence qui les constitue, les met à part, est d'abord formelle et vide, réductible à la tautologie, comme l'a bien expliqué Gombrowicz dans son *Opérette*, par la bouche du prince Himalay : l'aristocratie est l'aristocratie, elle n'est pas la bourgeoisie, et si le prince est sot, sa sottise est princière, tandis que celle de M. Dupont se réduit à elle-même. Sot, et fainéant, glouton, emmerdeur, toutes ces déterminations qui, le prince en convient, peuvent lui être appliquées, sont affectées d'un coefficient spécial. Car le formalisme, appel d'un contenu, outre le champ à l'imagination, au désir, aux métaphores, de ceci simplement que l'aristocratie est autre, difficile à approcher, inaccessible en son cœur. Si bien que d'une certaine manière cette démystification nous ramène au point de départ, à notre reconnaissance spontanée, leur beauté n'étant rien d'autre que leur droit lui-même, leur justification, comme la mélodie de *La Nausée* est satisfaisante par sa cohérence. Tandis que la laideur est la contingence. Cela prouve à l'occasion que le réel peut être beau, que l'esthétique n'est pas forcément si éloignée de l'éthique[1]. Les beaux aristocrates sont définis par l'identité

---

1. Contrairement à la thèse de Sartre dans *L'Imaginaire* — mais nous reviendrons sur cette discussion à la fin de cette étude.

de l'essence et de l'existence que réalise leur filiation, au point que la narrateur nie l'individualité de Saint-Loup pour mieux l'admirer en tant qu'être général. Ce ne sont pas des hommes, ce sont des dieux : ne serait-ce pas leur fonction sociale ? L'idée que l'existence puisse être justifiée, voilà ce que les aristocrates représentent *pour les autres*, c'est leur charge, en quoi l'imaginaire a ses titulaires sociaux et partant sa réalité. Archaïsme que tout cela, il est vrai : cette haute société n'est qu'une survivance. Mais plus radicalement, l'illusion instituée répond à nos premières expériences. Les adultes apparaissent comme des êtres nécessaires à l'enfant — et pour cause —, comme des êtres nés par essence. « Dans le sérieux de l'enfance, nous avons pris l'habitude de considérer le monde comme un ordre théocratique dont les adultes étaient les dieux », écrit André Gorz. Cela pourrait nous amener à un autre contexte, où la fascination se révèle autrement grave, quand Gorz dépeint les S.S., « leur redoutable élégance d'hommes aryens jusqu'à la septième génération, investis d'un droit de regard sur l'humanité entière et de l'inquiétante puissance du robot[1] ». L'exemple prouve qu'il ne faut pas trop prêter au regardant. La race supérieure n'est pas seulement une illusion que je me fais, ceux d'en face jouent leur partie, avec une nonchalance affectée ils ne laissent pas de s'exhiber, ils s'emploient, mine de rien, à se faire voir, à se faire admirer. La technique du pouvoir renoue avec la vieile idée d'Aristote suivant laquelle le désirable exerce son action sans avoir à quitter son repos.

Variante collective du roman familial historique : beaucoup de jeunes gens n'osent pas courir les risques du fantasme individuel, de l'aventure solitaire, alors ils se contentent de trouver quelque part une cuisse de Jupiter. Quelque cuisinier de l'histoire fera d'eux le sel de la terre. Ainsi possèderont-ils une mystérieuse qualité qui fera d'eux des hommes *d'une espèce particulière*, comme l'a génialement dit Staline des communistes. La règle générale, c'est de rendre difficile l'accès du *titre*, d'user à bon escient de la cooptation. Sartre ne l'a pas respectée : dans le temps n'importe qui pouvait venir le trouver sous un prétexte farfelu, le toucher, lui dire sa façon de penser, lui proposer une affaire — il y a perdu son prestige, et de ce fait être sartrien, c'est fort peu coté, alors qu'être lacanien vous pose un intellectuel. Surtout, si vous voulez fonder une secte, une chapelle littéraire, un mouvement politique, ne dites pas bêtement : nous accepterons tout le monde, mais : nous n'accepterons à peu près personne, vous m'en direz des nouvelles. Rien

1. *Le Traître.*

n'est plus irrésistible qu'un interdit, qu'une âpre exigence proclamée. Il importe en tout cas qu'intervienne une *séparation* par rapport au commun des mortels ; de l'autre côté de la ligne de démarcation, on peut très bien ne rien faire de particulier ou même ne rien faire du tout, comme à l'Académie française, puisqu'on *est* autre chose.

La fonction sociale de l'aristocratie, c'est de donner le problème de la naissance pour résolu, à son bénéfice exclusif il est vrai. La contingence et la nécessité ne s'opposent pas seulement dans la philosophie, mais aussi dans le champ social. Quant à ceux qui « enragent de n'être pas nés », comme Kean, comme Flaubert, cela peut leur donner du génie, ils s'acharnent à se créer eux-mêmes. Mais la bourgeoisie, c'est autre chose, elle se définit par ses œuvres, par la production, sur la base de la propriété privée. L'aristocrate est né dans l'absolu, le bourgeois est né relativement, pour accumuler le capital. L'homme sérieux cherche à se conférer une existence de droit à partir de la fonction remplie, *L'Etre et le Néant* a dévoilé que sous ses airs intimidants il n'a d'autre but que d'éluder la condition humaine. En la personne du polytechnicien, on l'a vu, Sartre stigmatise l'homme identifié à sa fonction, et ce n'est pas par hasard qu'il en fait un tel archétype, d'autant que ce rapport au temps, qui substitue la diachronie à l'histoire — le temps ne fait que déplier les prédicats repliés dans la substance, au berceau — peut être aussi considéré comme rapport du père au fils. Dans *La Nausée*, Sartre se montre sans pitié envers le chef dont le fils est mort « polytechnicien en bas âge » : la mort était le seul accident qui pouvait empêcher le déroulement de la finalité. « Une rose coupée, un polytechnicien mort : que peut-il y avoir de plus triste ? » Le polytechnicien, certes, est l'enfant de la bourgeoisie comme famille générale, l'héritier comme tel, mais, à propos de Nizan, Sartre casse le morceau : il sait de quoi il parle, il a vécu dix ans sous la coupe d'un polytechnicien, lequel « se tuait à la tâche ou plutôt la tâche avait décidé qu'elle le tuerait ». Comme le concept hégélien est la mort des déterminations individuelles, la fonction, primant l'existence, absorbe sa matière, sa chair, son sang, le rapport à la fonction est suicide, encore qu'il ne faille pas en rajouter sur ce sacrifice qui est l'alibi de la classe dominante. Cela dit, à en croire Sartre, il en va de même de l'écrivain, du moins dans l'optique bourgeoise.

La propriété bourgeoise, il est vrai, a le diable au corps, en tant que propriété des moyens de production : comme telle elle est mise en jeu, passe par le moment négatif, épreuve qui constitue une justification.

D'autre part, il y a la question de la propriété légitime — ou de la légitimité propriétaire. L'effet de la bâtardise, c'est la disjonction de la propriété et de la jouissance, d'où le conseil de Kean à son domestique : « Jouis, ne possède pas ! » — mais c'est là faire de nécessité vertu, s'arranger de son exclusion, car il n'a pas le droit de posséder, on lui laisse tout juste la jouissance comme dérisoire consolation. Le bourgeois, lui, possède et ne jouit pas, c'est-à-dire qu'il ne pense pas à son plaisir, tant il va de soi du moment qu'il est dans son droit. Par rapport à son grand-père, qui peut « jouir de lui sans le posséder », par rapport à sa mère, dont personne ne lui « conteste la tranquille possession » (ce dernier point est naturellement trop beau pour être vrai), l'enfant des *Mots* est dans cette situation, il ne possède rien et n'est même pas objet de propriété légitime, il est pur objet de jouissance en dehors de la loi. Jouir de ce qui n'est pas à soi amène à faire des dettes. « Poulou » est en quelque sorte une dette qui devra se rembourser tôt ou tard, il est dû au généreux prêteur qui en a abandonné l'usufruit à la famille. La propriété, on y reviendra, est un rapport identificatoire, l'avoir renvoie à l'être, vient l'étayer[1]. Elle passe par l'Autre, elle s'y constitue, pour symboliser par exemple la continuité familiale. Oreste veut retrouver son enfance, son palais, son trône, sa sœur : ses souvenirs sont des titres de possession — au moins pourra-t-il dire : mon crime, mon remords, ma voie. La propriété, personne ne la respecte, ne l'idéalise autant que Genet par exemple : le Voleur, exclu par la bâtardise de cette chance primordiale, héritier raté, et aristocrate par vocation, est son dévôt le plus assidu (le héros de Darien, et Arsène Lupin encore, pourraient apporter leur témoignage) ; il est un peu comme la femme frigide qui multiplie les expériences dans l'espoir de connaître enfin la jouissance, de faire enfin cette expérience immédiate et intraduisible, il est en quête indéfiniment de ce qui fait la différence entre la possession et la propriété.

La propriété est d'abord héritage : nous, les bâtards, dit Gœtz, nous ne sommes pas et nous n'avons rien. Heinrich lui porte un coup très dur sur la fin quand il lui dit : tu n'as jamais voulu que pulvériser l'héritage. La propriété est image de la paternité, et elle est *place*. Hériter ne se passe pas tant sur le plan de l'avoir que sur celui de l'être, c'est reprendre, plus que des biens, un ensemble d'attributs et par là une identité ; c'est prendre la place du père, ce qui ne peut se faire quand on l'occupe déjà. Image constitutive de la personne,

---

1. Le titre de la première version des *Mots* était *Jean sans terre*.

la propriété est le droit premier, comme le dit Hegel, mais pas n'importe laquelle, la propriété que je qualifierai d'existentielle, qui est précisément la traduction immédiate de mon droit d'exister. Et voilà bien ce qui nourrit l'envie de Flaubert, ce ne sont pas les biens en eux-mêmes, c'est le droit de les posséder, cette « mystérieuse qualité qui permet l'appropriation » : ce n'est pas ce qui se transmet qui le brûle d'amertume, c'est le fait même de la transmission qui constitue quelques maigres richesses en possession de droit d'un autre. Pour Flaubert d'ailleurs, les autres sont toujours les privilégiés, les bénéficiaires, ainsi les boutiquiers cagots sont des hommes de droit divin, parce qu'ayant l'âme bien épaisse ils peuvent tous les dimanches faire leur plein de Bon Dieu, et finalement c'est leur réalité même, c'est-à-dire cette identification compacte à soi, qu'il voudrait leur voler, leur bêtise, leur *mana*. C'est pourquoi, en désespoir de cause, il invente, un peu comme Genet, un « droit noir » qui valorise le négatif et l'impossible.

Comme Roquentin, Lucien Fleurier fait l'expérience radicale, sartrienne, de l'existence : elle est un scandale, comment peut-il exister, alors qu'il sent bien qu'il n'est rien ? On va voir par quelles médiations sa place, sa fonction, sa classe, vont lui venir en aide, comment il va pouvoir se débarrasser de cette expérience douloureuse du néant, qui n'est que le moment du devenir : on existe jusqu'au moment où l'on rejoint l'essence, être adulte est le terme du processus d'identification. Lucien rencontre le bien nommé Lemordant, militant de l'Action française : voilà un « adulte de naissance », un aristocrate à sa manière, il a, constate l'autre avec admiration, « des convictions », qui sont comme ses attributs virils, il a une *certitude* qui lui donne une « pleine conscience de soi », qui le protège des vertiges de la négativité, l'installe dans l'identité du *Moi égale Moi*.

Un bon moyen, pour avoir le droit d'exister, est de le refuser aux autres. Plus bénin assurément que le racisme ou l'antisémitisme, le rire pour Sartre est une conduite d'exclusion [1] : en riant le rieur affirme son droit de rire, et son droit tout court, il rejette loin de lui le contre-homme, il suscite un individu qui devra prendre sur lui l'impossibilité d'être homme, par quoi lui-même s'installe dans une position sûre. On peut ici penser à ce roman de jeunesse, *Empédocle*, dans lequel le héros nietzschéen fait l'admiration de ses camarades en martyrisant un malheureux condisciple par divers canulars. Le rire, dit Sartre, est un « droit réservé aux vrais hommes ».

1. Cf. *L'Idiot de la Famille*.

L'homme qui a le droit d'en être un, c'est l'adulte, les sous-hommes, la race inférieure, ce sont les enfants. L'enfance bouffonne pour plaire, dit Sartre. Et d'autre part cet enfant qui vit au-dessus de son âge, l'adulte ne manque pas de le railler, pas méchamment, mais lui faisant sentir qu'il n'est pas à sa place, n'a pas ses droits, qu'il est en situation fausse. Dans cette attitude assez rigide à l'égard du rire, je vois donc la cicatrice des meurtrissures de l'enfance. Sartre se méfie du rire parce qu'il est laisser-aller, abandon à un trémoussement du corps qui me vient de l'Autre et du même coup à un courant « sériel ». Le rire est une possession, il s'empare de moi, je le subis avant d'y adhérer. Mais aussi, le risible par excellence, c'est que je sois joué : moi, le sujet, je suis un fantoche, la tête dans les nuages de mon fantasme de souveraineté je ne vois pas à mes pieds le puits dans lequel je vais tomber. Mais qui me voit, me prévoit, pour qui suis-je risible ? Le terrible rire de l'Olympe est d'abord celui des grandes personnes, il cause une lésion du narcissisme qui pourra se traduire par une dérision assumée de mon image.

Lemordant inonde Lucien de bonheur en lui disant, pour lui faire signer une pétition virulente : « Tu as le droit de dire ton mot » — c'est-à-dire de se faire reconnaître dans l'objectivité, et comme une réalité solide, menaçante. L'antisémite entend se donner la pesanteur de la chose, se faire minéral, imperméable, avec en plus le pouvoir dévastateur de la foudre. Ceux qui donnent ce droit à Lucien en disposent déjà par eux-mêmes, leur « espièglerie » — leur immonde cruauté — qui l'a d'abord un peu choqué lui est vite apparue comme cette magnifique affirmation, qui suppose une négation, la positivité implique en quelque sorte la projection du négatif, le droit d'exister du surhomme *est* le droit de tuer le sous-homme. Lucien n'aura qu'à les imiter, à commettre un « geste irréparable » pour être à son tour *quelqu'un*, pour se conforter dans la contemplation de son identité inébranlablement déterminée : « Lucien, c'est moi ! Quelqu'un qui ne peut pas souffrir les juifs ! » De là, il passe à cette découverte miraculeuse : « J'ai des droits ! » Il est passé de son existence de fait à son être éternel suivant la loi, il ne lui reste qu'à se laisser pousser la moustache pour s'identifier décidément à son père et le remplacer. Il s'aperçoit que tout cela était écrit, que sa place était retenue : « Déjà bien avant même le mariage de son père — *on l'attendait ;* s'il était venu au monde, c'était pour occuper cette place : J'existe, pensa-t-il, parce que j'ai le droit d'exister. » Il troque joyeusement sa misérable défroque subjective contre l'être-pour-l'Autre garanti objectif, la vaine interrogation (pour... ?) est terminée, résolue par une réponse qu'il suffisait d'aller chercher au bon endroit. Le héros a atteint le terme de sa formation, de son apprentissage : il est maintenant « un homme, un chef parmi les Français ». Ce terme, c'est l'égalité enfin trouvée du fait et du droit, la résorption de l'un dans l'autre. On voit toutefois que le jeune bourgeois peut rencontrer quelques écueils, comme la psychanalyse, le surréalisme, les homosexuels.

Contre le juif, grâce à lui, l'antisémite se rattache à une tradition, une communauté, il se définit comme *un vrai Français*, c'est-à-dire comme fils légitime, lui, de la mère patrie. Il jouit d'une propriété non achetée, lui, — hériter, je l'ai dit, c'est gagner en être, c'est s'incorporer. C'est une propriété inhérente non à son être individuel, privé, mais à son être général, qui lui revient en tant qu'il est le digne représentant d'une lignée profondément enracinée dans la terre de France. Aussi démuni qu'il puisse être, il possède la France, voilà son orgueil : « Les vrais Français sont tous égaux, car chacun d'eux possède pour soi seul la France indivise » — ce qui est la définition de l'amour maternel et du souverain bien qu'un dieu partage et multiplie, chacun en a sa part et tous l'ont tout entier, auquel on participe plutôt qu'on ne l'a, tel que chacun en jouit sans en déposséder les autres, sauf les exclus. Ainsi, la contingence de notre existence s'évanouit, fait place à la nécessité d'une existence de droit, le juif permet à l'antisémité d'*être désiré*, d'étouffer son angoisse en se persuadant que sa place à lui « a toujours été marquée dans le monde, qu'elle l'attendait et qu'il a de tradition le droit de l'occuper »[1]. Mais ce comportement raciste, fasciste, il faut voir qu'il est celui de tout individu qui se fait la succursale d'une transcendance, d'une honorable maison-mère qui le soutient d'une existence substantielle. Qu'est-ce que le racisme sinon l'affirmation qu'un être déterminé vaut comme droit ?

Sartre a remarqué qu'un aristocrate est un homme qui a le droit de détruire : le maître n'a-t-il pas risqué sa peau sans barguigner dans la lutte des consciences ? Ensuite il se contente de faire la guerre de temps à autre, saccageant au passage les cultures des vilains, misérables esclaves du réel. Se proclamer « révolutionnaire » peut être une manière d'accéder à une nouvelle aristocratie : le soi-disant révolutionnaire a poussé très loin, imaginairement, la destruction de la société établie, et possède par conséquent sur elle un droit absolu. Il a nié une fois pour toutes la négation, qui est la totaité de l'existant,

1. *Réflexions sur la Question juive.*

ayant ainsi établi son excellence il tient en réserve une positivité circonscrite à sa propre personne. Tout cela ne l'empêche donc pas de continuer de jouer au tennis à Parly 2 et à prendre ses vacances à Cadaquès : son attitude intérieure donne une signification transcendante à cette nullité bien parisienne qu'auparavant il lui fallait supporter sans secours. La perfection du négatif exclut tout travail effectif, qui prendrait même l'allure d'une compromission. On se bornera donc à afficher sur autrui une supériorité de principe, comme le maître s'abandonne avec nonchalance à une vie dont il a prouvé un jour le peu d'estime où il la tenait [1].

Le droit d'exister s'éprouve dans ces conditions par le droit même d'exercer une violence sans limites sur ceux qui en sont exclus. Thomas le Yankee a pu violer une femme, il est normal qu'un Noir soit pendu à sa place, car il est né, tandis que le nègre est né *au hasard* : c'est ce qu'expliquent en toute bonne conscience les autorités de la ville à la putain qui ne sait plus où sont les valeurs qu'elle tient tant à respecter — elle hésite à reconnaître que l'être de droit reste inentamé par la faute, et que la faute s'étant commise il n'y a qu'à la faire endosser par celui à qui sa contingence confère une sorte de fonction négative, qui est là pour ça, bouc émissaire comme l'autre est chef. Thomas, plus que le droit, a le devoir de vivre, « la ville le réclame », et même toute l'Amérique, le sang des plus lointains ancêtres crie en sa faveur, il est bien le fils préféré de la nation. Il formule sa légitimité d'un mot : « on m'attend ». Il a à entreprendre, cela même étant de l'ordre de l'être.

L'être de classe n'est pas d'abord une donnée objective, une totalisation en extériorité, une vérité statistique, il est une dissolution concrète et observable dans la généralité. Mais tandis que le prolétaire le rencontre comme un obstacle, le vit comme une nécessité mais aussi comme une fraternité, et réagit aux valeurs officielles par le sarcasme et le refus, exprimant à travers son langage une vision du monde négative, le bourgeois confond son être-de-classe avec sa liberté en un quiproquo drôlatique. Au destin du prolétaire le bourgeois substitue une aliénation librement consentie aux structures de sa domination, à son être externe ou inerte : loin que sa position dominante favorise la subjectivation, il disparaît dans la fonction, le rôle, la consommation. Il faut laisser sa singularité à la porte de l'être-de-classe pour y pénétrer, en obtenir la jouissance, c'est-à-

---

1. On aura reconnu ces quelques « gauchistes » qui ne le sont que faute de fascisme.

dire celle des relations humaines inauthentiques, des passions étiolées, des adultères médiocres. Joué par une illusion de positivité, un bourgeois n'hésite pas à être le bourgeois, et ce sacrifice du bourgeois au bourgeois, cette identification à l'espèce, permet comme chez Proust une sociologie calquée sur la zoologie. Le propriétaire privé ne revendique à titre d'existence qu'un morceau du destin collectif. Il renonce à toute action particulière sur le monde, et son refus phobique de la poésie fournit un bon thème romanesque. L'être-de-classe paraît donc constitué par un refoulement originaire : des possibilités sont interdites, invalidées *a priori*, cet appauvrissement initial permettant seul de soutenir la richesse. Hegel a parlé de l'effet singularisant de la maladie, mais ici on enregistre plutôt les symptômes de la maladie inverse, qui peut se traduire dans ce discours implicite : je suis non par quelque vertu intérieure, mais par position, détermination extérieure, parce que je suis inscrit au registre de l'être-de-classe, au point de donner le spectacle de ce paradoxe, un *narcissisme de classe*. Ethique certes consternante mais nullement platonique, en cas de crise elle peut se transformer en fascisme, « l'individu » devient atome de violence, se fait arme de meurtre.

Tel est le schéma général dans lequel Sartre inscrit la lutte de classes. Le bourgeois se prétend homme de droit divin, tandis que l'ouvrier « sent jusque dans sa chair sa contingence d'herbe folle ». Par conséquent, « le révolutionnaire n'est pas l'homme qui revendique des droits, mais au contraire celui qui détruit la notion même de droit[1] ». Le détruire pour le réaliser, comme le disait Marx de la philosophie ? C'est ce que nous aurons à examiner. Toujours est-il que pour Sartre est en cause ici le fondement idéologique de l'oppression, qui lui confère son caractère magique, sa dimension de sacré. Il faut lui opposer comme vérité fondamentale l'expérience de la contingence radicale, cette seule Révélation que l'existence est injustifiable. Un ordre humain ne peut avoir d'autre base.

La vérité de la condition humaine se trouve donc dans le prolétaire, qui est Sartre lui-même en un sens, de même que Genet est exemplaire puisque pour lui il s'en est fallu d'un préservatif. Dans cette version sartrienne du marxisme, nous retrouvons le renversement qui investit l'être contingent de mandat de faire advenir la contingence même. Le prolétariat a sa mission aussi bien que le bâtard a trouvé son emploi historique. Cette mission, c'est la destruction légitime du droit, le renversement de l'ordre bourgeois, c'est-à-dire de l'ordre

1. *Situations III*, « Matérialisme et Révolution ».

comme système de places, cosmos aristotélicien, suivant lequel chaque individu, à condition d'appartenir à la classe dominante, est nécessaire eu égard à ses relations avec les autres, appelé, attendu, sauvé. L'ordre social se maintient d'ailleurs comme s'il était une partie de l'ordre naturel, par la fiction de la classe dominante : en fait, si le monde est un ordre, l'homme y introduit le désordre, il est un intrus dans ce bel arrangement, il peut envier les moissons qui poussent, les saisons qui se succèdent, mais il est le défaut de ce diamant. L'ordre que les « justes » croient découvrir dans la nature n'est que le symbole de la légitimité spécieuse de leur naissance. S'il peut exister un ordre véritablement humain, il ne peut qu'être inventé, *ex nihilo*, en repartant du commencement.

V

FONDER LE DROIT

Le premier article de Sartre, écrit en 1927, traite de la doctrine réaliste du droit [1]. Il pourrait sembler abusif d'accorder quelque importance à cet écrit de jeunesse si certaines des idées qu'il contient ne se retrouvaient pas, à plus de trente ans de distance, dans la *Critique de la Raison dialectique*. Déjà, Sartre dénie l'existence d'un droit divin ou d'une structure idéale du réel. La loi est donc force et non idée, et la souveraineté de l'Etat ne saurait s'expliquer par le mythe. La vérité, c'est que cette souveraineté est d'abord distribuée dans l'ensemble du collectif, chaque homme y baigne naturellement, et il y a alors, au lieu de l'Etat, une « entité impérative coercitive » sans incarnation individualisée. Et puis, cette force diffuse se concentre, quelqu'un finit par l'absorber entièrement : c'est le temps des empires. Si les individus ont encore des droits, ce sont seulement ceux que leur reconnaissent les décrets du pouvoir.

Sartre se range donc à la thèse réaliste de Duguit suivant laquelle l'Etat n'est pas une Idée tombée du ciel, mais une fonction sociale, justifiée par l'exigence de solidarité, et qui se répercute à tous les niveaux. « La notion de droit (ou de la loi) est alors remplacée par celle de fonction. » Avec quelles conséquences ? Je n'ai pas de droits et mon voisin non plus : on ne dit pas que les aiguilles d'une montre ont le droit de tourner. J'ai simplement des fonctions à remplir, et si quelqu'un me gêne, il ne viole pas en moi une vertu mystérieuse, telle

1. Cf. dans *les Ecrits de Sartre* : « La Théorie de l'Etat dans la pensée moderne française. »

que la dignité humaine, mais il produit une « disruption de
l'organisme social ». Mes fonctions sont entravées, or ce n'est
que pour qu'elles puissent, comme les autres, s'accomplir qu'un
système de règles est établi. « Ma liberté n'est pas un droit
mais un devoir. »

Par là, nous échappons à la contingence, puisque la fonction
est évidemment nécessaire. Duguit supprime le moi transcendantal, et la vraie source de la personnalité devient donc cette
fonction avec laquelle mon être se confond : « je ne suis une
personne que dans la mesure où je joue un rôle unique dans
la société ». L'autonomie de l'individu est une fiction dépassée :
il est le lieu d'un processus, si l'on veut un « rouage ». Le
réalisme est mené jusqu'à ses ultimes conséquences : il n'y a
rien que du réel, le reste n'est que mystification, il faut donc
tout rabattre sur ce plan et construire le collectif comme une
machine efficace. A l'intérieur des Etats devront fonctionner
« des groupes ou des syndicats, rouages à l'intérieur de rouages,
et ce n'est qu'en tant que membres de ces syndicats que l'on
trouvera, au lieu des personnalités irréductibles auxquelles nous
sommes habitués, des organismes numériquement différenciés,
c'est-à-dire des hommes dont la liberté n'est que le devoir de
remplir leurs fonctions ». Et Sartre conclut : « L'avenir est à
ceux qui se décident à ne rien attendre d'autre des méthodes
réalistes que des fins réalistes, et qui admettent que celui qui
part des faits doit finir par les faits », — ce qui est bien marquer le caractère dérivé du droit.

Sartre ne reviendra pas sur cette première attitude quant à
la dignité humaine, qui n'est rien d'autre que le « caractère
sacré du bourgeois pour le bourgeois », pure illusion d'un
droit d'exister qui n'a aucun fondement réel. Et dans la *Critique
de la Raison dialectique,* la fonction apparaît comme la solution
du problème social et du problème individuel du même coup :
le fait d'avoir une fonction déterminée me permet d'échapper
au *jeu* qui traduit l'impossibilité d'une identification purement
subjective. Alors, je sais qui ou ce que je suis, cela, et pas
autre chose. Ainsi l'acteur Kean, las de l'imaginaire, rêve d'être
marchand de fromages, pour être ce qu'il est, enfin, ni plus
ni moins.

Mais alors, dira-t-on, y a-t-il une différence avec la situation
que Sartre dénonçait, où l'on voyait par exemple le jeune
Lucien Fleurier s'identifier à sa fonction de chef ? La différence, c'est que la révolution est faite, et qu'il n'y a plus de
chef. Ou encore, ce n'est plus l'Autre le fondement, cet « Autre
absolu et infini qui légitime la tradition, les mœurs et la loi,
garantie de l'ordre et des impératifs sociaux, intégrant l'indi-

vidu à la communauté » [1]. Le moment négatif est passé, une nouvelle positivité doit advenir, et nous verrons la *Critique* proposer une théorie du droit, de la justice, de l'Etat et même du sacré. Car disons-le tout de suite, le dernier mot de la philosophie de Sartre n'est pas la contingence injustifiable. Elle a simplement décrit en profondeur une crise qu'il faut bien résoudre, et la seule solution est de substituer au fondement, j'entends par là à la relation autoritaire imitée de la création, la *fondation réciproque* — en quoi la raison dialectique intervient. De la même manière déjà, Rousseau cherchait à établir que le vrai fondement n'est pas pour ainsi dire un Autre d'état, mais la relation, le contrat.

Du fait du groupe, l'Autre, avec ce qu'il impliquait d'altérité extérieure, sérielle, est résorbé dans le Même. On pourrait dire, par référence à *Totem et Tabou*, qu'il est mangé : la constitution du groupe telle que la décrit Sartre fait effectivement penser au repas totémique, la Bastille est ici « l'objet commun » que le groupe investit et s'approprie — n'est-elle pas le symbole du pouvoir royal, l'effigie de l'arbitraire ? [2]

L'Autre donc cesse d'être transcendant, il n'est plus dorénavant qu'une « invention pratique et signifiante de *nous les mêmes* ». Dans le groupe en effet, nous sommes les mêmes par nous-mêmes — et non par l'Autre, non sur le mode de la série, à la manière des voyageurs qui font la queue à l'arrêt d'autobus avec leur numéro d'ordre, des ouvriers juxtaposés comme des objets le long de la chaîne de montage, ou encore des électeurs [3]. La cérémonie électorale atomise la société en individus à la fois isolés les uns des autres et interchangeables, leurs voix muettes et passives sont comptabilisées de l'extérieur par une instance dont l'autorité sera de toute façon confirmée. Les sociologues professionnels, universitaires, fonctionnaires, employés de l'E.D.F. ou des Charbonnages, ont boudé la *Critique de la Raison dialectique*, ils lui ont reproché de ne rien apporter à leurs techniques, certes imparfaites, sans comprendre qu'il serait surprenant qu'un ouvrage qui se veut dialectique complète en quelque façon le positivisme, et assurément l'œuvre de Sartre

1. *Saint Genet*.
2. On peut noter en passant que la Bastille était déjà pour ainsi dire un symbole hors service, vieilli dans l'opinion, elle ne fonctionnait plus guère et ne parlait qu'au passé. Avant 1789, l'entrepreneur Palloy avait proposé au roi de détruire ce vestige et de le remplacer par un monument plus intéressant. Le bon gros Louis XVI n'avait dit ni oui ni non. Palloy, devenu « le patriote Palloy », commencera la démolition dès le 15 juillet. Judicieux autant qu'obstiné, il fit sculpter dans les pierres des Bastilles en réduction qui eurent le plus vif succès.
3. « Elections, piège à cons », professe donc Sartre. *Situations, X*.

ne propose aucun procédé susceptible d'améliorer les échantillonnages et la fiabilité des prévisions électorales. Au contraire, elle suggère une réflexion en profondeur sur le sondage comme *pratique de la sérialité*. Contre le positivisme, elle réintroduit la négation, la contradiction, elle pose l'altérité comme telle. Sartre a ainsi *nommé* la série, l'élément où les sociologues vivent et travaillent comme tout le monde et qui dans cette mesure n'existe même pas pour eux, va de soi comme l'eau pour le poisson, — il lui a opposé une alternative, c'est-à-dire qu'il a rétabli le point de vue historique.

Durkheim a fondé la sociologie en posant que la société est extérieure à soi, qu'il y a une Société transcendante régissant la société immédiatement observable. L'individuel avec son pullulement bigarré et le statistique, c'est-à-dire le social comme tel, objectif, s'excluent : au niveau propre du phénomène social, les individus sont interchangeables, parfaitement inessentiels. Par exemple, dit Durkheim, en quelques années l'effectif militaire se renouvelle complètement, mais le taux de suicide dans l'Armée ne varie pas, du moins dans les circonstances normales.

La sociologie comme science n'est rien d'autre qu'une métaphysique appliquée : comme la métaphysique se constitue sur la négation du *ceci*, la sociologie suppose celle du *celui-ci*, de l'individu concret. Dans les deux cas, le sensible est anéanti par l'opération du concept [1], laquelle intervient toujours, il est vrai, dans la constitution du social, comme Rousseau l'a bien montré. Au départ, vous avez la multiplicité empirique, la collectivité inorganisée des individus dans l'état de nature, opposés comme tels les uns aux autres, c'est la guerre de tous contre tous. Alors, pour assurer la paix, la sécurité, se noue le pacte social : les individus se réunissent et se projettent en une entité extérieure qui n'est autre que leur propre totalité, l'image de leur corps collectif, la Société, à la fois l'Autre et leur vérité. C'est dire que le pouvoir est reconnu à l'abstraction. A partir de là, chacun se définit non plus comme un individu naturel, mais comme un membre du tout, il n'est plus un être originaire, mais un effet de la division du collectif global. La division du tout en éléments identiques en droits s'accompagne donc de la

---

1. Dans ses meilleurs moments, Marcuse, réintroduisant le sensible dans la théorie révolutionnaire (en faisant du même coup sa limite), dans la lignée d'ailleurs de Feuerbach et du jeune Marx, esquisse le projet d'une société qui ne serait pas disjointe de la sensation, de l'immédiat, pour autant qu'il y a là comme une historicité primordiale, et qu'au reste aujourd'hui la forme marchande en vient à s'interposer entre l'œil et son objet. Force est donc de reconnaître toutefois le caractère tout à fait utopique de ce projet.

division de la totalité individuelle, en un être de valeur et un reste naturel.

D'ailleurs, on peut parfaitement penser que cette représentation d'un état de nature originaire, suivi de l'événement inaugural du contrat, est imaginaire, qu'elle procède d'une incompréhension de l'essence *symbolique* du social, qu'elle traduit en mythe historique : c'est ce que Kant avait déjà fait observer. L'essentiel, c'est qu'on puisse voir que sur le plan du social, le géométral détermine les perspectives qu'il relie, et c'est que soit obtenu cet *individu fractionnaire* qui est l'être social selon Rousseau — on pourra parler aussi de l'homme moyen —, à la fois imaginaire et réel, qui suppose une abstraction, une division, un prélèvement, ou encore un sacrifice. Cet individu, ou plutôt ce *dividuum*, est réductible en droit à son signalement, à ses caractéristiques externes. Bref, par la division du concept, en lui-même synthèse de l'hétérogène, s'est construit une homogénéité qui *rend le reste négligeable*. Par conséquent la seule différence qui peut désormais être prise en compte est la différence numérique, ordinale, la différence sérielle qui est aussi bien identité, suivant laquelle en effet, comme l'explique Sartre, chacun est autre que les autres, est un *suivant*, le moment d'une récurrence qui le dépasse aussitôt qu'elle l'a touché. Ce qui détermine le sujet — l'élément — c'est sa position avant et après un autre qui à part cela lui est identique. Cette raison extérieure est celle qui définit le nombre, et dans l'optique de Sartre on peut dire que la série, c'est la coïncidence, réalisée par la violence, du collectif humain avec le nombre.

La quantité, comme différence *extérieure*, implique naturellement un Tiers qui du dehors compte, mesure, calcule. Occupé ou non (jusqu'à présent il n'y a pas de planification délibérée des suicides, mais cela pourrait venir), il y a un pôle idéal dans et par lequel la société se comptabilise et se détermine en extériorité, un pôle représentatif, où le tout figure en projection ; ce pôle, image du corps, est la tête ou encore le moi. Il est aussi le lieu de la carte, de l'organigramme, ou de la forme, pour parler le langage de Kant, qui est vide, qui a besoin d'être alimentée de l'extérieur, mais qui en même temps organise la représentation en acte, qui fait apparaître suivant ses structures l'image de la totalité à régir, image fictive mais aussi instituée. A notre âge technologique, on essaie de réaliser l'aliénation globale de la réalité sociale dans les ordinateurs, gavés d'informations sur le nombre de Français qui votent à droite, à gauche, au centre, qui consomment du beurre ou de la margarine, qui préfèrent Renault à Simca. Mais tout le travail repose sur une thèse qui, vérifiée actuellement, n'en est pas moins précaire, selon laquelle la réalité sociale est composée d'unités homogènes qui se distinguent en extériorité.

On comprend donc ce qui fait la différence entre Sartre et la sociologie. A l'opposé de la science positive qui n'a pas de mémoire et considère le fait comme éternellement actuel, Sartre étudie le *devenir-objet*. C'est pourquoi il reprend le chemin de Rousseau, la praxis individuelle remplaçant le bon sauvage, mais aussi il analyse, on le verra, ce qu'il y a d'historicité réelle dans notre situation. Puisque pour Sartre le pôle social est artificiellement décentré, qu'il faut le réintroduire au sein de la société, on comprend également son opposition avec Lévi-Strauss [1], qui considère, lui, qu'il s'agit d'une situation constitutive, en fonction de sa théorie de l'inconscient et de la communication : le code est nécessairement ailleurs. L'effort de Sartre vise à inventer en somme un nouveau rapport à l'Autre, qui ne serait ni l'Etat ni l'ethnologue, et par conséquent une société qui ne serait pas séparée de son intelligibilité ; en termes modernes cela veut dire une société qui ne serait pas bureaucratique.

Mythe, répond Lévi-Strauss. On peut toutefois lui objecter qu'un tel mythe serait de toute façon essentiel à la compréhension de notre situation, qui autrement ne peut être pensée que comme clôture absolue, qu'il l'éclaire loin de l'obnubiler. En tout état de cause, il aurait l'avantage, ce mythe, de nous laisser un avenir, ce qui est bien une réalité, dans un sens. Lévi-Strauss d'ailleurs semble le concéder. Pour lui, simplement, l'action est nécessairement divisée. En effet, la connaissance n'est absolument pas possible sur le même plan qu'elle, en quoi l'aliénation est radicale. Je puis certes m'engager dans la situation historique qui est la mienne, mais à un autre niveau, par ailleurs, je dois savoir que ce faisant je participe à un mythe. Sans doute peut-on trouver qu'il y a de la noblesse et de la profondeur dans une telle attitude, car on a adhéré à tant d'illusions, on a marché dans de criminelles impostures, on voit si bien, de la nôtre, la folie de certaines époques. La thèse de Lévi-Strauss, principalement, rejette l'idée du marxisme comme prise de conscience universelle, révélation historique indépassable, et il est sûr que les événements ne donnent pas forcément tort à son scepticisme. Mais à vrai dire, on ne saurait guère s'engager à ces conditions, de même qu'on ne peut militer dans l'optique spinoziste de la nécessité, on aurait trop le sentiment de s'annuler soi-même si l'on était persuadé que l'on agit parce que le processus objectif est inéluctable, et que

1. Cf. *la Pensée Sauvage.*

l'expérience de la liberté est un leurre. En fait, la philosophie
de Lévi-Strauss là encore est *extérieure*, exprime un exil de
principe, c'est le point de vue d'un homme irréel, une vision
de Télémaque. En pensant de la sorte, n'oublie-t-on pas que
l'activité scientifique est elle-même un comportement social :
et si la science était aussi une mythologie ? Il est un peu trop
aisé de diagnostiquer le mythe chez ceux dont on s'éloigne :
peut-être n'est-il que la conscience de cet éloignement. Il ne
faut pas mystifier le problème de l'action. Quand on agit véritablement, on peut faire la part du mythe, mais uniquement
compte tenu d'un effet qu'on veut obtenir et qu'on ne saurait
considérer lui-même comme illusoire, car enfin je sais bien
qu'il y a des valeurs en cause, des possibles et des préférables,
du plus ou du moins, à défaut de l'absolu, du tout ou rien,
qui relève effectivement du mythe révolutionnaire. Ce point
de vue de la praxis est le bon, il se prouve en marchant, comme
celui de la connaissance pure est irréfutable quand on ne se
mêle de rien.

Chez Sartre, on trouve une profonde intuition de ce social
statistique et pour ainsi dire atmosphérique que la sociologie
a mis en évidence par ailleurs, c'est ce qui explique, comme on
le verra, le climat du *Sursis*. Il y a une tension moderne entre
cette intuition, et la conviction, un peu dopée, que mon geste
le plus infime contribue à faire l'histoire, et la *Critique* essaie
de lever cette contradiction. L'universel hante l'individuel
comme un destin, il n'est pas évidemment donné dans une
évidence immédiate sur le plan de la perception sensible, mais
il flotte autour d'elle comme justement ce qui la disqualifie du
point de vue de la vérité, de l'être authentique. C'est ce qu'on
peut voir dans la description de la file d'attente à l'arrêt d'autobus[1] qui fait le va-et-vient entre les deux plans : « encore une
minute, *la même pour tous* », la réalité de tous ces individus,
c'est d'être des « exemplaires identiques de la même attente »,
au-delà de leur existence sensible individuelle, réfutée comme
inessentielle par l'organisation du champ pratique, par la rationalité qui s'y donne à déchiffrer ; le rapport qui maintenant
détermine les voyageurs *les attendait*, comme rapport entre
places à occuper, le fait actuel existait donc « à l'avance ».

La sérialité est une notion centrale pour l'analyse de la
modernité, cela peut se confirmer dans tous les secteurs de la
vie quotidienne, du travail à l'urbanisme, des transports aux
mass media, contrairement au reproche de Lévi-Strauss d'après

1. Dans la *Critique de la Raison dialectique*.

lequel Sartre se serait arrêté à des annexes du phénomène social.

On peut le voir tout d'abord sur le plan de la structure politique de la société bourgeoise, c'est-à-dire au niveau des sondages d'opinion, tous reliés finalement à l'épreuve de vérité quantitative que sont les élections. L'opinion publique que l'on sonde est la « sommation purement additive d'opinions individuelles »[1], et dans cette mesure même elle est rigoureusement isomorphe à celle qui s'exprimera effectivement par le scrutin. On rencontre là le mythe bourgeois de la souveraineté. La bourgeoisie, dans son idéologie, pose un individu irréductible, doté d'une conscience inviolable, véritable forteresse subjective, ainsi dûment protégée par le secret de l'isoloir. Mais la pratique fait éclater cette mystification, puisqu'on voit que cet individu même est illusoire, fictif, que séparé de tous liens sociaux vivants il se dissout dans la pure généralité. La grande leçon des sondages est qu'on peut *tenir compte* de l'opinion individuelle sans pour autant qu'elle ait à s'exprimer effectivement. La société bourgeoise réfute donc grossièrement son propre mythe du sujet, qu'elle a forgé pour combler le vide né de la destitution du pouvoir monarchique. Les professionnels aiment à pimenter leur technique d'un point d'honneur culturel qui est cette citation de Voltaire : « L'opinion est la reine du monde. » Mais enfin, autrefois, l'opinion générale, c'était bien simple, elle venait du Pouvoir, de l'Eglise, des grands seigneurs, et puis des notables. Au temps du suffrage universel, il faut faire croire que *l'opinion se dicte à elle-même*. J'ai déjà eu l'occasion de parler de ce truquage du rapport à soi. Au reste, la société bourgeoise, avec ses plaisanteries sur la souveraineté subjective dans l'immanence, n'est pas à l'abri d'une autre révélation de l'opinion, à vrai dire moins artificielle et assez imprévisible : le grand homme, le héros historique qui ne se tient que de lui-même et foule aux pieds les conventions, il explicite l'intériorité inconsciente des masses, vierge de sondages, et les masses vont vers lui, fascinées, comme à leur propre rencontre, et dans l'espoir aussi d'une mystification moins ridicule.

De l'opinion reine du monde, on pourrait rapprocher la thèse profonde du professeur Samuelson, prix Nobel d'économie, suivant laquelle le consommateur est le roi, ou à tout le moins un électeur qui décide souverainement. Ce consommateur souverain est doublement imaginaire : d'abord parce qu'il n'a aucune souveraineté, ensuite parce qu'il n'existe même pas,

---

1. Cf. Pierre Bourdieu, « L'Opinion publique n'existe pas », dans *les Temps modernes* de janvier 1973.

c'est une de ces fictions qui aménagent la réalité et la rendent manipulable. Mais le plus intéressant ici, c'est la rigoureuse similitude entre les élections et la consommation. Le « welfare state » est la vérité du suffrage universel, l'accomplissement du modèle démocratique de la bourgeoisie. Voilà la participation. Choisir le candidat et choisir le produit, ce sont deux actes équivalents, qui supposent d'abord l'atomisation de la société, ce sont des actes solitaires, réduits au minimum, par là des actes d'un sujet entièrement déterminé de l'extérieur.

En tout cas, ce qui est indispensable, c'est que le produit, et aussi le président de la République en un sens, soit consommé *en série*. Tel est le but évident de la stratégie dans laquelle s'inscrivent les enquêtes. Il s'agit de constituer une série de consommateurs, de trouver dans le marché (comment lui concevoir une structure autre que sérielle ?) le répondant à la *production en série* du capitalisme. Le vrai souverain, c'est le jus d'orange en poudre ou les serviettes hygiéniques en papier de cigarette, la reine du monde, c'est cette vieille connaissance : la Marchandise.

La série par excellence, c'est la clientèle. Et là, que le sujet souverain le veuille ou non, il est intégré dans des ensembles mathématiques qui structurent le champ pratique : par exemple les individus masculins âgés de plus de quinze ans constituent de gré ou de force la clientèle potentielle des marchands de rasoirs. Nous revoilà en pleine métaphysique : l'Idée règne sur le réel, le Ciel du marketing définit la réalité sensible, le sondage étant l'opération démiurgique. Qui niera que le concept de la mousse à raser précède son existence, loin d'être produit *a posteriori* par des procédés empiriques ? La signification, c'est-à-dire le pouvoir, appartient au pôle des concepteurs, des décideurs, qui s'emploient à substituer le vendable au visible, la valeur à l'être. Pour Malebranche, quoi que s'imagine notre naïveté païenne, nous voyons toutes choses en Dieu. Aujourd'hui, il serait plus juste de dire que nous voyons toutes les choses dans le capital. On est loin du *ceci* sensible, unique, irréductible au discours, que jamais on ne verra deux fois : cette relation immédiate, il est vrai, est désormais projetée dans le mirage publicitaire, indéfiniment renouvelable (ah ! l'indicible sensation d'une cigarette à la menthe fumée dans un sous-bois !).

On dira que nous ne parlons là que du versant de la consommation. En fait, c'est dès l'amont et dès le début du capitalisme que la sérialité est à l'œuvre comme principe exclusif. Le pôle de la série, c'est le capital, qu'en ce sens il faut voir aussi comme réalité politique, pour commencer au niveau de

l'organisation intérieure de l'entreprise. C'est là reprendre une
des vues les plus profondes de Marx, mais oubliée, parce qu'elle
mettrait en cause la nature des Etats et aussi bien des partis
qui se réclament officiellement du marxisme. Marx a bien mis
en évidence la relation entre le capitalisme et la statistique
sociale, et il conseille de consulter Quételet, fondateur de la
discipline, sur la notion d'*homme moyen* [1]. Marx a montré comment le capitalisme met en place une nature sociale mathématique, rabat tout sur le plan du quantitatif, suppose un passage
à l'universel qui se fait dans le dos des individus. Pour le
capital, le travail est la manifestation d'une force de travail
moyenne, c'est là l'origine de la valeur : Pierre ou Paul, l'individu concret, s'écarte plus ou moins de *l'ouvrier moyen*, norme
opérante, et d'ailleurs dans le grand nombre les différences
individuelles se compensent et disparaissent. Bref, l'ouvrier du
capital, c'est cet ouvrier imaginaire, métaphysique, intelligible
en tout cas, c'est lui qui crée la valeur, laquelle d'ailleurs est
un pur continuum, dans quoi s'effacent toutes les distinctions
qualitatives. Nous retrouvons là le même schéma que précédemment, la projection massive en extériorité et le retour
comme division et interchangeabilité : mais ici cette structure
est explicitement agencée, machinée. « Le lien entre leurs fonctions individuelles et leur unité comme corps productif se
trouve en dehors d'eux dans le capital qui les réunit et les
retient [2]. » L'image du corps collectif et productif est dans le
capital comme pôle directorial, est le capital lui-même en un
sens, mais ici on peut noter d'autant mieux les effets de la
partition de la totalité représentée qu'ils coïncident pour le
capitalisme avec un bénéfice tangible. « Pour le capitaliste,
qui exploite douze ouvriers, écrit Marx, la journée de travail
est de 144 heures et la journée individuelle de chaque ouvrier
ne compte plus que comme quote-part de cette journée collective. » Avant la plus-value, il y a là une première escroquerie
du capital, assurément structurale elle aussi : comme le sur-
travail, la force sociale du travail ne coûte rien au capitaliste.
Le capital constitue une force qui ne fonctionne que comme
collective, tout en n'ayant affaire juridiquement, sur le plan
du contrat de travail, qu'à des individus. Il *profite* de ce que,
contrairement à une certaine rationalité mathématique, le tout
est supérieur aux parties, est autre chose que la somme. L'ouvrier, lui, ne vend évidemment qu'une force de travail individuelle et n'est rétribué qu'au tarif de celle-ci. Pourtant, c'est

1. *Le Capital*, Livre I, Ch. XIII, « la Coopération ».
2. *Ibid.*

bien du « travail social moyen » que le capital met en mouvement.

Le capitalisme suppose le travailleur *libre* : cela veut dire notamment que les ouvriers entrent en rapport avec le même capital, mais non entre eux. Et l'enchaînement, la cohérence de leurs travaux relève du seul *plan* capitaliste : l'unité, la totalité, sont indissociables de l'autorité, autrement dit de la puissance de cette volonté étrangère. On pourrait dire que l'universel est sa propriété privée, et quant aux travailleurs on pourrait citer en la détournant de son sens cette phrase de Marx critiquant Hegel, *vrai* pour le coup : « Ce n'est pas leur propre vie qui les unit, ils doivent leur existence à un autre esprit que le leur [1]. » En quoi l'on peut parler de despotisme industriel et comparer l'organisation capitaliste à l'organisation militaire.

Le rapport du travail au produit achevé est donc purement extérieur, comme la combinaison des ouvriers parcellaires présente à leur niveau un caractère accidentel. Le tout est la propriété du capitaliste, extérieur à lui-même, identifié à sa représentation. Pour le travailleur, à la perte de l'individualité s'ajoute une socialisation négative, aliénée, qui se traduit dans le vécu par la sérialité. Il devient un membre du travailleur collectif, d'autant plus parfait en ce sens qu'il est incomplet, souligne Marx. Et pour employer un langage sartrien, on peut dire que l'ouvrier est fait *inerte*, étant « incorporé à un mécanisme mort existant indépendamment de lui », mécanisme donc lui-même inerte, le côté actif de la pratique étant monopolisé par le pôle capitaliste, qui en est le cerveau en quelque sorte.

Non seulement le capital prétend n'avoir affaire qu'à l'individu, mais il pousse la sérialité jusqu'à l'intérieur de l'individu lui-même : ainsi le taylorisme veut organiser, au-delà de la juxtaposition des ouvriers, une isolation des gestes de chacun, définis en extériorité, toute communication entre eux étant exclue. Cette rationalité atomistique, qui ne connaît que des sommes et non des totalités, ne peut comprendre que tel geste est accompli plus vite parce que tel autre l'est plus lentement : ce serait accéder à un certain niveau de pensée dialectique. Pour le système, il est essentiel de pousser aussi loin que possible la décomposition en éléments, recueillis dans un temps qui est un continuum inerte et dans l'univers sériel de la mesure. Toute réalité doit être pulvérisée en fragments d'un univers mécanique recomposé par la direction. L'ouvrier est par conséquent réduit à une capacité quantifiée d'exécuter cer-

1. *Critique de la Philosophie hégélienne du Droit.*

tains gestes, chacun ayant son équivalent en temps et en argent.

On peut voir ici comment l'organisation est en même temps désorganisation, c'est-à-dire vise à s'arroger un monopole sûr en détruisant les capacités organisatrices du collectif par lui-même, afin de le rendre parfaitement manipulable d'en haut. Il importe donc de supprimer toutes les liaisons transversales, au profit de la seule communication verticale. Cette logique, mise en lumière à propos des partis staliniens[1], est aussi bien celle de l'organisation capitaliste de production, vantée comme modèle d'efficacité par le léninisme. Mais dans l'usine, elle ne peut s'appliquer intégralement, il y a contre elle comme une révolte de la réalité. Le taylorisme a vite démontré son absurdité. On a pu voir comment à l'organisation formelle du travail projetée par la direction se superposait jusqu'à s'y substituer parfois une organisation informelle, rétablissant les liens entre les ouvriers traités par l'organigramme comme atomes sans communications. A l'échelle de l'entreprise ou de l'atelier, existe donc une certaine dialectique de la série et du groupe[2].

Ces quelques réflexions donnent à saisir le lien du capital comme réalité politique et de l'Etat, puisque aussi bien la concentration du pouvoir accompagne celles des capitaux. L'Etat — telle est l'origine de la pratique statistique — a pour tâche explicite de dénombrer, d'inventorier, de classer, de mettre en œuvre cette raison analytique qui est la raison en extériorité. Se rattachent à lui divers organismes bureaucratiques tels par exemple que la RATP à Paris. Il est clair qu'entre le pôle et la série, la coupure est radicale : le pôle est comme le château de Kafka, pour les « usagers » de la série il regroupe des « ils » mystérieux et anonymes. Pourtant, cette coupure, le pouvoir doit essayer de la surmonter pour son information, nécessaire à son action. Or, il ne peut obtenir de renseignements qui ne reflètent pas sa propre opération. Ainsi, la question posée par les sondages vient nécessairement du pôle, maître de l'initiative, mais du même coup l'enquête passe à côté du virtuel, du latent, elle se situe dans le cadre d'une réalité formelle qui ne peut faire apparaître les effets possibles de la communication libre, de la confrontation, du jeu des rencontres, elle ne peut assimiler le *paradoxe de l'opinion*, c'est-à-dire qu'elle a la propriété dialectique de se retourner, ce qui ouvre cette crise où le mesuré devient le mesurant. Il va de soi qu'elle ne peut récupérer l'intériorité qui demeure pourtant la force cons-

1. Cf. Kuron et Modzelewsky, *Lettre au Parti Ouvrier Polonais*.
2. Cf. les écrits de Castoriadis, de Daniel Mothé, ainsi que le recueil *Critique de la division du travail* présenté par André Gorz (éd. du Seuil).

titutive, la source occulte de tout mouvement. Il est vrai que le sondage est complété fréquemment par « l'interview en profondeur », mis au point par de subtils spécialistes, à qui les plus extrêmes raffinements méthodologiques ne permettront pas pourtant d'atteindre jamais les abysses de leur propre crétinisme psychologisant. Bref, le sondage trouve ses limites dans ses propres conditions de possibilité, il ne peut dépasser la conscience conventionnelle qu'il suppose. Il porte sur un être vampirisé par l'abstraction qui le définit. Voici par exemple, présenté par un hebdomadaire, le portrait de « Madame France »[1]. La personne en question, Mme A., a été choisie avec les critères les plus objectifs par l'IFOP, et la presse va à sa rencontre. « C'est dans une tour, une des trois tours de la résidence de la Porte-des-Flandres... Des séries de portes, uniformément sombres, et toutes numérotées, comme dans un immense hôtel-caserne... L'ordinateur, ayant fait virevolter les chiffres, vous a désigné le Français type, le Français moyen, le Français-qui-ressemble-le-plus-à-la-majorité-des-Français... » Avec une naïveté désarmante, le journaliste témoigne de l'extension du phénomène sériel à la réalité. « Alors que les enquêteurs ont sonné à tant de portes, dans tant d'habitations, vieilles ou moins vieilles, biscornues, rustiques, lézardées..., comment s'y est-il pris, l'ordinateur, pour vous dénicher votre Français moyen dans cette cité de béton, de tours et de cubes, si conforme à toutes les caricatures de la France d'aujourd'hui ? » Il est bien certain que solitude et massification vont de pair, et le degré de perméabilité de la société aux sondages dépend du processus d'uniformisation, détruisant la différenciation caractéristique des communautés autonomes. Il serait d'ailleurs pertinent de se demander pourquoi cette technique n'a été employée que récemment, alors que l'outil mathématique existait depuis longtemps. Renforcer cette uniformité est une nécessité politique, le sondage est à la fois manifestation et moyen d'action, reflet agissant. Une société s'esquisse qui serait le paradis des sociologues sondeurs, société transparente de la sérialité pure.

Le moment du retour est donc essentiel. « Vous êtes comme ça », dit la presse au lecteur qu'elle s'emploie à façonner, elle lui renvoie une image qui est l'œuvre de l'Autre, mais celui-ci se veut le Même en tant qu'organisateur souverain de la réalité. Il faut bien que l'identification s'opère, suivant cette formule générale que l'Autre égale le Soi, et cela implique cette surdétermination du conditionnement. La sérialité, de résultat, devient norme, idéal.

1. *Le Point*, 6.10.1975.

Mme A. n'est pas « Madame France », mais ce en quoi elle
ne l'est pas, ce en quoi elle est elle-même, est un résidu, un
déchet. Ce qui la définit positivement, c'est un ensemble de
conduites déterminées de l'extérieur. L'individu interrogé n'a
rien de représentatif *en tant que tel*, mais seulement en tant
qu'il s'échappe à lui-même ; il s'agit de trouver le reflet inerte
d'un collectif inerte, une partie présentant les mêmes propriétés
que le tout suivant le postulat de l'homogénéité, c'est-à-dire
suivant l'idée que la réalité renie la dialectique. Nous retrouvons cette division du concept constituant des éléments homogènes, interchangeables, si bien que cet individu, il serait plus
pertinent de l'appeler là encore dividuum. En face de lui,
l'enquêteur est un pur représentant de l'Autre — notons que
l'Autre est intervenu une première fois sous la forme du Hasard
éliminant la subjectivité. L'enquêteur ne répond pas, il ne
pose pas ses propres questions, il doit être un automate à
visage humain, certains théoriciens précisent même qu'il est
souhaitable qu'il soit un peu demeuré, afin d'être bien cette
conscience translucide qui ne saurait faire écran à la communication. En aucun cas il n'engage une conversation, un rapport
humain authentique (quoique certaines hypocrisies méthodologiques élaborent une certaine simulation), il n'est personne
qui parle à personne. Bref, la méthodologie de l'enquête stipule
clairement qu'il convient d'éliminer tout élément imaginaire de
la communication, de tout réduire selon le positivisme, le
prosaïsme du pouvoir.

Mme A. ainsi tient la parole de l'Autre, elle dit ce qu'elle
ne pense pas. Sartre a bien démonté le mécanisme de l'opinion
publique : chacun se fait autre par son opinion, en la prenant
de l'Autre, parce que l'Autre la pense en tant qu'Autre, et en
se faisant informateur des autres. Sa force invincible lui vient
de ce que personne ne la pense, de ce qu'elle est un objet
« pratico-inerte » dont l'évidence se mesure à l'incapacité qu'il
y a pour moi à la transformer. *80 % des Français pensent
que...* La vérité c'est qu'ils ne pensent rien du tout, pour autant
que la pensée suppose l'intériorité. Le Français moyen est un
homme comme les autres, sauf qu'on lui a retiré la pensée,
précisément. Tout ce qu'on peut dire, c'est qu'à un certain
moment, à une certaine question, un certain nombre de Français feraient une certaine réponse. En réalité, il s'agit d'un
fait pur et privé à peu près de signification.

Ce qui importe en l'affaire, c'est ceci : *l'Autre pense que...*
Cet Autre qui, comme le montre Sartre, est à la fois personne
et chacun, et qui est aussi l'Autre de l'Autre, le répondant du
pouvoir dans une relation qui rétablit l'imaginaire.

D'autre part, moi qui n'ai rien dit, c'est comme si j'avais parlé, que je parle ou non, c'est sans importance, de toute façon, c'est autre chose qui parle pour moi, c'est ma place, mon extériorité. La série, donc, est ventriloque. Il faut bien entendre la question : qui parle ? Elle veut dire : qui définit, qui constitue la réalité, car en elle-même celle-ci est indéfinie, il faut bien l'organiser. Qui est l'oracle, qui fait autorité ? Sous l'Ancien Régime, le monarque représentait l'équivalence instituée de la volonté divine et de la volonté générale. On a vu comment la bourgeoisie a promu l'opinion et manipule maintenant ses ordinateurs, tandis que les bureaucraties « socialistes » en appellent au discours de l'Histoire déposé dans la science marxiste-léniniste. La signification vient de l'origine au langage, c'est-à-dire qu'elle vient *de la loi* qui s'établit à cette origine. Toute société confisque leur voix aux individus, on sait bien que le social implique un prélèvement — ce qu'on appelle la castration symbolique —, réclame un organe, un morceau de chair, une part de violence selon Hobbes, ou tout, c'est-à-dire l'image, selon Rousseau, il faut prendre quelque chose à l'individu naturel pour le constituer comme membre. Le sondage, réponse pré-déterminée à une question imposée, et le vote, manifestation d'une voix muette, sont des procédures de vérification et de régulation. Ordinairement, la société demande le silence. Elle ne peut empêcher certaines explosions, des prises de parole sauvages, où le désir fait retour dans le langage, les gens se racontent des rêves, tout ce qui est interdit non par explicite décret bien sûr mais par position, organisation, conséquence structurale ; c'est un aspect de la folie du groupe...

La sérialité institue l'état de non-rapport, non-rapport à soi, et non-rapport à l'autre, elle implique la volatilisation du sujet. L'efficace du rapport est entièrement absorbée par le pôle sériel, ce qui se traduit par cette séparation insurmontable que nous avons située. Le propre de la série est de ne pas se compter elle-même : tout rapport à soi la disloque aussitôt comme par enchantement. Mais la relation en intériorité, ce n'est pas la coquetterie de la dialectique, c'est l'essence de la situation humaine. Hegel critiquait les mathématiques en ceci que le triangle n'est pas géomètre. Mais le problème prend une dimension qui n'est pas seulement philosophique quand il s'agit de l'histoire. La question est alors de savoir si une politique serait possible dont les hommes ne seraient pas les objets passifs. C'est celle qu'a tenté de définir la politique marxiste dans ce qu'elle a eu de novateur : un courant d'échanges devait s'établir entre le parti et le prolétariat, le parti devait se faire déterminer par l'activité propre du prolétariat en même temps qu'il élaborait la ligne générale, l'objet de la science et du pouvoir devenait sujet, le triangle se mettait à faire des mathématiques, à changer les mathématiques.

Mais nous avons vu qu'il existe aussi une certaine interchangeabilité au sein du groupe : ce n'est évidemment pas un pôle extérieur qui la constitue cette fois, puisque nous sommes en révolte contre lui et nous appliquons à le détruire, mais le groupe est *simple*, égal à lui-même dans toutes ses parties, c'est-à-dire que ce *nous* est constitué sur le modèle du *je* (d'ailleurs il est composé de sujets purs), il ne comporte pas un pôle correspondant à une masse, et de la sorte il n'est pas différencié. Comme la conscience, il n'existe qu'en agissant, comme elle il se définit par la pure intentionalité dévorante... Par l'intériorisation collective de l'objet commun il s'est constitué comme l'élément du même. Sartre nie l'existence d'un chef, les agitateurs populaires, explique-t-il, ne donnent pas d'ordres, au contraire « le groupe se reconstitue autour d'eux et se donne ses mots d'ordre » par leur intermédiaire. Ou encore : « le chef se produit en même temps que le groupe lui-même et produit le groupe qui le produit, à ceci près que dans ce moment élémentaire le chef est *n'importe qui* », puisque la souveraineté est également distribuée...

Toutefois, ce *nous* va vite se doter d'un *sur-nous*, par l'opération du serment qui « installe la terreur » en chacun de ses membres. En fait, il faudrait reconnaître ici une première division, interne à chaque sujet, qui est d'une part le groupe comme exigence devenue inerte, et d'autre part demeure son individualité sauvage, automatiquement *hors-la-loi* et suspecte. En tout cas, selon Sartre, personne en particulier ne dit : « Jurons ! », cela sauve pour lui l'essentiel : le groupe reste seul sujet, le propriétaire de son action.

Et le groupe se définissant essentiellement par la volonté de nier le Transcendant, Sartre peut écrire : « Il importe peu... que le serment comme opération matérielle fasse entrer en jeu un être transcendant (la Croix, la Bible, Dieu lui-même) ou qu'il demeure dans l'immanence commune » — car les signes ont changé, à la mauvaise transcendance s'oppose maintenant la bonne immanence[1] —, « de toute manière en effet, la transcendance est présente dans le groupe assermenté comme droit *absolu* de tous sur chacun... Ainsi Dieu ou la Croix

---

1. La bonne transcendance, c'est celle de la conscience et du monde dans lequel elle s'échappe, pour fuir la mauvaise immanence dont nous parlerons dans la troisième partie de cette étude, immanence essentiellement d'un mauvais groupe, la famille.

n'ajoutent rien à ce caractère qui, si l'on veut, est pour la première fois position de l'homme comme pouvoir absolu de l'homme sur l'homme dans la réciprocité ». Dieu n'est plus qu'un symbole de l'intégration immanente du groupe, éventuellement l'exécuteur de ses hautes œuvres. Le droit est celui de chacun sur tous. Cette pensée politique renoue avec la tradition révolutionnaire du XVIIIe siècle : à la manière de Rousseau critiquant Hobbes, Sartre affirme qu'il n'existe pas de fondement de la souveraineté pour autant que l'homme lui-même est souverain. Pas d'autre souverain donc que le collectif. Le Souverain usurpateur est légitimement résorbé et annulé. La légitimité tiendra dorénavant à cette foi jurée du groupe, et elle fournit aussi la réponse à la culpabilité. Dans le serment, le groupe en lui-même est Dieu, l'Autorité, à partir de ce moment sublime qui fait coïncider l'événement et l'ordre symbolique.

Dans le groupe ou en tout cas dans sa représentation sartrienne, se lit l'acharnement à exorciser l'Autre, équivalent au Mal, et qui est, sinon le père, Dieu à tout le moins. Cependant, le groupe se fonde justement sur cette négation de l'Autre, qui lui est par là absolument nécessaire. Son existence est conditionnée par celle-là même qu'elle vise à détruire. Et si le droit d'exister est reconnu par le groupe à chacun de ses membres, tous les autres en sont exclus. Que l'Autre comme tel soit en fait dans le Même, comme sa détermination, la raison négative de son existence, entraînera pour le groupe l'obligation de se fabriquer des traîtres, même si la réalité ne l'y aide pas, parce que ce sera la représentation imaginaire de cette détermination niée. De plus, ce n'est pas seulement aux gens de l'Autre que le groupe dénie le droit d'exister, c'est aussi à la moitié de ses propres membres, pour autant qu'il reste en eux une part qui n'est pas asservie au sur-nous, qui demeure elle-même radicalement autre. Il faudrait que chaque individu se réduise à son être dans l'universel, conforme à la loi du groupe qui l'a engendré derechef, mais cela est impossible à moins de mourir, chacun garde nécessairement cette individualité naturelle suspecte, capable de tous les reniements. La division de l'individu par la loi est une opération formelle qui laisse subsister en fait la part mauvaise, maudite. Aussi faut-il promulguer de nouvelles lois en période de crise. Pour justifier les dispositions de prairial, Robespierre disait que la loi pénale « doit nécessairement avoir quelque chose de vague parce que le caractère actuel des conspirateurs est la dissimulation et l'hypocrisie »... Freud se demandait ce qui se passerait quand les bolcheviks auraient exterminé tous leurs bourgeois. L'histoire n'a pas tardé à répondre : on a trouvé des bourgeois dans les bolcheviks.

Il faut donc en revenir à cette mise en scène de la fondation sociale bien décrite par Rousseau : il y a mort et naissance, on tue le vieil homme, l'individu naturel disparaît pour ressusciter comme partie de la Cité, citoyen [1]. Cette solennité a quelque chose de puéril parce que l'on ne peut emprunter sa maîtrise à la mort, elle reste le maître absolu en ce qu'elle est hors du jeu. Le symbolique ne peut que simuler de prendre en lui des pouvoirs qui appartiennent à ce qui n'est pas lui, à la nature. On ne meurt pas vraiment, comme dans la dialectique du Maître et de l'Esclave il faut bien qu'il y ait un des deux adversaires qui prenne au sérieux la mort, sinon tous deux s'effondreraient dans le néant comme deux lutteurs roulent ensemble à terre, l'histoire commençante retomberait dans l'inertie de la nature. Bref, le meurtre du vieil homme a quelque chose d'une pantalonnade, comme les rituels d'initiation. Quelles que soient les feintes de la société pour les récupérer, la vie et la mort restent du côté de la nature. L'individu naturel survit donc, la loi ne peut rien contre la nature dans la mesure même où elle est naturelle — sauf prétendre indéfiniment la nier comme dans la morale kantienne. Mais d'autre part, l'individu constitué, le membre, doit agir *perinde ac cadaver*, ce qui n'est pas davantage possible, rien de moins agissant qu'un cadavre.

Il y a donc quelque chose de radicalement illusoire dans ce commencement absolu que veut être la révolution. Le serment, en quoi Sartre reprend la pensée du *Contrat social*, signifie que le groupe acquiert droit de vie et de mort sur ses participants (comme individu naturel, le membre est donc déjà mort symboliquement). Par cette sollicitude mortelle de la « fraternité-terreur », dit Sartre, « l'homme en tant qu'individu commun est créé, en chacun par tous (et par soi-même) comme un nouvel existant ; et la négation violente de certaines possibilités futures ne fait qu'un en lui avec ce statut de nouveauté créée. Dans le groupe assermenté, la relation fondamentale de tous

1. Cette structure de la politique a été critiquée par Marx dans des textes aujourd'hui mis sous le boisseau, et pour cause, par l'appareil. Marx proteste contre cette scission métaphysique de l'homme en un individu existant, sensible d'une part, et un être allégorique, abstrait, « moral », d'autre part, — scission de l'homme et du citoyen. A cet homme séparé de l'homme, témoignant à ses yeux d'une liberté confondue avec la propriété privée, il oppose le projet d'une émancipation humaine conforme à l'idée philosophique de « l'être générique », reprenant en soi ses prédicats aliénés. Une telle réflexion définit à la vérité un immense programme politique, proposant une communication sociale d'un type absolument nouveau.

les tiers, c'est qu'ils se sont produits ensemble à partir du limon de la nécessité... C'est le commencement de l'humanité. Ce commencement devenant pour chacun nature impérative... ». L'engendrement se fait suivant la loi et me dote d'une nature, d'une essence — l'existence étant toujours la part maudite —, mais j'ai le bénéfice d'être la loi. Ainsi, pas de passé, pas de nature antérieure, pas de texte non plus, non, tout est rejeté dans l'Avant de la sérialité et comme anéanti, le groupe, pour historique qu'il soit, boit au fleuve de l'oubli comme l'âme platonicienne. Rien donc n'est donné au groupe qui a tout à faire à partir de lui-même. Je nais en même temps que mes frères, semblable à eux, ce qui constitue le droit et signifie aussi la lourde interdiction de me différencier. « Nous sommes les mêmes parce que nous sommes sortis du limon à la même date, l'un par l'autre à travers tous les autres ; donc nous sommes, si l'on veut, une espèce singulière, apparue par muta-tion brusque à tel moment... Je reconnais en l'autre le complice nécessaire de l'acte qui m'arrache à la glèbe, le frère dont l'existence n'est pas autre que la mienne... Nous sommes frères en tant qu'après l'acte créateur du serment nous sommes *nos propres fils,* notre invention commune... »

L'acte révolutionnaire, annulation de toute l'histoire anté-rieure, reprise dès les origines, est décidément « auto-création », la révolution institue une nouvelle espèce, qui ne doit rien à la nature, rien qu'à son acte. Le père ou le roi n'est même pas tué, il est effacé, oublié, renvoyé au néant dont il n'aurait, lui, jamais dû sortir, il est totalement exclu par la nouvelle réalité. Que celle-ci soit la seule authentique n'empêche pas qu'il y a eu un acte, un meurtre, par lequel j'ai scellé mon sort avec celui de mes complices, même si Sartre l'évoque par une périphrase aussi discrète que celles de la Révolution française. Alors qu'au passage, avec la réciprocité du serment, le sacré est réinventé, à la paternité se substitue donc la fraternité. Naturellement, il ne s'agit pas de la fraternité bourgeoise, qui consiste à affir-mer un « lien passif entre molécules distinctes »[1]. Et pourtant, elle l'est bien en un autre sens, puisque c'est la bourgeoisie qui a fait la révolution de 89 — la conquête de la *praxis* s'est figée en être inerte.

Comme toute reconstruction transcendantale, il est vrai, celle-ci correspond en gros à tous les faits et précisément à aucun. Elle ne veut pas être une histoire concrète, mais une algèbre des événements. Toutefois, cela même étant bien admis, si une

1. *Situations II,* « Matérialisme et Révolution ».

telle démarche peut avoir un sens, ce ne peut être qu'en liaison avec la réalité. Au surplus, les rapports du transcendantal et de l'empirique ne sauraient être conçus ici dans une optique criticiste, mais bien selon la raison dialectique.

Si donc nous en revenons à l'expérience, en restant au niveau même de Sartre, sans faire intervenir par conséquent les conditions économiques et les luttes de classes, on peut d'abord remarquer que son schéma élude la culpabilité du régicide : ce n'est pourtant pas un hasard si Robespierre a soudain ressuscité le Transcendant et célébré l'Etre suprême. Sartre, à la vérité, reprend la représentation que la révolution française s'est donnée d'elle-même, par exemple comme retour aux origines et à la vérité, et en cela il continue Michelet, qui lui aussi décrit la prise de la Bastille comme l'œuvre du groupe : « Personne ne proposa. Mais tous crurent, et tous agirent. Le long des rues, des quais, des ponts, des boulevards, la foule criait à la foule : A la Bastille !... A la Bastille !... Personne, je le répète, ne donna l'impulsion. Les parleurs du Palais-Royal passèrent le temps à dresser une liste de proscription, à juger à mort la reine, Polignac, Artois, le prévôt Flesselles, d'autres encore... On sait ce qui se fit au Palais-Royal, à l'Hôtel de Ville ; mais ce qui se passa au foyer du peuple, c'est là ce qu'il faudrait savoir[1]. » On pourrait donc dire avec Claude Lévi-Strauss que la discussion avec Sartre se ramène à cette question : « A quelles conditions le mythe de la Révolution française est-il possible ? »

Ce mythe, c'est d'abord celui du commencement — de fait, comment pourrait-il y avoir commencement en dehors du symbolique et du sacré, au niveau du réel, où comme Hegel on est bien forcé d'admettre que tout continue. La révolution comporte une croyance mystique à une nouvelle création du monde, à un recommencement absolu, un révolutionnaire n'a pas de père. Mais bientôt, le poids accablant des traditions, des générations mortes, comme disait Marx, se fait de nouveau sentir : les flics de l'*Okhrana*, réembauchés par la *Tcheka*, rouvrent leurs dossiers à peine couverts de poussière par l'explosion d'Octobre, Staline prend la suite des tsars, et Boukharine a beau dire à son procès que la psychologie romanesque de l'âme slave, c'est désormais du « plus-que-parfait », bientôt Dostoïewsky deviendra Soljénitsyne. La révolution refuse par essence de se penser comme transition, ce qui ferait apparaître le léninisme, délesté du mythe, comme une réponse adéquate

1. *Histoire de la Révolution française.*

à l'évolution objective des structures en Russie, bloquée par la faiblesse de la bourgeoisie, et aussi par la puissance de l'Etat. La vérité, c'est donc la continuité relative, en France la société bourgeoise déjà formée au niveau de l'infrastructure économique s'est épanouie sur la scène politique, tout en commençant par se déguiser en République romaine, en Russie le stalinisme a hérité d'un Etat autocratique et théocratique.

Mais il y a une autre vérité, celle de Michelet par exemple, une vérité imaginaire, pour autant que la mise en scène à laquelle il procède recoupe celle des acteurs eux-mêmes. « C'était bien ce jour, ou jamais, qu'on pouvait chanter l'hymne prophétique : Tu vas créer des peuples, et la face de la terre en sera renouvelée. » Les révolutionnaires jouent le commencement, lors du serment du Jeu de Paume, de la nuit du 4 août : « Elle emportait, cette nuit, l'immense et pénible songe des mille ans du Moyen Age. L'aube qui commença bientôt était celle de la liberté. Depuis cette merveilleuse nuit, plus de classes, des Français... » A chaque fois, Michelet, avec un enthousiasme qui répond à cinquante ans de distance à celui des participants, s'écrie : « ah ! premier jour d'immense avenir !... »

On en revient à la vertu originelle, par une régression positive, comme chez Sartre le groupe ramène à la praxis transparente. Certes, la violence est inéluctable, mais c'est celle même de la naissance : si les révolutionnaires fondent la liberté par le glaive, c'est parce que, suivant les mots de Saint-Just, il est de sa nature de naître dans les orages, comme l'homme dans les larmes et le monde dans le chaos. Cette liberté définit d'ailleurs aussitôt la loi, le caractère intelligible, le projet originel des citoyens, par le serment entre autres il convient de ployer « l'orgueil humain » (le narcissisme) sous son joug. Le jugement du roi est escamoté dans la fondation de la République, puisque celle-ci est le commencement véritable, ce qui pourrait apparaître comme un péché inexpiable est scotomisé. Le roi était un être *faux*, l'erreur de son être est démontrée par ce retour à la nature qui est la démarche de vérité, et justement l'on célèbre l'avènement de la Nature. « L'être bizarre, en effet, qui trône à la place d'un peuple, qui croit contenir un peuple, qui se croit un infini, qui s'imagine concentrer en soi la raison de tous, comment la classera-t-on ? Est-ce un fol ? un monstre ? un dieu ? A coup sûr, ce n'est pas un homme. » Michelet dit encore, s'inspirant du discours de Saint-Just : « un roi est hors la nature, de peuple à roi, nul rapport naturel ».

Donc, s'ouvre une ère nouvelle, le calendrier en fera foi.

Les révolutionnaires ont saisi un « moment marqué dans l'histoire des hommes pour fonder la liberté ». Le mythe de la naissance commune entraîne naturellement celui de la fraternité. « Proclamer la République, proclamer la fraternité, c'est une même chose », dit Roland. « Mes concitoyens sont devenus moi-même », dit un autre. Et voici comment Michelet décrit la fête des Fédérations, commémorant la prise de la Bastille : « L'homme fraternise devant Dieu... Le vin coulait dans les rues, les tables y étaient dressées, et les vivres en commun. Tout le peuple ensemble mangea le soir cette agape, en bénissant Dieu. » Le pieux Michelet ne se doute pas qu'on mange déjà le roi. Mais l'agape parle à son imagination, il écrit ainsi : « Le grand rêve de Danton (ce fait singulier se trouve aux registres de la Commune), c'était une table immense où la France réconciliée se serait assise, pour rompre, sans distinction de classes ni de partis, le pain de la fraternité ». N'était-ce pas aussi celui de Robespierre : « Ce sera un beau jour que celui où nous célébrerons la fête du genre humain, le banquet fraternel et sacré... »

Chez Sartre nous trouvons donc cette correspondance du mythe révolutionnaire et de son propre fantasme, cette idée de se fonder soi-même, de s'instituer. Les héros de 93 ont fini par en faire une pose, ils ont sacrifié l'histoire à la métaphysique, au mythe, ils ont disparu dans le sublime. La vie que nous avons reçue de la nature n'est pour eux qu'une occasion d'engendrer son personnage immortel, cet être glorieux qui comme un vampire superbe accompagnera l'humanité jusqu'au fond de l'avenir, transcendant l'histoire. « La mort est le commencement de l'immortalité. » Nulle part mieux que dans une des dernières notes de Saint-Just ne s'exprime ce grand fantasme de renaissance et d'auto-création de la Révolution française : « On pourra persécuter cette poussière qui me compose et que je méprise. Mais je défie quiconque de m'arracher la vie indépendante que je me suis donnée dans les siècles et dans les cieux. » Corps rejeté dans la matière discontinue, abandonné à l'Autre, mais affirmation d'une âme invulnérable, d'un être subjectif inexpugnable, on peut y voir la variante héroïque du *cogito*.

On dira que ce sont les bourgeois parlementaires qui prennent la pose, que se passe-t-il au foyer du peuple ? A la différence du bourgeois, remarque Albert Soboul [1], le sans-culotte ne se conçoit pas comme individualité, il pense et agit en groupe. Les sans-culottes donnent une grande importance aux manifes-

1. Cf. son livre *Les Sans-Culottes*.

tations de leur fraternité, au reste fort vigilante, tels que le serment précisément et le « baiser fraternel ». Ils se définissent comme « frères et amis », s'interpellent du nom de « citoyen », rendent le tutoiement obligatoire, car il implique moins de distinction, plus de familiarité, tandis que le vous, d'après un sectionnaire, « éloigne des vertus fraternelles ». Les sans-culottes se donnent comme tous égaux dans une masse indivise, ce qui explique leur démarche de la pétition collective, faite en un nom collectif, ce qui irritait tant la Convention. Ils lui opposaient « l'unité fraternelle qui règne entre les bons citoyens », la nécessité d'un « système de gouvernement qui appelle sans aucune distinction tous les citoyens aux fonctions civiques » (beaucoup de sans-culottes ne savent pas écrire). Il est vrai qu'on peut constater dans les sections une quasi-permanence du personnel politique dirigeant. Ce qui ne signifie pas l'absence d'âpres conflits de pouvoir.

Quoi qu'il en soit d'ailleurs, il ne s'agit pas de contester à Sartre l'existence de « groupes en fusion ». La question, c'est que Sartre parle en fait du groupe, alors qu'il y a *des* groupes. Sartre semble créer une sorte d'entité mythique qui élude le problème de l'unification, or c'est bien là ce qui fonde la possibilité et le pouvoir du Parti, même si la Russie est couverte de soviets. De toute façon, le rôle du Parti est irréductible à cette dialectique dans laquelle il semble parfois que Sartre cherche à amalgamer le stalinisme et la Révolution française. Il est douteux que le Parti puisse être compris à partir du seul groupe. En l'occurrence, il a été fondé, et dans un autre contexte ; cette fondation réclame un autre traitement théorique. Fonder, c'est une parole qui est un acte, et qui confère l'autorité à son auteur. En outre, le parti bolchevik s'est fondé sur une œuvre d'auteur, celle de Marx, comme l'Eglise s'est fondée sur la parole du Christ — et même sur un jeu de mots (« Tu es Pierre et sur cette pierre... »). La fondation relève du symbolique, que Sartre effleure sans s'y arrêter. « L'unité du groupe pour autant qu'elle vient de lui seul semble un simple jeu de signes et de significations : rien de matériel ne m'unit vraiment aux tiers », écrit-il en passant, mais il s'empresse de replonger le groupe dans un univers défini exclusivement par le besoin, l'instrumental, les tâches objectives à accomplir, la pratique considérée dans un rapport simple au réel — le groupe lui-même est considéré comme un moyen. Naturellement, le discours est pur instrument lui aussi, il a sa fonction dans la praxis collective, rien de plus. Voilà pourquoi Sartre peut faire des agitateurs de simples « mediums », parce qu'il escamote l'efficace du discours comme tel, dans son rapport au désir et à la vérité. Nous voyons pourtant bien comment un homme comme Lénine agit en parlant aux masses de leur désir, et en donnant sans cesse à l'action la confirmation de la théorie. Là encore, la raison est que Sartre entérine l'illusion révolutionnaire en tant qu'elle institue un nouveau mythe de l'origine, se pense ou se rêve comme parthénogenèse, mutation... Mais cette volonté de reprendre en soi l'opération de la nature, de donner la vie, est évidemment chimérique, et c'est pourquoi la révolution sera conduite à donner la mort : parce que ses fils, elle ne les a pas vraiment engendrés, et qu'ils restent donc suspects de toutes les trahisons possibles à ses yeux comme à ceux de Robespierre. Ils ont juré, sans doute, mais comment être sûr qu'ils aient abjuré tout lien avec l'Ancien Régime, qu'ils ne travaillent pas secrètement à sa restauration ? Parce qu'en fait, c'est en chacun que se déroule le combat entre l'ancien et le nouveau, chacun est en ce sens *coupable* et voué à la guillotine.

D'autre part, la souveraineté comme la subjectivité ne peuvent pas rester longtemps diffuses, c'est possible dans le moment mythique de la prise de la Bastille, mais tout change une fois que la consommation du symbole a été opérée dans un vacarme équivalent au silence. On quitte le symbole pour le symbolique, or le groupe ne saurait parler par lui-même : il faut bien que quelqu'un parle pour lui, par conséquent s'en détache et donc se voue à la suspicion collective. Exprime-t-il bien ce que pense le groupe ? Ou bien n'est-ce pas sa propre volonté, son ambition, son instinct d'intrigue qui lui dictent des paroles captieuses ? Toujours est-il que se creuse un écart irrémédiable. De nouveau réapparaît la transcendance sous la forme du *nom* : quelqu'un parle *au nom* du groupe, et l'on pourra exterminer tous ceux qui prétendent occuper cette place sans faire avancer le problème d'un pas. Au vrai, la nouvelle loi n'a pu arracher que ce pouvoir à la nature, donner la mort. Mais, en la donnant tant et plus, elle ne fait que réaffirmer la nature, cette mort qui devait être symbolique perd son sens, le geste n'a « pas plus de signification que de trancher une tête de chou ou d'engloutir une gorgée d'eau », dit Hegel [1], qui voit là le terme de la dialectique de la liberté et de la terreur. Les mots à la mode, en 1794, sont ceux de nature et de vie : livrez-vous à la nature, coulons la vie, etc.

Que ce soit celle de Hegel ou de Sartre, la pensée dialectique ne surmonte pas l'aporie. Tous deux voient dans la révolution l'affirmation d'une liberté absolue contre l'aliéna-

---

1. *Phénoménologie de l'Esprit.*

tion, chez Hegel la conscience se découvre comme vérité du monde, chez Sartre c'est la praxis, mais enfin toute réalité relève d'elles. en cela l'on revient à l'origine, l'opération collective étant identique à celle de chacun. L'exclusion de l'universel ne prend pas exactement la même forme dans les deux philosophies : pour Hegel, la société est divisée en masses distinctes et hétérogènes, tandis que pour Sartre c'est le règne de la sérialité, mais il est clair que cette différence est minime, et s'explique parce que Hegel a en vue les corporations de l'Ancien Régime, et Sartre la « foule solitaire » de la société moderne, ces classes qui sont d'abord des collections d'objets. Mais les deux pensées décrivent la même retombée, dans les « corps constitués », les fonctions déterminées, dans une organisation quasi biologique — qui d'ailleurs est d'ores et déjà au principe de la *Critique de la Raison dialectique*. Hegel parle d'un rajeunissement de la substance, et sans doute peut-on souligner l'importance de cette métaphore elle aussi biologique. Comme avant la révolution, chacun se retrouve exclu de l'universel, de la totalité, assigné à une sphère étroitement limitée.

Au fond, Sartre admettrait avec Hegel que le groupe ne peut rien supporter d'étranger à soi, ne tolère aucune substantialité, aucune existence indépendante de son acte : il s'interdit donc la création — sinon sous la forme inversée de la destruction — puisque celle-ci implique la position autonome du créé. Rien ne doit exister qui ne soit l'effet de la volonté générale, substituée en quelque sorte à Dieu, toute différence *positive* devient impossible. Cela se traduit par un terrorisme de la transparence — cette transparence que d'une certaine manière Sartre a reportée de la conscience au collectif, dont il a fait un projet politique [1]. Hegel montre que toute opacité est criminelle, or toute singularité est opaque. Inversement, être au pouvoir est injustifiable : être au gouvernement, c'est être la faction victorieuse, c'est commettre un crime contre la volonté universelle. Pourtant, l'universel doit se concentrer dans l'un. Telle est la contradiction de ce droit, qui entraîne finalement la fin de l'exigence de la participation de tous à tout, la reconstitution des organisations partielles, et de ces associations, de ces « brigues » qui selon Rousseau font écran à la manifestation de la volonté générale. Ce n'est pas par hasard que la fonction subjective, au terme de ses aventures révolutionnaires, revient se loger dans un individu, avec la souveraineté, que le *moi* dûment investi exerce de nouveau sa fonction synthétique — le parti, l'Etat, c'est lui. Sartre ne gagne rien à substituer le

---

1. Cf *Situations X*, « Auto-portrait à soixante-dix ans ».

groupe à la conscience hégélienne, puisque le problème est qu'il y a des groupes, et d'autre part que ce groupe est pensé sur le modèle de la conscience. Mais en se maintenant sur ces positions, Sartre est contraint à repousser à plus tard l'explication des faits, c'est-à-dire « l'usurpation », la « confiscation de la violence », ne voulant pas admettre qu'elles s'ébauchent dès la première prise de parole après la prise de la Bastille.

L'individu se perd pour que le groupe soit, énonce Sartre, et du même coup il arrive à une vie nouvelle. Ce dont il s'agit en fait pour Sartre, c'est de définir les conditions du salut par la praxis. L'homme devient un instrument dans le groupe, au service de la fin commune, on verra par exemple comment dans l'équipe je suis là pour faire la passe, pour tirer au but, aussi bien que le marteau est là pour marteler. Ce projet ne m'aliène pas puisque j'y adhère. On touche là un autre sens de l'utilité, qui montre qu'elle-même a sa dimension symbolique... La praxis, ainsi, me donne ma place, me justifie, par les autres et sans l'Autre. Je n'ai plus à me demander ce que je vaux, la valeur est égale à la fonction, comme le droit est désormais identique au devoir. Mais la logique de la fonction n'est pas pour autant une providence, et Sartre en tire même une singulière théorie de l'épuration. Le groupe liquide ses chefs au nom de son intégration, valeur ou norme absolue, c'est sa justice opérationnelle qui résulte de son fonctionnement même. Si un individu est éliminé, c'est que sa fonction n'était plus indispensable, et comme il ne faisait plus qu'un avec elle... Sartre disait en 1952 que le prolétaire n'est rien sinon comme militant : il n'a pas d'existence naturelle en dehors de cette existence consacrée, si on lui retire l'une on lui prendra l'autre, par simple logique.

Dans l'histoire, Sartre cherche donc un salut horizontal, celui que confère le *nous* agissant du groupe s'emparant de la Bastille — mais ce peut être aussi l'équipe montant à l'assaut du but adverse. Sartre élabore ainsi une phénoménologie de la passe qui montre à l'œuvre la dialectique de la fonction et de la liberté. Quand je reçois le ballon, le pouvoir pratique du groupe *passe* en ma liberté solitaire, mais celle-ci n'a de sens que dans et par l'objectivation commune du but à marquer, donc dans ma propre passe à venir, elle est pure médiation. « Le moment de la liberté est fait pour être passé sous silence car il nierait l'équipe en se posant pour soi. » Plus simplement, n'importe quel entraîneur entérinera cette condamnation du pour-soi en disant qu'il ne faut pas être « personnel ». Il n'empêche que l'individu trouve son salut à ce jeu, et d'ailleurs des paroles suaves viennent lui témoigner une magnifique

reconnaissance : « Heureusement que tu t'es trouvé là... »,
« Si tu n'avais pas eu la rapidité de... »[1]. En un mot, tu as
bien fait d'être là. « Ainsi, dit Sartre, la praxis individuelle,
dépassant par sa temporalisation concrète l'individu commun,
se trouve rétrospectivement modifiée par chaque autre praxis
en tant qu'elles s'intègrent toutes au développement du match
comme processus commun. Y a-t-il *aliénation ?* » Sûrement pas.
Sartre résout le problème dirimant pour Hegel, celui du *un*,
du singulier nécessairement opposé à l'universel, le moment
de pouvoir et de liberté du joueur de football qui a le ballon
n'est pas ressenti par ses équipiers comme un crime contre
leur volonté, de même que le *solo* qui prépare la reprise de
l'orchestre n'entraîne pas de conflit chez les musiciens.

Ainsi donc je ne perds rien à me sauver, c'est la grande ré-
conciliation, seulement voilà : le Parti, l'Etat, ou l'Eglise,
ne sont pas des équipes de football, où d'ailleurs la terreur ne
règne que modérément. La construction du socialisme n'est
pas le championnat des amateurs, et il n'est pas toujours aussi
facile d'y condamner le jeu personnel. Enfin, prendre la parole
n'est pas la même chose que jouer le ballon, on ne marque
pas un but, on ne transforme pas un penalty *au nom de*
l'équipe. La partie de football, qui pourra alimenter les conver-
sations avant et après, se passe dans le silence, dans l'évidence
muette de la perception et du mouvement. On ne parle que
dans les temps morts du jeu. Si j'ai ma place dans l'équipe
et sur le terrain, c'est parce que se trouve pour une fois réalisé
dans le monde humain, et de manière satisfaisante, l'idéal de
l'ustensilité, chacun étant moyen pour la fin commune à laquelle
il participe pleinement, qui est pour tous le souverain bien.
Le problème du pouvoir est réglé par principe[2]. Chaque joueur

---

1. Il est vrai qu'on pourrait envisager le cas inverse : j'ai pu rater
ma passe, je puis être un joueur déplorable.
2. Il conviendrait d'appliquer au football la méthode phénoménologique de recherche de l'origine que Husserl a élaborée à propos de
la géométrie. Les premiers essais de jeu de balle au pied, démarches
empiriques qui remontent à l'Antiquité, ont ouvert un *champ* qui devait
permettre une reprise intentionnelle telle que celle qui s'effectua lors de
la réunion de Trinity College en 1848. Sans être mandatés par quiconque,
ces jeunes gens de Cambridge prirent des décisons d'une importance
extrême pour l'avenir : leur groupe a défini, en fixant les dix-sept
règles du jeu, le modèle de groupes indéfiniment renouvelables. Sans
doute convient-il de les considérer comme des intellectuels, mais non
au sens sartrien de « techniciens du savoir pratique » : ils furent
les initiateurs d'une institution, d'un code, d'un espace. Et pour en
revenir à notre problème, on ne peut nier l'existence d'une certaine
dépendance de mon vécu actuel, dans sa libre improvisation même,
par rapport à cette fondation. Ou encore, la praxis ne jouit pas d'une
souveraineté pleine et sans passé. Les hommes jouent au football librement, mais sur la base de déterminations antérieures.

a ainsi sa fonction dont il ne doit pas sortir, « le match n'aurait plus de sens, deviendrait une informe mêlée si le gardien de but pouvait jouer aussi et à son gré le rôle de demi de mêlée ou d'avant-centre (et inversement) »[1], dit fort justement Sartre. Comme dans le monde d'Aristote, les individus doivent être conformes à des essences, celles de goal, d'avant-centre, etc. Mais il serait fort dangereux d'extrapoler ce modèle dans le politique : en comparaison le régime des castes deviendrait une plaisanterie.

Il parle de violence, de terreur, de carnage historique, mais ce qu'il a en tête, c'est la partie de foot avec les copains, au sortir des classes, sur la place du Panthéon, juste avant 14. Il l'explique bien : jusque-là, au jardin du Luxembourg, il se définissait comme l'exclu des groupes, prisonnier d'une relation maternelle trop privilégiée — « nous allions de groupe en groupe, toujours implorants, toujours exclus ». Le lycée lui apporte le salut, il plonge avec délices dans cette « petite foule unanime » — vraiment le groupe. « Homme parmi les hommes, je sortais du lycée tous les jours en compagnie des trois Malaquin, Jean, René, André, de Paul et de Norbert Meyre, de Brun, de Max Bercot, de Grégoire, nous courions en criant sur la place du Panthéon, c'était un moment de bonheur grave : je me lavais de la comédie familiale : loin de vouloir briller, je riais en écho, je répétais les mots d'ordre et les bons mots, je me taisais, j'obéissais, j'imitais les gestes de mes voisins, je n'avais qu'une passion : m'intégrer. Sec, dur et gai, je me sentais d'acier, enfin délivré du péché d'exister : nous jouions à la balle entre l'Hôtel des Grands Hommes et la statue de Jean-Jacques Rousseau, j'étais indispensable : *the right man in the right place.* Je n'enviais plus rien à M. Simonnot[2] : à qui Meyre, feintant Grégoire, aurait-il fait la passe si je n'avais été, *moi, ici présent, maintenant ?* Comme ils paraissaient fades et funèbres, mes rêves de gloire auprès de ces intuitions fulgurantes qui me découvraient ma nécessité. »

Voilà l'essentiel. Etre lavé du péché d'exister (et de la comédie familiale, cela va ensemble). Ce sera le vœu de Roquentin, qui ne voit dans ce cas que les héros de roman et les morts ; de fait, le père de Sartre a le bon goût de ne pas exister, il s'est vite racheté de cette faute, et manque élégamment, comme M. Simonnot. Mais avec les copains, on peut être sans orgueil

---

1. Confusion d'autant plus irrémédiable que Sartre mêle ici le football et le rugby.
2. Nous reparlerons de cet important personnage sartrien, déjà entrevu, véritable héros positif en ceci qu'il est *l'homme qui manque.*

ni honte. Parmi ses frères, parmi ses pairs : ce dont Sartre a manqué, écrasé par la transcendance. « Homme parmi les hommes », je coïncide avec mon image sociale, avec ce que je suis pour les autres, sans angoisse ni regret. Point d'objectivation pétrifiante dans ce système, et je m'emploie gaiement, spontanément, à faire comme tout le monde.

Ce n'est pas parce qu'il en vient à s'occuper du social que Sartre se quitte lui-même, il y réagit avec sa sensibilité, et aussi avec sa problématique. La série, le groupe, ce sont deux types de relation à l'Autre, deux énoncés du problème. Ce qui ne manque pas de frapper Sartre dans la structure sérielle, c'est qu'au sein même de la solitude où elle me cantonne je suis placé sous le regard et le contrôle de l'Autre, qui me tient à distance, il y a là une manière de possession, je suis en proie à la pure altérité anonyme dont les autres empiriques ne sont que des effets. Quant à la question de la place, il est clair qu'elle reçoit ici un traitement particulier. Cette place à laquelle je me réduis ne m'attend pas, elle attend n'importe qui, qu'elle définit en extériorité par rapport aux autres n'importe qui, ou plutôt aux autres places : à travers le sujet, la place renvoie à une autre place (ce qui pourrait enchanter un lacanien qui verrait là une manifestation indépassable du signifiant). Il est bien naturel qu'on retrouve ici cette hantise sartrienne : être surnuméraire — en vérité, la série me désigne inéluctablement comme tel, « chacun est excédentaire », dit Sartre. La série me signifie outrageusement ma contingence, et la broie de sa nécessité inflexible de succession ordinale. Au reste, dit Sartre, toute société a ses excédentaires, le contrôle des naissances par exemple désigne de ce point de vue de l'Autre des enfants indésirables. Nous retrouvons ce nœud de la naissance et du droit que nous avons déjà examiné. On pourrait rappeler à l'occasion que la rareté, bien qu'elle soit une donnée objective, est comme toute facticité dépassée dans un univers de signification, et ainsi donne lieu dans la vie sociale à une mise en scène dont le train est un exemple : il ne comporte qu'un nombre de places limité et par conséquent il se pourrait qu'il n'y en ait pas assez pour tout le monde. Aussi s'établit implicitement une échelle de droits et de mérites, le code de l'être et celui du faire entrant en conflit. Si Freud éprouvait les inquiétudes qu'on a notées, c'est en partie à cause de son judaïsme, qui intervient souvent dans ses rêves, parce qu'une menace d'exclusion pèse à ce titre sur lui. L'arrogance de l'aristocrate ou du possesseur d'une carte à demi-tarif lui signifie qu'il est mal classé, quoi qu'il fasse, dans le système institué de l'être.

On peut trouver dans la *Critique de la Raison dialectique*

une description de l'apparition de l'Autre (mieux vaut parler d'apparition que de rencontre, car même si Sartre pose que la relation d'intériorité est fondamentale, l'Autre se présente soudain comme une réalité étrangère qui menace d'être mon destin) qui est sensiblement différente de celle de *L'Etre et le Néant*. Le drame a changé de décor. Tout d'abord, Sartre, ou en tout cas l'auteur, ne se décrit pas lui-même comme prisonnier de la série ; il la contemple de sa fenêtre, ce sont les gens qui attendent l'autobus sur la place. Il est donc spectateur, et on pourrait dire qu'il est l'Autre de l'Autre, un pôle symétrique à celui de la série, il est le correspondant de l'arrêt d'autobus, certes contingent, mais qui introduit une nouveauté remarquable, une totalisation de la série non dans l'inerte mais dans la critique théorique, possibilité imprévue de la RATP.

Autre exemple : « De ma fenêtre, je vois un cantonnier sur la route, un jardinier qui travaille dans un jardin. » Il les voit sans être vu, de nouveau il est en position de voyeur, mais on serait mal venu de lui reprocher une quelconque perversion, d'autant que la relation entre les deux travailleurs n'existe pas, c'est lui qui la constitue, car ils sont séparés par un mur. N'empêche que tous deux accomplissent l'acte du travail, d'un travail sérieux, ce qui le plonge dans la culpabilité, car le voilà désigné comme estivant qui prend des vacances. Certes, il ne se repose pas vraiment, ou s'il regarde par la fenêtre c'est uniquement une petite pause dans une activité incessante, il est surmené, il a besoin d'air pur, il a tout de même le droit de se payer quelques instants d' « activité passive ». Il n'est pas sûr pourtant que le cantonnier et le jardinier le lui accorderaient ; écrire ce n'est pas un travail comme casser des cailloux ou sarcler des betteraves — on voit que Sartre est loin de l'idéalisme, il pourrait estimer que c'est par lui, dans sa vision, que ces deux travailleurs appartiennent au même monde, mais au lieu de jouir de son rôle de témoin il s'en fait des juges. Ce rôle même de témoin ne lui est-il pas conféré par son statut d'intellectuel petit-bourgeois (on pourra toujours se demander ici si la notion objective de classe ne vient pas masquer une culpabilité plus profonde) ?

La description reprend, à part cela, certains traits de celle de *L'Etre et le Néant* : les autres sont des perspectives de fuite, des centres d'écoulement de la réalité, ou des hémorragies de l'objet, des glissements centrifuges et divergents au sein du même monde... Simplement, le travail vient compléter le tableau ; tandis que le promeneur de *L'Etre et le Néant* ne faisait que baguenauder, ces deux-là travaillent, des coefficients

sociaux affectent donc tous les termes de la description ontologique, le sujet est défini comme « intellectuel en face de
travailleurs manuels », la lutte des classes forme le fond de
cette perception. Cela dit, même si le travail se substitue au
simple regard, le résultat est le même : l'autre me vole le
monde, ou du moins un aspect des choses. Exister, c'est-à-dire,
pour la philosophie de la *Critique*, totaliser le champ pratique,
c'est dérober quelque chose à l'Autre, donc lui infliger une
certaine frustration, dont il faut bien voir qu'elle n'a guère de
rapports avec la rareté, à moins qu'elle n'en soit la dimension
insoupçonnée. Rareté paradoxale, d'ailleurs, puisqu'elle procé-
derait de l'abondance, chaque sujet constituant un certain
monde que par là même il me dérobe. Mais enfin, si le monde
comporte la rareté, c'est parce qu'il n'appartient pas qu'à moi
seul.

D'un autre côté, cette relation qu'il contemple le renvoie à
sa solitude, déterminée par son statut, que justifie vaguement
son projet d'écrire des livres. Et les deux travailleurs, même
s'ils sont unis pour le moment dans sa seule conscience, même
s'ils sont provisoirement séparés, sont en fait ligués contre lui,
malgré les menus larcins qu'ils pratiquent l'un envers l'autre,
ils s'associent pour provoquer une hémorragie autrement considérable dans le monde de l'intellectuel bourgeois. « L'un et
l'autre sont des travailleurs manuels, l'un et l'autre des ruraux,
ils diffèrent moins entre eux qu'ils ne diffèrent de moi, et
finalement, dans leur négation réciproque, je découvre quelque
chose comme une complicité fondamentale. Une complicité
contre moi. » Lui n'est ni l'un ni l'autre, il est l'Autre. Il est
« objectivement désigné par eux comme un Autre (autre classe,
autre profession, etc.) », de chaque côté du mur ils s'unissent
tacitement contre ce Tiers qui les totalise en extériorité. Ce que
je vois de ma fenêtre, c'est que ces deux-là sont faits pour
s'entendre, tandis que moi je resterai en dehors du coup à les
contempler bêtement : eux sont dans la réalité, et on retrouve
là cette solitude de l'enfant bourgeois qui derrière la vitre
contemple jalousement le petit pauvre qui court librement la
rue. Que faire ? Lancer un bout de ficelle au petit déguenillé,
comme l'enfant dont parle dans ses souvenirs Anatole France,
dérisoire tentative de créer un lien ? Le tiers médiateur pourrait établir effectivement la relation entre les deux individus.
Mais enfin, que cet estivant descende de sa chambre pour
mettre en relation le cantonnier et le jardinier, fût-ce sur la
base d'une saine conscience de classe qui comme on sait doit
être apportée de l'extérieur, ce serait assez déplacé. D'ailleurs,
il est probable que cette découverte réciproque va s'opérer

d'elle-même, et du même coup elle m'anéantira totalement dans ma position de tiers. Je pourrais assister à leur rencontre, je verrais alors se constituer une totalité fermée qui m'exclura. A peine dévoilée, la réciprocité me refuserait, dit Sartre. C'est un peu le drame du jardin du Luxembourg qui recommence. Deux ou plusieurs personnes qui s'entraident, qui sont liés par leur action collective, excluent le Tiers qui ne vaut que pour la relation en extériorité caractérisant un rapport humain « ensablé » dans l'univers. En pareil cas, la réciprocité ne peut donc jouer que contre moi. Je ne puis qu'assumer cette exclusion, je referme la fenêtre et je me remets au travail. Chaque personne est bien prisonnière de sa classe.

La solitude est inhérente à la structure sérielle, laquelle peut inspirer une réflexion comme celle de Proust : « Chaque personne est bien seule. » Mais enfin on doit objecter à Sartre que dans le texte de Proust cette réflexion pourrait difficilement être considérée comme le « produit de la grande ville ». Le narrateur vient d'apprendre du médecin que sa grand-mère est condamnée [1]. C'est la Mort, Tiers absolument irréciproque et grand médiateur en extériorité, — ne sommes-nous pas tous pris ensemble dans son Regard ? — qui est en cause ici. Mais au fond, avec le groupe, Sartre cherche à exorciser la Mort elle-même. On ne meurt pas dans le groupe, l'une des praxis sans doute se défalque mais l'être commun se reconstitue et continue à affirmer les fins dans lesquelles je m'étais pleinement investi.

La série, on pourrait dire que c'est la loi de la Mort. Ou que c'est la loi d'un Autre qui se définit par son acharnement à me nier. On peut le comprendre sur l'exemple de Flaubert. Il n'aime pas la foule, dit Sartre, parce qu'en tant que sérielle, comme un miroir multiple, elle lui reflète innombrablement le statut de solitude moléculaire qui est le sien — mais ce statut, il faut voir qu'il lui a été conféré par son père d'une double façon. Son père, formé par l'idéologie scientiste, lui a appris à se voir comme un simple morceau de matière, et lui en a conclu que c'était par la volonté d'un Dieu pervers que ces atomes voués à la dispersion se tenaient ensemble, de manière à définir une intériorité illusoire, à se faire vivre comme l'inutile sacrifice d'une longue douleur. Le père Flaubert, le grand médecin, coïncide en l'occurrence avec Dieu, il se fait avec empressement l'interprète de l'architecte de l'univers, il décrit avec satisfaction cette combinaison mécanique régie par

1. *Le Côté de Guermantes*, tome II.

la loi d'extériorité, par la loi de l'Autre. En effet, l'extériorité suppose l'Autre, l'infinie dispersion de la matière implique quelque part une volonté, un rapport à soi dans lequel elle se totalise, mais c'est la subjectivité exclusive d'un Dieu jaloux, raison et terme de toutes les séries. Comme l'Inégal est le fondement de l'égalité, à l'extérieur de l'extériorité sérielle il y a l'Intériorité pleinement présente à soi.

Flaubert, nous dit Sartre, se révolte contre la science du *pater familias* et du même coup contre l'ordre de l'univers, il veut nier que le monde ne soit rien d'autre que cet éparpillement commandé par « le principe d'inertie ou mieux d'extériorité ». Mais le combat est perdu d'avance, la science finalement vaincra l'art, comme la réalité l'imaginaire, comme le Prussien le Français, comme la République l'Empire.

Il y a chez Sartre une révolte analogue, mais qui choisit mieux son terrain et ses armes. Dans la *Critique de la Raison dialectique*, par exemple, Sartre se fonde d'abord sur l'incontestable irréductibilité de l'organisme à l'espace *partes extra partes* et à l'univers objectif, et surtout il se place ensuite sur le plan de la société et de l'histoire, où jusqu'à preuve du contraire l'action peut toujours modifier l'ordre des choses. Il se trouve justement que la bourgeoisie a mis en place une réalité sociale atomistique, et qu'elle la comprend comme telle, est-ce en raison du prestige du modèle newtonien, ou bien celui-ci est-il la traduction dans la science de la praxis, à vrai dire peu importe. Toujours est-il qu'Adam Smith explique que dans la société aussi chaque atome, chaque individu, suit sa trajectoire sans se soucier des autres, poursuit égoïstement son gain, et que l'ordre social en résulte comme la cohérence de la matière, au prix de ce phénomène de concurrence où Sartre voit l'illustration par excellence du « pratico-inerte ».

La dimension sociale est pour Sartre la chance de triompher de la malédiction relationnelle. L'Autre m'est apparu à la fois comme semblable et comme intrus, pour les mêmes raisons je ne puis qu'échanger indéfiniment avec lui l'illégitimité comme un ballon qu'on se renverrait, il y en a un de nous deux qui est l'usurpateur, nous ne pouvons être tous deux le souverain du monde. Mais cette situation qui semble indépassable, Sartre la fait apparaître comme une machination de l'Autre, du Dissemblable cette fois, qui a agencé la série et du même coup voué ses éléments à une concurrence stupide et tragique. On peut ainsi s'abandonner au rêve d'une fraternité pure, idéale, ignorant la rivalité. On sait toutefois ce que celle-ci supposerait : l'évacuation du désir.

Le groupe enfin reprend le vœu sartrien de souveraineté, il

est *causa sui*. Sartre rêve comme les écrivains du XIXe siècle d'un « être entièrement neuf qui ne renverrait qu'à lui-même » [1], mais, bien qu'il ait écrit un ouvrage monumental sur Flaubert après en avoir entrepris un autre sur Mallarmé, lui désespère du Livre, et c'est au groupe révolutionnaire qu'il confie la réalisation de son exigence. On peut voir là l'aboutissement de sa démarche. Dans *La Nausée*, la mélodie apparaît comme l'idéal de l'existence, parce que chaque note y est nécessaire en fonction de toutes les autres, est appelée par elles toutes. Tel est le mode d'existence juridique, légitime, que Sartre retrouve dans le groupe où chaque individu est pareillement justifié par sa fonction, inséparable des autres au sein de cette totalité réglée. De la sorte, de l'existentialisme comme description de la facticité injustifiable et fascinée, on passe ici à un certain structuralisme — un structuralisme existentiel et moral. La structure devient l'être juridique en tant qu'elle est la bienheureuse nécessité. Je suis ainsi sauvé de ma contingence, au lieu de la traîner dans la solitude lamentable de Roquentin, qui est comme une note tombée de la partition et devenue un morne gémissement. Sartre le dit de plusieurs façons : le salut, c'est bien l'intégration, ou c'est un *nouvel ordre de la relation*, fermé sur lui-même, mais auquel je puis m'ouvrir complètement. Bref, un nouvel absolu, qui me sauve du mauvais absolu, de mon rapport impossible comme absolu négatif à la plénitude exclusive de l'être.

L'idéal de Sartre, il le répétait encore dernièrement à Michel Contat [2], c'est le groupe caractérisé par une égalité complète entre ses membres, sans chef, sans pouvoir. Et Michel Contat lui demandant si la relation privilégiée qu'il entretient avec un jeune camarade ne serait pas de type paternel, Sartre répond vivement que malgré la différence d'âge c'est une relation d'égal à égal qui n'a rien à voir avec le rapport du père au fils. Soit ; toutefois, pour factice qu'elle soit, la différence d'âge est contraignante et impose une certaine forme qui, si elle n'est pas respectée, n'en est pas moins sous-jacente par sa négation même. En tout cas, on voit clairement ici la volonté sartrienne de détruire ce rapport de pouvoir primordial, cette inégalité fondamentale, cette hiérarchie quasi naturelle. Pour Sartre, le pouvoir est quel qu'il soit un usurpateur, la forme canonique de la relation humaine étant la réciprocité. Sans doute peut-on admettre que le groupe ait un porte-parole qui serait un simple medium, un échangeur, ou encore qu'il se dote d'une sorte de

1. *L'Idiot de la Famille.*
2. *Situations X*, « Auto-portrait à soixante-dix ans ».

Tiers tournant, volant, « chacun devenant tiers tour à tour, comme en ces jeux d'enfants où chacun devient à son tour chef d'armée ou chef de brigands » [1], mais un chef véritable « usurpe la minéralité inorganique des commandements donnés par l'objet » [2]. La thèse de Sartre, ce serait donc que la seule autorité qu'on puisse reconnaître est celle de cet Autre irréductible qu'est la matière inerte.

Il est douteux que cette ultime réponse nous débarrasse enfin du problème. Il semble au contraire que ce soit une ruse volontiers pratiquée par le pouvoir que de se donner comme le délégué d'une altérité irrémédiablement transcendante, et c'est justement la Matière, en dernière analyse, dans le cas du pouvoir stalinien — l'idéologie marxiste du chef se contente de la « refléter » fidèlement. C'est dans la relation intersubjective, qui détermine le rapport à l'objet matériel, que le pouvoir a sa source, et ainsi le stalinisme a valorisé la domination de la nature pour masquer la sienne propre. Un texte d'Engels [3] peut être lu dans cet esprit. S'en prenant aux anarchistes, Engels écrit que « l'automate mécanique » utilisé par les ouvriers d'une grande usine « est beaucoup plus tyrannique que ne l'ont jamais été les petits capitalistes », et que les forces de la nature, endiguées par l'homme, se vengent en le soumettant à leur propre despotisme « indépendant de toute organisation sociale ». Cette argumentation technocratique, dont Engels n'a certes pas gardé le monopole, est aujourd'hui réfutée, on a montré que l'organisation du travail n'est pas simplement technique, qu'elle vise obliquement à maintenir les structures de pouvoir existantes, et d'ailleurs l'idée de ces études se trouve chez Marx. Se plaçant dans l'hypothèse du socialisme, Engels écrit que, de toute façon le travail des ouvriers d'une filature de coton par exemple sera déterminée « par l'autorité de la vapeur, laquelle se moque de l'autonomie individuelle ». C'est piquant : quand la transcendance, par l'appropriation collective des moyens de production, semble enfin résorbée, il faut que l'Autre subsiste tout de même, ne serait-ce que sous forme de vapeur.

Mais l'optique de Sartre au sujet du pouvoir est différente, on pourrait la ramener au problème du surmoi : le tout, pour Sartre, c'est de ne pas en avoir, autrement dit de ne pas être possédé *de l'intérieur*. Eh bien, dans le groupe, à tout le moins, il ne me vient pas d'ailleurs, je me le constitue librement avec

1. *Critique de la Raison dialectique.*
2. *L'Idiot de la Famille*, tome III.
3. Engels, *De l'Autorité.*

les camarades, en « installant la terreur en moi-même ».
Cependant, l'Autre est supposé comme condition même du
groupe, le groupe se constitue par l'Autre et par exemple en
fonction d'un « acte possible de pénétration par l'Autre »,
comme le dit Sartre au sujet du quartier Saint-Antoine le
13 juillet 1789. Le groupe existe parce que l'Autre a voulu
l'empêcher d'exister, pour lui le conflit est constitutif, on peut
dire que le groupe est une création de l'Autre, comme la série,
mais *selon la dialectique*. Même le football à cet égard ne
peut fournir un recours, puisque, Sartre le concède dans une
note, le jeu de la réciprocité y implique la présence de l'équipe
adverse.

Est-ce à dire que cet effort littéralement surhumain pour
nier la paternité, faire en sorte que le sujet s'engendre par
lui-même, liquider tous les « caractères hérités », qui sont le
passif, aboutit à l'échec ? Il n'y aurait le choix qu'entre se
résigner à la sérialité, dans laquelle la retombée est inéluctable,
ou tout miser romantiquement sur un groupe qui n'existe
qu'un instant à l'état pur, qui est plus un mythe qu'une
réalité, et dont la terreur est un ingrédient inévitable. A la
vérité, ce dilemme résulte d'un certain nombre de présupposés
philosophiques qu'il faudra réexaminer, tels que la valorisation
de la translucidité, la définition de la liberté, la constitution
du refus de la passivité en impératif catégorique.

On pourra vérifier tout cela à l'occasion de l'application de
ses catégories par Sartre lui-même, à la fronde des collégiens
de Rouen aux lendemains des Trois Glorieuses, peu avant que
le jeune Gustave Flaubert devienne des leurs. Cette révolte des
enfants qui, hier sérialisés par l'institution, établissant entre
eux un rapport prédominant de concurrence, deviennent les
maîtres de la place et défient les corps constitués, elle a remplacé,
dit Sartre, l'autorité hiérarchique par la souveraineté
du groupe assermenté sur chacun de ses membres ; les collégiens
ont inventé un ordre à la fois révolutionnaire et légitime,
qui est le « produit vivant et intime du groupe », c'est-à-dire
la « totalisation des relations humaines qui s'y produisent ».
Contre l'administration, l'Etat, leurs familles, la bourgeoisie,
ils ont fait soudain surgir un « inaliénable pouvoir », mais
bientôt l'Autre se ressaisit, rétablit l'univers de la pure altérité,
bientôt c'est la « fin de l'Apocalypse » — on pourrait d'abord
se demander si ce terme même, repris de la *Critique*, ne
signifie pas une secrète résignation à l'échec : qu'est-ce que
l'Apocalypse sinon le règne négatif de l'Antéchrist, préludant
au retour de notre Seigneur ?

Et puis, le titre du passage est déjà éloquent : « *L'Histoire*

(Le Psychodrame). » Que peut-on en conclure, puisque les catégories mises en œuvre sont les mêmes que celles qui rendent compte de la prise de la Bastille par exemple ? Cette expérience de laboratoire en quelque sorte qui s'est déroulée dans le collège de Rouen au siècle dernier est mise sur le même plan qu'un événement historique d'une portée incomparable : ne peut-on en déduire que c'est parce que celui-ci est réduit à sa structure psycho-sociologique, que la dialectique sartrienne éclaire spécialement l'aspect psychodramatique de l'histoire, l'histoire comme psychodrame ?

Il faut ajouter que Sartre, écrivant ces pages deux ans après, a en tête mai 68. Les collégiens, dit-il, ont voulu voler au secours de la Révolution de 1830 trahie et donc de leurs pères bourgeois qui en avaient été les protagonistes, ils sabotent l'instruction religieuse pour donner au radicalisme jacobin son second souffle, « une provocation, somme toute », qui a pour but de réveiller les libéraux somnolents. « A partir de là les enfants se retirent en disant à leurs pères : A vous de jouer ! Prenez le pouvoir de nos faibles mains. » Cela rejoint la thèse des étudiants comme « détonateur » qui est l'idée reçue sur mai 68. Et même Sartre évoque directement le slogan qui fut scandé du quartier Latin à Billancourt : « Les ouvriers reprendront des mains fragiles des étudiants le drapeau de la Révolution. » Il semble donc, dans les deux cas, que les enfants ne fassent guère confiance à leurs propres forces, qu'ils ne leur voient d'autre emploi que de réaliser un acte d'amour envers le père, qu'ils incitent à coïncider de nouveau avec sa figure idéale, afin de pouvoir se remettre joyeusement sous sa coupe. Ils misent d'ailleurs sur la scission du père, le bon s'oppose au mauvais puisqu'il y a un conflit dans la société globale, la bourgeoisie luttant contre l'aristocratie foncière, l'Eglise, les résidus de l'Ancien Régime. De la même façon, en 1968, les étudiants auraient cherché à réveiller la puissance révolutionnaire de ces anti-pères patentés que sont les représentants de la classe ouvrière [1].

Pour les uns et les autres, la désillusion est cruelle, ils font l'expérience de la tromperie paternelle, cette découverte horrible que le Père est mauvais comme tel. Ils étaient mystifiés quand ils voyaient en lui l'incarnation, tout juste un peu distraite, de l'idéal de 1789. Non, le Père, ce n'est pas l'Homme, au contraire, ils ont entrevu que « l'ennemi de l'Homme,

---

1. Il est vrai qu'un Cohn-Bendit par exemple, parlant des « crapules staliniennes », ne se faisait guère d'illusions sur les pères conscrits du P.C. et de la C.G.T.

cet ennemi qu'ils ont juré de haïr, pourrait bien être leur père ».
En fait, on pourrait comprendre autrement ce retour à la
vérité : leur père qu'ils haïssaient sourdement leur apparaît
comme l'ennemi de l'Homme. Toujours est-il que s'opère cette
disjonction du Père et de l'Homme, analogue à celle du Roi
et de la Loi sous la Révolution. L'Homme se transforme du
coup en un *projet* politique, que Sartre prête explicitement à
un certain Clouet, élève de quatrième, qui aurait été le théori-
cien de ce groupe. Mais d'un autre côté la conséquence pour
l'enfant est la honte : ses parents lui reprochent d'avoir trahi
sa classe, d'avoir préféré « l'Homme, abstraction funeste »,
à eux qui se sont « sacrifiés pour faire de lui un parfait
bourgeois ». En fait, la honte devient manifeste et motivée,
ce qui est presque un soulagement.

L'Homme a donc été vaincu par un ennemi tout-puissant,
le manichéisme est rétabli, c'est Dieu contre Satan, mais la
théologie devient hégélienne, historiciste, l'Homme est à faire,
non à être — ce qui est l'imposture du bourgeois —, il faut
s'employer à *commettre son acte de naissance*.

Mais enfin, on reste dans la psychologie classique. Le scénario
bien agencé de ce psychodrame a mis en lumière l'angélisme
des enfants, l'événement a clairement montré que l'agresseur,
le vrai coupable, c'est le père. Les « Moïse canailles de la
bourgeoisie » se sont démasqués face à « leurs petites victimes »,
adorables « petits Brutus du libéralisme ». Le fantasme de
Chronos, sur lequel nous reviendrons, se profile : « les ogres
rouennais étaient avides de manger leur progéniture », et enfin,
conclut Sartre, il n'y a qu'en 1970 qu'on peut voir des « pères
poursuivant leurs fils avec un tel acharnement ». A la vérité,
c'est une affaire de justice de classe, et d'ailleurs le lien avec
l'événement archétypique se tisse de lui-même, les collégiens
défaits rêveront de la Terreur, ils se consoleront en espérant
voir un jour « sauter comme des bouchons les chefs vénérables
de leurs pères ».

La leçon de tout cela, c'est que Sartre semble bien réduire
le mouvement social à une algèbre œdipienne. Mais la révolte
contre le père n'est-elle pas vouée à l'échec, ou à s'enliser dans
le jeu de *qui perd gagne* ? Il faut en revenir à l'origine, qui
n'est pas ce groupe sans passé, refusant tout héritage pour
commencer absolument — dont il est la négation.

DEUXIÈME PARTIE

DU COTÉ DE THIVIERS

I

LA « DIVINE ABSENCE »

Avant la révolution, la prise de la Bastille, le droit n'est pas avec nous, mais du côté de l'Autre, transcendant. De cela seul qu'il n'y participe pas, il condamne sans appel le réel, l'existant. Au musée de Bouville, Roquentin pénètre dans la galerie où sont exposés les portraits de l'élite bouvilloise des générations précédentes : « rien de vivant » dans cette grande salle, et pourtant tombe sur lui « le regard de cent cinquante paires d'yeux ». Celui du négociant Pacôme en particulier « ne le lâche pas » : « son jugement me transperçait comme un glaive et mettait en question jusqu'à mon droit d'exister. Et c'était vrai, je m'en étais rendu compte : je n'avais pas le droit d'exister. J'étais apparu par hasard, j'existais comme une pierre, une plante, un microbe ».

La relation est dépourvue de réciprocité : « ce que je pouvais penser sur lui ne l'atteignait pas, c'était tout juste de la psychologie, comme on en fait dans les romans » — tandis que les yeux gris du portrait donnent à lire un « jugement calme et implacable ». Roquentin, présent, vivant, est disqualifié par ce mort représenté, inaccessible puisque absolument absent, objectivement imaginaire, qui l'accable de l'évidence de son illégitimité. Le négociant Pacôme, lui, a fait pendant soixante ans usage de son droit de vivre, « c'était un chef ». Roquentin est transparent et nul sous les regards de tous ces chefs inertes accrochés aux murs. Un naïf murmure opportunément : « Ce sont eux qui ont fait Bouville. » Ce sont les pères fondateurs, et Roquentin n'est pas père ni même mari, il éprouve qu'il n'est pas à l'image de ces images, qu'il constitue un manquement injustifiable à l'ordre. Car enfin, pour commencer, il ne le met pas en doute. Aussi bien que le jobard, il ne peut « se défendre d'une certaine admiration » : en Pacôme rien de médiocre, rien qui donne prise à la critique : mains fines et larges épaules, élégance discrète avec un soupçon de fantaisie, visage net et sans rides... Roquentin doit reconnaître qu'il est beau.

Tous ces êtres imaginaires appartiennent à un ordre législatif, au « règne humain » que Roquentin, avec une ironie incertaine, déclare « admirer sans arrière-pensée ». Voici par exemple Jean Parrotin : « son regard était extraordinaire ; il était comme abstrait et brillait de droit pur... Cet homme avait la simplicité d'une idée. Il ne restait en lui que des os, des chairs mortes et le Droit Pur. Un vrai cas de possession, pensais-je. Quand le Droit s'est emparé d'un homme, il n'est pas d'exorcisme qui puisse le chasser... » Sans doute est-ce la mort qui leur a conféré ce style d'être, qui les a sauvés, comme de juste, de l'existence, c'est-à-dire de la contingence. « Je pensais bien qu'ils n'avaient pas eu cette nécessité de leur vivant », mais, « au moment de passer à la postérité, ils s'étaient confiés à un peintre en renom pour qu'il opérât ces dragages, ces forages, ces irrigations » qu'eux-mêmes avaient pratiqués autour de Bouville. De toute façon, même quand ils vivaient, ils avaient la nécessité de leur place, de leur fonction, et en ce sens ils étaient déjà morts — ils étaient des pères. Finalement, Roquentin les salue avec une insolence juvénile : « Adieu, beaux lis en finesse dans vos petits sanctuaires peints, adieu, beaux lis, notre orgueil et notre raison d'être, adieu, Salauds. » Mettant un terme à cette curieuse séance, il se ressaisit, reprend l'initiative, émerge de sa fascination complaisante. C'est bien facile, après tout il n'y a jamais eu là qu'une série de croûtes représentant des vieux daims. Mais c'est avec une intention de vengeance qu'il est venu procéder à ce louche cérémonial : lors d'une première visite, le portrait d'Olivier Blévigne l'avait frappé par un défaut de proportions, un manque d'aplomb difficilement explicable. Une caricature de l'époque lui a livré le secret : Blévigne mesurait un mètre cinquante-trois, sa petite taille était l'objet de railleries, d'autant qu'il était dominé par sa femme, un « cheval », « c'est le cas de dire, disait la chronique de l'époque, qu'il a son double pour moitié ». Ce père était donc ridicule, et il avait fallu tout l'art du peintre pour le rendre conforme à son essence, sans qu'il parvienne d'ailleurs à gommer tout à fait la torsion qu'imposait ici le passage du fait au droit.

La scène comporte deux moments : Roquentin, d'abord *vu*

et jugé par les portraits, transpercé[1], a acquis laborieusement une technique pour les réduire à ce qu'ils sont, les désarmer, les faire mourir, éteindre leurs regards vides. « Je savais, pour avoir longtemps contemplé à la bibliothèque de l'Escorial un certain portrait de Philippe II, que, lorsqu'on regarde en face un visage éclatant de droit, au bout d'un moment, cet éclat s'éteint, qu'un résidu cendreux demeure : c'était ce résidu qui m'intéressait. » Il l'emporte ainsi sur Parrotin, dont les yeux finissent par redevenir aveugles, qui rentre dans le domaine du fait. D'ailleurs, telle est la vérité de la chair : un jour, la femme de Parrotin s'en est aperçue pendant qu'il digérait, elle a vu cette chair « sans défense, bouffie, baveuse, vaguement obscène ». Et précisément la tâche du peintre, aussitôt convoqué, est d'effacer cette facticité, de ne pas représenter la vulgaire existence, mais de suggérer que « le gouvernant a le droit de gouverner »[2]. En tout état de cause, la chair est de trop, et le salaud n'en a pas, il est constitué d'une série d'attributs, Légion d'honneur, moustache, à condition de chercher un peu testicules, comme ce monsieur bien dans son droit qui passe sous le regard de Roquentin : « Le beau monsieur existe Légion d'honneur, existe moustache, c'est tout ; comme on doit être heureux de n'être qu'une Légion d'honneur et qu'une moustache... — en fouillant au fond de son pantalon, on découvrirait bien une paire de petites gommes grises »[3].

Donc, le portrait représente le chef, le père, singulièrement le père bourgeois, qui a créé une lignée, comme Achille-Cléophas Flaubert. Un accident, certes, peut arriver : le fils Blévigne, au contraire de ce qui s'est passé dans la famille Sartre, est mort, polytechnicien en bas âge. Etre représenté, être image, être ainsi du côté du droit, justifié, par là beau, c'est le propre du père, porteur du type idéal, imaginaire, qui persiste à travers les générations, comme le nom impose sa marque au réel, à l'individuel, comme tel contingent : « ...à la lumière

1. Inutile de dire que ce comportement n'est nullement propre à Roquentin ou à Sartre. Voici par exemple comment Freud se dépeint lui-même face au Moïse de Michel-Ange : « Toujours j'ai essayé de tenir bon sous le regard courroucé et méprisant du héros, mais souvent j'ai dû me glisser prudemment hors de la pénombre de la nef, comme si j'appartenais moi-même à cette racaille incapable de fidélité sur laquelle tombe ce regard... » Qu'il s'agisse ici aussi du père comme incarnation vengeresse de la loi, écrasant le fils spectateur sous le poids de sa culpabilité, se passe de toute démonstration.
2. Cf. *Portraits officiels*, texte de 1939 publié dans les *Ecrits de Sartre*.
3. Pareillement, Sartre a écrit ailleurs (mais peut-être avec des arrière-pensées en plus) de son beau-père que « sa chair était abstraite » (*Situations IV*).

de cette ressemblance, on faisait brusquement surgir sur son doux visage je ne sais quoi d'aride et de désolé, l'air de la famille ».

Sartre a expliqué que son père était pour lui un être purement imaginaire, légendaire, qu'il compare au Masque de Fer et au chevalier d'Eon, à des êtres donc sur lesquels pèse à jamais un doute radical. Du côté du père, il n'y a presque rien — de vagues entours, la grande rue triste de Thiviers, un grand-père qui, trompé sur la dot, ne desserra pas les dents de sa vie. Le père lui-même, rien que cendres et fable. Et un portrait. « Pendant plusieurs années, j'ai pu voir, au-dessus de mon lit, le portrait d'un petit officier aux yeux candides, au crâne rond et dégarni, avec de fortes moustaches. Quand ma mère s'est remarié, le portrait a disparu. » La théorie sartrienne de l'imaginaire paraît ici particulièrement adéquate : voir l'image de son père était se rapporter à lui, radicalement absent, de la seule manière qui soit possible. Il est aussi vrai que possible en ce cas que l'image « donne son objet comme un néant d'être », que l'objet en image est hors d'atteinte, que *n'être pas là* est sa qualité essentielle. De ce père on peut dire éminemment ce que Sartre dit de Pierre dans *L'Imaginaire :* l'image que la conscience en a consiste en une certaine manière de ne pas le toucher, de ne pas le voir, dans une certaine façon qu'il a de manquer dans le monde actuel. L'image du père est la manière exclusive de vivre son être disparu. Bref, le portrait n'est rien qu'une façon pour mon père de m'apparaître absent.

On peut donc deviner chez Sartre une conduite par rapport à l'imaginaire plus immédiate, plus concrète que ce qu'en dit sa philosophie. Sans que cela mette en cause sa vérité, celle-ci émane d'une expérience confuse, et peut-être faut-il reconnaître un double sens à ce titre de chapitre : « la famille de l'image »... Nous avons vu Roquentin passer de la fascination à la révolte. Nous retrouvons ces deux temps dans *L'Imaginaire*, mais la théorie escamote l'expérience initiale, étant constituée pour la détruire. « Au musée de Rouen, débouchant brusquement dans une salle inconnue, il m'est arrivé de prendre les personnages d'un immense tableau pour des hommes. L'illusion fut de très courte durée — un quart de seconde peut-être... » Cette illusion est fondée, car « le personnage du tableau me sollicite douce-ment de le prendre pour un homme », tente comme une manœuvre de séduction. Sartre décrit minutieusement cette expérience trouble. « L'objet est posé comme absent, mais l'im-pression est présente... Je regarde, par exemple, un portrait de Charles VIII aux Offices de Florence. Je sais qu'il s'agit de Char-les VIII, c'est-à-dire d'un mort... Mais, d'autre part, ces lèvres sinueuses et sensuelles, ce front étroit, buté, provoquent directement en moi une certaine impression affective, et cette impression s'adresse à *ces lèvres-là*, telles qu'elles sont sur le tableau. Ainsi ces lèvres ont une double fonction simultanée : d'une part elles renvoient à des lèvres réelles, depuis longtemps poussière, et ne prennent leur sens que par là ; mais, d'autre part, elles agissent directement sur ma sensibilité, parce qu'elles sont un trompe-l'œil, parce que les taches colorées du tableau se donnent aux yeux comme un front, comme des lèvres. Finalement, ces deux fonctions se fondent, et nous avons l'état imagé, c'est-à-dire que Charles VIII disparu est là, présent devant nous. C'est lui que nous voyons, non le tableau... Charles VIII est à la fois là-bas, dans le passé, et ici. Ici, à l'état de vie ralentie, avec une foule de déterminations en moins... et comme un *relatif*. Là-bas, comme absolu. » Nous aurons l'occasion de rappeler que pour Sartre, le sujet est relatif à l'absolu, et d'autre part, que le père, et au sens le plus pur, le créateur, Dieu, est à la fois absolu, là-bas, se suffisant à lui-même, et relatif à nous qui nous épuisons dans notre rapport à lui. Sartre conclut sur l'ambiguïté de l'image-portrait : « Le premier lien posé entre image et modèle est un lien d'émanation. L'original a la primauté ontologique. Mais il s'incarne, il descend dans l'image. C'est ce qui explique l'attitude des primitifs vis-à-vis de leurs portraits, ainsi que certaines pratiques de la magie noire... Il ne s'agit pas, d'ailleurs, d'un mode de pensée aujourd'hui disparu. La structure de l'image est restée, chez nous, irrationnelle et... nous nous sommes bornés à faire des constructions rationnelles sur des assises prélogiques. »

Sartre dit : les primitifs — on est tenté d'ajouter : les enfants, et de revenir à la relation de son enface à une image dont il essaie de se détacher. Sartre entreprend une rationalisation globale, et il élabore cette théorie selon laquelle c'est la conscience qui constitue l'image au lieu d'en être déterminée, par sa manière même de viser l'objet, soit comme manquant au monde perçu. Théorie qui fait appel de la condamnation primordiale lue dans les yeux du père. Sartre néanmoins oscillera toujours entre deux thèses, l'une officielle : le père n'est qu'une image qu'il soutient à l'être, l'autre secrète et plus opérante, suivant laquelle il n'est qu'une image dans le cerveau du père, une apparene inconsistante qui traverse le rêve de l'Autre.

Comme le droit, l'image est hors d'atteinte, elle est irréalisable : elle reste à distance, fascinante ou méprisée, elle ne peut devenir le foyer de la conduite, un idéal assumé, la justification. Sartre déclarait récemment à Michel Contat qu'il n'avait produit de lui aucune image saisissable par lui-même, que son œuvre et sa vie ne lui avaient pas donné de stature extérieure, de personnage [1]. Le portrait, en plus de la représentation du droit c'est celle de la permanence, de la généralité, correspondant à cette Idée qui est Moi, il est ce qui demeure d'un être éphémère et le fait accéder à une quasi-éternité, témoignage irrécusable qu'au moins *j'ai été* ; c'est comme s'il révélait un pouvoir d'être plus profond que celui qui s'épuise dans l'existence empirique, et dominant ainsi la durée il anticipe le salut. Sartre lui-même reconnaît le caractère émouvant de cette transcendance du portrait par rapport à la chair. Seulement voilà, lui, quoi qu'il fasse, il n'a pas droit au portrait, il ne se reposera jamais dans cette contemplation simple. Pour lui, l'image est radicalement absence, et il en éprouve le manque de la même façon que Goetz rêve d'un héritage impossible, fait d'un château, de terres, et de portraits de famille.

Non seulement son père est mort, mais il ne lui a pas laissé de biens, or la propriété a pour fonction, dans nos sociétés, de conférer une image et une identité. « Les champs et la maison renvoient au jeune héritier une image stable de lui-même : il se touche sur *son* gravier, sur les vitres losangées de *sa* véranda, et fait de leur inertie la substance immortelle de son âme. [2] » Le patrimoine constitue l'image de la personne à travers celle de la continuité familiale : « Au propriétaire, les biens de ce monde reflètent ce qu'il est. » Sartre n'est ni héritier ni propriétaire « Il y a quelques jours, au restaurant, le fils du patron, un petit garçon de sept ans, criait à la caissière : « Quand mon père n'est pas là, c'est moi le Maître. » Voilà un homme ! » Ce dernier mot signe bien le phénomène d'identification : ce petit garçon fortuné se sait le remplaçant virtuel du père et est homme de ce fait. Et le père, de son côté, dit : voici mon fils, autant dire moi-même, aujourd'hui mon reflet, demain ma réincarnation.

Mes biens me désignent à moi-même comme étant ce que je suis : leur propriétaire, je me fais annoncer mon être par mon avoir, ils me mettent à ma juste place (Sartre confiait encore à Michel Contat qu'il a l'habitude de porter presque tout son argent sur lui, éprouvant le besoin de transporter son bien avec lui comme le sage stoïcien — *omnia mecum sunt* —, comme s'il était trop peu sûr de son existence objective). « Ce que j'ai, dit *L'Etre et le Néant*, réfléchit ce que je suis »,

---

1. Cf. *Situations X.*
2. *Les Mots.*

« c'est moi que je touche sur cette tasse ». L'enfant fait le tour du propriétaire, son entourage matériel est son rapport à soi. Au contraire, Sartre a dû faire l'expérience de son inconsistance, d'un *soi* dépourvu de toute correspondance matérielle, et c'est pourquoi le *cogito*, qui nous enseigne que nous ne consistons que dans la pensée, a été sa planche de salut. Ne donne-t-il pas de lui-même une définition aussi négative que celle du sujet chez Descartes : « *je n'étais pas* consistant ni permanent, *je n'étais pas* le continuateur futur de l'œuvre paternelle, *je n'étais pas* nécessaire à la production de l'acier » ? Pas de bien, pas d'âme : *pas d'intérieur*. Heureusement, Descartes a défini l'être à l'exclusion de l'avoir, comme le soi à l'exclusion de l'autre : l'avoir, en effet, c'est l'aliénable, ainsi le maître stoïcien répondait à son disciple qui se plaignait qu'on lui ait volé son manteau : « C'est que tu avais un manteau. » Descartes rejette du sujet tout ce qui peut être détaché de lui. Pareillement, Sartre ne fera qu'un avec sa conscience, pur non-être sans attaches, absolu non-substantiel contraire à toute inertie, éclatement vers le monde.

Bref, l'image s'hérite. Si l'on n'est pas héritier ? On pourra valoriser le *choisir* qui est le contraire d'hériter, mais le choix est forcé comme tel et en même temps aléatoire. En pareil cas, donc, l'existence précède l'image, comme pour Gorz : « autour de lui, tout le monde est d'accord, tous ces gens sont des héritiers : ces présuppositions, ces prétendues évidences font partie d'un legs très ancien que chaque génération refile à la suivante »[1]. Le refus de l'héritage est celui de l'identification[2], refus étant un terme assez impropre, pour autant qu'il n'y a pas de choix, qu'il procède d'une impossibilité : on ne peut hériter du père s'il n'y a pas de père, si tout porte à le récuser comme tel. Il en va bien ainsi pour Gorz, et du coup il n'est pas à sa place, il n'a pas de place, il est illégitime comme Sartre à Brooklyn. Deux choses l'obsèdent, dit Sartre : le sen-

1. *Situations IV*.
2. Gérard Mendel a étudié ce refus d'héritage dans une perspective historique : il lui paraît caractéristique de la modernité (cf. *la Crise des générations*). De fait, à travers Sartre, nous voyons cette « crise » se produire et se réfléchir. On pourrait aventurer cette remarque : la renonciation à l'héritage anticipe la fraternité révolutionnaire, aussi bien qu'elle peut en être une conséquence. En effet, raconte *Totem et Tabou*, quand les frères ligués ont tué le père, aucun d'entre eux ne peut prétendre prendre sa place. L'héritage doit être neutralisé. La situation se résume en cette formule — mot historique de François Ier à l'adresse de Charles Quint, cité par Kant dans la *Critique de la Raison pratique* : « Ce que mon frère veut, je le veux aussi. » S'il veut l'héritage, c'est donc la guerre. Mais si sa volonté s'affecte elle-même de la négation, j'en fais autant, nous suspendons les hostilités, la paix règne jusqu'à nouvel ordre.

timent de la contingence et le fait d'être né d'un juif. C'est la même, parce que son père s'annule, se nie, disparaît de lui-même dans la faute et le néant, juif dans sa propre famille. La mère n'a épousé ce juif riche que pour s'élever socialement, et ensuite c'est comme si elle ne lui pardonnait pas de l'être encore. « La loi, à la maison, était la loi de la mère et le père y figurait la déchéance.[1] » Gorz essaie de faire l'homme, mais se définit lui-même comme un traître, c'est-à-dire un personnage à l'identification floue, aux appartenances contradictoires, comme le bâtard. Et dire qu'il n'est pas un héritier revient donc à dire qu'il n'est pas un homme. Il en est un, naturellement, mais l'humanité se caractérise par un tour de passe-passe par lequel la nature, sans être substantiellement modifiée, est reconnue symboliquement, dans l'ordre du droit. L'acte par lequel un homme est un homme fait problème, c'est l'examen de passage auquel Flaubert a été recalé. L'humanité de Gorz est à la fois un état de fait et une fiction, Gorz est un « homme appliqué », convaincu au fond de lui d'être un imposteur. En fait, il est l'homme même, pour autant que celui-ci est l'être étrange qui a la tâche d'être ce qu'il est.

D'être homme d'abord, et pas monstre : le premier problème est celui du rapport à l'espèce, au genre, puisque précisément comme le disait Feuerbach, l'homme est l'être générique. Il ne se pose effectivement que si l'image de l'homme fait défaut — si le père est en question. Toutefois, l'existence comme telle est au fond monstruosité, puisqu'elle échappe au concept, par une chute, une déchéance dont la théologie chrétienne cherche à rendre compte, du fait d'une malédiction de l'Autre qui se traduit par une déchirure du rapport imaginaire à vrai dire inéluctable : Dieu a fait l'homme à son image, mais, en le créant, il le dotait aussi d'une face d'ombre, d'une dimension négative qui est son historicité.

Flaubert se demande comment il pourrait être homme, « je tâchai d'imiter les hommes », fait-il dire au héros d'un de ses écrits de jeunesse, comme plus tard Maldoror, voulant rire comme les autres, ne verra d'autre moyen que de se déchirer les lèvres, mais l'imitation n'est pas concluante : « Après quelques instants de comparaison, je vis bien que mon rire ne ressemblait pas à celui des humains, c'est-à-dire que je ne riais pas. » On pense ici à un autre monstre de la littérature, l'homme qui rit de Victor Hugo. Sartre fait allusion à l'ancienne industrie florissante des *comprachicos*, disant qu'on a pris un enfant, Jean Genet, et qu'on en a fait un monstre « pour des

---

1. *Le Traître.*

raisons d'utilité sociale ». De fait, Genet est un « animal hors espèce », et il lui faut en un immense détour assumer la singularité du bouffon, du martyr, du voleur, du poète, pour enfin « devenir homme ».

Le danger dans cette entreprise, c'est d'en faire trop : de sous-homme, on devient surhomme. Il est très difficile de s'arrêter à la bonne hauteur : simplement homme parmi les hommes. C'est ce qui ressort de la parabole du train : le misérable voyageur clandestin s'élève d'un coup au-dessus des autres, qui sont tout bonnement en règle, lui se retrouvant nanti d'un mandat exceptionnel, ce qui est sublime, mais qui le prive de ce qu'il voulait avant tout, être simplement avec eux, comme eux, avoir sa place... Ce mouvement de balançoire est permanent chez Sartre. D'un côté, moi, de l'autre tous les autres qui définissent l'Homme, je suis toujours au-dessus ou au-dessous. Goetz essaie un arrangement avec Dieu : « Je m'abaisserai au-dessous de tous et toi, Seigneur, tu me prendras dans les filets de ta nuit et tu m'élèveras au-dessus d'eux. » Pourquoi me met-on en même temps si haut et si bas, suis-je un roi ou un pitre, demande Kean. *Les Mots* esquissent une réponse en renvoyant à la situation de l'enfant-roi, premier dans son île mais au dernier rang quand il rejoint sa classe. Supérieur ? Inférieur ? Toute sa vie, il ne cessera de faire le va-et-vient dans sa solitude déboussolée, il chaussera des semelles de plomb, curieux de fouiner dans les bas-fonds, avant de regrimper en ascenseur à son pigeonnier.

Cette oscillation, elle tient au refus de l'identification, qui est comme l'inadéquation de l'existence à l'essence. C'est une telle anomalie qui définit un Flaubert, et elle est fort ambiguë. D'une part, elle se fait souffrir comme déficience, elle indique le sous-homme. D'autre part, elle se manifeste comme signe d'élection, le place au-dessus de la condition commune comme artiste. C'est en fonction de cette ambiguïté qu'on a pu dire par exemple que le Greco était astigmate parce qu'il peignait des corps allongés, et non l'inverse, ou que l'humanité est la maladie dans l'animal, ou encore c'est ainsi que l'hystérique intéresse le philosophe par ses démêlés avec la féminité. Du fait de son anomalie, Flaubert à la fois ne peut pas et ne veut pas accomplir son destin, qui est de coïncider avec son essence, c'est-à-dire d'identifier son individu accidentel à l'être-de-classe. Il ambitionne un autre salut que ce naufrage dans l'inerte fonction, dans *l'état*, il veut être le moyen d'une fin supérieure, le Beau. Eprouvant une soudaine solidarité avec ce frère jusque-là plutôt ennemi, Sartre lui rend grâces de n'avoir pas su s'adapter à ses déterminations sociales, faisant bloc avec lui contre le Bourgeois, mais aussi le Regard médical, le Psychanalyste (tous les psychanalystes sont médecins et bourgeois), le Père. Soit, mais enfin ce refus de l'identification ne peut être simplement assimilé à un rejet de l'être-de-classe bourgeois. La peur de devenir notaire, Sartre en convient, c'est aussi la peur de devenir adulte. Et ce n'est pas seulement de prendre un état que Flaubert ne veut pas entendre parler, c'est aussi de prendre femme.

L'œuvre de Sartre met largement en scène la crise de l'identification. Clytemnestre avoue qu'en Electre elle se hait elle-même, déteste sa propre jeunesse, et l'inverse est vrai aussi, on pourrait dire qu'Electre hait en sa mère son propre désir. Oreste refuse d'occuper la place que Jupiter lui propose, selon l'ordre éternel, et si ce refus du soi comme autre, de l'aliénation, peut être formulé en termes philosophiques, sa raison immédiate est différente, elle serait à chercher dans la fascination et l'horreur de l'inceste, cette ligne de partage entre l'humain et l'inhumain.

Sartre a longuement surveillé cette frontière de l'humain et de l'inhumain, les nouvelles du *Mur* relatant quelques-uns des incidents qui s'y déroulent, comme la négation en acte de l'humain tentée rue d'Odessa par un Erostrate médiocre ; frontière plus absurde qu'une autre, car l'inhumain est encore humain, voire trop humain, comme disait Nietzsche, se compose avec lui en un seul monde qui est le nôtre. Mais aussi l'homme est toujours à constituer, à cultiver, à arracher à la Nature prête à l'absorber, aux crabes qui sont sa négation interne, à l'Autre qui est l'homme inhumain précisément. Et puis l'homme est comme une règle auquel le sujet fait exception, par son irréductible singularité qui est déjà vocation monstrueuse, désir de subvertir la niaise connivence des honnêtes gens : la personne humaine n'est qu'une convention, qui ne résiste pas, par exemple, à l'absorption massive d'alcool. C'est une institution, réelle en tant qu'elle m'est extérieure, mais aussi bien imaginaire. Le sujet, ce monstre incomparable, est donc toujours en proie à la tentation de détruire l'homme, par un plongeon dans l'ignominie qui est à la fois agression et auto-destruction, par l'évasion dans l'imaginaire — et il y a aussi le projet de détruire l'homme pour le réaliser, suivant l'idéal révolutionnaire, la règle nouvelle. L'homme est insaisissable, naturellement il n'est pas de l'ordre de l'extériorité (et le rire sanctionne celui qui se laisse choir les quatre fers en l'air pour n'avoir pas su défendre sa dignité humaine contre l'inertie mécanique), mais si l'homme se tourne en lui-même pour se trouver il ne s'aperçoit pas davantage, et même il est aspiré par un vertige contraire, en lui germent des pensée qui se détachent à peine de la vie du corps et qui témoignent de sa solitude sauvage. L'homme est l'Autre, un idéal qui ne coïncide avec une réalité que par mirage. Ici peut jouer la différence des classes : pour le bourgeois, l'homme, ce sera l'aristocrate, ou pour l'intellectuel le prolétaire. Si l'on ne peut penser que l'homme est réalisé quelque part, au moins virtuellement, on devra le prendre pour l'utopie de l'espèce, pour une « rodomontade de cloporte ». C'est le sort de l'homme aussi d'être toujours au-dessus ou au-dessous de lui-même, et celui qui se voulait sur-homme s'effondre presque immanquablement dans la sous-humanité, si bien qu'instruits par l'expérience certains forment ce projet subtil et détourné, être un sous-homme, pour solliciter cet effet de ressort qui va les propulser des bas-fonds jusqu'aux étoiles. C'est la tentative de personnages comme Genet et Flaubert, qui nous enseignent que le monstre est exemplaire.

Roquentin, se regardant dans la glace, au prix d'un exercice analogue à celui du musée, voit finalement apparaître un visage inhumain, même plus un visage, quelque chose comme un monde lunaire ou une carte géologique en relief. Nous savons déjà qu'il n'est pas un homme, puisqu'il n'est pas identifié aux autres, qu'il n'a pas sa place dans la société bouvilloise, qu'il est seul dans la ville — il y est en somme comme une émanation de la nature sauvage. « Les gens qui vivent en société ont appris à se voir, dans les glaces, tels qu'ils apparaissent à leurs amis », mais son visage à lui, « on dirait la nature sans les hommes ».

Cela nous ramène curieusement au portrait, qui, selon *L'Imaginaire* — toujours dans le chapitre sur la famille de l'image — est aussi défini comme la nature sans les hommes. A vrai dire, il n'y a rien d'étonnant dans cette ressemblance du portrait et de l'image spéculaire : tel père, tel fils... Mais cette régression est imaginaire, la nature sans les hommes est un rêve insoutenable, ne serait-ce que parce que les hommes, je les y projette avec moi en tâchant de me la représenter. Pourtant, je sais bien que la nature a existé avant moi, qu'elle existera après moi et après l'homme, toujours est-il qu'elle apparaît comme l'en-deça de la forme, productivité infinie, *natura naturans*, arbitraire et omnipotente — rien moins qu'inerte ! A ce thème habituel de Sartre, *La Nausée* ajoute celui tout différent d'une vie sans règles, proliférante, envahissante, d'une végétation formidable qui détruira les fragiles constructions de la culture. Les bourgeois tranquillement installés, paisiblement salauds, ignorent cet être immense qui est chez eux, encore en sommeil, mais qui tôt ou tard engloutira leur ville. Même si Roquentin trouve un réconfort dans sa prophétie, il semble bien que Sartre, au végétal, préfère le minéral, tout inerte qu'il soit.

L'humain, donc, émerge de l'inhumain, qui est la nature opposée à la loi. Etre inhumain, c'est rester du côté de la nature, ou y régresser, l'homme n'étant jamais qu'un symbole, une idée. Et l'être qui en est constitué, de ce symbole, peut s'épuiser à chercher la contradiction, c'est à partir de là que Sartre a réinventé l'humanisme : refusant l'homme donné, institué, il veut que l'origine ne soit plus ce que la tradition a fait oublier, mais la subjectivité vive. Puisqu'il n'y a pas d'image établie à laquelle il suffirait de se conformer (rien que des portraits de salauds, des caricatures), chacun doit la produire, cette image, il faut inventer l'homme.

A propos de l'illégitimité, nous avions vu que deux cas sont possibles : avoir été ou non désiré, mais aussi avoir été désiré autre, en quoi la question de l'être et du non-être se complique de celle du sexe. Changeons de catégorie logique : après la contradiction (homme, non-homme), la contrariété (homme, femme). Là aussi, rien n'est donné, il s'agit d'un avoir à être. A cet égard, Sartre, dans *L'Imaginaire*, donne un exemple significatif, décrivant l'assomption d'une image : il ne s'agit plus seulement de l'avoir, cette image, mais de l'être. Ce qui, pour Sartre, ne peut être qu'imitation, effort délibéré, réflexif, puisqu'il ne reconnaît pas l'existence d'une opération primordiale de l'image — c'est pourquoi toute l'entreprise du pour-soi est un effort d'identification à lui-même, devant aboutir à *soi*, à la recollection de l'être. Toutefois, Sartre, à propos de Flaubert, décrit l'imitation compulsive comme un effort pour voler l'image des autres afin de soutenir la sienne, le caractère volontaire du projet apparaît en ce sens comme découlant d'une lacune primordiale.

Au music-hall, la fantaisiste Franconay imite Maurice Chevalier. Sartre commente : je suis constamment libre de voir Maurice Chevalier en image ou une petite femme qui fait des grimaces. C'est dire que l'identification est loin d'être parfaite, ou en termes gestaltistes que la forme n'est pas bonne. La grimace, au reste, manifeste une relation difficile du sujet à son image, Sartre raconte que lui que sa grand-mère avait percé à jour en le traitant de « grimacier », il se délivrait de la honte en faisant de folles grimaces devant le miroir. D'autres avant lui auraient été coutumiers du fait : le petit Flaubert, par exemple, « à peine s'est-il placé devant son image, le voilà parti à grimacer, comme faisait à la même époque pour des

raisons analogues, le jeune Charles Baudelaire[1] ». Cette singulière conduite du miroir est sans doute un essai de se renier,
de se faire apparaître comme un monstre et d'échapper ainsi
aux servitudes de l'humanité, en même temps qu'elle est confirmation et châtiment.

Ce spectacle de music-hall, Sartre nous le donne à ressentir
comme gênant : cette identification théâtrale, parodique, a pour
véritable but d'ailleurs son propre échec. En outre, quand
Mlle Franconay imite ainsi Maurice Chevalier, *l'homme est
dans la femme*, dit Sartre, l'identification est possession de
la femme par l'homme, sinon sur le plan sexuel, en tout cas
sur celui de l'image, de la forme, du *moi*. « Maurice Chevalier,
absent, choisit pour se manifester le corps d'une femme. » En
ce qui concerne particulièrement Sartre, l'absent éminent est
le père. On pourrait dire que l'homme absent se manifeste en
possédant un être qui par là même devient femme. En tout état
de cause, l'important est que tout cela soit pensé comme
possession : c'est le fantôme, l'être imaginaire qui exerce
l'action, contrairement aux apparences, ce n'est pas l'imitatrice
qui arrive à l'absorber en elle à force d'efforts, elle ne fait
qu'accomplir certains rites propitiatoires, et il condescend à
quitter son empyrée pour lui faire l'honneur de la visiter.
« Ainsi, originellement, un imitateur est un possédé. Peut-être
faut-il expliquer par là le rôle de l'imitation dans les danses
rituelles des primitifs. » Ces références à l'origine, au primitif,
encore une fois, doivent être entendues pleinement. L'image est
dangereuse, elle tient du vampire, elle cherche à s'emparer du
sujet réel, à lui dérober sa présence pour se manifester elle-
même, au lieu de rester sagement à sa place, dans le cadre,
au-dessus du lit.

Par ailleurs, qu'il y ait quelque chose de sexuel — exactement : de relatif à la différence des sexes — dans l'impossibilité
de l'identification, c'est ce que met en lumière ce que dit
Sartre d'un personnage de Genet, appelé Divine, homosexuel
qui veut faire la femme, qui « se guinde dans un effort soutenu
mais vain pour réaliser l'impossible ». L'éloge d'un tel effort
est motivé par la fascination, la terreur de la féminité comme
passivité : ainsi travestie, elle devient le contraire, résultat
d'une opération harassante, nécessairement manquée. « Cette
impossibilité d'être femme n'est qu'un des aspects de l'impossibilité radicale d'être l'Autre », dit Sartre, mais est sous-jacente
l'idée que l'identification de la femme à elle-même est impossible, la question aussi stupide qu'opiniâtre : comment peut-on

1. *L'Idiot de la Famille.*

être une femme ? On ne peut l'être que sur la mode du refus, point de vue d'un homme menacé par son propre désir. Pas dans *L'Imaginaire*, où le rapport d'amour du sujet à l'image, à commencer par la sienne, tombe sous une sorte d'asepsie, mais dans *L'Idiot de la Famille*, Sartre note l'importance d'une réflexion d'une fantaisiste, que pour faire ce métier il ne faut pas s'aimer beaucoup. Pour tromper sa propre image avec une autre qui en est la négation, il faut un déficit du narcissisme. Elle ne s'aime pas, elle ne peut se reconnaître comme ce qu'elle est, dont elle se met à distance, qu'elle tourne en dérision, se condamnant à vivre dans une division qui naturellement peut apparaître comme le fait même de la subjectivité. Rapport à la féminité illustré par le personnage d'Ivich, l'homme n'en est si ému que pour autant qu'un drame analogue se passe en lui, que pour lui aussi la femme est impossible.

Sur la puissance magique de l'image : « Si Culafroy s'habille en religieuse, il sera possédé par des conduites bizarres, une religieuse damnée et pédérastique s'établira en lui pour gouverner ses mouvements [1]. » Jouer, pour Sartre, c'est être choisi, être élu, visité, recevoir et non produire. Or, l'identification est jeu, ainsi l'être pour-soi n'est rien que jeu avec lui-même, décalage et divertissement, non-coïncidence du réel et de l'imaginaire, de la chair et de l'absence, vaine attente.

L'acteur, l'imaginaire l'a choisi, il subit l'irréalité plus qu'il ne la produit, « le personnage lui prend tout et ne lui donne rien » : c'est son parasite. Mais cela s'inscrit, dit Sartre à propos de Flaubert, dans le cadre du rapport au père : l'enfant n'existe que pour la montre, que dans la mesure où il apparaît à son père, il appartient à cette image qu'il est dans les yeux de son père, c'est pour lui obéir autant que pour la récupérer qu'il fait ses mimiques et étudie ses effets. La scène du miroir se complique : son père le guigne du coin de l'œil, dans son dos. « Je me crève pour qu'il revive, le vieux vampire », dit Kean de Shakespeare. L'acteur, en effet, est spécialement dépendant de l'auteur, il doit respecter scrupuleusement la volonté de ce mort, qui saisit sa chair vivante et la suce pour nourrir de son sang ses images. L'acteur, répète souvent Sartre, c'est un enfant volé, sans droit, sans vérité, sans réalité, qui cherche par son activité paradoxale à se faire reconnaître, instituer, mais qui ne pourra l'être que comme imaginaire, c'est-à-dire que de toute façon le succès ne fera que confirmer son impuissance foncière.

Même non professionnel, le jeu est dangereux — mais

1. *Saint Genet.*

comment distinguer le risque et le désir, à vrai dire. Ce jeune homme s'amusait à jouer Ganymède : un aigle a fondu sur lui. Heureusement pour Sartre, ce ne sera jamais Jupiter qui viendra se manifester de cette façon brutale, c'est sa propre liberté qui l'empoigne, aussi bien qu'une nuit, sur la route de Pont-l'Evêque, la liberté fondra sur Flaubert, « sous forme de névrose ». Toujours est-il qu'il ne faut pas provoquer l'imaginaire, car l'Autre existe, il y mène son existence mystérieuse comme le vampire dans son château. Le petit Sartre faisait du cinéma, jouait son propre rôle, se jetait à corps perdu dans l'imaginaire : il a failli s'y engouffrer tout entier. L'imaginaire a une présence sournoise comme celle du criminel dans les histoires policières, on ne sait où il est mais on sait qu'il est là, préparant son forfait : de même l'imaginaire n'attend qu'une occasion pour se réaliser, c'est-à-dire pour avaler le réel. Flaubert se trouve ainsi sur le point de « se faire manger par l'imaginaire », il ne resterait dans le réel qu'un pauvre fou... L'imaginaire est une gueule ouverte dans l'ombre, prête à happer l'imprudent rêveur. L'image, c'est une table tournante, Sartre le sait bien : l'intention l'utilise comme un « moyen d'évoquer son objet, comme on se sert des tables tournantes pour évoquer les esprits[1] ». Par elle on entre en contact avec cet au-delà qui est le non-être de l'être. Dans *Les Mots*, Sartre raconte la frayeur que suscitait chez lui le mage de l'immeuble d'en face, qui convoquait les ectoplasmes : « L'Autre Monde était là, d'autant plus redoutable qu'on ne le nommait point. »

Mais la simple lecture elle-même est pleine de périls, en témoigne cette malheureuse jeunesse romantique du collège de Rouen, celle qui a raté la révolution, le parricide, et qui tâche de s'en consoler avec cet opium, mais à quel prix. Toutes les nuits, ces jeunes mâles assoupis sont possédés par des incubes, les héros de Chateaubriand et de Vigny, qui les engrossent de rêves. En conséquence de cet acte démoniaque, Chatterton dorénavant réside dans le nommé Pagnerre[2], il s'y installe en insolent colon, inaccessible transcendance au sein de l'immanence ; du sein de sa propre intériorité il le signifie comme celui qui *n'est pas Chatterton*, c'est-à-dire le soumet à un impératif inaccessible, le regarde, le juge, le condamne tout ensemble. En un mot, *la lecture inocule un surmoi*. Cette opération perverse est imputable à l'auteur, qui s'empare de la liberté de ses lecteurs pour la refiler à ses personnages, qui les infecte de faux possibles, les embarque dans son rêve et « les

1. *L'Imaginaire.*
2. Condisciple de Flaubert qui est pour Sartre le héros exemplaire de cette génération perdue.

DEUX ÉTUDES SUR SARTRE

possède comme un démon ». Sartre en tant qu'écrivain se fixera une éthique contraire, mais dans son enfance fascinée par les livres, il a éprouvé des craintes sérieuses, il a compris que les écrivains n'étaient pas des morts paisibles, inoffensifs — « n'allais-je pas m'infecter, mourir empoisonné ? »

Il faut dire qu'il y a aussi de la faute du lecteur : il n'a qu'à ne pas s'abandonner aux troubles délices de la passivité, à rester sur ses gardes, à pratiquer la lecture de l'agent, cette lecture agressive qui ne se laisse pas faire, qui dépasse la phrase vers la signification rigoureuse sans se laisser charmer par les sirènes du style... Mais n'est-ce pas reconnaître que la signification pure est le résultat d'une réduction prophylactique, d'une mutilation même ?... En tout cas, Sartre envisage l'imaginaire dans la perspective d'une théorie de la possession, possession de l'homme par la Chose, ou par l'Autre, qu'il qualifie de « retournée » et de « démoniaque ». En fait, Sartre reprend ici à son compte une attitude qui est celle de notre culture, ignorée souvent des « primitifs ». Pour les Hadjeraï du Tchad qu'a étudiés Jean Pouillon [1], il est inévitable et somme toute naturel d'être de temps à autre habité par une certaine *margaï*, qui « attaque » l'individu, le « monte », le « chevauche », mais en même temps le possédé peut s'en dire légitimement propriétaire, cette affliction se transforme en élection et même en qualification — par exemple, le malade devient médecin.

Il est vrai que Sartre dit aussi tout autre chose : que l'image est une manière pour la conscience de posséder l'objet, la meilleure preuve de sa maîtrise. L'image n'existe que par moi, car elle est toute faiblesse, comme le néant, comme le mal. Elle est passive, je suis actif. Alors que la perception est passivité, opposant la limite de l'objectivité à ma spontanéité, l'imagination est ma spontanéité même, avec le néant pour contrepartie, car je ne puis créer que le néant et non pas l'être, l'imaginaire seulement et non le réel. Renversement problématique, parce qu'enfin le rêve, le fantasme, l'hallucination paraissent plutôt manifester la passivité, sinon du sujet, du moins de la conscience. Mais pour Sartre, il faut parler d'une activité de l'imaginaire, sauf dans le cas d'un individu complètement passif par constitution comme Flaubert ; lui, les images le pénètrent, le traversent, déambulent en lui comme sur une scène d'opéra.

L'image est commencement, événement absolu, elle rompt avec un réel régi par le déterminisme (mais l'existant est à la même enseigne dans la mesure où il est contingent), et aussi

1. Cf. son livre *Fétiches sans fétichisme*.

contact renoué avec le royaume des ombres. Cette cascade de renversements donne l'idée d'une dialectique manquée. Le portrait, par exemple, agit sur moi à peu près comme le ferait la réalité, il me « sollicite », mais mon intention « paraît » et le constitue souverainement. L'image ne comporte donc aucune spontanéité, elle est pure passivité, faiblesse, dépendance, mais elle est la présentation d'un absolu qui ne soutient aucun rapport avec moi. Quelle que soit la tension subjective, l'objet irréel est par principe hors de portée : il n'existe aucune relation, alors que c'est moi qui constitue l'image comme pont entre lui et moi, avec ma chair et mon sang. Je m'exploite moi-même, comme le prolétaire travaillant pour l'Autre je réalise ma dépossession. Enfin, cet objet irréel, inaccessible, qui en quelque sorte est au Ciel, il exerce une force du fait même de son inaccessibilité, il attire comme le Dieu souverainement désirable d'Aristote, et comme lui sans s'en émouvoir aucunement, perfection impitoyable [1].

Il n'empêche, Sartre veut établir la familiarité profonde de l'image et de la conscience, toutes deux de « divines absences », l'une crée l'autre et s'y reflète. Bref, l'image est une affaire de volonté, l'effet d'un *fiat* lui-même quasi divin, elle est de l'ordre de l'acte pur, si pur qu'il n'entraîne aucun être, elle est traversée par un « courant de volonté créatrice », et « l'objet irréel n'existe qu'autant que je le sais et que je le veux », exact corrélatif de l'acte de conscience, ne le débordant aucunement, ni plus ni moins.

Sartre s'emploie à restaurer notre pouvoir et notre responsabilité par une opération défensive qui s'exténue à nier le fantasme, toujours sur le point d'envahir la conscience. Sartre donne un exemple, fort chiche : une image-souvenir, un « jardin triste sous un ciel gris ». Sans doute a-t-il raison de dire que cette image qui garde l'anonymat « a donné d'un bloc tout ce qu'elle possédait », et que l'observation ne parviendra pas à me donner les connaissances qui manquent, qu'il faudra pour cela d'autres procédés. De fait, on peut reconnaître là un souvenir-écran, où l'attribution de qualités affectives aux choses marque le déplacement par rapport à la situation vécue. Mais n'est-ce pas une erreur que de considérer l'image comme un absolu, puisque serait possible un travail qui révélerait ce qui se cache dans cette image où la conscience s'actualise illusoirement ? Sartre tient à dire que « l'image ne renseigne sur rien » : évidemment, si on ne lui demande pas d'où elle vient,

1. « C'est son irréalité qui le met hors d'atteinte et qui lui confère une opacité compacte et une force. » *L'Imaginaire.*

si on l'isole de la chaîne qui l'a produite et qu'elle recèle. Il n'y a rien en elle que je n'y ai mis, elle ne peut rien m'apprendre puisqu'elle n'est faite que de mon savoir, elle ne peut pas davantage me tromper. Sartre concède toutefois qu'elle peut réserver une certaine surprise en ceci qu'elle fait supporter à l'objet des qualités contradictoires, qu'un objet est lui-même et un autre, ou qu'il y en a plusieurs en un, cette « vague ambiguïté » pouvant provoquer une légère frayeur. Toutefois, non seulement les éléments de l'image n'entretiennent aucun rapport avec le reste du monde, mais encore il n'y a pas de scénario imaginaire : ce qui peut en donner l'illusion, c'est une création continuée, résultant des décrets de la conscience, des intentions imageantes successives, comme un film est en lui-même juxtaposition d'images fixes.

Certes, la conscience est entourée d'« objets-fantômes » qui lui font cortège, d'êtres étranges qui échappent aux lois du monde — ces outlaws invitent à une évasion dans un anti-monde. Mais il n'y a pas de monde imaginaire, il n'y a qu'un seul monde, celui des objets : dans l'image, il s'agit de quelque chose qui est dans le monde mais qui est hors de portée de ma perception actuelle, et j'ai le pouvoir de me rapporter volontairement à un tel objet manquant. L'image, en elle-même pauvre et vide, n'est qu'un pis-aller, un substitut.

Par cette théorie du manque — l'image vient à la place, « quand je veux », d'une perception qui ne peut avoir lieu — Sartre effleure et escamote tout à la fois l'incidence du désir. Certes, il marque le caractère impérieux et enfantin de l'image, il la voit bien comme un « acte magique », une sorte d'incantation destinée à faire paraître l'objet. Ainsi, je veux être en face de Pierre, je veux croire qu'il est là. Mais Sartre ne pose pas le problème d'une perception ou d'une présence qui serait interdite, il rejette la dimension magique de l'image dans la préhistoire, il abandonne l'exigence impérieuse à l'enfance pour construire un volontarisme plus adulte. Il cherche donc à séparer l'image de son lien avec le désir pour en faire un simple spectacle, arguant que l'image de toute façon ne peut proposer au désir qu'un mirage d'un instant. Cette séparation le ramène à propos du rêve à la théorie suivant laquelle il ne comporte aucune continuité (puisqu'il n'y a pas de scénario imaginaire) ; selon lui il résulte non d'une agitation nerveuse désordonnée mais d'une série de consciences saccadées donnant l'illusion d'une succession.

Il en donne pour preuve le rêve de Mlle B. où ni le moi ni le désir ne joueraient de rôle, d'autant que la rêveuse a l'impression de feuilleter un livre : « une gravure apparaissait d'abord qui représentait un esclave aux genoux de sa maîtresse, puis cet esclave allait chercher du pus pour se guérir de la lèpre que sa maîtresse lui avait donnée ».

Pareillement, Sartre, parlant de ces taches qui, sur les murs ou sur le papier, ne représentent rien pour la perception, mais où « l'attitude imageante » fait surgir des formes significatives, en reste à une psychologie intellectualiste excluant toute participation qui ne soit pas celle du *je* : à la suite des mouvements des yeux, une « synthèse peu cohérente » s'ébauche, j'y ajoute une « hypothèse », et finalement « le savoir crée l'image ». On pourrait dire ici, il est vrai, que le travail des yeux représente subrepticement l'inconscient, « nous laissons errer nos yeux », dit Sartre, et une forme surgit — un peu comme au début de la *Recherche du Temps perdu* le mouvement des yeux correspond à la défection du *cogito* et représente pour ainsi dire le sujet dans l'acte même où il manque : « mes yeux se fermaient si vite que je n'avais pas le temps de me dire : Je m'endors »...

Par exemple, « c'est à peine si le front et l'œil ont paru, nous savons déjà que nous avons affaire à un nègre ». Mais comment le savons-nous, et que diable peut venir faire ce nègre sur la tapisserie, de quel fond de rêverie il émerge, voilà sur quoi Sartre fait silence. Pour lui, l'image ne saurait apparaître « à son gré », c'est là une conception magique, irrationnelle d'une mauvaise philosophie. Or lui-même a fort bien vu qu'ici la magie est dans les choses, et c'est l'activité du fantasme qu'il cherche à faire passer pour une métaphysique naïve.

La conscience est capacité de synthèse, si elle est fatiguée, si elle tombe de sommeil, elle en fait usage n'importe comment, elle procède à des « équivalences affectives inattendues », l'impératif catégorique apparaît comme un carosse, mais il n'y a rien à en déduire sinon qu'elle se détend, qu'elle s'amuse. Il faut reconnaître une contingence dernière, un *Ab-grund* : il y a une intention qui veut voir un visage dans une tache ou une flamme, voilà tout. La somnolence favorise cette éclosion d'images où la conscience s'abandonne à sa propre complaisance, on pourrait bien arrêter si on voulait, mais justement on ne veut pas.

D'une manière générale, Sartre s'est efforcé de purifier la psyché, de la nettoyer par le vide, comme pour être maître chez soi, pour assurer sa sécurité, non tellement contre le monde, plutôt contre cet intérieur dont il se débarasse en réfutant son existence — la conscience n'est rien et est tout entière vouée à l'extérieur. L'imaginaire est un « monde où il n'arrive rien », souligne Sartre. Et les crabes, serait-on tenté de lui demander, où les a pêchés sa conscience imageante ? Vers la trentaine,

Sartre, ayant pris de la mescaline pour compléter son étude des phénomènes imaginaires, fut victime d'hallucinations tenaces. Simone de Beauvoir raconte dans *La Force de l'Age* : « Sartre me dit d'une voix brouillée que mon appel l'arrachait à un combat contre des pieuvres où certainement il n'aurait pas eu le dessus. » Elle se mettra en colère, voyant en Sartre une « pure conscience et une radicale liberté », elle n'admettra pas qu'il devienne ainsi un « jouet de circonstances obscures », un « objet passif », et supposera une sorte de mauvaise volonté à la base de ses terreurs. Les crabes pourtant s'obstinèrent quelque temps. Et puis Sartre décida qu'il en avait assez d'être fou et leur donna congé. Les crustacés se le tinrent pour dit.

Sartre parlerait volontiers de la « part du diable ». Empruntant le mot à Gide, il désigne par là cet aspect de la situation que je n'ai pas voulu, dont je ne suis pas maître, qui m'échappe par principe, l'envers imprévisible du réel. Mais il n'apparaît qu'avec l'existence de l'autre. Sinon, en droit, rien ne m'échappe, il n'y avait rien que je n'eusse pu prévoir si j'avais été plus attentif. Sartre évoque les personnages de Kafka, à qui la vérité de leurs actes échappe constamment [1]. Resterait à savoir si le diable est autre chose que projection, ou si Kafka est simplement un écrivain réaliste, en d'autres termes, si l'autre n'est pas toujours déjà là, déjà en moi, et si je ne suis pas déjà infecté par la culpabilité. Réduire cette part du diable, c'est ce que Sartre a essayé de faire en littérature — mieux vaudrait dire ici : en prose. En effet, selon lui, la poésie est l'échec de la prose : « aucun prosateur, même le plus lucide, n'entend *tout à fait* ce qu'il veut dire [2] ». Car la prose, c'est simplement un moyen pour atteindre cette fin, la vérité qui est transcendante. L'écriture obéit ici à une conception technique de l'action, traditionnelle en Occident, et qui a l'avantage de poser le sujet en maître. Il n'y a à supposer en lui que le besoin, et le seul concept nécessaire est ensuite celui d'utilité. Le langage est pure structure extérieure, instrumentale, et la poésie se résume au refus, à la destruction de ce système de la finalité. En cassant l'instrument, elle fait apparaître un « monde d'une fraîcheur enfantine et terrible, sans points d'appui, sans chemins ». Mais rien d'autre ; tout au plus, faisant échouer délibérément la communication, la poésie suggère-t-elle obliquement l'incommunicable, celui-ci n'étant que le produit de la négation. « Les poètes sont des hommes qui refusent *d'utiliser*

1. *L'Etre et le Néant.*
2. *Qu'est-ce que la littérature ?* in *Situations II.*

le langage. Or, comme c'est dans et par le langage conçu comme
une certaine espèce d'instrument que s'opère la recherche de la
vérité, il ne faut pas s'imaginer qu'ils visent à discerner le vrai
ni à l'exposer. » Pour Sartre, la vérité est donc au bout de
la parole comme le pouvoir est au bout du fusil. Il n'envisage
pas qu'elle pourrait être précisément dans ce que le prosateur
n'entend pas de sa prose, ni que l'utilisation du langage pourrait
être, autant que recherche de la vérité, dérobade devant elle,
fuite en avant, ou enfin que le vrai peut se montrer sans qu'on
ait cherché méthodiquement à l'exposer. Et dans ce que Sartre
lui-même considérerait donc comme un échec, nous trouverons,
à la fin de *L'Imaginaire*, avec une poésie soudaine, la vérité.

L'attitude de Sartre à l'égard du langage évoque le volontarisme du Humpty-Dumpty de Lewis Caroll, déclarant que les
mots qu'il emploie signifient ce qu'il veut, exactement, ni plus
ni moins. C'est du reste une conquête de la raison et de l'anti-
physis : dans *Les Mots* Sartre décrit un rapport magique et
enfantin au langage, lui-même « à l'état de nature », où le
flottement du signifiant et du signifié suscite un « univers
fabuleux ». Justement, il faut prendre garde à ce que l'enfance
ne nous pourrisse pas dès ces premiers vocables qui s'imposent
à nous par leur sens obscur et non par leur signification pure.
La poésie s'enchante de cette matérialité magique qui prétend
agir sur notre conscience, la puissance occulte s'ajoutant à la
simple pesanteur inerte, et quant à lui Flaubert en reste là,
se laisse affecter et occuper par le langage, parce que la vérité
et l'utilité, catégories réalistes des comportements pratiques,
restent inaccessible à sa passivité. Par ressentiment, il rit aux
éclats des doubles sens involontaires, par exemple de ce vers
de Corneille sur le désir qui s'accroît quand l'effet se recule,
toujours heureux de voir l'entreprise humaine ridiculisée, attei-
gnant l'objectif inverse de celui qu'elle recherchait. Sartre
évoque ici Laïus, facilitant la tâche de son futur assassin par
les précautions qu'il prend contre lui. Mieux vaudrait donc
reconnaître les pouvoirs de l'inconscient plutôt que d'accuser
l'agent pratique de s'être laissé envahir lâchement par les choses
au lieu de les gouverner. Le producteur de cinéma qui déclare
qu'il faut prescrire la pornographie, le médecin adversaire de
l'avortement qui en appelle au serment d'Hypocrite, le dirigeant
communiste français qui assure que la politique de son parti
ne se discute qu'à Moscou, ne prétendaient se servir du langage
qu'à des fins pratiques, la vérité pourtant les a pris de court.

Le renversement du passif en actif est coûteux, puisqu'il
suppose la négation du courant primitif : en conséquence il
ne peut se porter lui-même dans l'être que comme négation.

Et, dépense à fonds perdu, *l'activité imaginaire* est singulièrement exténuante... Au lieu de s'enrichir, le sujet s'appauvrit,
en quoi l'écrivain est un exploité, reste à savoir par qui. C'est le
prix de la liberté, du refus de la cause. L'image, ou, pour mieux
suivre Sartre, l'objet irréel que se donne la conscience imageante, est exclusivement un effet, on l'a vu. Objectera-t-on que
la représentation d'un objet dégoûtant peut provoquer la nausée
et même le vomissement, ou des images voluptueuses l'érection
du pénis ? Sartre répond que j'avais déjà choisi, que ce ne sont
là que des occasions, qu'un dégoût ou un désir diffus se
projettent et prennent conscience d'eux-mêmes illusoirement
dans le transcendant : j'attribue à l'objet un pouvoir qui est
le mien [1]. « L'irréel reçoit toujours et ne donne jamais », il est
absolument passif, je suis absolument actif. J'ai décidé d'avoir
la nausée, je constitue intentionnellement un monde vomitif.
Pareillement, le « membre inobédient et tyrannique » dont
parle Montaigne ne met pas en cause ma maîtrise. Ces deux
exemples méritent d'être considérés pour eux-mêmes, ainsi que
leur juxtaposition. Cette nausée qui se fait elle-même, ce parti-
pris du dégoût, on sait son importance chez Sartre. La tension
qu'il décrit ressemble d'autre part à l'érection : elle s'épuise à
se gonfler, elle s'enfle d'elle-même, « de là une dépense nerveuse
considérable ». Ou encore, « elle se soutient elle-même par une
sorte d'auto-création continuée, par une sorte de tension sans
repos, elle ne saurait se laisser aller sans s'évanouir avec son
objet ».

Une telle ascèse convient de toute façon au personnage sartrien (entendons par là Sartre lui-même, ses héros, ceux dont
il a parlé, voire le pour-soi), qui toujours refuse de se laisser
aller. Par exemple, Roquentin trouve répugnant l'abandon du
réel, à ses yeux passivité, féminité : « Toutes choses, doucement,
tendrement, se laissaient aller à l'existence comme ces femmes
lasses qui s'abandonnent au rire et disent : « C'est bon de
rire » d'une voix mouillée, elles se faisaient l'abjecte confidence
de leur existence. Je compris qu'il n'y avait pas de milieu
entre l'inexistence et cette abondance pâmée. Si l'on existait,
il fallait exister jusque-là, jusqu'à la moisissure, à la boursouflure, à l'obscénité. Dans un autre monde, les cercles, les
airs de musique gardent leurs lignes pures et rigides.. » Serait-ce
donc pas pour échapper à cette féminité de l'existence qu'il
faut se réfugier dans l'imaginaire qui en quelque sorte *inexiste ?*
Ou encore, Mathieu fait la confidence de cette sorte d'infir-

---

1. Dans *L'Idiot de la Famille,* Sartre modifie sensiblement sa position,
considérant le phénomène comme « circulaire ».

mité, d'impuissance par excès de contrôle à ses jeunes amis dont il envie l'aisance, la spontanéité, lui qui s'est constitué une spontanéité négative, comme professionnel de la réflexion [1].

« L'existence en image est un mode d'être fort difficile à saisir. Il y faut de la contention d'esprit [2]. » La question est en effet de se saisir de l'image pour ne pas être dessaisi par elle, de la posséder pour n'en être pas possédé. Et Sartre dit dans *Les Mots* qu'il a écrit ses livres en partie contre lui, « dans une contention d'esprit qui a fini par devenir une hypertension » de ses artères. Rapprochement artificiel ? Mais la création littéraire qui a occupé sa vie est bien, en tout cas selon lui, rapport à l'imaginaire, à l'absence, au négatif, qui s'est finalement inscrit dans le corps, à tel point que la mort elle-même se dépouille de son extériorité, n'est plus absolument passive, devient une conséquence de l'activité plus qu'un fait de nature. Toutefois, cette activité *pure* que Sartre a voulu réfléchir et pratiquer n'en est pas moins contrainte, précisément, à être activité pure, comme la conscience ne peut cesser d'être conscience, doit à chaque instant se faire, se tirer du néant. Sans appui dans l'être, privée d'objet réel, elle est vertige, déterminée par le vide, et habitée par lui, la négation de la cause exerçant une sorte de causalité. Il n'y a d'imagination que du manque et celui-ci est la seule récompense possible pour l'activité imaginaire. Le créateur ne peut être que le démiurge négatif, forgeant ces apparences et ces simulacres qui nourrissent la vie de l'esprit. Ainsi, le corrélatif de l'objet manquant est le vide intérieur, comparable à la colonne du néant dans l'être qui est une des images favorites de Sartre, qu'on trouve par exemple dans la description d'une expérience d'enfance. Lors d'une réunion, le grand-père a laissé tomber ces mots : « Il y a quelqu'un qui manque ici, c'est Simonnot. » Effet de cette parole miraculeuse, les invités se volatilisent, « au centre d'un anneau tumultueux, je vis une colonne : M. Simonnot lui-même, absent en chair et en os... Dans cette salle bondée, le vide s'était enfoncé comme un couteau ». Image aussi qui peut prendre une coloration sexuelle, comme quand à propos de Genet Sartre parle d'un « vide fier et dressé », de la « voix mâle, colonne d'air, verge debout », de la « colonne d'air qui se dresse et devient mot », etc.

1. « J'ai horreur d'être saoul, expliqua-t-il avec humilité, je bois mais je refuse l'ivresse de tout mon corps.
— Pour ça, vous êtes entêté, dit Boris, avec admiration...
— Je ne suis pas entêté, je suis tendu : je ne sais pas me laisser aller. Il faut toujours que je pense sur ce qui m'arrive, c'est une défense. » *L'Age de Raison.*
2. *L'Imagination.*

— ce qui au demeurant est faire apparaître le phallus lui-même comme néant. En tout cas, sous la relation apparente de l'être à l'être, se découvre celle d'un non-être à un autre, du vide intérieur au manque dans le monde, et par deux fois l'image fait défaut, se donnant là-bas comme néant, en moi comme absence d'une consistance rassurante.

C'est dire que ce vide est souffert. Sartre décrit la souffrance du psychasthénique comme foncièrement imaginaire, « il crie pour faire venir la douleur, il gesticule pour qu'elle vienne habiter son corps. En vain : rien ne vient combler cette exaspérante impression de vide qui constitue la raison même et la nature profonde de sa crise » [1]. Toutefois, Sartre a par ailleurs donné de la douleur réelle une description approchante, pour autant qu'elle est hantée par son propre être irréalisable, avec lequel la coïncidence serait évanouissement. La douleur ne se distingue pas de l'effort pour l'objectiver, la réaliser, l'incarner. Elle n'est pas « une plénitude qui jouirait atrocement d'elle-même, c'est d'abord un manque [2] ». Quoi qu'il en soit, ce vide à lui seul impose déjà une souffrance. Sartre dit même que la souffrance de Baudelaire est de ne pas croire tout à fait à sa souffrance, pas plus qu'à ses voluptés grinçantes. Ses sentiments « ont une sorte de vide intérieur, il tente par une frénésie perpétuelle, par une extraordinaire nervosité, de compenser leur insuffisance ». Mais ce vide intérieur est lié à l'Autre : « Si, pour vous-même, vous êtes déjà l'Autre, si vous souffrez d'une absence perpétuelle au cœur de vous-même, alors... cet autre ne sera plus jamais absent que vous n'êtes [3]. »

Mais l'image est aussi jouissance, narcissique ou onaniste. Sartre commente en ce sens le voyeurisme de Baudelaire et les pratiques masturbatoires de Genet. A ce dernier convient très bien cette jouissance minée par le négatif, l'interdiction du réel. « Le voilà revenu à vouloir l'impossible. Cette tension contradictoire l'enchante : sa perversité aime à se crisper sur du vide ; il sait que l'image est néant, il n'a garde de l'oublier. » Mais ce négatif, Genet s'acharne à le maintenir jusque dans l'acte sexuel, « il mettait son orgueil à soutenir, au prix d'une tension inouïe, un faux plaisir, à jouir fictivement ; cette priorité de l'Autre sur le même et de l'imaginaire sur le réel, c'était, au cœur de l'acte sexuel, le triomphe de l'antiphysis et du Mal. Curieusement, l'artificialisme et l'esthétisme de Genet lui ont donné une très chrétienne horreur de la chair, de la matière ». Ce n'est pas vraiment curieux, son horreur de la chair explique

1. *L'Imaginaire.*
2. *Saint Genet.*
3. *Saint Genet.*

son artificialisme, ce refus est inhérent à la tension dont
parlons. Baudelaire aussi a choisi de n'être pas nature, d'êt
ce refus perpétuel et crispé, cette tête qui se dresse hors
de l'eau, qui se raidit, regarde monter le flot avec un mélange
de dédain et d'effroi. Encore un qui « de l'aube au soir ne
connaît pas une seconde de laisser-aller ».

Mais enfin, la réalité de l'écrivain, c'est d'être un travailleur
de l'imaginaire, ainsi Flaubert qui se fait le « Seigneur de
l'irréel » parce que la réalité appartient aux ayants-droit, qui
s'exile dans ce royaume noir, espérant transformer sa défaite
en victoire par la valorisation du non-être. C'est là un labeur
exténuant, et Sartre ne nous cache pas que pour sa part, il
écrit à la sueur de son front. L'inspiration, ce douteux abandon
à l'Autre, cette démission du sujet qui se fait l'instrument du
langage au lieu de l'utiliser comme le prescrit la raison, il ne
veut pas en entendre parler, il ne l'aura connue que vers sa
septième année, quand il racontait des histoires de savants
cherchant en Amazonie des papillons merveilleux en compagnie
de leurs filles, histoires d'ailleurs plus ou moins empruntées.
Sartre récuse cette écriture aliénée où ce qui vous vient sous
la plume se donne à lire comme le message d'une pensée
étrangère.

D'où la tension d'un rapport à l'imaginaire qui est tout
volontaire, tension aussi d'une conscience qui soutient le néant
de l'objet par ses seules forces. Citons Sartre à propos de
Flaubert : « C'est par une tension constante qu'il peut maintenir
la fiction contre l'omniprésente et protéenne réalité », et ailleurs
encore : « L'écrivain se trouve au prix d'une insoutenable
tension à la frontière de l'image et de la réalité. » Mais
pourquoi donc est-il si attaché à l'imaginaire ? Il faut bien que
celui-ci d'une certaine manière soit sa jouissance. Celle-ci du
reste accepte en elle la contradiction, comme on l'a vu à
propos de Genet, pour qui l'image est un schème masturba-
toire. Mais il ne faudrait pas incriminer la seule perversité
de Genet : à propos de Flaubert, Sartre établit clairement qu'il
est dans la nature de l'image d'être « médiation diaphane entre
le masturbateur et le masturbé ».

L'imaginaire, en fait, est rapport à l'Autre. Le théâtre narcissique de la présence à soi annonce autrui, ou le remémore. Et
s'irréaliser, d'autre part, c'est vouloir se faire réaliser par l'Autre,
comme l'acteur. Pour sauver notre vie de son inconsistance subjective, nous cherchons à la redoubler d'une existence également
imaginaire en autrui : la gloire est cette multiplication du néant
par lui-même. Etant une image pour l'Autre, je me soucie de cette
image, c'est le point de départ de toute une entreprise pour *se*

décrite notamment à propos de Baudelaire, er comme son œuvre l'image que les autres fin d'être sa propre cause, de faire coïncider e. Tel paraît être un des motifs les plus sérieux re. Dans l'écriture, il y a l'idée d'être son lec- de se voir ou de se lire avec ses yeux, donc férence de la situation de regard, de refermer l'éca. a la fois ici et là-bas.

Mais, on a constaté, l'imaginaire s'est sexualisé, cette diffé-rence est aussi bien sexuelle. Ce désir de se posséder, c'est celui d'être l'homme et la femme tout ensemble, de s'accoupler à soi. Flaubert espère ainsi coïncider dans l'orgasme avec son être objectif, dit Sartre, mais on pourrait aussi bien dire que la coïncidence avec soi est l'orgasme. Nous touchons ici à la dimension secrète du fantasme ontologique de l'en-soi-pour-soi, du sujet-objet. Le pour-soi veut être Dieu, explique *L'Etre et le Néant*, mais il veut également être l'Androgyne. Et ce fantasme même déborde la sexualité, il s'agit d'être son père et sa mère, de s'enfanter, de tout reprendre en soi.

La psyché, qui était vide, devient un théâtre où la scène primitive se joue à guichets fermés. Intérieurement, le sujet est donc un couple, c'est-à-dire que continue indéfiniment en lui le conflit né de la scène primitive entre les deux identifi-cations. Dans le cas de Flaubert, Sartre impute cette ambiguïté à la mère, « mâle par imposture, femme par trahison » — il est intéressant de voir situées sur le plan sexuel ces deux notions essentielles.

D'une manière que la phénoménologie ne pouvait laisser pré-voir, l'imaginaire devient le lieu d'une dialectique du sexe : il s'agit de jouer les deux rôles ou de les intervertir. L'imagi-naire par excellence, pour Flaubert par exemple, c'est la femme, cette femme qu'il n'est pas dans sa réalité littérale mais qui est en lui du même coup comme rêve et comme illusion. S'irréaliser, c'est avant tout coïncider avec elle. Et voilà ce qui fait la tension de l'auteur de *Madame Bovary* : se saisir « dans la même aperception sexuelle comme chasseur et comme proie, cela ne peut se concevoir que dans une extrême tension irréalisante », « cette image instable et fugace, au prix d'une tension éreintante, peut durer le temps d'une masturbation ».

Finalement, le secret de l'imaginaire est la relation inces-tueuse : « Et s'il vise le vécu en sa sœur comme son propre vécu, ce sera *comme image* au prix d'une tension presque insou-tenable, en constituant le corps de sa sœur et ses mimiques comme analogon de sa propre subjectivité. » Telle est la *chère image* à laquelle la conscience tient autant qu'à elle-même et qu'elle s'acharne à maintenir en soi. La tension, elle ne tient pas seulement à cet incroyable rapport sexuel de soi à soi, constitutif d'une subjectivité véritablement absolue, elle tient d'abord du refus de la relation, c'est-à-dire de la séparation : l'image est la contre-partie de la différence ; ou encore la moitié de l'être à laquelle j'ai dû renoncer subsiste négativement comme mon reflet intérieur.

Sur le plan de l'imaginaire, nous sommes arrivés au terme de la crise de l'identification. Un mot encore. On a vu avec Flaubert que l'écrivain était un individu singulier qui ne parvenait pas à coïncider avec son être-de-classe, qui se trouvait par une étrange infirmité personnelle débouté de la série. Il ne peut y avoir d'écrivains, pense-t-on volontiers en cette seconde moitié du XIXᵉ siècle, que parmi les « déchets de la société ». Ce drame de l'identification, on pourrait le retrouver à notre époque, et reconnaître ses héros dans ces jeunes bourgeois révoltés qui se sont définis comme « maoïstes » et qui se sont par prédilection identifiés aux travailleurs immigrés, parce que ceux-ci sont complètement hors du circuit de la justification, hors du jeu de miroirs social dans lequel la société dite de consommation a introduit les anciens prolétaires. Toujours est-il qu'il se joue sur la scène de la sexualité, épreuve cruciale de *l'être*. Dans le même contexte [1], Sartre dit que la littérature est féminine, que l'artiste est un homme féminin qui répugne à la rude praxis du bourgeois, conquérant les marchés et les continents. Mais cela impliquerait, et l'on y reviendra pour finir, que l'on réexamine les mérites respectifs de la « praxis » et de la « passivité ».

⁎⁎⁎

Sartre distingue roidement entre le réel et l'imaginaire. Si l'on s'en tient strictement à la formulation philosophique, il faut lui reconnaître le mérite d'avoir élaboré un véritable réalisme de l'imaginaire, tout en opérant une séparation radicale : il n'y a que la conscience et la chose, qui sont en quelque sorte le pôle positif et le pôle négatif de la réalité, et l'image n'est qu'un certain rapport entre elles, absolument incompatible avec le rapport réalisant de la perception. Pourtant, Sartre reconnaît bien une oscillation du côté du sujet pour autant que ce que nous sommes, nous jouons à l'être. D'autre part, il écrit que dès que l'homme appréhende la chose, il « la dépasse vers ce par rapport à quoi elle est un manque, un vide » : la situation suppose la néantisation, sans laquelle, pour reprendre ses expressions, la conscience serait « enlisée dans le réel »,

1. *L'Idiot de la Famille*, tome III, « La Névrose objective ».

« embourbée dans le monde », « engluée dans l'existant » — la virtualité de l'imaginaire semble donc inséparable de la liberté, et on devrait la reconnaître comme une atmosphère permanente, un sens implicite du réel, une dimension intrinsèque de la perception.

On peut trouver des raisons à ce refus dans ses répugnances personnelles, par exemple le danger d'inertie, c'est pourquoi Sartre tient à affirmer que l'imaginaire n'est que ce que je le fais, afin d'exclure l'hypothèse qu'il soit *le mort*. En outre, il le considère comme un échec, la conséquence du malheur, ainsi qu'il l'explique à propos de Flaubert : le pauvre garçon a été irréalisé. Quant à lui, son enfance aussi l'a établi dans l'imaginaire et l'en a blasé. Etant un de ses professionnels, c'est la réalité qui pour lui est autre et prestigieuse : elle est *son imaginaire*, l'objet de son désir, comme la rue animée que l'enfant trop sage gardé par sa mère, séquestré, regarde à travers les rideaux. Quand le petit Gustave organise des représentations théâtrales, ce que Sartre juge positif, c'est que par un détour il réintègre le monde solide de la praxis : « il tape pour de vrai sur de vrais clous qui s'enfoncent dans de vraies planches. » A la limite, ce qui fascinerait Sartre dans le monde du théâtre, ce sont ces « zones de réalité » où s'affairent des ouvriers indifférents à l'illusion comique, exécutant comme ils le feraient ailleurs des tâches manuelles et salariées[1]. Ah ! être le machi-niste ! soupirerait-il pour un peu, comme le fils du comte de Clérambard, dans la pièce de Marcel Aymé, harassé de soutenir les obligations du rang, exhale cette secrète aspiration : « Ah ! être l'employé du gaz ! » — en fait, il est probable qu'existe en Sartre la même ambivalence que chez Kean, qui veut abandonner la scène pour devenir marchand de fromage, qui professe l'incontestable supériorité du réel sur l'imaginaire, mais n'en reste pas moins convaincu que la nature est une mauvaise copie de l'art.

Le rêve n'est pas seulement le remède à l'impuissance de la praxis, ce que Sartre retient de Freud, comme il fait sienne l'illusion de réalisation totale qui s'exprime dans la phrase de Nizan ; le monde, comme l'a dit Lacan, est suspendu au rêve du monde. Et les objets émergent difficilement de la brume des fantasmes[2]. La perception selon Sartre pose un problème de

---

1. En fait, les ouvriers du théâtre lui sont en général très attachés et le quittent difficilement.
2. Dans son scénario *l'Engrenage*, Sartre avait prévu que certains personnages apparaîtraient dans le film tels qu'ils étaient vus par d'autres. Ainsi telle héroïne aux yeux de sa rivale a des manières provo-cantes de femme fatale, qui ne sont qu'une accentuation, une ponctua-tion personnelle du texte perceptif.

principe : rencontre-t-elle son objet, ou le pose-t-elle comme existant ? Mais quoi qu'il en soit, cette perception suppose un monde déjà construit, déjà représenté ; comme il le dit lui-même, elle est observation — « dans la perception, *j'observe* les objets[1] ». Par une réflexion immédiate, Sartre décrit la perception en l'inventoriant : en ce moment, je vois ma table de travail, la feuille sur laquelle j'écris, la pipe dans le cendrier. La perception paraît donc être le thème d'énoncés pleinement explicites, qui définissent en l'occurrence la conscience. Mais il s'agit d'une fausse évidence, d'abord parce qu'elle récapitule un passé dont elle ne livre que le résultat. Une telle attitude, d'ailleurs, est rare et particulière, à la limite elle n'est que la perception dont parle le philosophe, telle qu'il la réfléchit, quand il l'observe elle-même. Cette actualité dans laquelle la conscience semble s'épuiser dépend d'un système de conventions, la réalité que je crois rencontrer comme pure existence en soi est en vérité instituée. Pour le dire autrement, l'attitude réalisante ne m'engage pas dans un monde inexploré où j'installerai des repères comme l'armée en campagne trace des routes et déploie des ponts. Je m'appuie à un passé qui ne me quitte pas plus que ma solitude, des niveaux, des signes et des structures sont déjà en place, qui donnent à ma perception le sens d'un retour ; aussi bien la rencontre d'un ami ne s'accompagne pas d'une évocation laborieuse de souvenirs. La phénoménologie de Merleau-Ponty, qui s'attache à retracer cette historicité, n'oppose pas le réel à l'imaginaire, mais l'objectif au constitutif, elle cherche à pénétrer dans l'épaisseur de la perception, dans sa mémoire. Suspendre comme le fait Cézanne par exemple le monde de la perception pragmatique, de l'ustensilité, ce n'est pas dissoudre le réel dans l'imaginaire, c'est revenir à une vérité archaïque et toujours présente en profondeur, à cette origine qui voit les choses se détacher de la vibration des apparences. Ces choses-là, comme les objets irréels, elles n'obéissent pas au principe d'individuation ; fuyantes, ambiguës, supportant des rapports incompossibles, à la fois elles-mêmes et autre chose, elles ressemblent beaucoup à ces images dont Sartre dit qu'elles ne sont pas des sensibles mais des quasi-sensibles parce qu'elles ne comportent pas un point de vue unique sur l'objet. Pour Merleau-Ponty justement, le sensible exclut l'unicité du point de vue, c'est ce qui permet la genèse d'autrui[2].

Sartre compare les images et les dessins des enfants, il remarque que les unes et les autres visent l'objet globalement.

1. *L'Imaginaire.*
2. Cf. *Le Visible et l'Invisible.*

Le dessin de l'enfant, en effet, ne répond pas à ce que nous appelons perception, mais le qualifier d'imaginaire serait faux pour autant qu'il est antérieur à une telle distinction. L'enfant cherche à restituer la présence réelle de la chose, ou la chose comme situation vécue, alors que l'adulte, qui s'en est éloigné, en reproduit une vue perspective qui introduit davantage d'absence ou de négativité. Le dessin enfantin, dit Merleau-Ponty, est un « compte rendu affectif » : pourquoi le qualifierait-on d'imaginaire, sous prétexte que pour l'enfant les objets ont avant tout les caractères affectifs ?

Il faut donc découvrir la « texture imaginaire du monde perçu ». Ce rouge-ci, par exemple [1], ce n'est pas le *ceci* de Hegel, qui n'est rien d'autre en soi que l'universel vide, qui n'est pas plus ceci que cela, ce n'est pas non plus un donné opaque dont il n'y aurait rien à dire, on doit lui reconnaître une dignité historique, de document, de monument ou de fossile, aussi bien qu'un mot, qui peut paraître dans la phrase actuelle uniquement réduit à sa valeur d'emploi, plus ou moins conforme à sa signification lexicale, entretient une foule de communications secrètes en ce qu'il condense une suite d'expériences et d'émotions. Les choses se déclinent, la perception les saisit dans leur cas actuel, mais comme dans le langage il faut compter avec la présence virtuelle d'un paradigme, qui associe à l'occasion de ce rouge les femmes et les avocats généraux, la révolution et les gardes-barrières. Le travail de l'écrivain consiste justement à mettre au jour les schèmes enfouis, c'est ainsi qu'il exhume Combray comme l'archéologue Pompéï.

Sartre reconnaît que la perception s'accompagne d'intentions « vides » et que l'attitude réalisante est entourée d'un halo d'intentions « non-effectuées ». La perception à l'état libre n'est pas observation mais recherche, j'interroge le perçu, et inversement il me donne toujours les mêmes énigmes à résoudre, qui bien sûr ne se présentent pas à la manière de la figure se détachant sur le fond, mais qui font bloc avec le perçu dans la mesure où lui-même est pris dans le temps. On pourrait dire que la figure est un *écran*, au sens du souvenir-écran. Cela signifie qu'il faut comprendre avec Freud et Proust qu'il y a du plus dur que le temps, ou que le temps personnel comme l'histoire comporte des institutions, des mythes, des monuments. Ainsi toute perception se fait sous l'égide d'*imagos*, en fonction d'un ordre du jour de l'inconscient.

Comme il y a un travail, du rêve, il y a un travail de la perception. Proust raconte ses promenades à la recherche de la

1. *Ibid.*

duchesse de Guermantes, ses matinées de déception, quand
soudain, vers midi, du fond d'une boutique de crémier, venait
le frapper comme un éclair le regard bleu de la belle Oriane,
alors que sa silhouette, son visage même, demeuraient dans la
confusion, l'indéterminé. Ce travail comporte aussi la censure
et le déplacement : « Absorbé dans ma déception, regardant
sans la voir une voiture qui s'éloignait, je comprenais tout
d'un coup que le mouvement de tête qu'une dame avait fait
de la portière était pour moi, et que cette dame, dont les traits
dénoués et pâles ou au contraire tendus et vifs, composaient
sous un chapeau rond ou au bas d'une haute aigrette, le visage
d'une étrangère que j'avais cru ne pas reconnaître, était Mme de
Guermantes par qui je m'étais laissé saluer sans même lui
répondre. » [1]

Le travail fondamental de la perception, qui va tellement de
soi que d'ordinaire nous ne lui prêtons pas la moindre attention,
c'est le passage permanent et constitutif du quelque chose indéterminé à l'objet défini, cet acte d'identification qui nous
ramène en un instant au réel institué, mais non sans traverser
des zones étranges et dangereuses, où l'on ne pourrait s'attarder
sans connaître une sorte de stupeur, parce que le même et
l'autre y entretiennent des rapports encore sauvages qui brouillent toutes les conventions du temps et de l'espace. Sartre
lui-même parle de cette « mise au point » que la conscience
doit faire sur l'objet à partir du matériel fourni par la sensation
et emprunte aussi un exemple à Proust, où l'on voit la perception de la *pluie* résulter de tâtonnements dans les réminiscences
et les métaphores, émerger d'un crépitement et d'un rythme qui
suggèrent d'autres interprétations, renvoient à d'autres expériences. La conscience qui rêve, Sartre le rappelle avec raison,
est privée de la faculté de percevoir, mais la conscience percep-
tive, elle, conserve souterrainement son pouvoir de rêver. Alain
n'avait donc pas si tort de dire : « Percevoir, c'est rêver et se
réveiller aussitôt. » Il faut admettre que la frontière entre la
veille et le rêve est effectivement conventionnelle et perméable
que la perception est une conquête réitérée sur le rêve. C'est
ainsi que l'expression est déjà préparée dans la perception et
qu'inversement la métaphore réveille le monde perçu, parce que,
comme le dit Merleau-Ponty, la perception déjà *stylise*.

On ne peut l'atteindre, cet imaginaire-là, par l'acte réflexif
de la conscience, produisant devant soi des images à volonté
quitte à constater leur pauvreté. Il est clair que la théorie
sartrienne ne peut expliquer un imaginaire opérant comme

1. *Le Côté de Guermantes*, I.

celui du mythe par exemple. Sartre, s'il lui reproche de se complaire à une telle dégradation du phénomène collectif — alors qu'il y a des groupes en fusion —, ne conteste pas à Flaubert que la cérémonie de la messe soit en elle-même inerte, célèbre le triomphe du mécanique sur le vivant, la revanche de la chose sur l'homme. Sartre en effet ne conçoit que des actions transitives, ou même il n'y en a pour lui qu'une qui soit la norme : *mens agitat molem*, l'esprit constitue la matière — mais cette relation peut s'invertir, se pervertir, de telle manière que la matière agite l'esprit. Autrement dit, Sartre s'en tient au schème aristotélicien, du reste éminemment sexuel, de l'acte et de la matière. Ainsi, la lecture est la transformation d'une chose en idée, répondant à une première traduction en sens inverse, l'idée-chose pénètre dans le lecteur avec les risques que l'on connaît, le crible de milliers de « petits éclats noirs ».

N'y aurait-il pas une vie des signes antérieure aux opérations de la subjectivité, au niveau du corps, par exemple, dont Merleau-Ponty faisait un « organe à être vu » ? De même, le social ne peut être réduit au « pratico-inerte » dès lors qu'une intentionalité vivace ne l'anime plus, il n'a pas sombré dans la matière parce qu'il s'épuise dans ces échanges de signes qui se font comme si la relation était elle-même productrice, et qui expliquent, dans la mondanité ou la politique, les phénomènes de confiance, de reconnaissance, de pouvoir. On aurait alors le soulagement de penser que la littérature n'est pas nécessairement l'opération d'un écrivain-vampire qui vole sa liberté au lecteur et lui substitue la sienne comme un destin extérieur, parce qu'on aurait admis la possibilité d'une rencontre dans un milieu commun dont nous participerions également, et grâce auquel nous pourrions échanger nos rêves avant que nos consciences nous opposent.

II

PERE : NEANT

Sartre commente un roman de Genet, *Pompes funèbres*, qui raconte l'amour d'un vivant pour un mort, dont le motif fondamental est donc celui du vide. Puisque leur objet *n'est plus*, les sentiments versent dans l'imaginaire, mais sont-ils si différents que ceux que Genet porte d'ordinaire à ses fantômes, intermédiaires inconsistants entre Narcisse et lui-même ? « Dans l'onanisme, dans le deuil, c'est le *néant, son* propre néant qui l'attire », et aussi « l'effort pour soutenir à l'être un objet qui n'est plus ou qui n'a jamais été qu'une apparence ». Dans le deuil, ajoute Sartre, Genet « discerne le Mal, non pas seulement parce qu'il souffre : à cause de ce je ne sais quoi de suspect qu'ont les sentiments qu'on porte à un mort ». Enfin, Genet est une sorte d'infirme qui ne peut communiquer avec les autres que « s'ils font preuve de cette docilité, de cette inertie qui caractérisent les fantasmes et les morts ».

Bref, ce texte consacré à Genet met en relation l'imaginaire et la mort. L'objet du désir est mort, tel est le secret de la jouissance de l'imaginaire, qui peut se particulariser comme onanisme. Sartre a bien souvent parlé de la transcendance du réel, et de la conscience qui se transcende vers cela même qui lui est radicalement extérieur, mais nous rencontrons ici le cas d'une « transcendance fausse », qui peut aussi apparaître comme une protection. Le vivant, dit Sartre, et aussi bien le réel, est un « centre de références absolu », un « foyer d'indétermination aux réactions imprévisibles » qui lui « vole son être ». Tandis qu'à l'égard du mort, je puis me targuer d'être le maître — maîtrise en fait illusoire, comme celle qui s'exerce sur l'image, proprement imaginaire : la vérité première est que je suis au pouvoir du mort, et le renversement dialectique n'est

qu'une satisfaction d'amour-propre, je reste emprisonné dans
cette relation. Le mort me regarde, me surveille, naturellement
je ne puis m'adresser à lui, pour lui dire de regarder ailleurs,
encore une fois c'est la non-réciprocité. « Figé dans l'inertie,
l'amour que Jean lui portait devient la sentence sans appel de
l'Au-delà de l'Etre, le sens caché du réel, le dessous des cartes. »
Revoilà cette inertie que Sartre essaie d'exorciser tout comme la
passivité. L'inerte, avant tout, c'est le mort — mais il est
turbulent à sa manière... Si Sartre suggère notre ambivalence
envers le mort, on peut noter la sienne à l'égard de l'inerte,
qui apparaît ici comme caractéristique de l'objet imaginaire, du
fantasme. Enfin, le lien du narcissisme et de la mort est explicite, et se profile le désir d'être mort, dans ce mouvement venu
de ce qui est à la fois l'objet et le manque — relation à
l'abîme, vertige, attirance de « son propre néant ».

Il y a donc une efficace du néant, et la vieille notion
d'âme se maintient dans son acception magique, animiste :
l'âme de Jean, c'est « la lumière du jour, l'air du temps, c'est
finalement *le regard des autres* qui enveloppe Genet où qu'il
aille et lui rappelle sans cesse qu'*il est un Autre* ». L'être du
mort se confond avec celui-là même du monde, et dans « ce
milieu invisible, incompressible, conscient et douloureux, Genet
va pouvoir se livrer à son péché favori : des yeux morts le
regardent trahir, faire l'amour... » Faire l'amour et trahir sont
ici une seule et même chose, faire l'amour est trahir le mort.
Car il n'est pas tellement mort, tant qu'on ne l'a pas tué en
soi-même. Les morts, dit Sartre dans *L'Etre et le Néant*,
n'ont d'autre chance de survie que les vivants, « les morts qui
n'ont pu être sauvés et transportés à bord du passé concret
d'un survivant, ils ne sont pas *passés*, mais, eux et leurs passés,
ils sont anéantis ». Mais on pourrait aussi bien dire que les
vivants ont l'obligation d'héberger les morts, et s'en trouvent
occupés... *Et nunc manet in te.* Je suis responsable des morts,
dit encore *L'Etre et le Néant*, de telle manière que le rapport
du père au fils se renverse : quand il s'agit des morts qui
nous sont proches, nous décidons nécessairement du sort de
leurs entreprises, « cela est manifeste lorsqu'il s'agit du fils
qui reprend l'entreprise de son père ou du disciple qui reprend
l'école et les doctrines du maître ». L'image est un pont
jeté vers l'au-delà, mais inversement les morts prennent position
dans nos mondes imaginaires.

Etre mort n'est pas seulement, n'est pas d'abord être objet.
Le scénario de Sartre, *Les Jeux sont faits*, affirme une thèse
plus profonde que celle de la philosophie. Etre mort, c'est
être un invisible voyeur. Voir, précisément, c'est n'exercer

aucun effet *réel* sur l'objet. Bref, les morts regardent sans être vus. Ils sont parmi nous, mais précisément ils échappent à cette loi de notre vie qui veut qu'on soit sujet ou objet, sujet et objet. Ils ne sont pas devenus objets, c'est plutôt qu'ils ont perdu la faculté de se révéler comme sujets, c'est-à-dire de se faire voir... Cette présence des morts parmi nous, *Les Mouches* tâchent de la faire apparaître comme une mystification, mais Egisthe qui en est le maître d'œuvre y croit lui-même, et c'est pour échapper à une hantise permanente qu'il a fixé à leur manifestation un jour déterminé dans le calendrier. Alors, c'est cette fête macabre où chacun est en proie à ses morts, à leurs griefs ineffaçables, la Mort apparaît comme la Justice, et c'est en vain qu'on répète la même imploration : « Pardonnez-nous de vivre... », la vie étant le manquement à la loi, étant faute inexpiable pour ces juges dont le « compte s'est arrêté ». Et pour le coup, sans le voir, on est sensible au regard des morts : « Ils nous voient, ils nous voient, nous sommes nus devant l'assemblée des morts... Il vous brûle, ce regard invisible et pur, plus inaltérable qu'un souvenir de regard. »

Le regard de l'Autre, c'est d'abord celui-là, et c'est pourquoi Sartre précise bien qu'il n'est nullement équivalent à la convergence actuelle de deux yeux sur moi, que l'épreuve du regard n'est pas conditionnée par la présence empirique de l'autre comme corps, bien au contraire. Je ne suis pas regardé, je suis noyé dans l'élément du regard, comme je suis dans l'atmosphère du monde, dans la lumière du jour : il est l'ambiance de mes actes, ou encore une condition de possibilité de mon expérience. C'est dire que l'Autre n'est que fort mal enfermé dans l'image que je me fais de lui et dont je me prétends le libre artisan. Mais la vérité de l'Autre, dit bien Sartre, c'est qu'il est être réel « existant par-delà le monde ». L'existence de l'autre comme mort est peut-être le sens du monde, — le sens, sinon la signification — et la question qui serait à poser alors, par exemple devant le jardin public, qui dans un passage de *La Nausée* semble parler à Roquentin, ne serait pas : qu'est-ce que cela veut dire ? mais : que veut-il dire ?

« Jean *qui n'est plus* est en tout l'Absence de Tout. Après sa mort, l'être est aussi plein qu'avant : rien n'y manque jamais, il est tout ce qu'il peut être. Mais la réalité a beau se manifester aux vivants dans sa haute et profonde plénitude, reste qu'elle eût révélé à Jean d'autres aspects d'elle-même... Au cœur de la rue populeuse, du ciel bleu et de la plénitude de l'Etre, s'ouvre une insaisissable privation : voilà l'autre monde... » Comme il y a une âme, il y a un autre monde, l'être est doublé par un au-delà imaginaire.

Nous apercevons à travers tout cela la signification affective de l'intuition du néant, et il est clair que l'expérience nous advient sur le mode d'une quasi-perception, perception de l'absence qui n'est pas imagination. Dans *L'Etre et le Néant*, Sartre soutient que c'est par moi que l'absence existe, que c'est moi qui lui donne son sens. S'il est vrai qu'elle n'existe que pour moi, au point qu'elle est en quelque sorte mon héritage, mon lot, il semble plutôt que ce soit elle qui me constitue, qui est le vrai transcendantal. Sartre essaie de maintenir son point de vue en écrivant par exemple : « La seule existence que Genet permette à son mort, c'est celle de *l'apparence* », et ajoute qu'il « s'enorgueillit de soutenir ce fantôme par une création continuée ». Il s'agit bien ici de la vanité du *moi*, toujours mal placée. La vérité, c'est que son mort impose à Genet de le subir toujours, car on se débarasse plus difficilement d'une apparence que d'une réalité, et c'est ce fantôme qui exige de lui une attention de tous les instants, une tension exténuante, quasi-insoutenable, bien pire que tous les efforts réels qui ont leur limite dans l'être objectif. C'est moi qui soutiens à l'être l'image, l'apparence — qui sont celles du mort — oui, mais ce faisant je ne fais que leur obéir. « Genet pour ce regard mort prend des poses, fait des gestes, parle : là-bas, pour ce *Néant personnel* qu'est devenu Jean... » Voilà bien son esclavage.

Le néant n'est pas la nuit du non-être indifférencié, il est quelqu'un, la mort de quelqu'un. Quelle expérience plus profonde, plus irréfutable que celle-là peut-on faire du néant ? Ce n'est pas de logique hégélienne qu'il s'agit ici, soit d'un être purement conceptuel qui devient néant par la vertu de la dialectique, c'est plutôt de l'expérience du deuil telle que la décrit Proust, dont il dit justement qu'elle est « contradiction de l'être et du néant ». Le néant est *personne* comme il est moi-même, en tant que je m'échappe, il est l'Autre par-delà le monde que je cherche à rejoindre. L'expérience fondamentale de Sartre est celle d'un deuil originaire, initial.

De surcroît, pour lui, ce néant de la mort correspond au néant que la naissance pour sa part avoue en le niant. Toute sa vie, Sartre sera fasciné par le changement absolu, en vérité impensable, mais les changements relatifs qui appartiennent au cadre de notre expérience ne lui suffiront pas, il cherchera à franchir cette limite au-delà de laquelle il n'y a plus rien de commun. C'est donc parce que le décès de son père répond en quelque sorte à sa propre apparition qu'il fait du néant un problème, je veux dire un seul et même problème. Il se voit lui-même comme « suscité du néant », mais par *qui* ? Ou par *rien* ? La fonction du père, c'est notamment d'enrayer la régression au néant, quand se pose la question — métaphysique, pourquoi pas — de l'existence. Butée toute relative, passablement illusoire, mais qui tout de même *vaut mieux que rien*, car à la rigueur nous pouvons accepter de ne pas aller vers l'être, mais non de n'en point venir.

Sartre a illustré par une expérience toute simple et en même temps fondamentale l'apparition du néant au sein de l'être. Nous sommes ici dans le réel, avec une conscience percevante, il n'empêche que l'ami Pierre persiste dans son absence. Le café, avec les consommateurs, les tables, les banquettes, les glaces, son atmosphère enfumée, les bruits qui le remplissent, est un plein d'être, la présence de Pierre en serait un autre. Mais la perception, rappelle Sartre, est constitution d'une forme sur un fond, et il ajoute : « aucun objet, aucun groupe d'objets n'est spécialement désigné pour s'organiser en fond ou en forme, tout dépend de la direction de mon attention ». — Au détour de cette phrase, apparaît le désaccord essentiel avec Merleau-Ponty, pour qui au contraire la Gestalt, la mise en forme spontanée qu'elle opère des données objectives, représente un intermédiaire fondamental entre le sujet et l'objet : il trouve là un niveau de passivité constitutif, l'équivalent de la « synthèse passive » husserlienne, qu'il oppose à la théorie sartrienne de la liberté.

Mais pour Sartre, dès qu'il entre dans le café, il se fait une organisation synthétique de tous les objets en fond sur lequel « Pierre est donné comme devant paraître » ; chaque élément tente de s'imposer comme forme (en quoi Sartre en passant reconnaît une certaine spontanéité du perçu), puis retombe dans l'indifférenciation du fond, *n'étant pas* Pierre. « Si je découvrais enfin Pierre, mon intuition serait remplie par un élément solide, je serais soudain fasciné par son visage et tout le café s'organiserait autour de lui en présence discrète. » Malheureusement, il n'est pas là, il n'est toujours pas revenu de l'imaginaire où il a décidément ses quartiers, et son absence est radicale, il n'est pas absent ici ou là, il est absent « de *tout* le café », et c'est une absence opérante, qui « fige le café dans son évanescence », l'oblige à n'être que fond néantisé, voué à une forme qu'il suggère partout mais qui s'évanouit entre mon regard et les objets réels du café, « Pierre s'enlevant comme néant sur le fond de néantisation du café ». Encore une fois, Pierre se fait remarquer par son absence, il a une manière bien à lui de se donner comme n'étant pas là qui en fait tout un événement, même l'événement majeur de l'être : la néantisation. « Je m'attendais à voir Pierre et mon attente a fait arriver l'absence de Pierre comme un événement réel concernant ce café, c'est un fait objectif, à présent, que cette absence, je l'ai *découverte* et elle se présente comme un rapport synthétique de Pierre à la pièce dans laquelle je le cherche : Pierre absent *hante* ce café et il est la condition de son organisation néantisante en *fond*[1]. »

Je tiens ce Pierre obstiné pour le personnage le plus important de Sartre. Il est absent, mais pas comme n'importe qui, son absence n'est pas loin de rendre vain l'univers, parce qu'il ne devrait pas y manquer. Il est l'objet de la conscience imageante comme de la conscience percevante, qui convergent au moins en lui, à toutes deux il inflige une déception également amère. En même temps, il est à noter que c'est le meilleur partenaire philosophique de Sartre. Lui qui s'est refusé aux discussions d'idées, estimant que deux penseurs « co-présents » sont en général au plus bas d'eux-mêmes[2], il doit à l'ami Pierre deux de ses plus belles méditations. Et puis, il faut voir ce que le café symbolise pour Sartre : comme la caverne platonicienne, le monde. Le monde est pour lui un grand café dont Pierre est absent.

Mais du coup, n'y a-t-il pas comme une oscillation, une indécision entre le réel et l'imaginaire, là où Sartre voulait établir une frontière naturelle et sûre ? Le néant n'est pas seulement caractéristique de l'imaginaire, il peut être perçu, car je vois l'absence de Pierre. C'est là un trait objectif : la rue populeuse, le café bondé, sont *hantés*. Pour Sartre, exister, c'est hanter et être hanté. La hantise est le rapport du vide intérieur à l'absence de l'être. « Si, en effet, ce qui manque au pour-soi est présence idéale à un être-par-delà-l'être, l'être est saisi originellement comme manque-à-l'être. Ainsi, le monde se dévoile comme hanté par des absences à réaliser et chaque *ceci* paraît avec un cortège d'absences... » Ce cortège, c'est à peu près le paradigme imaginaire dont Merleau-Ponty avançait l'idée. — Sartre est sévère pour *Le Horla* de Maupassant, mais *La Nausée* évoque au départ le même type de hantise (qui toutefois est loin de se développer jusqu'à l'effondrement dans la folie) quand Sartre décrit cette atmosphère trouble de changement — « changement abstrait qui ne se pose sur rien ». Cela nous renvoie à la possession — le possédé est celui dont l'être *au monde* est radicalement vicié parce qu'il est *à un mort* (au mort ou à la Mort) — mais aussi à la propriété : Sartre dans *L'Etre et le Néant* parle de la maison hantée, c'est-à-dire que « ni l'argent ni la

---

1. *L'Etre et le Néant*, naturellement.
2. Cf. l'entretien avec Michel Contat, *Situations*, X.

peine n'effaceront le fait métaphysique et absolu de sa possession par un premier occupant ». Nous comprenons mieux
ce qu'il en est de cette propriété sacrée radicalement distincte
de la possession empirique, qui est inaccessible par le travail
et par l'argent, par les voies profanes et humaines, qui sont
des offenses aux dieux lares. Ils n'acceptent qu'une loi, la
transmission paternelle.

On peut naturellement rapprocher l'épisode du café avec le
souvenir raconté dans *Les Mots*, également perception négative :
l'absence spectaculaire de M. Simonnot, ce plein d'être qui,
quand on lui demandait une opinion personnelle, se tournait
vers le « massif granitique de ses goûts » comme pour y chercher un renseignement objectif. Mais tandis que celui-ci, comme
Pierre, est *manquant*, ce qui est tout à son honneur, le personnage sartrien, au contraire, est de trop. Ce qui pourrait se
résumer dans une économie assez simple : quelqu'un manque,
le père ; quelqu'un est de trop, le fils. Ce serait l'effet de cette
« malédiction paternelle » que Sartre décrit en détail au sujet
de Flaubert, mais à laquelle selon lui il aurait échappé de peu.
A deux reprises, au début des *Mots*, il se livre à ce qu'on peut
considérer comme une émouvante dénégation de son malheur.
La maladie du père le rejeta du sein de sa mère, et lui évita
les difficultés d'un sevrage tardif... La mort survint au bon
moment, un peu plus tard il se serait senti affreusement coupable... En fait, plus que sa chance, il faut voir là son courage.
Mais ce qu'il dit de Flaubert, qu'il a éprouvé que Dieu l'avait
délaissé, que le Tout-Puissant l'avait créé pour l'abandonner,
vaut probablement pour lui aussi. En la personne de Flaubert,
Sartre décrit l'intériorisation de la malédiction : le père est
bon et juste, le monde entier n'est qu'hymne à sa gloire, s'il
m'a maudit c'est que je suis coupable et monstrueux. Sartre
entreprendra de renverser cette position initiale, de prouver
que le monstre a raison contre tout l'univers parce qu'il est
l'homme, que l'ordre de l'être est un mensonge, que la vérité
c'est le *manque* de la conscience.

Le drame de Sartre, c'est d'avoir été un Œdipe trop précoce,
d'avoir gagné beaucoup trop vite sans combattre, et de plus
sur le faux terrain de la réalité. Dans *La Transcendance de
l'Ego*, quand il démontre que le moi est dépassé par sa propre
spontanéité qui lui paraît inconcevable, il lui vient cet exemple
significatif : « Moi, je pourrais haïr mon père ! » Rétrospectivement, il a dû s'imaginer que son père était mort victime de
la haine qu'il lui portait. Si nous nous reportons à l'analyse
de la haine dans *L'Etre et le Néant*, les choses correspondent
assez bien. La haine échoue même quand elle réussit, c'est-à-dire

accomplit son projet de suppression de l'Autre. « Celui qui, une fois, a été pour autrui est contaminé dans son être pour le reste de ses jours », « l'autre détruit a emporté la clé de cette aliénation dans la tombe ». Du coup, cette aliénation est irréductible, indépassable, je suis constitué à jamais en objet. L'autre a emporté par-delà le monde le secret de ce que je suis, le problème ontologique du Pour-Autrui, à savoir que « le sens profond de mon être est hors de moi emprisonné dans une absence », ne peut plus prétendre recevoir de solution dans l'expérience. Pour coïncider avec moi-même, me rejoindre, je n'ai plus qu'une possibilité, c'est d'être mort à mon tour.

On a déjà vu, et on y reviendra, que Sartre s'est identifié à son père dans la mesure du possible, c'est-à-dire qu'il s'est employé à être celui qui manque, à n'être pas là. Ayant conçu cet idéal, il est inévitable qu'il se vive comme étant de trop du simple fait qu'il existe. *Devoir manquer* rend la présence charnelle excédentaire. Mais être absent dans l'absolu est un rêve de mégalomane, seul Dieu peut se permettre de n'être nulle part. A la vérité, il s'agit de se déterminer par rapport à un être auquel on manque, donc désirant, et d'être en image pour autrui, au sein d'une présence dévalorisée. Peut-être faut-il voir là une sorte de surcompensation : si je suis de trop, c'est parce que je ne saurais me réduire à une place, alors que si Roquentin ou Mathieu sont de trop, c'est parce que personne ne leur a donné une place empirique qu'ils usurpent donc. Mais le statut ontologique du sujet comporte l'exclusion, — c'est leur chance dans leur malheur.

S'il est admis que le néant n'est pas celui de la logique hégélienne par exemple, qu'il est déterminé, relatif, et que même il est *personnel*, comme tendent à le prouver certains textes, on pourra considérer comme probable l'équivalence du père et du néant. Il faut encore voir qu'elle ne reste pas lettre morte, c'est le cas de le dire, qu'elle saisit le vif. Sartre construit sa filiation dans l'imaginaire. Fils d'un père, il serait père, tout bêtement. Fils de rien, il n'est rien. Le concept du néant est un néant de concept, disait Bergson, eh bien, on pourrait dire qu'un néant de père est un père de néant. Enfant du néant, néant à son tour, il engendre le néant. Voilà une famille solidement unie par les liens de la logique. Le père étant l'homme, Sartre expliquera que l'homme est l'être qui est son propre néant, par qui le néant vient au monde.

Sartre est l'enfant du miracle et non de la loi. C'est une moins bonne affaire qu'il n'y paraît, car un miracle, surtout si Dieu est mort, implique maintes procédures, il se heurte au scepti-

cisme, il faut le confirmer, l'établir. L'enfant du miracle est
« contre nature » (la nature ne veut dire ici qu'un ensemble
ordonné de lois). L'idéal de Sartre, comme celui de Genet, c'est
d'être comme tout le monde, d'être comme les autres, ce qui
veut dire simplement égaler son père, sans plus, et lui succéder,
être selon la loi le représentant momentané de la paternité,
du nom. Succéder, et précéder. On a vu dans *Les Mots* Sartre
se plaindre de n'être pas un continuateur — ce qui est accordé
à ce salaud de Lucien Fleurier. L'homme qui a pu entrer dans
la loi, pour parler comme Kafka, ne connaît pas le conflit entre
son existence et sa place. Il ignore la révolte, il n'est ni héros
ni créateur : comment se concevrait-il comme pure origine ?
Sartre au contraire, à l'écart de la nature et du droit, s'emploie
à reprendre sa propre origine dans sa réalité présente, et, n'ayant
pas de père, ne peut le devenir — ici se retrouve le lien radical
de l'être et de l'avoir —, coupe court à la répétition, s'affirme
dans la solitude, l'unicité.

Il dit à peu près dans *Les Mots* : j'aurais pu ne pas être
Sartre si j'avais été le fils de Sartre. Il eût suffi d'un père,
n'importe lequel aurait fait l'affaire, aurait fait de lui *un Sartre*,
le Sartre d'une génération, le représentant temporaire de la
lignée, le titulaire provisoire du nom, un héros de Giraudoux
adéquat à son essence. Mais la démission paternelle l'a voué à
l'imposture, c'est-à-dire à être Sartre, à être son propre père
ct son fils, à se fonder lui-même. Descartes voulut pareillement
à toute force se détacher de son histoire, ne rien savoir des
hommes qui avaient existé avant lui, être le commencement
de la science. Toutefois, Sartre ne pourra pas reprendre le
roman familial qui nourrit la seconde preuve de l'existence de
Dieu : ce ne peuvent être mes parents qui m'ont donné l'existence, ce ne peut être qu'un être absolument nécessaire. Quand
Sartre reprend ce chemin, dans *L'Etre et le Néant*, c'est seulement pour en rester à cette constatation que je ne suis pas le
fondement de mon être. L'auteur s'appellera X — qui pourra
être la conscience impersonnelle, « spontanéité absolue ».

Sartre ne vit pas non plus son « imposture » comme le
Thomas de Cocteau. Ce jeune homme se fait passer pour le
neveu du général de Fontenoy, mais son imposture, au lieu
qu'il la remâche, s'incorpore à son être et il en meurt. Quand,
pris pour cible par les soldats ennemis, il feint d'être mort
pour leur échapper, il meurt du même coup, « car en lui la
réalité et la fiction ne faisaient qu'un ». En Sartre au contraire,
la réalité et la fiction se disjoignent, laissent place à la conscience. Mais, comme Thomas murmure : « Je suis perdu si
je ne fais pas semblant d'être mort », Sartre semble se dire :

je suis perdu si je ne fais pas semblant d'être Sartre. Et il fut
Sartre, quoique de justesse, puisqu'à l'en croire il aurait pu
être moine, ou encore, si le mysticisme l'avait épargné, dessinateur industriel.

Sartre cite la rage avec laquelle Flaubert refuse d'être père :
« L'idée de donner le jour à quelqu'un *me fait horreur*. Je me
maudirais si j'étais père. Un fils de moi ! Oh ! non, non, non !
Que toute ma chair périsse et que je ne transmette à personne
l'embêtement et les ignominies de l'existence [1]. » Mathieu n'est
guère moins terrifié, et exhale sa haine pour « ceux qui ont
décidé gravement d'être pères et qui se sentent des géniteurs »,
alors qu' « ils y sont allés à l'aveuglette, en trois coups de
queue ». Volontiers il les identifierait aux salauds à Légion
d'honneur et gommes grises : leur imposture est de prétendre
sublimer le fait dans le droit, de s'affirmer dans le symbolique,
quand la réalité de l'existence est là, triviale, obscène. Un père
égale trois coups de queue, quelques gouttes de sperme. Au
fond, c'est dire que l'existence précède l'essence. Soit, mais,
répétons-nous, il est frappant que Sartre ne puisse concevoir
que l'enfant naît d'un double désir, comme si ce n'était que
parmi les janissaires que l'on peut venir à la place où l'on est
attendu.

J'ai parlé de structuralisme existentiel, à propos de la loi du
groupe, distribuant les places et mettant chacun des membres
à la sienne. La question sartrienne est au fond celle-ci : comment l'existence peut-elle s'inscrire dans une logique ? En fait,
bien avant la révolution, la réponse est donnée : la famille.
Elle est en somme une structure d'existence, dans laquelle toute
existence individuelle se trouve prise immédiatement. Dans
cette perspective, il n'y a pas de contingence — cette contingence
qui se vit comme destin, fatalité. L'existence peut fort bien
s'apercevoir autrement que comme gratuite, fortuite, comme la
conséquence bien tirée des rapports d'un homme et d'une
femme. Aristote d'ailleurs considère comme identiques l'ordre
de la déduction et celui de la procréation. « La nécessité
concerne la liaison des propositions idéales mais non celle des
existants », écrit Sartre, reprenant une thèse classique en philosophie. Pourtant, la relation de paternité peut être thématisée
comme relation de principe à conséquence, et pas seulement
de cause à effet. Dans cette mesure, la logique coïncide avec la

---

1. On trouve une autre expression de ce refus de la paternité dans
une pièce écrit au stalag, à l'occasion du Noël 1940, *Bariona, fils du
tonnerre*. Bariona veut délibérément engendrer le néant, tarir l'espèce.
On lui oppose l'espérance christique de la naissance... (Cf. les *Écrits
de Sartre*).

morale, être légitime avec être vrai. Louis de Bonald disait
que l'erreur est sans ancêtres et sans postérité... Tandis qu'être
justifié, c'est être une conséquence correctement déduite d'un
être primordial, d'un être mathématique par exemple, tout en
essences ; Lucien Feurier y rentre dans ses droits avec délectation après un intermède existentiel : « Quelque chose dans
le genre des triangles et des cercles : c'était si parfait que ça
n'existait pas, on avait beau tracer des milliers de ronds avec
des compas, on n'arrivait pas à réaliser un seul cercle. Des
générations d'ouvriers pourraient, de même, obéir scrupuleusement aux ordres de Lucien, ils n'épuiseraient jamais son droit
à commander ; les droits, c'était, par-delà l'existence, comme
les objets mathématiques... »

Je suis justifié comme maillon de la chaîne, moment de la
démonstration. Et être faux, s'éprouver comme un faux enfant,
cas de Genet, ou comme un faux homme, cas de Gorz, c'est
résulter d'une mauvaise déduction. Il faut un long détour pour
comprendre que cette erreur est vérité, parce que l'existence
est précisément contradiction logique.

La philosophie existentielle de Sartre affecte d'une singulière
courbure les notions de la métaphysique classique, celle de
cause par exemple. Sartre a raconté dans *Les Mots* comment
auprès de ce contrôleur (dont on peut se demander s'il n'est
pas un avatar de Dieu, de même que Juve qui croyait Fantômas
enfin mort le voit revenir déguisé en plombier) il cherche à
obtenir *gain de cause*. A la base de la philosophie de la conscience et de la liberté il y a justement le manque de la cause :
je ne suis pas causé, n'étant rien que pure décision à prendre,
mais aussi je suis abandonné. Effet sans cause, je suis semblable au néant et au mal, qui eux non plus ne résultent pas de
l'être, pas plus qu'ils n'en produisent. D'autre part, la causalité
opère sur la base de la substance, qui est ce qui ne change pas
dans le changement, l'absolu qui fonde sa relativité. Or, s'opposant à la tradition métaphysique, Sartre professe que la conscience se constitue comme conscience par le refus indéfini
d'être substance, et ailleurs il nous dit que c'est là une tentation
à rejeter : par exemple, Baudelaire voudrait n'être qu'une
« émanation de la divinité », selon la métaphysique plotinienne.
Sartre fait donc ici le chemin de Spinoza à Hegel, à la substance
il ajoute un sujet qui par la négativité s'arrache à elle.

Mais la relation filiale peut aussi être conçue comme relation
de la substance au mode. La substance est ce qui vit, ce qui
comme tel passe à travers les individus, ce qui ne disparaît
pas et fait mourir le reste, le *germen* dont parlait le biologiste

Weissmann [1]. La substance du fait de laquelle l'individu naît et périt *demeure* elle-même en deçà de la naissance et de la mort. En ce sens, elle est identique à la famille, à la lignée, à la maison. A cette substance-là, Sartre substitue le néant. « Je les recueille tous en moi, dit Goetz de ses ancêtres de la maison de Heidenstamm, je suis un caveau de famille » : Sartre de même est le seul héritier mâle, le dernier des Sartre.

S'il aurait du mal, objectivement, à parler de la substance Sartre (quant à la substance Schweitzer, c'est une autre affaire), l'auteur de *L'Idiot de la Famille* traite le problème en détail sur un autre cas. L'individu, dit-il alors, est le mode inessentiel et passager, ce qui rappelle la phrase de Céline inscrite en exergue de *La Nausée* : « C'est un garçon sans importance collective, c'est tout juste un individu. » Certes, la famille est un être autonome, un organisme, mais Sartre, de même d'ailleurs que Flaubert, a fait exception, c'est un mode erratique qui a fait bande à part, qui a couru l'aventure individuelle, qui a refusé cette loi de division selon laquelle à travers le sujet c'est la substance elle-même qui existe comme manifestation. Cela dit, le groupe n'est-il pas à sa manière substance ?

Bref, il est parfaitement possible d'envisager l'existence, le *fait*, comme l'application d'une loi, le résultat, la conséquence d'une structure intelligible, en un mot comme un signe. Il n'y a guère qu'en Occident, même, qu'on puisse penser différemment. Mais souvenons-nous de la conclusion de la diatribe contre les salauds portraiturés : notre « raison d'être », dit rageusement Roquentin — ces pères fondateurs ont non seulement engendré des fils, ils ont fait la ville (mais la nature va leur reprendre). En un mot, si le fait apparaît comme purement fortuit, ce n'est pas par essence, c'est à la suite d'une séparation, d'une coupure.

« La mort de Jean-Baptiste fut la grande affaire de ma vie. » La vie du fils est commandée par la mort du père, c'est bien connu, sauf qu'ici cette mort est intervenue un peu trop vite dans la réalité, comblant un désir qui ne s'était même pas encore constitué, le père a pris les devants. Du coup, dit Sartre, jamais le caprice d'un autre ne s'est prétendu ma loi. Et plus loin : s'il avait vécu, « il eût fait de ses manies ma loi ».

1. Théorie à laquelle Freud se réfère dans *Au-delà du principe de plaisir*. Weissmann distingue dans l'individu une partie mortelle, le corps proprement dit, et une partie virtuellement immortelle, comprenant les cellules germinales et reproductrices. La reproduction passe à travers l'individu, et la mort n'est pas une propriété originelle de la substance vivante ; c'est un phénomène d'adaptation propre aux multicellulaires.

La loi tombe de son piédestal, s'effondre dans le fait pur, existentiel, qui est par excellence l'humeur, même si par un tour de passe-passe grossier elle garde sa valeur pour le fils dont elle n'est rien d'autre que l'aliénation. Elle est un trompe-l'œil comme celui qui opère dans l'art des portraits, c'est-à-dire qu'elle est immanente à la relation. Marx dit de la même manière que seule la relation fait le roi, comme aussi la marchandise, parce qu'elle est à l'origine de toute valeur. Mais, dans *Saint Genet*, Sartre distingue la loi du caprice : il décrit un personnage qui se veut au-dessus de l'essence, monstre, ouragan, et qui donc « n'a d'autre loi que son caprice parce que le caprice contradictoire et fuyant échappe à toute définition ». En fait, on trouve une autre idée chez Sartre : la loi est la raison de la série. « La série des apparitions est liée par une raison qui ne dépend pas de mon bon plaisir », « l'essence d'un existant n'est plus une vertu enfoncée en son creux, c'est la loi manifeste qui préside à la succession de ses apparitions, c'est la raison de la série », lit-on au début de *L'Etre et le Néant*. Notion largement reprise dans la *Critique de la Raison dialectique*, qui nomme cette raison de la série : l'Autre. En l'occurrence, la série des phénomènes, c'est celle des individus liés par la lignée. Sartre sur le tard le dit de la manière la plus explicite qui soit : « Ce qui existe, c'est une série infinie dont la loi est la récurrence, définie précisément par ces termes : l'homme est le fils de l'homme [1]. »

La loi est à la vérité *loi de succession*, loi du temps, comparable à celle qui organise la mélodie — image de l'être parfait, justifié. Sartre a défendu la conception mélodique ou gestaltiste de la temporalité et a entrepris de décrire la structure du temps. L'antériorité de A sur B suppose en A une incomplétude qui pointe vers B, A est dans son être même B comme futur à soi, et B traîne derrière soi-même en A [2]. Ainsi les notes de la mélodie s'attendent et se font signe. La relation du père au fils peut se formuler de la même manière : en effet, ce n'est que par le fils que le père reçoit sa détermination, ils n'existent pas en soi, extérieurement, mais l'autre est dans le même, la relation est *l'être par l'autre*. Toutefois, Sartre l'a bien indiqué dans sa théorie du temps, la continuité mélodique peut toujours être brisée par l'irruption du néant : c'est l'instant. Ici se produit la subversion de la succession, parce qu' « un être qui se néantise ne saurait être l'origine d'un autre ». La temporalité est sectionnée, se désarticule. Le pour-soi est stérile (mais c'est un accident individuel d'aller jusqu'au bout de

1. *L'Idiot de la Famille*, tome III.
2. *L'Etre et le Néant*, Ontologie de la Temporalité.

l'expérience de l'existence). En termes philosophiques, ma cause, c'est l'être, mais je ne suis pas l'être, une rupture inexplicable s'est produite.

Dans *Les Mouches*, Jupiter s'affirme comme l'auteur de cette loi fondamentale de la succession : « Vois ces planètes qui roulent en ordre, sans jamais se heurter : c'est moi qui en ai réglé le cours, selon la justice... Par moi les espèces se perpétuent, j'ai ordonné qu'un homme engendre toujours un homme... » L'ordre — et Sartre a dit à plusieurs reprises que l'ordre naturel n'est que le reflet d'un ordre social fondé sur la légitimité de la naissance — est celui de la génération, l'homme engendre l'homme selon la loi de Dieu. C'est selon cet ordre seulement qu'on peut avoir sa place, celle que cherche Oreste et qu'il ne trouvera pas (parce qu'au fond il garde en lui profondément inscrite cette loi de Jupiter et que sa révolte ne dépasse pas sa culpabilité). Et Franz, dans *Les Séquestrés d'Altona*, échoue aussi à se substituer au père suivant sa propre loi.

A l'appui on pourrait encore citer des passages amers du *Sursis* : un père qui s'en va à la guerre regarde tristement sa petite fille qui dort. « Elle ne sera pas jolie, elle me ressemble... Et déjà elle porte en elle cette loi rigide qui a été ma loi ; les cellules pulluleront selon ma loi, les cartilages durciront selon ma loi, le crâne s'ossifiera selon ma loi. Une petite maigrichonne aux dehors insignifiants... Mon Dieu ! toutes ces années qui vont lui venir, les unes après les autres, impitoyablement et c'est si vain, tellement inutile, tout est écrit là, dans sa chair, et il faudra qu'elle vive son destin, minute par minute, et qu'elle croie l'inventer et il est là, tout entier, écœurant à force d'être prévisible, je l'ai contaminée et pourquoi faut-il qu'elle vive goutte à goutte tout ce que j'ai déjà vécu, pourquoi faut-il toujours que tout se répète, indéfiniment ? Une petite maigrichonne, une petite âme clairvoyante et timorée, tout ce qu'il faut pour bien souffrir. Moi, je m'en vais, je suis appelé à d'autres fonctions ; elle va grandir, ici, obstinément, imprudemment, elle va me représenter... »

On songera ici à ce que peut être dans le fantasme de Sartre le départ du père. Toujours est-il que le père s'accompagne ici de cette intuition profondément sartrienne, quoique contraire à sa philosophie de la liberté : les jeux sont faits. Il faudra y revenir : la philosophie de la liberté n'est-elle pas la surcompensation en quelque sorte de cette intuition, ou bien la contradiction ne serait-elle qu'apparente, nous serions absolument libres pour ratifier des jeux déjà faits ? En tout cas, le père apparaît bien comme la négation de la liberté, par son être même, car

il porte la loi comme une croix, ce pauvre père, qui prend honte
de lui-même à travers sa fille. Il est par accident le porteur
d'une loi d'espèce, qui fait que toute chair est déjà écrite. Dans
ce texte, nous trouvons des expressions bien sartriennes, telles
que « minute par minute », « goutte à goutte », et l'écœurement
qui naît à l'idée d'une répétition indéfinie, nécessaire, où toute
présence n'est que représentation d'une absence — telle est
finalement la loi. C'est une illusion de croire à un instant neuf,
et le père, lui, sait que tout a un « goût de déjà vu », goût
écœurant, bien entendu. Cette illusion est proche de celle dont
Schopenhauer disait qu'elle était indispensable à la reproduction
de l'espèce : il faut que les amoureux croient à la nouveauté
pour que la nature, qui se fout pas mal d'eux, continue son
travail en les utilisant.

Point de père, point de loi, Sartre dit qu'il n'a pas de surmoi.
C'est exact dans la mesure où il conçoit le surmoi à la lettre.
Le surmoi, pour lui, c'est mon père sur moi, d'une façon presque
réelle [1]. Voyez plutôt : « Eût-il vécu, mon père se fût couché
sur moi de tout son long et m'eût écrasé. Par chance, il est
mort en bas âge ; au milieu des Enées qui portent *sur le dos*
leurs Anchises, je passe d'une rive à l'autre, seul et détestant
les géniteurs invisibles à cheval *sur leurs fils* pour toute la
vie. » Le rapport du père et du fils est figuré à ses yeux par
le couple d'Enée [2] et d'Anchise. Nizan se révolte : « Enée s'était
lassé de porter si longtemps le vieil et morne Anchise : d'un
coup d'épaule, il le fit choir les quatre fers en l'air : il fut mari
et père précipitamment, pour tuer son père. Mais la paternité,
seule, ne guérit pas de l'enfance ; au contraire : l'autorité du
nouveau chef de famille le condamne à répéter les enfantillages
millénaires qu'Adam nous a légués à travers nos parents. »
On n'en sort pas. Là encore, horreur de la répétition, et aussi
de l'identification. Achille Flaubert, « nouvel Enée, courbe la
tête et porte Anchise sur son dos ». Sartre ajoute qu'il évite cette
angoisse trop humaine, dépasser son père, rompre la vassalité,
et le dit tout net : Achille n'est pas un homme, parce que le
père réside en lui, et qu'il est, non un « creux toujours futur »,
mais une plénitude passée, jamais dépassée, celle d'un autre.
Sartre répète donc sa définition de l'homme : orphelin de
Dieu. Renversant la pensée établie, il définit l'homme indépendamment du père. Le non-homme, du coup, c'est cette « car-
casse vide » d'Achille, à qui son père sert de tout, d'*ego* autant

---

1. Dans *l'Idiot de la Famille*, il va jusqu'à qualifier le père Flaubert
de « Supersurmoi ».
2. Lacan dirait : Est né — aîné — est nez — henné — n, é, né, c'est
féné.

que de surmoi, aux yeux de Sartre foncièrement immoral et même coupable.

Mais alors, cette représentation du père, d'où Sartre la tient-il ? Dans *Les Mots*, il parle de ce « parasite sacré » au nom de qui l'on commande, et dont l'absence chez lui lui a épargné le goût du pouvoir. Son père l'eût habité, ce « respectable locataire » lui aurait donné du respect pour lui-même, sur ce respect il aurait fondé son droit de vivre. Deux aspects essentiels du surmoi apparaissent ici. Le respect, sentiment qui, comme l'a établi Kant, est l'effet de la loi morale sur la sensibilité. L'autorité, d'autre part. Sartre est en dehors de la transmission régulière du pouvoir, très exactement de la puissance paternelle. Il n'est l'enfant de personne et n'enfantera pas (mais produira une œuvre dont il sera aussi le fils), de même qu'il n'obéit pas et ne sait pas commander. Il n'est pas un chef parce qu'il n'en a pas eu l'enfance — il n'aspire pas à le devenir, se félicite de ne pas savoir donner d'ordres. Est-ce si vrai ? Plus loin, il écrit : « je connus toutes les tentations du pouvoir », « je découvris un monde monstrueux qui n'était que l'envers de ma toute-puissance ». Il n'y a pas là de contradiction, il y a simplement la différence entre le pouvoir du monarque et celui du héros-poète, qui se croit sans efficace tant que la chanson ne le cède pas au meurtre. Différence entre le pouvoir institutionnel et la toute-puissance imaginaire, qui est par définition impuissance : « longtemps, j'ai pris ma plume pour une épée, je connais maintenant notre impuissance ». Encore faut-il savoir que la toute-puissance imaginaire peut fort bien venir au pouvoir.

« Celui que j'entends prononcer ces mots : Nous, médecins, je sais qu'il est en esclavage. Ce *nous médecins* est son moi, créature parasitaire qui lui suce le sang. Et ne fût-il que lui-même, il y a mille façons d'être livré à soi comme aux bêtes, de nourrir avec sa propre chair une idole invisible et insatiable. Car il n'est permis à personne de dire ces simples mots : je suis moi. Les meilleurs, les plus libres, peuvent dire : j'existe. C'est déjà trop. Pour les autres, je propose qu'ils usent de formules telles que : Je suis Soi-même, ou Je suis un Tel *en personne*. S'ils ne visent pas à changer de peau, c'est que la poigne qui les gouverne ne leur en laisse pas le loisir, c'est surtout que la société a reconnu depuis longtemps et consacré cette symbiose en accordant au couple formé par le malade et son parasite la gloire ou simplement l'honorabilité. Pour moi, je m'écarte d'eux si je puis : je n'aime pas les âmes habitées... [1]. »

1. *Saint Genet.*

Sartre réaffirme dans ce passage son opposition à la métaphysique classique, pour qui l'Idée du médecin régit son existence individuelle, ce qui est vrai de ce *minus habens* d'Achille Flaubert, parce qu'il a choisi l'aliénation, s'est confondu bassement avec l'archétype de « l'éternel Médecin-Philosophe » aperçu en son père. Avec ce nous-sujet qui n'est pas celui du groupe, Sartre rejette une identification valorisante. En termes psychanalytiques, en l'occurrence il ne s'agit pas tant du surmoi que de l'idéal du moi. Sartre avec constance récuse la notion d'*honneur*, au fond il lui préfère la honte. En effet, l'honneur, ce n'est pas simplement, comme la gloire ou l'infamie, le fait d'*être dit*, c'est un droit à être qui est reconnu d'en haut, c'est pour commencer un legs (on défend l'honneur de son nom, de sa famille), c'est une notion féodale et familiale, qui signifie l'aliénation au suzerain, la fidélité jusqu'à la mort, et Sartre, lui, a reçu « le beau mandat d'être infidèle à tout » — il est entendu qu'on ne parle pas ici de l'honneur *anonyme* d'être membre du groupe et fidèle au serment qui le constitue. Sartre veut renier sa naissance et sa classe, il ne s'estime pas en tant qu'être substantiel, ne veut pas être reconnu comme tel, peut-être a-t-il caressé, comme l'idiot de la famille, l'agréable projet d'illustrer son nom en le déshonorant. Au fond, il revendique le décalage du sujet par rapport à sa place, s'enorgueillit de cette disqualification, loin de souhaiter la distinction honorifique qui l'y rétablirait. Cela va de pair avec son refus de l'identité de l'être et de la valeur, de l'existence et de l'être de droit. Par conséquent, il tient à cette « déchéance natale » qui est le ressort du *qui perd gagne*, à ce sentiment de l'existence qui est l'expérience du déshonneur, comme il le dit à propos de Flaubert, parlant du patrimoine familial, « buisson ardent d'exigences impératives qui constitue son Honneur, son Ego intelligible » — ce qui fait apparaître l'ego, notons-le en passant, davantage comme idéal du moi que comme moi.

Le locataire, le parasite, le vampire. Il y a chez Sartre une représentation très chosiste de la fonction paternelle. « Le Père pense dans la tête du fils [1] », va-t-il jusqu'à écrire. Or Sartre a combattu farouchement le chosisme, c'est la base de sa critique de l'image mentale et de l'inconscient : il n'y a pas de chose dans la conscience ni derrière elle, chose et conscience s'excluent absolument. Il a raillé la théorie classique suivant laquelle avoir la conscience d'une chaise, ce serait avoir une chaise dans la conscience. La vigueur de sa

1. Dans *L'Idiot de la Famille*.

critique s'explique peut-être par son refus d'avoir quant à lui
un père dans sa conscience, d'où son soin à nettoyer la psyché,
qui va jusqu'à en expulser le moi, pour autant qu'il lui apparaît
comme le représentant du père. Rien de plus terrible qu'une
occupation interne. Externe, on s'en arrange, elle donne à la
liberté l'occasion de s'éprouver (« jamais nous n'avons été plus
libres que sous l'occupation allemande »), de même qu'un
maître réel, quels que soient ses caprices, n'est jamais pour
l'esclave que le moyen de devenir sujet de l'histoire, un marche-
pied. Cette présence-là du père, c'est une nouvelle détermination
de la tension intra-psychique dont nous avons déjà parlé.
Le père, d'ailleurs, c'est l'inconscient, ce que Franz nous donne
à entendre en formulant à sa manière l'idée psychanalytique
de l'association libre : pour savoir ce que pense son père, il
n'a pas de mal, il lui suffit de se vider la tête, ensuite, « les
premières pensées qui naissent, ce sont les siennes »...

Au fond, si l'on ne s'opposait pas au père, si l'on annulait
cette tension, il n'y aurait sans doute rien, ou rien que de
l'être. On pourrait dire que l'existence, c'est ce qui se passe
d'un père à l'autre, mieux, *du père à soi* : telle est la leçon
de *L'Enfance d'un Chef*. Le fils aîné des Flaubert n'est qu'un
intermédiaire entre deux réalisations de l'archétype du Médecin.
L'existence est un intervalle, une vacance de l'essence, de la
loi. Sartre éternise la crise, quoique Roquentin cherche bien
à retrouver cet ordre de la justification, à sa manière, non par
le mariage ou le doctorat, mais suivant les indications d'une
fragile mélodie — et il cherche enfin à se réinstaller dans le
passé, sous les espèces du récit, du livre, dans la mort glorieuse
et éternelle des formes.

Non s'identifier bourgeoisement à son père, mais *être son
père*, ainsi pourrait se résumer l'intention de Sartre. Il suffit
d'y réfléchir un instant pour voir tout ce que la formule contient
de contradiction : mais à cet énoncé insoluble, Sartre a essayé
d'ajuster diverses entreprises, qui sont autant d' « impostures »
marqués au sceau de la culpabilité, il a composé des variations
sur ce thème impossible. Certes, être son père suppose un
acte invraisemblable, l'acte pur dont Sartre parle souvent, un
événement absolu, destruction s'il ne peut être création, passage
du néant à l'être, ou inversement faute de mieux. Ainsi Mathieu,
qui diffère de lui en ce qu'il n'écrit pas, mais qui n'en veut
pas moins obstinément ne se devoir qu'à soi, ne trouvera d'autre solution que le meurtre : c'est par le meurtre suicidaire
qu'il devait accéder à la vie [1]. On croit qu'il est mort à la fin

1. On se souvient de ce passage de *La Mort dans l'Ame* : bloqué dans
un clocher, dans une situation désespérée, Mathieu se bat héroïque-

du troisième tome, il ne l'était pas, il aurait dû renaître, mais la suite du roman est restée dans les limbes[1]. Dominant cette fois Brunet, le militant obtus en rupture de Parti, il devait dire : « J'ai déjà tué... Après, tu n'es plus le même », en dirigeant de loin, bien installé dans son nouveau rôle de justicier, l'exécution d'un traître. Le même Mathieu, avec une muflerie timide, avait expliqué à sa maîtresse enceinte de lui, pour justifier son refus de la paternité, qu'il ne voulait se tenir que de soi-même, et tout au long du roman il cherche ainsi à faire son salut, c'est-à-dire explicitement à être cause de soi, son commencement. L'effet sans cause, le fils du néant, doit devenir cause de soi, il veut ne se devoir qu'à soi pour nier toute dette, son devoir est de ne rien devoir — en quoi sa poursuite est en même temps fuite. Autant que d'être substance le sujet refuse d'être effet. Sartre reprend la définition thomiste de la liberté : être cause de soi. Mais pour lui cela veut dire, ce qui déborde un peu saint Thomas, se substituer à l'Autre, être l'Autre pour être Soi : je m'installe à la place d'où je suis créé. S'établir comme sujet, c'est se précéder, s'anticiper, plus simplement c'est *se mettre à son compte*. Aussi bien, vivre sans raison, voilà la raison de vivre. C'est donc sans regret que Mathieu pensera mourir « pour rien », à cause de rien, d'aucune cause, de même que la conscience vomit arbitrairement.

Parmi les solutions de l'aporie, il y a aussi la tentative d'identification à ce père qui comme Dieu ne brille que par son absence, on peut chercher à être imaginaire comme lui, et à faire dire aux autres : il manque quelqu'un ici, c'est le père Sartre. Il se veut suivant l'exemple paternel absent *là où il devrait être*, en ce sens il cherche à substituer la valeur à l'être. Fin de l'épisode : « J'écartais le paravent, je faisais

---

ment, s'efforçant de tenir un quart d'heure pendant lequel il s'acharne à abattre le plus grand nombre possible d'Allemands (le problème étant que des Français prisonniers se trouvent à leurs côtés). Certes, l'élément psychologique ne doit pas faire oublier le contexte historique, et pour ma part je comprends très bien la satisfaction que Sartre a pu trouver à écrire ce chapitre alors que l'Europe venait à peine de se libérer de l'abomination nazie. *L'Idiot de la Famille*, par ailleurs, nous apprend que cette scène est née du renversement d'une situation vécue : en juin 40, sa compagnie traversa la place d'un village déjà occupé par les Allemands, tandis que des Français, du haut de l'église, tiraient indistinctement. Sartre raconte que dans cet extrême danger, il eut le sentiment de devenir imaginaire, et que tout l'univers basculait dans l'irréalité : ce n'était pas *vrai*. C'est selon lui le sentiment d'une impuissance foncière qui transformait à ses propres yeux ses actes en gestes.

1. Deux chapitres en ont été tirés par Michel Contat et Michel Rybalka. On peut d'ailleurs penser que si Sartre a abandonné, c'est parce que la métamorphose ne lui est pas apparue plausible.

voler les têtes à coups de sabre, je naissais dans un fleuve de sang... » Encore une fois, il s'agit bien de renaître, loin de la famille, fût-ce au prix d'un déclassement ambigu. Il veut advenir par ses seules forces là où il est attendu, c'est-à-dire là où il fait objectivement défaut, où l'être est en souffrance. Ces deux désirs ne sont pas contradictoires : manquer et être à sa place, l'avoir. Le roman de jeunesse *Empédocle* prolongeait en quelque manière ces fantaisies, Sartre écrit à un moment du jeune héros, converti au culte nietzschéen de la force et qui fascine à bon marché ses camarades : « Il savait que, plus que par sa présence, son absence et son image unissaient fortement quatre êtres tendus. » Mais, on l'a vu, au : « Il manque Sartre » répond le : « Heureusement que tu étais là ! » de l'équipe de football en fusion.

Dans *Nekrassov*, pièce par ailleurs ruisselante de positivité et d'honnêteté communiste, Sartre a dessiné le personnage très réussi de l'escroc génial, qui exprime fort bien que le génie est la seule issue possible dans une situation bloquée. Cet escroc quasi métaphysique connaît bien la problématique : « Ma mort et ma naissance, j'aurai tout tiré de moi : fils de mes œuvres, je suis mon propre parricide. » Visant lui aussi à ne se devoir qu'à soi, c'est à lui-même qu'il rembourse ses dettes. Il indique donc une variante : être son propre fils, être fils de ses œuvres, et ce sont par force des œuvres négatives, comme celles de Goetz, qui cherche également à se fonder par ses meurtres (qui s'arrêtent au fratricide, car il a beau vouloir être un très méchant reître, il garde quelque chose d'enfantin, et le père reste un trop gros morceau pour lui). J'ai déjà signalé le rapport avec le *cogito* et avec la volonté cartésienne de se détacher de l'enfance pour se définir exclusivement par son activité, l'enfance étant l'aliénation, l'être pour l'Autre, pour la montre, désespérément relatif : mais le besoin de reconnaissance est tel qu'il est plus que douteux qu'on en sorte par cette voie. Le héros, le paranoïaque historique, aussi redoutable qu'ils puissent devenir par la suite, naissent de la fantaisie infantile.

Autre variante : être père de son père. Sartre ne dit-il pas que son père « mort en bas âge » pourrait être aujourd'hui son fils ? Son père, donc, pourrait bien être son fils imaginaire. Roquentin le dit à la dernière page : « Mon erreur était de vouloir ressusciter M. de Rollebon. » De fait, Rollebon, aventurier au physique ingrat mais bourré de charme, représente une possibilité d'identification. Bref, pour justifier son existence, Roquentin voulait, par le travail, se créer un père, existant sous la forme d'un livre écrit par lui. Sartre a dit lui-même à propos

de cette relation : le mort doit justifier le vivant[1], lequel doit
en échange le soutenir à l'être. Il s'agit de remettre au monde
un être du passé qui me justifierait d'y être présent. Roquentin
note : « Ne pas oublier que M. de Rollebon représente à l'heure
qu'il est la seule justification de mon existence. » Mieux encore :
« Je n'étais qu'un moyen de le faire vivre, il était ma raison
d'être, il m'avait délivré de moi. » Raison d'être : on se souvient
que Roquentin a déjà employé ce mot dans d'autres circonstances. Toujours est-il que le père est bien la raison, la raison
de la série, la raison spermatique ou séminale des Anciens, ce
qui est autre chose que « quelques gouttes de sperme » :
le logos. Seulement, ce père, il s'agit pour le coup de le mettre
au monde, justement par le logos. « Tout à l'heure encore
il était là, en moi, tranquille et chaud et de temps en temps,
je le sentais remuer..., il pesait lourd sur mon cœur et je me
sentais rempli. » Convenons que Roquentin se laisse habiter
avec complaisance. Toutefois, cette grossesse-là aussi aboutit à
l'avortement, qui est du même coup meurtre du père, et Roquentin se retrouve injustifiable. Qui sait si les motivations de
Sartre s'attaquant par exemple à Flaubert n'étaient pas comparables, et même d'une façon générale si telle n'est pas la
raison d'être de plus d'une monographie.

Etre son propre fondement, être le père : tel est le désir
dont Sartre a inlassablement témoigné. Seulement, personne
n'est *le* père pour autant que tout le monde en a eu *un*.
Mais, compte tenu de certaines circonstances historiques, Sartre
sera un père à la seconde puissance, un père supérieur, « le
parasite de l'humanité entière », écrit-il dans *Les Mots*, pas
seulement celui d'un malheureux rejeton. Il assumera la fonction tutélaire dans l'universel. Mais enfin, cette issue, il ne
l'a pas trouvée tout à fait tout seul. Comme il le dit lui-
même : « Restait le patriarche » — le verbe, renversant l'ordre
habituel, se dresse au début de la phrase de façon improbable
et péremptoire, à l'image d'un monolithe, d'un menhir défiant
la destruction comme cet ancêtre. Grand-père, le mot doit être
pris à la lettre, comme son corrélatif, d'autant que le gendre
était petit, et ce Karl qui est un géant se désolera de voir
Poulou n'atteindre que la « taille des Sartre ». En tout cas,
il est bien capable d'avoir éliminé ce petit père[2], ce ne serait

---

1. Cf. *Les Ecrits de Sartre*, 38/II.
2. On pourrait interpréter en ce sens la remarque de Kean (d'autant
plus piquante qu'elle s'adresse à l'ambassadeur du Danemark, bien
réel), au sujet de son rôle d'Hamlet : « Hier encore, le roi du Danemark — votre pays, Monsieur — faisait peser sur moi un regard
insoutenable. Eh bien, je le soutenais tout de même, ce regard : après
tout, c'était ce monarque qui m'avait rendu orphelin ». A partir de là,

pas étonnant de sa part, il a déjà anéanti ses fils, il apparaît comme Chronos — la loi, on l'a vu, est loi du Temps. Mais la métaphore prend corps, le symbolique frôle le réel : lisez plutôt : « A Meudon, mon grand-père s'était brouillé avec mon oncle Emile et je les avais entendus crier dans le jardin : il ne semblait pas, cependant, qu'il eût songé à l'abattre. Comment jugeait-il les pères infanticides ? Moi, je m'abstenais : mes jours n'étaient pas en danger puisque j'étais orphelin. » C'est par la médiation de la littérature, dont le danger est qu'elle livre à nu les fantasmes, que le petit Sartre a pris une pleine conscience de la menace. Il se dit bien que dans le monde à part qu'elle décrit on ne se guide pas sur les principes de la vie quotidienne, mais en est-il si sûr ? « Brutus tue son fils (notons le lapsus) et c'est ce que fait aussi Mateo Falcone. »

Le Grand-Père est le père absolu, en soi, père du père, et négateur du fils suivant le dogme, d'ailleurs à l'église on le confond bien avec Dieu. Comme Lui, il n'est que père. Sartre parle de son décès très attendu : mais enfin, il se portait comme un charme, il avait repris du service, il vivra encore vingt ans. On peut donc penser que son accointance avec la mort était différente, et semblable à celle du père Flaubert, Chronos lui aussi : le petit Gustave est persuadé de finir tôt ou tard couché sur sa table de dissection.

Sartre dit admirer l'enfant Genet qui « s'est voulu sans défaillance » à l'âge où lui-même n'était occupé qu'à « bouffonner servilement pour plaire ». En fait, plaire, dans certaines circonstances, ce peut être une question de vie ou de mort. Et de toute façon, le succès est équivoque : l'enfant n'existe pas vraiment, il fait semblant, pour satisfaire les grandes personnes auxquelles il est en proie. Il exprime par exemple non ce qu'il ressent ou croit vrai mais ce qui pourra faire naître un sourire, un compliment, un encouragement, il travaille à faire des « mots d'enfant » comme le dramaturge des mots d'auteur. Il renie la vérité de sa propre expérience, il croit ce que l'Autre lui dit par amour et par nécessité, au point de ne prendre conscience de ce qu'il éprouve intérieurement qu'à travers la parole qui vient d'en haut. Mais l'enfant joue donc la comédie comme un accusé qui doit gagner ses juges. Or, par là même le procès est faussé : il obtient l'immunité du bouffon, il n'est pas jugé parce qu'il n'est pas un homme,

on pourrait même faire l'hypothèse d'un regard de connivence : comme si le grand-père et le petit-fils avaient uni leurs forces pour se débarrasser de la génération intermédiaire et se retrouvaient ensuite liés par la complicité presque comme des frères.

c'est-à-dire n'obtient grâce qu'au prix de la pire des sanctions. Procès d'autant plus faussé que les juges eux-mêmes cabotinent, le grand-père par exemple, jouant trop visiblement à être grand-père, trahit son rôle.

Karl Schweitzer n'a-t-il donc nullement exercé la fonction paternelle, comme Sartre cherche souvent à le suggérer ? Chacun sera d'avis que ce grand-père amateur de sublime qui crée l'émotion dans les églises est de nature à lester convenablement un surmoi. C'est ce dont Sartre convient par ailleurs quand il parle de cette voix du grand-père enregistrée en lui, qui l'éveille en sursaut pour le jeter à sa table de travail. Il marque bien ainsi l'effet mécanique du surmoi sur le vivant. La voix du maître, voix mécanisée, dénaturée, voix de haut-parleur (à la fin des *Mouches* Jupiter n'est plus qu'une tonnante voix radiophonique) réduit le sujet à n'être qu'un support inerte, au sens le plus strict un porte-parole, comme s'il avait dans la tête non une chaise mais une bande magnétique. Sur la mécanisation de la psyché par l'Autre (que la psychanalyse appelle donc surmoi), Franz a une image éloquente, disant de son père — qui en est un vrai de vrai, un fondateur — qu'il a fait de lui une « assez admirable *machine à commander* », ne lui laissant d'autre possibilité d'autonomie que de la déglinguer... Pour en revenir à Sartre, au sujet de sa vocation littéraire il parle encore de ces « commandements qu'on lui a cousus sous la peau », ou de ce mandat sous pli scellé déposé en lui, hors d'atteinte. On pense à l'esclave de la version latine sur le crâne rasé duquel le maître code son message, qui recommande en post-scriptum la destruction du porteur [1].

Le grand-père écrit et en tire beaucoup de fierté. Le jeune Jean-Paul Sartre est donc situé tout comme un autre, il est le petit-fils d'un grand-père écrivant sinon écrivain, qui est du métier : eh bien nous revoilà dans un monde ordonné, presque féodal. Parce que son père est mort avant d'avoir pu dire à quoi il le destinait, emportant ce secret dans la tombe, le petit Sartre ne serait voué à rien ? Pour ce qui est du « sacerdoce de la profession », où Sartre a bien vu un trait majeur de la mentalité bourgeoise, les choses se passent autrement : d'abord, pour assurer sa subsistance, il est voué au professorat comme le grand-père, et puis il pourra écrire. A la jonction de ces deux destins, il y a déjà *La Nausée :* on lui prédit que nommé à Aurillac il écrira pour se distraire de sa solitude provinciale — Le Havre au lieu d'Aurillac, quelle importance ? Car le

---

1. Où l'on peut voir que l'inconscient lacanien n'est en vérité rien d'autre que le *surmoi*.

grand-père a accepté son désir d'écrire (pour ne pas dire qu'il l'a suscité), et l'a du coup transformé en mandat. « Pour la première fois, j'eus affaire au patriarche... » Il fixe son destin, l'enfant est titularisé greffier. Confirmation décevante, d'ailleurs, et Proust décrit la même expérience : le jour où son père l'autorise enfin à faire de son désir sa loi, il sombre dans la dépression, parce que du même coup la carrière littéraire lui apparaît comme la seule voie à sa disposition, que le devoir supplante le fantasme. Et Sartre quarante ans après s'arrête à cette ironie que s'il écrit c'est pour répondre au désir de son grand-père, qui le jugerait sévèrement sur le contenu.

Donc, il est prédestiné, une noble Cause l'a appelé à l'être, il échappe ainsi à l'impératif inerte de l'être-de-classe, à la vulgaire fonction bourgeoise, mais surtout il désarme la malédiction paternelle. Comment donc ? Parce que le projet d'être écrivain est identique au projet d'être mort.

Etre son père, dans le cas de Sartre, cela signifie être mort, *Les Mots* établissent bien cette identité du père et de la mort. Du reste, Sartre a montré comment le destin d'Achille Flaubert est tout tracé, déjà vécu : il sera son père transporté dans le futur, futur à soi. Mais c'est au fond le même schéma qu'il reconstitue à son propre usage : il y a un Sartre futur qui l'appelle et le dessine dans son présent, à la différence près que celui-ci n'est pas apparemment la projection de son père, il fait tout lui-même. Néanmoins, la vie se transforme en objet, en destin, la loi de succession est rétablie. Il se voit du point de vue de la mort, qui coïncide avec celui de la vérité, comme il le rappelait dans *L'Etre et le Néant* en citant la sagesse antique : ne dites pas qu'un homme a été heureux tant qu'il n'a pas tourné sa dernière page [1]...

Mais pour l'écrivain prédestiné la dernière page est tournée avant que la première soit écrite. A peine est-il né, le divin enfant posthume, qu'il s'achemine vers son intégration dans le pratico-inerte, pas celui de la sérialité bien sûr : mais l'Esprit objectif, les Champs-Elysées de la culture. La vie qui commence ne sera pour lui que l'occasion de constituer ce cadavre glorieux qu'il abandonnera progressivement aux mains des autres, et d'instituer, au terme du processus, un être-en-soi. Ecrire pour lui c'est graver dans le marbre son épitaphe, les compliments

---

1. Intuition d'ailleurs très profonde : *Les Mots* évoquent le souvenir bouleversant du petit Bénard qui parlait comme la vérité, ne vivait qu'à demi et mourut très vite. Ailleurs, l'identité se disjoint : « Ce n'était pas la Vérité, c'était *sa* mort qui lui parlait par ma bouche » — mais la mort du grand-père c'est encore une autre affaire.

qu'il reçoit ou qu'il se fait à lui-même ébauchent sa notice nécrologique, à vingt ans ses oreilles bourdonnent d'oraisons funèbres.

Pour Sartre, il s'agit aussi d'une entreprise de conciliation avec le père, écrire est la seule manière de se faire pardonner d'être vivant, et c'est comme s'il lui disait : vois-tu, je me fais semblable à toi. Au surplus, la gloire est un discours au père mort : qui donc le glorieux veut-il convaincre, demande Sartre, sinon ce père qui l'a placé dans une telle situation qu'il n'avait d'autre issue que le génie, et qui a préféré disparaître plutôt que de s'avouer battu[1] ? Réfléchissant sur la « vocation d'écrivain »[2], Sartre raillait la théorie bourgeoise, défendue notamment par Renan, selon laquelle un génie, un chef-d'œuvre, ce serait l'explosion de vertus familiales longtemps accumulées : la bourgeoisie a volé la notion d'hérédité aux savants pour en faire une justification de l'héritage, le talent littéraire lui-même est un legs, on a reçu dans le même lot un joli brin de plume et la montre en or du grand-oncle. Mais cette logique de la positivité, constate Sartre avec satisfaction, dérape sur cette absence qu'est l'œuvre d'art, qui ne saurait s'expliquer par la transmission de données positives comme les caractères. « Comment peut-on être doué pour le néant ? »

Eh bien, c'est ce qu'il nous montre. Son exemple enseigne comment l'on devient cet homme inspiré qui a le don du néant, la vocation de l'absence, et la thèse si contestée de la transmission des caractères acquis s'enrichit ici, avec le négatif, d'une vérification irréfutable.

Mourir, écrire, ce sont deux métamorphoses identiques, deux manières d'accession à l'être, on se transforme en pierre dans un cas, en livre dans l'autre, mais le livre lui-même est une pierre, une dalle funéraire[3]. Sartre n'accepte pas son destin sans conflit, il aimerait bien être tout à fait vivant, merveilleusement actif comme le héros, Pardaillan ou Arsène Lupin, plutôt que d'être mort et glorieux à la façon de Victor Hugo. *Qu'est-ce que la Littérature ?* représentera une tentative de

---

1. Cf. *L'Idiot de la Famille.*
2. Cf. *Les Ecrits de Sartre*, 50/203.
3. Voici deux citations des *Mots* : « A mes yeux, (les écrivains) n'étaient pas morts... ils s'étaient métamorphosés en livres ». Et : « La métamorphose de cette vieillarde en dalle funéraire ne me déplaisait pas ; il y avait transsubstantiation, accession à l'être... » On pourrait en ajouter d'autres, p. ex. : « Je ne savais pas encore lire que, déjà, je les révérais, ces pierres levées : droites ou penchées, serrées comme des briques sur les rayons de la bibliothèque ou noblement espacées en allées de menhirs... »

synthèse, de dépassement, Sartre y critique avec une particulière véhémence la conception mortuaire de la littérature, veut s'échapper de ce cimetière où il a été enfermé au berceau en pratiquant une prose intégrée à l'action, à la vie, engagée dans les situations, liée à l'éphémère donc, bref, ayant l'immense mérite d'être périssable... Car son immortalité lui gâche la vie, et il ne voudrait plus avoir à se soucier de cette mort du soleil qui en tout état de cause dans quelques millénaires lui ôtera ses derniers lecteurs. Dans *L'Idiot de la Famille*, la critique s'emporte, Sartre dénonce le projet salaud de l'écrivain, abolir le monde, mettre en œuvre la destruction de la matière par l'imaginaire, réaliser la désintégration universelle par la négativité de l'esprit — projet qu'à première vue, dans le même contexte historique, on attribuerait au seul savant. Cette idée de nuire par la littérature, ce rapport négatif à l'espèce, a été une tentation de Sartre, d'ailleurs il a assumé au moins le négatif de la fonction paternelle, en se faisant à son tour parasite, vampire.

Opter pour *les mots*, dit Sartre qui ne peut alors échapper au coup qu'il porte à Flaubert, c'est nécessairement cultiver le non-être et le non-vrai, c'est entériner une impuissance absolue, qui opérera à travers l'œuvre un immense dégagement de ressentiment. Appliquée à Flaubert, cette analyse est juste sans doute, mais qu'un dialecticien assimile le non-être au non-vrai, c'est assez surprenant, et que le langage soit pure impuissance est une autre thèse passionnelle. Sartre s'en tient ici aux principes de sa dernière philosophie suivant laquelle la vérité n'est pas de l'ordre du symbolique, puisque celui-ci est purement instrumental, et à son nouvel idéal moral d'une pratique silencieuse, opérant à même le réel, seule possibilité à ses yeux d'un pouvoir concret.

C'est qu'il est las des fantasmes de la contre-création, las de ce travail décevant qui consiste à élaborer un imaginaire contre-cosmos pour faire pièce au Père créateur en exploitant cette anti-vertu qu'il nous a donnée par mégarde, la négativité. La littérature, pour Sartre qui s'est intéressé tout autant à Mallarmé qu'à Flaubert, c'est le jeu du néant, l'activité ou la contre-activité de faire disparaître et de se faire disparaître. En cela, elle est la simple conséquence de la malédiction paternelle, sa pure et simple exécution littérale retournée en vengeance. Sartre à propos de Flaubert en fait ressortir l'intention cachée : il projette de faire disparaître en sa personne le témoin de l'œuvre divine, le flambeau qui l'éclaire, de telle manière qu'elle s'effondrera dans la nuit. Ce projet suicidaire, ajoute Sartre, traduit une « étrange arrogance : Gustave serait seul témoin ? Seul flambeau ? ». Mais nous connaissons par ailleurs cette ontologie négative. L'en-soi comme milieu de l'identité absolue est plongé dans la nuit, c'est en quoi l'inessentiel, c'est-à-dire le *créé*, révèle son essentialité. Cette mégalomanie qu'il attribue à Gustave, elle est celle du sujet, du pour-soi, et elle est indépassable puisque chacun n'a qu'une vie, qu'une conscience, à moins d'admettre que cette subjectivité individuelle avec son orgueil et sa misère doit se dissoudre dans le groupe dont elle est la véritable propriété. En outre, n'avons-nous pas constaté par ailleurs que l'univers doit son existence à cette tension entre le Père et le Fils ?

Le projet littéraire est justement le projet du fils de tenir le père en échec. Au Père il va opposer le Livre. En résumant le monde dans l'écriture, en le totalisant, il s'égalera à lui. Mais embrasser l'être infini, cela ne peut se faire que du point de vue du néant, c'est l'entreprise d'une conscience de survol qui oublie sa propre inhérence au monde — et Sartre renvoie à Flaubert ou à l'Ecrivain une critique que lui adressait Merleau-Ponty [1].

La totalisation suppose le point de vue de la mort, de ce moment où l'œuvre s'est rejointe et accessoirement le moi qui a servi à la produire. L'écrivain vit nécessairement avec cette idée de la clôture de son expérience, éventuellement il se séquestre pour éviter de compromettre son exhaustivité. D'autre part, la littérature préfigure la mort comme inertie glorieuse. Mais surtout, comme l'imaginaire, elle est contact avec l'au-delà, l'au-delà de la vie, l'être par-delà l'être. Le livre est cercueil, urne funéraire, mais pas seulement, il est aussi communication avec les Enfers. Il a le pouvoir magique d'évoquer les morts comme les tables tournantes de l'imaginaire. En ce sens, le travail littéraire est aussi travail du deuil.

Tel est donc l'univers de sortilèges dont Sartre aura été le prisonnier rétif et consentant ; on pourrait trouver une illustration de tout cela dans ses sentiments quant à son édition dans la collection « La Pléiade » [2], pierre tombale à ses yeux, mais aussi passage à un nouveau type de célébrité, consécration, admission dans le collège des morts illustres, hommes devenus monuments — réalisation du rêve de l'enfance.

Ce crochet dans l'au-delà nous a éclairés sur l'efficace du père mort. Faut-il donc ramener le grand-père au rang de personnage secondaire ? Sartre a bien vu que le propre de la paternité est de se dédoubler, dans le cas de Flaubert il oppose

1. Dans *Le Visible et l'Invisible*.
2. Cf. *Situations*, X. « Auto-portrait à soixante-dix ans ».

le père symbolique qui condamne son fils au néant et le père empirique qui se contente de le vouer à un destin bourgeois, le père de famille bonasse et banal et le géniteur féroce, qui opère par son absence, en tant qu'il est le médecin qui hors de la vue de tous dépèce les cadavres, qui entretient un commerce étroit avec la mort.

Chez Sartre, on pourrait penser que le père symbolique, sublime, c'est un rôle qui revient au grand-père, l'autre étant si empirique qu'il s'est même dissous dans l'expérience. Quand Sartre écrit soudain : « féminisé par la tendresse maternelle, affadi par l'absence du rude Moïse qui m'avait engendré », on peut se demander d'où sort ce Moïse, puisque selon toute apparence il ne peut s'agir du pauvre Jean-Baptiste mort en bas âge, force est de penser que c'est un pseudonyme de Karl Schweitzer, ou un thème de ses « tableaux vivants »... Par ailleurs il semble bien que Sartre joue le père absent, le petit père mort, contre le grand-père redoutable [1], comme s'il l'avait échappé belle : un père, c'est terrible, voyez celui-là qui a écrasé ses fils et sa fille, éliminé son gendre, heureusement que ce n'est pas le sien ! Orphelin, il est sauvé. Mais le père symbolique et le père empirique se livrent à un curieux chassé-croisé, échangent leurs rôles, le vieillard histrion n'est qu'un représentant futile du père authentique, chargé des prestiges de l'outre-monde. C'est pourquoi, quand il joue pleinement son rôle, il s'identifie au disparu, du moins aux yeux de l'enfant, il parle avec sa voix : « asséchée, durcie, je la pris pour celle de l'absent qui m'avait donné le jour ». Ce qui arrive quand lui est délivré le fameux mandat.

Sartre ne parvient pas à dépasser l'insoluble contradiction du rapport au père : être mandaté, c'est s'abaisser, c'est reconnaître la transcendance de l'Autre qui est la condition de son élection et s'exposer à la subir. Dans son enfance, il envie Michel Strogoff, chargé de mission par le tsar, ainsi nanti d'un admirable destin, mais n'en est pas moins « sans-culotte et régicide » suivant la tradition républicaine de la famille. Et il connaît alors l'angoisse de la solitude, du délaissement, d'autre part il éprouve que le beau mandat se transforme en pur arbitraire, en volonté capricieuse : « je ne pouvais oublier que je me le donnais moi-même » — c'est-à-dire qu'il reconnaît que ce que je fonde moi-même ne l'est pas vraiment, qu'un fondement authentique requiert l'Autre, que sa loi seule peut me doter d'une réalité à l'épreuve de la contingence.

----

1. Sartre explique que Flaubert a ainsi essayé de jouer Dieu contre le Père, d'opposer le regard absolu au regard chirurgical.

Plus tard, réfléchissant sur son enfance, c'est ce qu'il appelle sa folie, cette dénégation de la paternité. Il ne pouvait admettre qu'on reçoive l'être du dehors : mieux vaut n'être rien, c'est-à-dire pure conscience. Et se tirer du néant est un acte qu'on accomplit soi-même, c'est l'acte de la conscience précisément. Bref, c'est moi qui me tire du néant comme le baron de Crac sortait du marais en se tirant par les cheveux. Ce thème philosophique — je produis ma pensée et je suis cela, cette pensée que je pense — est proprement existentiel, il l'a profondément vécu avant de faire de Roquentin son interprète : « J'existe. Je pense que j'existe. Si je pouvais m'empêcher de penser !... Ma pensée, c'est *moi* : voilà pourquoi je ne peux m'arrêter. J'existe par ce que je pense, et je ne peux m'empêcher de penser. En ce moment même — c'est affreux — si j'existe, c'est *parce que* j'ai horreur d'exister. C'est moi, *c'est moi* qui me tire du néant auquel j'aspire... [1] »

Sur ces deux points cartésiens, l'existence et la pensée, et leur articulation (je n'existe que comme pensée, ma pensée est mon existence, je suis à l'origine de l'une comme de l'autre), *L'Idiot de la Famille* apporte des corrections. La dénégation de la paternité est annulée au passage : « c'est le père qui d'un coup de rut l'a arraché au néant » — mais du coup toute la construction s'effondre, d'où cet énoncé plus surprenant : « comme si Achille-Cléophas faisait naître en son fils ses pensées les plus intimes »... Ce qui jette rétrospectivement une nouvelle lumière sur le texte de *La Nausée*, où tout de même la spontanéité de Roquentin paraît assez laborieuse : « Les pensées naissent par-derrière moi comme un vertige, je les sens naître derrière ma tête... si je cède, elles vont venir là devant, entre mes yeux — et je cède toujours, la pensée grossit, grossit et la voilà, l'immense, qui me remplit tout entier et renouvelle mon existence... l'existence prend mes pensées par-derrière et doucement les épanouit *par-derrière ;* on me prend par-derrière, on me force par-derrière de penser... » Et comme pour qu'il n'y ait pas d'équivoque sur la signification sexuelle du passage, Sartre ajoute ce contrepoint : « Je fuis, l'ignoble individu a pris la fuite, son corps violé. Elle a senti cette autre chair qui se glissait dans la sienne. Je... voilà que je... Violée. Un doux désir sanglant de viol me prend par-derrière, tout doux, derrière les oreilles... Rollebon est mort, Antoine Roquentin n'est pas mort, m'évanouir : il dit qu'il voudrait s'évanouir, il court, il court le furet (par-derrière) par-derrière *par-derrière,* la petite Lucile assaillie par-derrière, violée par l'existence par-

---

1. *La Nausée.*

derrière... » Le ton haletant de ce texte, d'ailleurs admirable, n'est pas celui de la méditation cartésienne, il décrit plutôt la déroute subjective. Roquentin est pour ainsi dire l'enculé de la pensée, et de l'existence, elles le violent et par exemple en introduisant en lui le désir ignoble du viol, il est à la fois violant et violé, existant et existé... Mais maintenant, nous savons qui est derrière. Finalement, le *cogito* sartrien rejoint celui de Descartes, qui découvrait en lui-même la présence d'un Autre, à savoir Dieu, entrevu et méconnu tout au début de l'itinéraire sous les traits imprécis du Malin Génie. L'apport de Sartre est justement de ne pas disjoindre le grand trompeur du Dieu vérace.

*

Ce qui est mis en scène d'entrée de jeu, dans *les Séquestrés d'Altona* [1], c'est la loi du père. Il a convoqué le conseil de famille, et comme d'habitude il va arriver avec exactement dix minutes de retard, parce qu' « un chef arrive le dernier », parce qu'il estime nécessaire de faire mariner un petit moment ses enfants dans la peur pour les avoir mieux à sa main. Mais c'est un père sous l'emprise de la mort qui apparaît : il est atteint d'un cancer.

Ce qu'on pourrait appeler la paternité-terreur se traduit elle aussi par l'exigence d'un serment : « Interdiction de vendre ou de louer cette maison. Interdiction de la quitter : vous y vivrez jusqu'à la mort. Jurez. » Là aussi, il s'agit de maintenir une structure collective contre les libertés individuelles. Mais l'existence du groupe, subissant une autorité verticale, est pour ainsi dire aliénée à cet étrange objet, la maison, propriété et légitimité matérialisées, qui symbolise la Maison von Gerlach, au sens où Sartre parle de la Maison Flaubert fondée par Achille-Cléophas et où il n'y a pas de Maison Sartre. Maison-vampire qui réclame des habitants, des morts.

« Mon fils demeurera ici pour y vivre et pour y mourir comme je fais et comme ont fait mon père et mon grand-père. » La loi est bien loi de la succession, de la temporalisation, en tant que celle-ci doit être régie par une structure.

Comme Mathieu ou Oreste, Franz a eu trop longtemps l'impression de compter pour rien, parce que ses actes s'effaçaient, parce que ses fautes mêmes restaient sans conséquence : le père passait derrière et arrangeait tout. Il est torturé par le

1. Le lecteur pourra se reporter à l'analyse thématique du texte donnée par Michel Contat dans la collection « Archives des lettres modernes ».

remords d'avoir torturé, mais, a dit Sartre[1], indiquant ainsi que le vrai sujet de la pièce était le problème historique (psychologique par contrecoup) de la paternité, il est avant tout un homme voué à l'impuissance par la puissance de son père. Tout le définit comme « futur chef », à commencer par sa position de fils, et en même temps l'exclut de ce destin qui est son seul possible : par exemple, comme fils Gerlach, il est irresponsable. La position de chef, il voudrait la mériter, l'obtenir par ses propres actes, ce qui veut dire à la fois refuser l'héritage et s'identifier vraiment à son père, authentique *self made man*. Il veut être comme son père, ne se tenir que de soi-même, donc n'avoir pas de père, cette contradiction le détruit. En outre, ajoute Sartre, la place objective à laquelle on l'a destiné n'existe plus : il ne pourrait jouer qu'un « rôle secondaire dans un complexe géant ». Le père lui-même reconnaît cette déchéance : « Il y a beau temps que je ne décide plus rien. Je signe le courrier. » Bref, depuis *L'Enfance d'un Chef*, l'entreprise familiale a périclité. Et si Franz n'a d'autre issue que la mort, ce n'est pas tant par culpabilité inapaisable, c'est faute de pouvoir devenir patron, de pouvoir sortir enfin de son « horrible impuissance ».

Une idée sur laquelle nous aurons à revenir, c'est que le sujet ne peut exister que *par sa faute*. Autrement dit, il ne peut se dissocier de l'être transcendant, positivité absolue qui l'a créé, qu'en affirmant sa négativité constitutive, condition de son existence autonome. Mais si l'être transcendant le lave de ses péchés, du même coup de ses actes et de sa liberté, il n'advient pas véritablement à l'être, reste une simple boursouflure de la substance, une sorte de champignon, ou très exactement un séquestré. C'est pourquoi, d'une certaine manière, Franz s'accroche à sa « faute absolue », irrémédiable. Toutefois, pour finir, le père la prend aussi sur lui, de même que Jupiter avoue dans *Les Mouches* : le premier crime, le crime originel, c'est moi qui l'ai commis, en créant les hommes mortels... Là, le père reconnaît qu'il a, par son âpre passion du pouvoir, voué son fils à l'impuissane et au crime : « Dis à ton tribunal de crabes que je suis le seul coupable — et de tout ». La culpabilité est renvoyée au père comme à son expéditeur (« les innocents avaient vingt ans, c'étaient les soldats ; les coupables en avaient cinquante, c'étaient leurs pères »), mais la générosité paternelle est encore une fois ambiguë. Franz le dit lui-même : « Je n'aurai rien été qu'une de vos images. Les autres sont

---

1. Cf. *Un théâtre de situations*, recueil d'entretiens de Sartre sur le théâtre choisis et présentés par Michel Contat et Michel Rybalka.

restées dans votre tête. Le malheur a voulu que celle-ci se soit incarnée. A Smolensk, une nuit, elle a eu... quoi ? Une minute d'indépendance. Et voilà : vous êtes coupable de tout sauf de cela... » Bref, il n'existe que dans l'irréductibilité du mal. « Je pensais : s'il trouvait moyen de la rattraper, cette image rebelle, de la reprendre en soi, de l'y résorber, il n'y aurait jamais eu que lui. » Et le père répond en s'affirmant comme étant bel et bien l'être unique : « Franz, il n'y a jamais eu que moi... Ma mort enveloppera la tienne et, finalement, je serai seul à mourir. »

Entre le père et le fils, il y a un rapport d'être qui est aussi rapport d'exclusion. « Vous, c'est moi », dit Franz. Il passe par la médiation de l'avoir : « Occupe-toi de l'entreprise : aujourd'hui la mienne, demain la tienne ; mon corps et mon sang, ma puissance, ma force, ton avenir. » Et le père dira plus tard : « Te rappelles-tu l'avenir que je t'avais donné ? » — l'avenir conforme à la loi. Mais soudain, à un détour du dialogue, la logique bourgeoise est subvertie et un autre drame apparaît : « les bateaux, je les faisais pour toi », à quoi Franz répond : « je croyais que vous m'aviez fait pour eux ». Un tel malentendu, ce retour à la subjectivité (l'objet existe pour elle et non l'inverse), marquent la distance avec *L'Enfance d'un Chef* : « Est-ce que je deviendrai aussi un chef ? demanda Lucien. — Mais bien sûr, mon bonhomme, c'est pour cela que je t'ai fait. »

Il y a donc entre le père et le fils un rapport complexe d'identité : parce que l'un *est* l'autre, ils ne peuvent être ensemble — et ainsi ils mourront tous les deux. « Il refuse de *voir* son père qui l'adore, et qui n'ignore pas que c'est sa propre image que *reflète* la personnalité de son fils [1]. » La fonction de l'image est bien mise en évidence : « Il m'a créé à son image — à moins qu'il ne soit devenu l'image de ce qu'il créait. »

L'imaginaire est la médiation entre le père et le fils, on le sait, d'autant que Sartre le réduit à la fonction de représentation, de re-production. Et comme le rappelle Jupiter dans *Les Mouches*, Dieu fait le roi à son image de la même façon que le père le fils. Mais le fait nouveau, c'est que l'attitude de Franz tend à rendre la relation réciproque, par exemple la négativité qu'il introduit contamine ce bloc de plénitude massive qu'était jusque-là son père : « c'est par le fils que l'inquiétude morale pénètre dans la maison et atteint finalement le père ». Franz en exaspérant sa faiblesse l'a transformée en

1. *Un théâtre de situations.*

force, il s'est fait en se séquestrant le destin des autres, la loi de la maison s'exerce en son nom [1].

Franz en arrive à dire : « Je le connais comme si je l'avais fait, et pour tout dire, je ne sais plus trop qui de nous deux a fait l'autre. » On reconnaît là le rêve d'être père de son père. En tout cas, il semble bien que Franz est le vrai fils, au contraire de Werner, le cadet, surnuméraire, dépossédé. Werner, n'étant pas le véritable héritier, ne peut donner d'ordres, puisque l'autorité procède de l'intériorisation du père comme tel. Celle-ci lui faisant défaut, il parle à peu près comme Sartre : je ne puis donner d'ordres à quelqu'un quand je le regarde dans les yeux parce que je sens qu'il me vaut. Et le père lui donne ce judicieux conseil : si tu veux commander prends-toi pour un autre, tant il est vrai qu'on ne commande jamais qu'au nom du « parasite sacré ».

Mais en même temps, dans les propos de Franz, s'exprime cet étrange idéalisme inversé qu'on pourrait suivre à la trace dans l'œuvre de Sartre, exact contraire de l'idéalisme officiel qui professe que le sujet est la source absolue des significations : je ne suis qu'un effet, une image formée par l'être absolu, une apparence inconsistante émanant d'un excès d'être comme une brume de chaleur, une figure éphémère de son rêve. Si le père est l'être, je ne suis rien. C'est au fond ce qu'enseigne *L'Etre et le Néant* : il ne peut y avoir deux êtres. « Un et un font un, voilà notre mystère », conclut Franz.

Mais il n'y a pas que la métaphysique. Sartre dégage une dimension homosexuelle qui approfondit beaucoup l'anecdote de *L'Enfance d'un Chef*, où il ne s'agissait que d'une erreur de jeunesse, d'un petit accident survenant à l'essence pas encore parvenue à maturité, mais qui s'effaçait sans laisser de traces — brève rencontre avec la faute que la moustache suffisait à recouvrir. Dans *Les Séquestrés d'Altona* au contraire, où le destin bourgeois devient tragédie, la faute ne s'efface pas, et l'homosexualité apparaît comme essentielle à la maîtrise.

FRANZ. — Savez-vous qui m'a fait Roi ?
LE PERE. — Hitler.
FRANZ. — Oui. Par la honte. Après cet... incident, le pouvoir est devenu ma vocation. Savez-vous aussi que je l'ai admiré ?...

---

1. « Nous sommes quatre ici dont il est le destin sans même y penser », dit le Père, et plus tard Johanna : « On nous retient ici de force : en votre nom ». Sartre explique par ailleurs comment Flaubert, par son attaque de Pont-l'Evêque puis par sa séquestration, a tourné sinon retourné la loi du père.

Vous ne le saviez pas ? Oh ! Je l'ai haï. Avant, après. Mais ce jour-là, il m'a possédé. Deux chefs, il faut que cela s'entretue ou que l'un devienne la femme de l'autre. J'ai été la femme de Hitler. J'ai le pouvoir suprême. Hitler m'a fait un Autre, implacable et sacré : lui-même. Je suis Hitler et je me surpasserai. »

Autrement dit, en voilà un qui a un surmoi : Hitler en personne. Ce qui est conforme à l'explication du nazisme que Freud a donné avant la lettre : l'objet prend la place de l'idéal du moi [1], et à ce que disait d'autre part quelqu'un d'aussi qualifié que Goering : « Je n'ai pas de conscience, ma conscience s'appelle Adolf Hitler. »

Le « parasite sacré », l'être du pouvoir, est devenu pour nous comme il convient une vieille connaissance, nous le retrouvons en même temps que cette présence de l'Autre en moi dont le refus explique pour une part le vide intérieur. L'identification est bel et bien assimilée ici à la possession sexuelle, le tout baignant naturellement dans la honte — ce qui éclaire par récurrence les attitudes de désistement. En un mot, avoir le pouvoir, c'est prendre la place de la femme du père.

Mais, pour bien comprendre tout cela, il faut remonter à la scène primitive, qui, dans la pièce, de manière tout à fait explicite, est « l'incident » du rabbin. Tout y est noué.

Franz, qui est une âme pure, un humaniste, qui a une conscience, comme dira son père, a caché dans sa chambre un évadé du camp de concentration voisin, rabbin polonais. Il le dit à son père qui comprend que le fils a voulu le racheter, sauver l'honneur, car c'est lui qui a vendu le terrain aux nazis : quelle importance, puisqu'ils en auraient de toute façon acheté un autre. Craignant une dénonciation probable, le père livre le rabbin aux nazis en obtenant la grâce de son fils, qui devra toutefois s'engager sur le front russe. Bref, il efface son acte, sa faute glorieuse, par laquelle il voulait — peut-être au prix de sa vie — se poser à l'égal du père, il la réduit à une étourderie de gosse de riches, à qui tout est permis parce que tout est sans conséquences, le père étant là derrière pour payer la casse. Il faut dire qu'il y avait un dilemme : c'était l'un ou l'autre qui s'affirmait, l'un des deux était nécessairement

---

1. *Psychologie des masses et Analyse du Moi.* Freud parle d'idéal du moi et non de surmoi, mais on pourrait dire que précisément cette distinction s'efface dans la formation collective, puisque l'autorité, qui est incarnée, rend le narcissisme collectif, national et même international, si ce n'est océanique ; le surmoi à proprement parler, comme chez Franz, fait retour *après*.

nié, et donc le champion l'a emporté sur le *challenger*. Mais
la scène a été horrible : « Vous leur avez livré le rabbin et
ils se sont mis à quatre pour me tenir et les autres l'ont
égorgé. Qu'est-ce que je pouvais faire ? Pas même lever l'auri-
culaire... Le rabbin saignait et je découvrais au cœur de mon
impuissance je ne sais quel assentiment. »

Cette scène n'a pas besoin de lourds commentaires. Ses multiples significations sont aisément déchiffrables. Notons toutefois que la violence faite au rabbin symbolise celle que Franz
subit lui-même, alors qu'il est également du côté des oppres-
seurs : la division qui déjà le travaillait devient une déchirure
irréparable, il est nommé son propre bourreau. Car tortionnaire, Franz le sera surtout de lui-même. D'une part, il s'identifie au rabbin, étant lui aussi victime impuissante, être passif,
et le désir se glisse sous la honte et la terreur. D'autre part,
une autre identification se constitue, ou réagit, qui fera de lui
un criminel, manière d'être le père et surtout, d'être pour lui
un remords inexpiable. Pour parler le langage sartrien, la scène
extérieure s'intériorise, devient structure (à moins que ce soit
cette structure qui se soit dramatisée) : en lui le père s'installe
pour le torturer et finalement pour le tuer.

Toute la pièce, dit Sartre, est la préparation de l'affrontement
final, que Franz a toujours voulu et redouté. Il use de Leni,
sa sœur, dans ce but [1], ce qui renverse le thème développé dans
Le Diable et le Bon Dieu par exemple : on s'aime contre
Dieu, contre l'Autre, contre l'Absolu. Ici au contraire, la partenaire amoureuse, on ne peut plus intime pourtant, est en fait
un instrument dans un jeu beaucoup plus important contre le
père.

Le meurtre du père est un beau sujet de théâtre, sinon tout
à fait le seul, et Sartre l'a traité à maintes reprises. Dans *Les
Mains Sales*, Hoederer avait adopté Hugo, lui avait promis
de l'aider à devenir un homme, et Hugo l'a tué non parce qu'il
le soupçonnait d'aspirer à la dictature, ou plutôt de vouloir
passer un compromis avec l'ennemi de classe, mais par sentiment d'être trahi, c'est-à-dire que ce nouveau Brutus ne peut
dissimuler ses motivations œdipiennes sous les nobles exigences
de la politique, mais il n'en veut pas moins être un homme
honorable, et son projet sera finalement de mourir de la mort
même d'Hoederer, en donnant au fait passé son vrai sens :
« Alors il aura eu la mort qui lui convient... Je n'ai pas encore
tué Hoederer, Olga. Pas encore. C'est à présent que je vais le
tuer et moi avec. »

1. Sur tout cela, cf. *Un théâtre de situations*.

L'idée est donc de cumuler parricide et suicide. Comme si l'on ne pouvait pas survivre au meurtre du père. En un sens : il a tué le père, le père le tue, et tel est le vrai sens de son premier geste. Cette impossibilité du meurtre du père, on la trouve modulée différemment dans *L'Idiot de la Famille*, où Sartre raconte que le père Flaubert mourut d'une opération tentée par son fil aîné, sur sa propre demande, et conclut : « le plus surprenant résultat de cette relation, c'est que le vieux, s'offrant de lui-même au couteau, ôta à son fils aîné jusqu'à la possibilité de se délivrer par le classique *meurtre du père* : certes, Achille l'a tué mais il s'est fait, en tremblant, jusque dans l'opération, le docile instrument d'un suicide sacré ».

Cet épisode montre aussi que la réciprocité est impossible, sauf dans la mort. Le père Flaubert devait mourir, il était exclu, à la vérité, qu'Achille rende la vie à son père, en soit *quitte*. Le vrai sens de l'opération, c'est une sorte d'identification chirurgicale, et bien, cette fois encore, de possession : « c'est la transfusion de pouvoirs : mourant par toi, je sens dans la douleur que le *mana* me fuit et entre dans ton corps »..
Autrement dit, le fils n'a que la carte forcée et le père gagne à tous coups. Dans la personne du fils, il se survivra à soi, l'Un paternel est décidément la réalité exclusive, la dualité lui est asservie.

Le suicide, c'est au fond le vrai destin de la cause de soi. D'ailleurs, en tout état de cause, enseigne la philosophie sartrienne, je suis cause de moi-même négativement, je puis me détruire à défaut de m'être produit, et c'est ce que je ne manque pas de faire. Mais le père, le père bourgeois qui imite Dieu, prétend s'être fait lui-même, et il veut mourir de la main de son fils, sous son couteau, comme la cause s'épuise dans et par son effet — ainsi il se maintiendra jusque dans la mort sur le schème glorieux de la cause de soi. L'idée du père von Gerlach, d'entrée, c'est de se fabriquer une mort de *self made man* : « Une mort industrielle : la Nature pour la dernière fois rectifiée. » Son fils Werner, « la gorge serrée » : « Rectifiée par qui ? » Et le père implacable : « Par toi, si tu en es capable. » Mais Werner se défile, ce n'est qu'un cadet, et Franz ressortira fort à propos de son grenier.

Bref, le Père ne cesse pas de mener le jeu. Il reste jusqu'à la fin *la cause,* Franz le dit très bien : « Vous aurez été ma cause et mon destin jusqu'au bout. » Le père entraîne le fils dans sa mort, le thème de Chronos réapparaît « je t'ai fait, je te déferai ». Nous avons bien sous nos yeux le Père absolu, en soi, comme tel nécessaire meurtrier de son fils, qui ne

saurait en aucun cas prendre sa place. Cette fin est donc très
ambiguë. Qui perd, qui gagne dans cet affrontement ? Sartre
a envisagé ce titre : *Qui perd gagne*. Certes, Franz tuera son
père, et pleinement, l'ayant obligé au constat de faillite, à
reconnaître l'échec de son entreprise, au double sens du mot,
le Père ne laissera rien, ni son fils, ni sa flotte (mort, il voulait être une flotte), bref, toute son existence s'annulera, som-
brera dans le néant. Mais justement il sera dans le lot, alors
qu'après tout il aurait pu accéder à une vie nouvelle. Non,
le père condamné, fini, l'entraîne dans sa mort comme s'il
restait bien cette existence toute relative, cette annexe imaginaire de *l'ens realissimum*. Même dans le suicide, il ne pourra
pas s'appartenir enfin, et, jetant la Mercedes dans le ravin,
il donne l'ultime preuve de son impuissance à tuer le père
réellement, c'est-à-dire symboliquement.

Dans la réalité, lutter contre le père mène inexorablement
à l'échec, qu'on pourra transformer en victoire par la manipulation des signes, jeu plus ou moins dérisoire. Embarqué sur
le même bateau que le père, le fils ne peut que couler avec
lui. L'autodestruction, qui est l'exécution littérale de sa condamnation, est aussi une manière de le punir, pour autant que
cet Autre on n'a jamais été que sa chose, sa chère image. Il
faut ajouter qu'on ne peut se débarrasser de sa victime qu'en
se tuant soi-même. Sartre en administre la preuve *a contrario*,
quand il explique pourquoi il craint moins sa propre mort
que le refroidissement du soleil : tant qu'il y aura des hommes,
il peut se dire qu'il survivra sous la forme d'une hantise,
étant devenu à son tour vampire sacré. Mais quand l'humanité disparaîtra, « elle tuera ses morts pour de bon »...

Mais cet échec, c'est aussi celui de la raison dialectique.
Le conflit est proprement tragique, les deux adversaires sont
à la fois coupables et justifiés, ce sont leurs positions qui
les condamnent à s'opposer et à se détruire, comme Antigone
et Créon. A vrai dire, plutôt que deux droits, ce sont *deux
crimes* qui s'opposent en vain : comment légitimer l'intention
meurtrière du fils ? et comment disculper le père d'être à
l'origine d'une telle situation ? De manière explicite, dans *Les
Séquestrés*, le père et le fils sont également coupables, le dénon-
ciateur et le tortionnaire se jugent réciproquement, faute de
Dieu, comme à huis clos le lâche, l'infanticide et la « femme
damnée ». Le seul rapport positif qui puisse exister entre eux
passagèrement c'est la complicité entre deux criminels nés.
Chacun poursuit la mort de l'Autre et en ce sens en est
inséparable, si bien qu'à la manière des aristorates qui échan-
geaient des politesses avant d'engager le duel à mort ils peuvent

se faire un petit signe de compréhension : Jupiter et Oreste se font ainsi l'aveu d'une mutuelle pitié[1].

Nulle part le projet du meurtre-suicide qui anime l'entreprise littéraire de Flaubert n'apparaît plus clairement que dans *La Légende de Saint-Julien l'Hospitalier*. Julien a commis l'acte irréparable, de ce fait il se retrouve investi d'une essence, celle de parricide, en conformité avec la prédiction, son existence prend fin, le parricide est sa mort. La faute inexpiable est devenue son être, constitué également par là comme devant être détruit. Et pourtant, quoi qu'il en soit, Julien demeurera *de trop*, même le suicide ne peut effacer sa faute, ne peut détruire cet être-en-soi qu'il s'est donné et qui est cette « statue d'iniquité ». Mais cette vie absolument injustifiable en tant qu'elle est vécue accède au sacré du point de vue du récitant, qui la recueille en tant qu'essence, totalité close, pure succession mélodique, dont la liberté s'est évidemment défalquée puisque de toute manière les jeux étaient faits. Et Flaubert s'étant placé du point de vue de la mort, son regard coïncide avec celui de ce récitant, et sa propre vie se referme en publiant son sens, en livrant le fantasme qui, une fois constitué, l'a articulé minute par minute. Ne pourrait-on voir là la fonction de la littérature ? Rendre à la réalité la *légende*, qui est la manière dont nous la vivons à distance.

J'ajouterai quelques mots à propos d'un roman de jeunesse inédit[2] pour lequel Sartre hésitait entre deux titres, *Empédocle* ou *Une Défaite*, et que lui inspirèrent, très librement, les relations de Nietzsche avec Wagner. Ainsi, le héros, Frédéric, naturellement nietzschéen, voit en un certain Richard Organte, écrivain arrivé, une incarnation prodigieusement séduisante de la Force. En lui, dans sa solitude, s'élève un chant douloureux : « l'appel du maître ». Sans vergogne il s'écrie : « Un maître ! Un maître ! »

Mais ce cri qui échappe à son cœur le surprend et le remplit de confusion : est-il dans son caractère d'être un disciple ? Bien au contraire, quand son père l'année précédente a entrepris de lui enseigner les mathématiques, il a senti son orgueil se cabrer, il n'a pas supporté de se taire, d'approuver, a vécu cette passivité comme une déchéance[3]. Sartre manifestera toujours

---

1. JUPITER. — Je ne t'aime guère et pourtant je te plains.
   ORESTE. — Je te plains aussi.
2. A paraître dans l'édition complète des romans de Sartre préparée par Michel Contat et Michel Rybalka dans la collection de la Pléiade.
3. Dans le film de Michel Contat, Sartre raconte que son beau-père — le polytechnicien — lui infligeait des leçons de mathématiques, voulant le détourner des lettres.

de la répugnance vis-à-vis de la conduite d'apprentissage, parce
qu'elle suppose l'abandon, le fait de s'ouvrir et de se laisser
pénétrer par le savoir constitué : la liberté y est nécessairement
tronquée, puisqu'elle ne peut rien faire d'autre que de reconnaître et de subir la loi de l'Autre [3].

Mais il y a maître et maître. Frédéric s'arrête « au bord
d'un abîme : il comprenait le sens profond de cet appel au
maître tout-puissant, qu'on ne pouvait trouver chez les hommes.
Cet appel au maître, c'était l'appel à Dieu... Mais il se reprit
soudain : Dieu né de ma faiblesse, de ma fatigue, tu es le
tentateur, le dernier effort que fait en moi la crainte de la
solitude... Mais je ne puis être le disciple d'aucun maître, je
ne puis être le fidèle d'un Dieu. Je suis seul ! »

Noble résolution, mais qui fléchit. « Un Dieu joyeux et puissant habitait en lui, qu'il avait nommé Organte. » Le « lamentable Frédéric » ne laisse pas de tourner autour de cet Organte
et de se mesurer à lui : « Je le vaux ! Je le vaux bien ! » Il
cherche sa valeur en Organte comme son image dans le miroir,
et se livre à des joutes rhétoriques où il tâche de « l'étreindre
d'un effort puissant et de le jeter à terre ». En Organte il
voit aussi une « présomption de ce qu'il serait lui-même ».

Tout est décidément limpide dans ce roman de jeunesse.
Organte est flanqué d'une Cosima vis-à-vis de laquelle Frédéric
entretient des sentiments complexes. Par exemple, ébloui à sa
vue, il raconte à ses enfants, mais ne parlant que pour elle,
une singulière « histoire d'âmes », « fruit bâtard de ses pensées
et du corps de Cosima », et qui commence ainsi : un roi
(méchant) et une reine mettent au monde un héritier, « un
petit prince, le plus bel enfant de la terre ». Ensuite, Frédéric
n'a plus qu'à se demander : « Si Organte mourait épouserais-je
Cosima ? » Et l'auteur de commenter : « Cette manière d'envisager la question, qui peut paraître naïve, était d'une extrême
habileté... Cosima seule et une lui parut dépourvue d'intérêt. »
Il n'en est pas moins « possédé comme on fut jadis possédé
du démon », et se plaint amèrement en proie à « une lâche
tendresse qui le prend par-derrière : « J'aime une femme que
je ne puis posséder. » A la fin, le fils prodigue ira voir ailleurs,
comprenant qu'il n'a été qu'un « jouet » : « il voyait subitement
projeté hors de lui le couple épuisé, uni par la tristesse et
l'amour de la mort ».

Pourtant, la relation avec Organte lui avait paru comporter
une réversibilité : Organte le voyant debout pour s'en aller
éprouve une « stupeur douloureuse », ayant jusque-là refusé

3. Sur la dimension philosophique du problème, cf. *Le Mécanisme
de la Liberté*.

d'imaginer que « le petit être qui faisait éclore les pensées comme le soleil les fleurs, qui faisait fuir l'ombre et la mort, pût s'en aller ». Et, comme le grand-père des *Mots*, Organte, « sitôt qu'il était là, semblait un mort réveillé ». Frédéric, comme Poulou, joue bien son rôle dans cette comédie de la vassalité : « il saisissait le monde et le donnait à son maître ».

Organte n'en est pas moins « destructeur », et il infligera à Frédéric une « fructueuse défaite ». Car dans ce premier livre on trouve déjà, et fort à sa place, le thème du qui perd gagne. « Samson était le symbole de la Force, de la Force d'Organte. Sans doute, il était à la fin vaincu. Mais il entraînait avec lui ses ennemis. Au fond sa défaite était une victoire. »

La défaite primordiale, c'est la soumission immédiate à la loi du père. D'entrée, le père joue et gagne[1], parce qu'il est le père, parce que, comme on dit dans le langage des échecs, il a le trait. Sa médiocrité même n'est qu'une version de sa puissance : il condamne le fils en lui infligeant une naissance médiocre, en lui interdisant d'être rien de plus que lui-même, qui est si peu. Les mauvais anges romantiques ne l'envoient pas dire aux collégiens de Rouen : petits malheureux, vous avez été enfantés par des ventres bourgeois ! Sartre renchérit : « C'est atroce, pour un petit d'homme, d'être enfanté bourgeois. » Parce qu'à partir de ce moment, on n'a qu'un destin devant soi, c'est d'être bourgeois, de souscrire l'emprunt des Chemins de fer et de voter pour l'ordre. Rien de plus horrible que d'être Pagnerre, fils de Pagnerre.

Evidemment, on peut s'adonner au roman familial, s'identifier au héros romantique, né dans un obscur exil, et qui à la fin des fins recouvre la couronne paternelle, son droit prénatal. Le jeune Pagnerre peut rêver : est-il vraiment le fils d'un bourgeois ? Cela paraît douteux, à en juger par son exquise intériorité. Un autre expédient pour régler ses comptes avec le père, c'est de cocufier l'aristocrate, les princesses ne dédaignent pas les verges roturières, en les pénétrant le jeune bourgeois fait toucher les épaules à cet Homme né qu'on lui a refusé d'être, en lui donnant le jour, à lui le poète, dans cette classe prosaïque[2]. Bref, il reste la possibilité de jouer sur les signes, de faire de la poésie, de constituer l'échec en chiffre, d'y montrer la vérité de la condition humaine, de propager la Mauvaise Nouvelle : l'homme est impossible.

Au jeune failli s'offrent d'intéressantes carrières, artistes, saint,

---

1. Qui père gagne, dirait Lacan.
2. Cf. Kean : « Vous ne me laissez rien à faire sauf l'amour ; je ne ne suis un homme que dans le lit de vos femmes, c'est dans leur lit que je suis votre égal ».

martyr, comédien. Du coup, la malédiction devient sa vocation au génie et au salut, en exacerbant son sacrifice il ne doute pas qu'un jour ou l'autre, à quelque jugement dernier, on lui en saura gré, il attend d'autant plus la récompense ultime qu'il met beaucoup de zèle à repousser pour le moment les menues gratifications, spéculant très bourgeoisement, au fond, sur la hausse de l'intérêt.

Mais le qui perd gagne, cela veut dire aussi autre chose, selon Sartre, la régression à la croyance enfantine au Bien, à la vassalité, à l'abandon. Le fils prodigue a rebroussé chemin à Pont-l'Evêque. Dans sa chute, on peut lire cette adresse au père : j'ai perdu, je l'avoue, montre ta générosité en me reprenant dans tes bras, en me protégeant contre la vie. Il n'empêche que Flaubert mourra victime du père, dont le regard s'appesantit une dernière fois sur lui à travers celui du Prussien et du Savant — on pourrait ajouter Sartre lui-même, qui à son tour en a fait un objet : « je le prévois », nous dit-il[1]. Il est vrai qu'en optant pour l'imaginaire, Gustave n'avait fait que se livrer par avance à l'Autre. Maintenant le voilà cloué au sol. Inutile même de prévoir un vautour pour lui ronger le foie.

1. *Situations, X.*

III

LE MOI ET LA LIBERTE

La mort de son père fut la grande affaire de sa vie, elle lui donna la liberté. Mais la liberté est à comprendre comme vacance de la loi, et en somme loi négative, plutôt rude. La liberté, *due* — au départ précipité du père, c'est aussi l'inconsistance qui frappe le fils — la mort du père l'affecte d'une sorte d'inexistence.

Sartre nous présente des personnages qui s'éprouvent comme de simples images et veulent devenir des réalités, qui n'ont fait que des gestes et qui veulent enfin accomplir des actes, qui les feraient « exister pour de vrai », leur donneraient du poids, les lesteraient. Etre ce qu'il est, s'atteindre, « être un saint, être un méchant, peu importe, être son être », voilà le problème du sujet qui est mis en scène, nous assistons à cette comédie de la réalisation, et quand la coïncidence se produit, que ce soit dans la mort, comme pour Hugo et Franz, ou dans l'assomption de la réalité, comme pour Goetz et Kean, il n'y a plus rien à dire, sinon l'équivalent du « ils se marièrent et eurent beaucoup d'enfants » des contes. Les héros du théâtre de Sartre sont des cabotins et la pièce s'achève quand ils sont guéris du théâtre.

La liberté est échappement à l'engagement primordial, c'est-à-dire qu'elle fait de l'engagement une tâche ardue. On ne peut en jouir, on ne peut en faire d'autre emploi que de la réaliser ou de l'aliéner, bref, elle est le moment négatif, intermédiaire, vacance de l'être pour le sujet qui n'a d'autre but que de rejoindre ceux qui sont *nés engagés*. Sartre ne dit pas comme Merleau-Ponty que le romancier tient naturellement à son lecteur un langage d'initiés, au monde, au corps, à la vie, il n'a pas le même sentiment de l'ancrage, pas la même confiance dans un rapport fondamental à l'être, ce qui le conduira à vouloir engager la littérature parce que pour lui l'engagement ne peut être que futur, le passé se définissant par l'échappement. Le sujet sartrien *doit* s'engager parce qu'il ne l'est pas, parce qu'il est l'enfant-dieu irresponsable, libre et aliéné tout ensemble.

C'est dire l'ambiguïté de l'engagement, dont Sartre a donné la version noire avec Lucien Fleurier, lequel s'engage bel et bien pour *être* : « A présent, tout bien pesé, *il faut* que je m'engage », il se sent du coup « grave et presque religieux ». Dans le cadre de son propre drame d'identité Sartre s'est créé des repoussoirs, à propos de Lucien c'est comme s'il nous disait : ce n'est évidemment pas moi, ce salaud. Certes. En même temps, il projette en Lucien un certain nombre de traits qui lui sont propres, entre autres l'indécision primordiale du sexe, la passivité de poupée pour grandes personnes ; l'être positif, vrai comme l'en-soi, le M. Simonnot des *Mots,* s'appelle ici M. Bouffardier ; et puis Lucien, obsédé par les crabes, voudrait accomplir un acte irréparable, etc. On pourrait faire des réflexions analogues sur le personnage de Philippe, dans *Les Chemins de la Liberté,* Sartre caricature en lui l'enfant qui ne deviendra pas même chef, qui comme Baudelaire est emprisonné dans sa relation à son beau-père, ici aussi on assiste à une scène de séduction où l'homosexualité se dissimule sous le projet poétique du dérèglement des sens — mais enfin ce malheureux Philippe parle un peu comme Sartre de la guerre (« c'est un mal insupportable parce qu'il vient aux hommes par les hommes »), il se prend pour la conscience universelle, il se voue au martyre, orgueilleux et misérable. Quant à Franz, personnage d'une autre étoffe, qui emprunte à Sartre les crabes et la corydrane, il se veut le Témoin, le Siècle incarné. Pour en revenir à l'ambiguïté de l'engagement celui de Boris, qui en prend pour trois ans juste avant Munich, est assez dérisoire, d'autant qu'il ne semble si pressé de servir la patrie que pour échapper à Lola, c'est-à-dire au marécage incestueux. « Alors Boris foncerait, il lui dirait : *Je me suis engagé !* sans lui laisser le temps de reprendre son souffle. »

Lucien Fleurier songe à écrire un *Traité du Néant,* pour y exposer sa conviction qu'il n'existe pas — c'est le drame de l'inconsistance, de la flaccidité du moi. Au fond, Sartre ne fera que démontrer que j'existe comme inexistant. Lucien formule un *cogito* inversé corrélatif de cet idéalisme à l'envers déjà rencontré, suivant lequel être c'est être vu, et non voir, être pour l'Autre. Le sujet n'existant pas sur le mode de l'objet, de l'identité, il en éprouve le sentiment qu'il n'existe pas vraiment, qu'il fait semblant, qu'il *imagine* son existence au lieu de l'être. D'où un *anti-cogito* qui, si l'on se place sur le terrain de la philosophie, est proprement la pensée impensable.

« Non sum ! Non sum ! », criait pourtant, les bras en croix sur le dallage de la chapelle, un jeune moine du nom de Martin Luther. Même si la métaphysique y met ensuite bon ordre, il semble bien que l'on puisse reconnaître ce « je n'existe pas » comme une thèse primordiale, à qui d'ailleurs la définition du je comme néant apporte rétrospectivement une certaine vérité. Et si je dois tant me lester, n'est-ce pas parce que j'existe à peine ?

Mais précisément la philosophie vient heureusement corriger l'expérience existentielle de l'inexistence ou du néant. Le *cogito* est une chance inespérée, qui me permet de me ressaisir et d'échapper à l'Autre, notamment d'opposer l'expérience au savoir constitué, la transparence de la subjectivité à l'opacité du Père. J'affirme mon intériorité, le nœud du rapport à soi, contre l'extériorité matérielle infiniment divisible et dominée par la science. Je me ressaisis sur ce qui ne peut être séparé de moi-même, trouve l'invulnérabilité au sein même de ma dépossession, puisque ce que je puis perdre est ce que je ne suis pas. C'est dire aussi que cette solution comporte une certaine limitation : je n'existe que comme pensée, comme conscience, en ce sens comme néant. A partir de ce moment, la pensée est nécessairement surinvestie, dans les mêmes proportions que je me suis éprouvé inconsistant et nul, la conscience est identifiée à l'existence. Mon problème initial était de ne subsister que dans l'apparence, de ne point parvenir à la dépasser vers l'existence véritable. Mais j'ai corrigé l'inversion de l'idéalisme en me faisant apparence pour moi-même, en me rendant cette apparence naguère entièrement livrée à l'Autre, et le fait que je me vois moi-même est dorénavant le critère de l'être, je m'enferme, me claquemure dans la conscience définie comme apparence absolue à elle-même.

Donc, je ne suis pas une chose, d'où ce sentiment d'insuffisance qui affecte en permanence le vécu d'un *pas assez*, même dans la souffrance, parce qu'elle reste subjective, parce qu'elle n'est pas souffrance-chose, ne saurait être considérée en elle-même comme une preuve de l'existence : peut-on l'isoler de cette comédie par laquelle je cherche justement à *être la Douleur* ? Pareillement, je suis en colère, mais je ne suis pas pure colère, je ne suis pas la statue de la Colère qui me hante, que je veux réaliser, mais toutes les indications sont inutiles pour rejoindre l'être que je suis ou selon lequel je suis ce que je suis. Alors que par la croyance je cherche à me constituer comme un roc inébranlable, une forteresse de vérité, « toute croyance n'est pas assez croyance », dit Sartre, mettant le doigt sur le doute qui la dévore et la nourrit. En toutes circonstances, je suis hanté par le sentiment pénible et ridicule de n'être pas ma statue.

Sartre a inlassablement montré que l'homme est l'être invraisemblable par qui l'expression absurde : *apprendre à être* acquiert un sens. L'être pour l'homme n'est pas donné, c'est un enjeu et une obligation, l'être, pour lui, c'est d'avoir à être. Par conséquent, être est immédiatement être-autre, l'identité pure est la mort. Nulle part on ne peut être davantage enfermé que dans son être, et pourtant on y est en pleine liberté. Homme, femme, je puis après tout me prendre pour l'un ou l'autre, l'être donné est une contrainte irréductible et pourtant ce n'est qu'une invitation à jouer [1]. L'homme est l'être insolite qui porte en lui ce qu'il n'est pas, qui se définit par la différence, par le rapport, et la hantise est sa caractéristique permanente, il hante le monde, il en est hanté. Bref, ce qui arrive avec le pour-soi, c'est la décompression de l'identité, instituant l'identification comme tâche, un travail jamais achevé, à la fois action et passion d'ailleurs, dont l'acquis est toujours plus ou moins illusoire.

Ainsi le moi est le lieu d'une identité factice, simulacre de l'être dans cette région où il est proscrit. Il y a donc un effort pour établir un sujet-objet consistant, moi égale moi cela veut dire moi égale *cela*, mais ce repos est à la vérité interdit. Il n'empêche que toute identification suppose pour ainsi dire l'introjection d'un noyau de réalité extérieur qui devient ainsi paradoxalement mon intimité, une chose vient résider en moi pour me constituer, le moi se cristallisant autour d'elle comme le précieux nodule marin se forme par exemple à partir d'une dent de requin. En un mot, ce sera le premier hasard rencontré qui deviendra ainsi un trait de destinée. Ou encore ce peut être une maison, une aciérie, un portrait de famille, une position dans la lutte des classes. La propriété a une fonction orthopédique (Oreste, faute de réintégrer son palais, fera l'acquisition d'un crime bien à lui) mais aussi le militantisme prolétarien.

Mais Sartre refuse la *res cogitans* de Descartes, puisqu'il est essentiel de ne pas avoir en soi de l'en-soi. Pas de chose

---

1. A partir de cette intuition existentielle, Simone de Beauvoir a écrit *Le Deuxième Sexe,* considérant le sexe comme une pure position de fait qui peut être existée diversement.

dans la conscience. Il nous condamne ainsi à un permanent désir d'être. Le pour-soi est perpétuellement tourmenté par la hantise d'une perfection irréalisable, en effet un sentiment par exemple est toujours « sentiment en présence d'une norme », qui est sa valeur, son identité, par conséquent la requête de perfection. L'être-en-soi, quoique tout en acte, ne saurait être dit parfait, puisqu'il ne réalise pas de possibilités. Le pour-soi, lui, est *désir de s'être*, de joindre l'être et le sujet, alors qu'ils s'excluent. Sartre a brillamment montré que le désir ne vise pas sa suppression, sinon dans une visée réflexive secondaire : il vise spontanément à être par la satisfaction elle-même désir éternel, identique, non travaillé par la nécessité de se dépasser vers... — désir immobile et jouissant de soi. « La soif, le désir sexuel veulent jouir d'eux-mêmes. » Pour cela il leur faudrait évacuer le manque qui articule le rapport à soi. Aussi bien vivre, cela veut dire n'avoir jamais fini de vivre, avoir encore à vivre par-delà la mort factice, par-delà le vivant que j'aurai été... Mais survient l'événement, par exemple la replétion qui met à mort la soif, l'évanouissement qui termine la souffrance, qui peut aussi simplement s'arrêter, l'événement est la facticité, comme la position, la trace de l'être dans le nuage négatif de la subjectivité — il ne vient pas d'elle-même mais de l'autre côté, « par derrière ».

On a vu que Sartre déclare faux l'énoncé : je suis moi, il y voit une imposture — car comment un néant pourrait-il avoir de l'être sinon par un emprunt frauduleux, ou en se laissant parasiter. Le soi est *non-réalité*, mirage, la liberté opérant la différence, à savoir que je ne suis jamais ce que je suis. La liberté est une faille inexplicable dans le plein de l'être, dans le tout-réel, illumination du non-être dans la nuit de l'identité, fusées du projet, des fins, des possibles : mais c'est toujours trop tard, déjà l'être s'est refermé ou reformé, « quand je délibère, les jeux sont déjà faits » dans l'être où tout est inscrit comme, selon les Mégariques, le résultat de la bataille qui aura lieu demain.

Mais la liberté est aussi maternelle, abusivement elle fait le moi à son gré, le façonne, tout en étant *ma* liberté. Elle est moi et non-moi. Car enfin, je la subis, Sartre le dit sans ambages. Et c'est bien la question qui se pose au bord de l'abîme [1] : suis-je moi ou ma liberté ? Et comment parler de ma liberté quand c'est elle qui me possède ? La liberté, c'est que je suis imprévisible — mais seulement pour moi-même, les autres voient bien que je me répète, et moi aussi quand je porte une

---

1. Cf. *Le Mécanisme de la Liberté*.

vue dégrisée sur ma vie. On n'échappe pas à ce paradoxe même quand on forme le projet explicite d'être imprévisible à tout prix, y compris à soi : « après tout, moi aussi, je dois être prévisible », admet Goetz. Cela dit, quand Stendhal, dans *Lucien Leuwen*, écrit : « Depuis hier, je ne suis plus maître de moi, j'obéis à des idées qui me viennent tout à coup et que je ne peux prévoir une minute à l'avance », il ne lui vient pas à l'esprit d'appeler cette versatilité liberté. Il n'est pas indifférent que Sartre ait parlé de la liberté sous la torture. « Seuls et nus devant des bourreaux bien rasés, bien nourris, un seul mot suffisait pour provoquer dix, cent arrestations. Cette responsabilité totale dans la solitude totale, n'est-ce pas le dévoilement même de notre liberté ? »[1], demande-t-il crûment. Cela peut choquer Mais c'est que la liberté n'est pas drôle, elle est à sa façon torture, dans la solitude et la responsabilité écrasantes. Elle est donc inséparable de l'angoisse : toutes deux tiennent à la relation singulière du sujet au moi.

Revenons encore au bord de l'abîme. L'angoisse procède de la défaillance de l'interdit : la loi se révèle inefficace, cette loi qui, on l'a vu, est loi de succession, loi du temps par laquelle le moi se perpétue, lui-même incarnation temporaire de la substance. Ordinairement, je m'attends, je suis déjà dans le futur, bourgeoisement installé comme l'homme sérieux, l'ayant-droit. Mais à la subjectivité pure il est annoncé soudain que la loi n'est pas une vraie barrière — contre quoi, contre qui ? C'est là que surgit la liberté, dans ce vide, où le désir ne se nomme pas mais se laisse deviner comme inversion du projet qui me définissait. Ainsi Flaubert se laisse fasciner par les flots du haut des falaises, caresse l'idée de la chute, et finalement il se laissera tomber sur la route de Pont-l'Évêque, pour se délivrer de soi, de sa responsabilité, pour devenir chose, femme.

La défaillance de la loi est également celle de l'image du moi : je ne me vois ni dans le passé, ni dans l'avenir, le moi n'est plus qu'un fantôme inconsistant auquel il faut que je prête ma chair — quelle chair ? Ce qu'il voudrait, cet être en suspens devant l'abîme, en décomposition dans l'angoisse, c'est bien facile à comprendre, c'est que *son double* l'appelle de l'autre côté de l'instant, du néant, de cette coupure qui est précisément la sienne et que l'abîme figure. Le sujet n'est-il pas constitué par le venir à soi de son être ? Comme tel n'a-t-il

---

1. *Situations, III*. Merleau-Ponty objectait que si le prisonnier tient sous la torture, c'est parce qu'il ne se sent pas seul, se sent encore proche de ses camarades.

pas ses quartiers dans l'avenir, où il s'apprête à se recevoir ?
L'expérience de l'abîme m'enseigne que *rien* ne m'oblige à
sauver ma vie, que *rien* ne m'empêche de me précipiter dans
l'abîme, que je suis donc libre de toute contrainte — mais
avec quelles conséquences ! — parce que je suis décidément
fils du néant.

Devant l'abîme, j'éprouve soudain que ma main n'est plus
tenue. « Mallarmé entrevoit dans l'avenir une jeune image de
lui-même qui lui fait signe ; il s'approche : c'était son père. [1] »
Car le moi est à l'image du père et le re-présente, et aussi
la relation du moi à ses actes reflète celle du père au fils,
comme en témoigne ce passage de *L'Etre et le Néant* : « Le
moi se trouve à l'origine de nos actes... comme un père engendre ses enfants, de sorte que l'acte, sans découler de l'essence
comme une conséquence rigoureuse, sans même être prévisible,
entretient avec elle un rapport rassurant, une ressemblance
familiale : il va plus loin qu'elle mais dans la même voie...
Nous nous reconnaissons et nous nous apprenons en lui comme
un père peut se reconnaître et s'apprendre dans le fils qui
poursuit son œuvre. » Du point de vue du bâtard, qui n'est
pas reconnu par son père, c'est-à-dire en qui le père ne se
reconnaît pas, ne se poursuit pas, qui fait craquer l'articulation
de la généalogie et de la temporalité, substitue l'histoire à la
quasi-éternité, on ne peut que rejeter cette théorie rassurante
(qui est celle de Bergson), qui vise à masquer l'angoisse qui
naît de ma liberté, en envisageant le moi « comme un petit
Dieu qui m'habiterait et qui posséderait ma liberté comme
une vertu métaphysique ».

Devant l'abîme s'effondre la distinction *de droit* entre le
possible et le permis, si bien que le pire est possible, imminent
pour mieux dire. Le possible se manifeste ici comme ce qui
d'ordinaire ne l'est pas, est écarté de la représentation, comme
Flaubert disait que tout ce qu'on invente est vrai, ici tout
ce qui passe par la tête peut prendre corps, le vertige naît
de ce que tout ce que je pense malgré moi peut arriver et
par moi. Ce que je considère comme impossible du point de
vue du droit est possible en fait parce qu'en fait il n'y a pas
de droit, il n'y a que cette pensée qui me domine, cette « spontanéité monstrueuse » que j'essaierais vainement de reprendre
à *mon compte*, qui subvertit mon image de moi-même comme
si tout à coup je voyais surgir en face de moi dans le miroir
un visage épouvantable. Le sujet a l'angoisse de *s'abîmer*, pour

1. *Situations IX*. Cf. *L'Idiot de la Famille* : « Julien... se penche sur
l'eau, voit sa propre image et la prend pour celle de son père ».

se prémunir il demande à l'Autre ce qu'il est, mais l'Autre ne répond pas, c'est qu'il n'est rien. La chute peut recevoir sa connotation sexuelle, mais d'autre part l'ontologie l'éternise, en fait la chute de l'en-soi vers le soi qui constitue le pour-soi, l'acte perpétuel par lequel l'en-soi se dégrade en présence à soi, car Sartre observe pour ainsi dire un temps sur deux l'idée classique suivant laquelle le néant est aussi néant de valeur, et non l'inverse, il lui arrive donc de représenter fort traditionnellement la chute comme perte de l'immanence originelle, comme l'événement seul capable de rendre raison de notre condition. La honte est ainsi « sentiment de chute originelle » : je suis tombé dans le monde.

Quel que soit son vertige ou sa névrose, Baudelaire est libre, cela veut dire qu'il « ne peut trouver en lui ni hors de lui aucun recours contre sa liberté : il se penche sur elle, il a le vertige devant ce gouffre ». A propos de Genet, Sartre dit que les censeurs les plus sévères de l'homosexualité sont ceux qui en éprouvent la tentation permanente et constamment reniée, sous la forme de la « conscience obscure qu'il n'y a pas en eux de recours contre eux-mêmes ». La défaillance de l'interdit me livre sans recours à ma liberté comme à ma conscience. L'obsession par exemple est une « conscience imageante sur laquelle on a jeté l'interdit, c'est-à-dire que le psychasthénique s'est interdit de former : c'est précisément *pour cela* qu'il la forme »[1]. L'obsession, l'hallucination, le rêve, le délire, n'entament pas le caractère absolu de la conscience, elle s'enferme elle-même, s'enferre sur son propre hameçon, s'obnubile, se fascine, se cherche noise, se soumet à sa propre influence, se persécute. L'obsession est assurément une conscience puisque l'obsédé est conscient que quelque chose le torture, et de toute façon le contenu de l'obsession importe peu, « si peu que parfois il n'y a pas du tout de contenu, comme chez cette malade qui avait l'obsession de commettre un crime effroyable et qui n'avait jamais pu même imaginer ce qu'était ce crime »... Si bien qu'il faudrait admettre que l'obsessionnel ne souffre que de vertige et de cercle vicieux, ce qui ne met pas en cause la spontanéité inconditionnelle de la conscience, pour le coup victime d'elle-même comme si, pour se divertir de son absolu rapport à soi, elle s'inventait de troubles émotions et s'opposait avec une sorte de raffinement décadent une « contre-spontanéité ». Telle est l'explication que Sartre donne du caractère d'absurdité des obsessions et des hallucinations : la conscience juge comme il convient son entreprise. Sartre concède toutefois

1. *L'Imaginaire.*

« qu'il y a des spasmes du moi, une spontanéité qui se libère : il s'est produit une résistance du moi à lui-même ». Mais comment, pourquoi ? Le point de vue de la conscience, poussé à cette extrémité, se réfute lui-même, puisqu'il aboutit à donner des phénomènes une description en troisième personne : il y a, il arrive, il se produit... Déjà que ces descriptions posent sans le résoudre le problème du rapport du je et de la conscience (Sartre écrivant « je prends une attitude de conscience », ou « je dirige ma conscience vers », etc.). On conviendra que la conception d'une subjectivité spasmodique n'est guère éclairante ; elle se borne à constater le fait, entérine ces nœuds d'opacité brusquement formés dans la transparence, nous priant de croire simplement que la souveraineté de la conscience ne saurait être pour autant révoquée. Le rêve lui-même est l'œuvre d'une conscience qui *se contraint* à réaliser toutes ses intentions — mais d'où lui viennent-elles ? Sartre parle d'une « mystérieuse rébellion des spontanéités », et de « systèmes partiels qui ne peuvent plus demeurer à l'état de simples possibles mais qui, à peine conçus, entraînent la conscience à les réaliser ». Tout en maintenant la dénégation pour la forme, il accorde là à peu près tout ce qu'il refusait pour commencer [1].

Le détachement de la conscience par rapport à toute réalité se fait connaître ici à son prix. Jusque dans ces épreuves ultimes, la conscience reste dépourvue de tout sérieux, elle ne cesse de jouer, au point de se duper elle-même, elle s'épuise dans l'insincérité. Mais on peut noter chez Sartre une certaine mauvaise foi, dans la mesure où il reconnaît que ce qui n'est pas joué c'est ce qui me dépasse, de la même façon qu'il admet qu'il ne peut y avoir en moi de fondement authentique de moi-même. Ainsi écrit-il dans *Les Mots* qu'on peut tout connaître de nos affections « hormis leur force, c'est-à-dire leur sincérité », faisant soudain allusion à l'investissement affectif des représentations. Si l'on s'en tient pourtant à sa philosophie de la conscience, on ne peut admettre que cette sincérité énergétique soit la manifestation de quelque *autre* qui me déborderait en moi-même, elle ne saurait être extérieure au jeu du sujet avec lui-même, c'est encore une de ses feintes. Mais derechef, si le vécu doit prendre consistance, ce ne pourra être que dans la mesure où il sera institué par un Autre.

Faut-il le redire, selon Sartre, fondamentalement, je ne suis rien. Toutefois, il en est venu à dire que ce « cogito du néant »

1. Sartre semble prendre lui-même la mesure de son insuccès quand il conclut avec esprit : « Le plus simple serait peut-être de nommer ces systèmes apparitions latérales, irréelles, corrélatives d'une conscience impersonnelle ».

pourrait bien être un effet de la honte [1]. Et ne trouve-t-on pas dans son œuvre à quelques reprises un substitut peu valorisant de la *res cogitans*, sur l'introjection duquel il est compréhensible que la métaphysique fasse le silence ? On trouve trace de cette amère méditation dans *Les Chemins de la Liberté* ; Mathieu, une fois de plus, se sent de trop, et allant jusqu'au bout de son malaise : « une grosse immondice au pied du mur » — et Daniel : « Etre ce que je suis, être un pédéraste, un méchant, un lâche, être enfin cette immondice qui n'arrive même pas à exister. » Le comble de l'infortune n'est donc pas d'être une merde, le pire c'est que le moi, centre de notre être, n'est qu'un trou ; ici et là se profile cette horrible intuition du *moi troué :* « Moi marié, moi soldat : je ne trouve que moi. Même pas moi : une suite de petites courses excentriques, de petits mouvements centrifuges et pas de centre. Pourtant il y a un centre, moi, et l'horreur est au centre [3]. »

Le moi n'est qu'un masque jeté sur une absence de visage. La psyché est un palais des glaces désert, des miroirs se renvoient indéfiniment une image elle-même imaginaire, l'original, le réel, s'est mystérieusement égaré. Ou encore, il n'y a littéralement personne sur la scène : un acteur en train de jouer Kean dans le rôle d'Othello — et Kean multiplie les questions à l'Autre, le public, les grands, les femmes qui sont réalistes quand l'hystérie les épargne, sur cet être qui lui a faussé compagnie, cherche à se situer, à se retrouver, à bloquer cette activité de *se faire disparaître* qui semble le jeu même de la subjectivité, encore qu'on puisse se demander s'il n'est rien parce qu'il a honte ou s'il a honte de n'être rien. Une solution peut être d'accepter le vide, de le faire délibérément même en se débarrassant de tout ce qui le cache, pour attendre l'Hôte, le Visiteur, Dieu, ou de la même manière on peut convoquer son Ego, tâcher de s'ouvrir à sa réalité objective. Cela donne le goût de l'épreuve, de la situation-limite, en ce qu'elle a le pouvoir de mettre fin à l'interrogation du sujet sur lui-même ; il en accepte le verdict sans faire le difficile, apprend d'elle ce qu'il est « pour de vrai » — peu importe que ce soit lâche, assassin, pédéraste, au moins a-t-il cessé de fuir devant sa propre essence. Cette indication souveraine peut venir aussi de l'acte, qui comme l'événement dans l'histoire devient révélation, ordalie. Car l'acte a le mérite d'être là inscrit dans l'être, ayant échappé à l'inconsistance subjective où tout reflète tout sans jamais s'enregistrer. L'acte dit ce que je suis, les actes *dénon-*

1. Cf. *L'Idiot de la Famille.*
2. Et dans *Saint Genet.*
3. *Le Sursis.*

cent le sujet, mettent en lumière sa vérité, sa vraie volonté. Et cette sanction de l'acte est elle-même entérinée par la mort qui, comme négation du sujet, est l'acte par excellence, l'inscription au registre de l'être.

Dans *La Transcendance de l'Ego*, Sartre a défini le moi comme un objet, un être du monde, réel, donc séparé de la conscience, et toujours il aura conservé l'idée que le moi est introuvable. Ainsi, Flaubert essaie désespérément d'atteindre, ou au moins de simuler, ce « moi qu'il abrite et n'a jamais rencontré » à travers la farce du Garçon — encore qu'ici il faudrait à nouveau invoquer l'aspect sexuel de l'identification : en jouant le Garçon, celui qui a dit « Madame Bovary, c'est moi » cherche à montrer que l'homme, c'est-à-dire le mâle, est grotesque, de même qu'il ne manque pas l'occasion d'insinuer que l'organe dont il est affublé est ridicule, « portant à son pénis une haine rageuse ». Volontiers donc Sartre concède à Freud que l'ego est dépassé par ce qu'il produit, d'où des « étonnements classiques » : « *Moi*, je puis haïr mon père ! » — cet autre, celui du passionné craignant les conséquences de son être et disant : « J'ai peur de moi » est à opposer à l'angoise devant l'abîme où le moi se dissout. Oui, dit Sartre, la conscience ne procède pas d'un je, mais ce n'est pas une raison de prétendre que les pensées commencent par être inconscientes. Reprenant le chemin de Descartes, Sartre cherche à remonter à cette Cause qui m'a créé et me conserve, d'où selon lui s'institue par après le moi, et trouve l'équivalent négatif de la substance spinoziste. « Rien ne peut agir sur la conscience puisqu'elle est cause de soi. » Certes, il faut qu'il y ait une spontanéité fondamentale, mais elle ne saurait impliquer la moindre passivité. Pourquoi faire appel au mystérieux inconscient pour rendre compte de ce qui est le dépassement du moi par la conscience ?

Le moi, lui, est passif, c'est entendu, et Sartre le laisserait volontiers à la psychanalyse comme le voleur abandonne sa veste aux poursuivants. D'autre part, comme il le dit pour finir, le moi est « en danger devant le monde », ce qui là encore rejoint l'intention du *cogito* cartésien de se rendre inattaquable, inexpugnable, protégé de tout arrachement, à l'exemple du stoïcien, puisque rien ne saurait être détaché de ce que je suis Mais Sartre est acculé à un sacrifice supplémentaire, plus que le manteau du disciple d'Epictète, plus que le corps mécanique, c'est le moi qu'il doit laisser choir. Il est vrai que s'en dissocier procure certaines commodités, comme le montre ce récit de rêve : « J'étais poursuivi par un faux monnayeur. Je me réfugiais dans une chambre blindée, mais il commençait de l'autre côté du mur à en faire fondre le blindage avec un chalumeau oxhydrique. Or, je *me* voyais, d'une part, transi dans la chambre et attendant — en me croyant en sûreté — et d'autre part, je le voyais de l'autre côté du mur en train de faire son travail de forage. Je savais donc ce qui allait arriver à l'objet-moi, qui l'ignorait encore... Et puis, tout d'un coup, au moment où le faux monnayeur allait achever son travail, l'objet-moi *a su* qu'il allait percer la muraille, c'est-à-dire que je l'ai soudain imaginé comme le sachant, et l'objet-moi s'est enfui juste à temps par la fenêtre. [1] » Sartre en concluait qu'il ne faut décidément pas confondre le réel et l'imaginaire. Mais tout moi n'est-il pas un objet ? Sartre ici distingue un moi créateur et un moi créé, manière de réaffirmer la divinité du sujet [2].

Avec le moi on rejette au monde ses habitants, les fantômes, les vampires. La transcendance de l'ego met fin à l'occupation. Par exemple, dans le moi de Gustave, le père médecin est solidement installé, campe comme une armée étrangère, et c'est pourquoi Gustave écrivain s'adonne à l'analyse, à la dissection. Il a le tort de réfléchir : le moi n'est qu'un objet de la réflexion, mais en coïncidant avec lui on ne peut plus reconnaître d'autre vérité que celle de l'analyse en extériorité, tandis que l'irréfléchi échappe par principe à cette pensée du père. D'autre part, la conscience est constituée en intouchable zone libre parce qu'elle n'est la conscience de *personne*. C'est la manière sartrienne de s'arranger du vide transcendantal, je suis à la fois vide et plein parce que je me fais remplir continuellement par le monde, la conscience s'échange avec lui selon un métabolisme spécial qui est en quelque sorte transfusion d'être. On n'échappe pas pour autant à l'angoisse, au contraire, cette régression efface la « distinction entre le possible et le réel » : « plus de barrières, plus de limites », et le *cogito* lui-même ne constitue plus une garantie. Toutefois, c'est seulement du côté du moi que cette « spontanéité monstrueuse » peut apparaître comme *passion*.

Nous retrouvons donc ici la compulsion à la pensée ou à la conscience à laquelle était en proie Roquentin, puisque, la pensée me constituant, si je cesse de la *supporter*, je m'anéantis, ou, pire encore, je sombre comme dans le sommeil dans une totale passivité. Et Sartre de suggérer que la fonction du moi est de masquer à la conscience sa spontanéité, et de prétendre résoudre par là les énigmes de la psychopathologie. Mais encore une fois, les *contenus* demeurent inexpliqués : si la conscience est source absolue du sens, que cette jeune femme honnête

1. *L'Imaginaire.*
2. Quoique *L'Imaginaire* soit postérieur à *La Transcendance de l'Ego.*

rêve de déchoir, veuille se mettre à la fenêtre pour aguicher les passants, est comme tel insensé. Ou encore, chez un personnage de Genet, l'amour pour un enfant suscite l'idée du meurtre, sous la forme de l'angoisse d'abord, de cette évidence qu'il serait atroce de tuer cet enfant, du souhait passionné que le désir irrésistible n'en vienne pas : « c'est tout, pas de haine, pas de sadisme, pas de ressentiment, l'idée prend forme, elle s'exaspère, elle devient la plus grande terreur d'Erik, son front se couvre de sueur, il se révolte contre cette possibilité abominable qui est *sa* possibilité ». Qu'en conclure sinon que des idées monstrueuses se développent comme sur un terrain fertile dans une pareille « âme entraînée à mal faire » ?

Cette liberté comme pure spontanéité n'est pas autre chose au fond que l'inconscient. Mais Sartre cherche à tout prix à exorciser le fantôme de l'Autre : au moins, qu'il ne soit pas en moi, même s'il faut le retrouver, avec toute sa méchanceté d'Autre refoulé, dans le monde extérieur. Cependant, cette « source absolue d'existence », elle est bien l'Autre par rapport à moi. Sartre livre un combat d'arrière-garde quand il s'emploie à établir qu'il n'y a rien *derrière* la conscience, fût-ce *je*. Cette liberté, on pourrait dire aussi que c'est le désir : comme le désir selon le mot de Descartes, elle n'a pas de contraire. D'ailleurs, Sartre a défini la liberté comme désir, désir d'être, et a reconnu inversement le désir comme l'être du pour-soi. Sartre a vu dans la liberté la puissance de refuser, toujours de connivence avec Descartes, qu'il renie quand celui-ci laisse la liberté s'abandonner à la sollicitude divine. Bref, Sartre ne retient que le moment de l'identification à Dieu. On dira que c'est là l'expression ultime de sa protestation contre la passivité, toutefois déboutée semble-t-il, puisque la liberté comporte en elle la passivité du même coup, que la conscience doit subir la « fatalité » de sa propre spontanéité.

L'argument ultime de Sartre, c'est que la conscience ne peut être inconsciente, il se fonde donc sur la non-contradiction de la logique classique. Mais depuis Hegel, la contradiction est comprise comme la manifestation d'une difficulté intrinsèque à la réalité ou au fait pour elle d'être pensée. Cette difficulté, la psychanalyse la rencontre certes, mais la réfuter au nom de la rigueur formelle est un geste kantien. La pensée dialectique a mis à mal le principe de contradiction afin de ressaisir ce qu'il en est du *passage* : précisément, ce que Sartre ne veut pas admettre, c'est une naissance, une genèse de la conscience à partir d'une nuit dont elle garderait quelque chose, il refuse d'envisager une conscience entre chien et loup. Pas de conscience aurorale ou crépusculaire, d'origine obscure : tout ou rien.

Du moment qu'elle apparaît, elle a toujours été, de toute éternité. Elle n'est pas née, elle ne s'est pas dégagée d'un être antérieur qui l'aurait contenu comme possibilité, elle est aussi vieille que l'être. Toutefois, Sartre parle bien ici et là d'une « lumière diffuse » pour rendre compte de la conscience que la conscience a d'elle-même, qu'il qualifie aussi d'« indéfinissable », de « vague », de « fugitive ». Il dit encore qu'en-deçà de la conscience claire d'image s'étend une « zone de pénombre », parle de *bords*[1]. Et pourtant, Sartre à propos de l'image reprend la condamnation platonicienne : elle est une forme inférieure de la pensée, il faut s'en libérer pour accéder à l'abstraction pure, parfaitement immatérielle. Mais l'intimité de la conscience à elle-même et plus encore cette transparence qui la caractérise, ce sont bien des images, qui témoignent d'une indéfectible inhérence à l'être.

On voit jusqu'où Sartre a poussé l'effort pour éliminer de la psyché tout contenu et toute particularité. Il confiait récemment à Michel Contat que quand il s'est tourné vers lui-même, c'était pour chercher des généralités, des idées valables pour tous, il s'observait pour écrire *L'Imaginaire*, il « fouillait » dans sa conscience[2] — mais c'était donc à la lettre pour n'y rien trouver.

Sartre a élaboré un extrémisme transcendantal par lequel il innove par rapport à ses devanciers. L'illumination de Descartes avait été de saisir la capacité propre au sujet de se détacher de son histoire, non sans que cette histoire en ait produit la possibilité. Chez Husserl d'autre part, la régression au transcendantal ne saurait exclure le je : il s'y maintient pour l'avoir opérée. Sartre estime que Husserl a démontré lui-même que ce je est parfaitement facultatif dans sa phénoménologie du temps, le jeu des rétentions et des protentions suffisant à donner à la conscience l'unité désirable. Tient-il donc pour négligeable que Husserl ait précisément défini cette conscience s'unifiant à travers le temps et constituant le temps par là même comme la « subjectivité absolue »[3] ? Du reste, par rapport à Descartes et à Husserl, qui atteignent le transcendantal soit par le doute, soit par la réduction, c'est-à-dire par une démarche qui implique le je comme opérateur, Sartre a en vue un champ transcen-

1. « Ce phénomène... ne pouvait exister *qu'à la dérobée* et d'ailleurs il se donnait comme tel ; il y avait dans la façon dont ces trois petites brumes se livraient à mon souvenir... quelque chose d'à la fois inconsistant et mystérieux, qui ne faisait... que traduire l'existence de ces spontanéités libérées *sur les bords* de la conscience. » Sartre est donc tout près de reconnaître dans *L'Imaginaire* l'existence d'une conscience inconsciente sur les bords.
2. *Situations, X.*
3. Cf. *Leçons sur la conscience interne du temps.*

dantal *supposé* à partir d'une expérience irréfléchie elle-même aperçue nécessairement à travers la réflexion et reconstruite. Il parle donc d'un champ transcendantal où il ne s'est pas rendu, car il aurait bien fallu qu'il y aille *en personne*, mais dont il entretient le souvenir nostalgique et fictif. Il arrive — c'est un événement — qu'une conscience pure vienne honorer de sa présence les provinces banales des sujets. « *La jeune fille n'était pas née dans la vallée, nul ne savait le nom de son village, et sa trace fut vite perdue quand elle eut dit adieu.* »

Sartre a fait éclater l'atome cartésien. Au niveau archi-transcendantal, *il est existé*. Je, c'est celui qui parle, qui constate le fait, l'enregistre de loin comme un séisme, mais qui n'y est pas et ne peut y être. Tout ce qui reste comme *cogito* au sujet c'est un « je n'y suis pas ». En fait, on pourrait dire que c'est une explicitation de l'expérience de Roquentin : le « j'existe » dans sa méditation affolée apparaissait non comme un rassurant butoir mais comme une limite au-delà de laquelle il se passait des phénomènes formidables. Limite infranchissable pour le *je*, qui dans son exil peut simplement prendre acte, sidéré, de l'efficience lointaine de l'absolue source d'existence.

Il faut bien voir que la pensée de Sartre met en jeu trois termes et non deux seulement : la conscience et le moi, subjectivité dégradée, qui par conséquent se donne sur le mode de l'objet par esquisses et profils, mais aussi le je comme sujet de la praxis. Dans l'exemple de l'abîme, on voit à merveille l'opposition entre le moi comme objet néantisé et le je comme sujet d'une action impossible et nécessaire. Je ne suis pas moi. Ce je, peut-on l'expulser de la sphère transcendantale ? Les équivoques de la formulation permettent d'en douter. Même si bien entendu Sartre ne va pas jusqu'à écrire : je suis un champ transcendantal sans sujet, le discours manifeste une singulière réticence à exécuter le décret de la métaphysique, et l'on va se rendre compte qu'il est très difficile de tenir un langage qui le respecte.

De deux choses l'une. Ou bien la conscience transcendantale néantise le je sans lui reconnaître le moindre privilège, et alors il est étalé sur le même plan que les objets du monde. Il faut noter la conséquence : le champ transcendantal se constitue dès lors nécessairement *en altérité*, et assujettit la subjectivité concrète à une aliénation radicale, dont la phobie d'impulsion sera un signe parmi d'autres, sans que naturellement on ait fait pour autant le bénéfice de rendre enfin son contenu intelligible. Au contraire, pareille situation devient en quelque sorte normative, et ce qui est inexplicable à la limite c'est que le sujet puisse échapper à la fascination.

Ou bien le je réduit obtient malgré tout un privilège, c'est-à-dire qu'on lui reconnaît une subjectivité, un *soi* qui devra bien être pensé pour son compte. Sinon, il ne pourra y avoir aucune différence entre une néantisation s'appliquant à un contenu empiriquement défini comme mien ou à un autre, *le mien* étant alors purement et simplement une détermination mondaine d'appartenance. Sartre n'aurait même plus besoin d'expliquer le *pathos* de la lecture qui fait qu'après être resté quelque temps extérieur je m'identifie au personnage et ressent ses aventures comme les miennes : le moi d'autrui est aussi proche de la conscience anté-personnelle qui jaillit « en moi » que le mien propre — en quoi d'ailleurs, on y reviendra, Sartre a cru voir une solution au problème d'autrui. En fait, la conséquence est plus grave encore car rien ne permet de penser la liaison entre ce champ transcendantal vierge de sujet d'une part et le je ou le moi de l'autre. Non seulement (mon) amour pour Annie est un objet pour Pierre, c'est-à-dire pour un autre champ transcendantal, au même titre que pour (moi), puisque l'opération constitutive de la conscience néantise cet objet sans lui faire un sort particulier, mais encore on ne voit pas comment il pourrait être approprié à qui que ce soit en particulier, comment il pourrait ne pas être confondu avec un amour de Pierre. La coupure est radicale entre la vie personnelle et cette source absolue d'existence qui comme une fontaine calcaire pétrifie même le sujet. Cette conscience est celle de n'importe qui. Sans lien charnel au moi par l'intermédiaire du je, on s'engage donc dans la voie d'une dépersonnalisation totale, telle que le champ de conscience ne peut entraîner le moindre rapport réel avec une subjectivité concrète, simple objet pour lui. Le moi pourrait être laissé là dans le monde comme une épave sans que jamais quiconque vienne le réclamer. Ou encore faudrait-il admettre que c'est par un décret absolument arbitraire que la conscience transcendantale désignerait ce corps ou cette expérience comme lui étant liée en quelque manière. Toutefois, elle ne peut y être aucunement *engagée*, étant par elle-même parfaitement vide, et l'on ne voit pas comment elle pourrait produire autre chose qu'un vague vertige dont le contenu particulier demeurera toujours contingent et inexplicable. Bref, si le je n'est pas au foyer de la néantisation, il est constitutivement aliéné, à tel point qu'il devient impensable.

Abordons le problème par l'autre versant : que peut-il se passer avec l'avènement du je ? Il faudrait qu'il puisse assumer sans révolution le champ transcendantal, qu'il soit compatible avec lui, qu'en un sens il y soit déjà attendu. A supposer même que le champ transcendantal le précède dans le pur anonymat, il exercerait sur lui un droit de propriété rétroactif. Sinon, s'il lui est véritablement hétérogène, l'Autre garde le monopole d'un rapport à soi transcendant dans l'immanence, et c'est comme si le Dieu d'Aristote s'était installé dans la psyché.

Dans ces conditions, la conscience, quoique rapport à soi, s'ignorera faute qu'il y ait en elle quelque chose à savoir, tout au plus sera-t-elle conscience oblique de l'acte par lequel elle n'est pas ce paysage ou cet objet, etc., s'en dissocie en s'y projetant. Elle n'aura pourtant d'autre ressource que de s'identifier inlassablement à l'autre et d'une manière toujours factice, puisqu'elle ne pourra renier son origine. Il semble donc que comme rapport à soi la conscience implique la subjectivité, et qu'exclure le sujet de la subjectivité du rapport à soi soit une étrange opération. Ne vaudrait-il pas mieux penser que le rapport à soi n'est ni l'effet (thèse néo-kantienne) ni la cause extérieure (thèse sartrienne) du je, mais qu'il en est étroitement contemporain ?

La régression révèle ses dangers : le noyau de notre être n'est décidément rien, on comprend l'ardeur du sujet à fuir vers le monde. Il n'empêche que pour le coup la conscience est déliée de toute inhérence au corps et à l'histoire. Le sujet, en un sens, c'est *personne*, puisque le champ transcendantal ne saurait être associé à un nom propre. Certes, Sartre a bien montré que je suis rapport à ma jouissance ou à ma souffrance, que je ne suis pas jouissance comme la pierre est sa densité, sa matérialité. Il faut bien pourtant qu'existe un sujet qui supporte ces rapports. Ce n'est pas le champ transcendantal qui parle, qui souffre ou qui jouit puisqu'il n'est rien. A moins d'admettre que cet anonymat absolu est l'Autre en moi-même et de réduire la philosophie à cette thèse que l'Esprit n'est pas la matière.

Mais être une expérience, être une histoire, c'est de toute façon autre chose qu'être une conscience, et c'est ce qu'il faut expliquer. Sartre dit que le monde lui-même est investi de qualités, mais cela ne peut être séparé de sa fréquentation par quelqu'un. Le pour-soi est son passé, qui l'individualise, tout en ne l'étant pas puisqu'il remet tout en jeu dans son ouverture à l'avenir. A la vérité, on trouve chez Sartre une autre direction de pensée suivant laquelle le pour-soi n'est pas mon existence particulière, mais une structure transcendantale à laquelle je participe, un régime dont je relève. En ce sens, il prolonge cette mythologie de la philosophie qui tend à transformer un pronom en héros, la grammaire en prosopopée. Le pour-soi après tout n'est qu'un pseudonyme du je, en tout cas il appartient à la même déclinaison de la structure réflexive — et il est vrai que j'ai ainsi la possibilité de parler du sujet en général, d'universaliser ce que j'expérimente directement en moi-même, bref, que je dispose d'une singulière faculté d'oubli.

Car il s'agit en vérité d'une démarche qui s'oublie elle-même, et la forme transcendantale n'est que le résultat d'une scission. La raison dialectique impliquerait ici que l'on reconnaisse que l'expérience à sa manière précède et constitue cette structure qui la domine, par conséquent d'y recevoir de droit le sujet retour du monde. En d'autres termes, non seulement le je, que Sartre regrette sans doute de laisser à la porte de son paradis transcendantal parce qu'il est l'agent agile et translucide de la praxis, mais aussi le moi ne doit pas être considéré comme un objet inerte et passif, ou encore comme une idéalité mathématique, mais comme vie et chair, car en fait c'est le problème du corps qui est ici en question. Il faut que ce moi porte en lui ce qui lui permet de se faire reconnaître par le mystérieux être transcendantal. Le moi se donne comme un objet, soit, mais ce n'en est pas un puisque c'est moi. A traiter le moi en pur objet, c'est-à-dire en chose morte, on risque fort de trancher dans le vif. Il importe de ne pas perdre de vue les communications vitales du fait desquelles cet objet-là ne ressemble à aucun autre, et qui le font bénéficier d'un investissement à nul autre pareil. Et si Sartre laisse entendre que ce moi est un faux vivant comme la *persona* de l'acteur, il est frappant que ce faisant il parle au nom d'un vampire finalement beaucoup plus redoutable.

Quand Sartre écrit : « Si Pierre et Paul parlent tous deux de l'amour de Pierre, il n'est plus vrai que l'un parle en aveugle et par analogie de ce que l'autre saisit en plein, ils parlent de la même chose », il est sûr qu'il trahit l'expérience. Mais il fait transparaître ce qui était peut-être son véritable dessein en écrivant *La Transcendance de l'Ego* : apporter au problème d'autrui une solution qui était en vérité sa négation. « J'avais cru pouvoir échapper au solipsisme en refusant à Husserl l'existence de son Ego transcendantal. Il me semblait alors qu'il ne demeurait plus rien dans la conscience qui fût privilégié par rapport à autrui, puisque je la vidais de son sujet »[1]. Mais quand bien même je serai un champ transcendantal sans sujet, encore faudrait-il que je puisse reconnaître l'existence ailleurs d'un champ transcendantal de même type. A vrai dire, la transcendance de l'ego rendrait tout à fait incompréhensible l'expérience d'autrui : je ne perçois pas autrui, *il y a* perception

1. *L'Etre et le Néant.*

d'autrui. Dès lors la conscience d'autrui n'a plus rien de choquant ni de problématique, faute de sujet, faute de personne : le conflit des consciences cesse puisqu'elles n'ont plus de titulaires. Au fond, il n'y a même plus de conscience d'autrui, il y a tout au plus conscience d'homme. Qui reconnaîtrait autrui, qui souffrirait de son regard ?

La tentation du solipsisme n'est donc pas vraiment surmontée ; Sartre garde le désir d'être le seul comme Robinson dans son île, c'est-à-dire d'entretenir une relation exclusive à la mère tout en étant son propre père, au prix d'une angoisse qui lui fait chercher les moyens logiques d'en sortir. Car enfin, comme tout le monde il sait bien que les autres existent, ce n'est pas le vrai problème. Plus exactement, ce qu'il recherche c'est un solipsisme sans solitude : ce monde primordial et absolu que la philosophie transcendantale cherche à reconstituer ignore tout de la distinction de moi et d'autrui, en vérité il n'y a qu'un seul champ transcendantal pour tous, selon une sorte de communisme primitif de la subjectivité.

C'est une semblable nostalgie d'un état sauvage qui inspire Merleau-Ponty quand il développe sa philosophie de la chair, autrement dit de la substance, indivision originaire dont nous resterions participants : il envisage cette coexistence archaïque où les âmes au lieu d'être séparées « se mêlent et se confondent d'un mélange si universel qu'elles ne sauraient retrouver la couture qui les a jointes »... En quoi il aimait à citer le mot de Claudel : « Dieu est au-dessous. » Bref, il s'agit d'une régression au monde d'avant la conscience de soi qui dans un cas comme dans l'autre a bien du mal à lever sa difficulté de principe. Sartre à sa manière a tenté de regagner ce paradis de l'irréfléchi et de la pureté ; avant que la réflexion les empoisonne, dit-il par exemple, mes désirs, qui n'étaient donc pas encore les miens à proprement parler, dont personne n'avait à endosser la responsabilité, étaient purs, inexplicables notamment par la psychologie analytique de l'intérêt et de l'amour-propre, de même qu'il faut que l'Autre apparaisse pour que j'aie honte de m'être livré à une activité qui se détermine rétrospectivement comme celle du voyeur. Le problème de la philosophie existentielle, c'est de retrouver ce *pont* entre moi et autrui qui semble bien détruit.

Sartre reconnaît à sa manière la nécessité du moi, par exemple dans cette phrase : « C'est par moi que tout doit arriver. » Faute de lui conférer un titre transcendantal, il accorde au moi une nécessité fonctionnelle : « Je n'ai ni ne puis avoir aucun recours contre le fait que c'est moi qui maintient à l'être les

valeurs. [1] » Cette nécessité de la structure subjective se retrouve
à l'échelle du corps social et au niveau politique. L'Etat est
représenté par un moi qui l'unifie, à la fois imaginaire et réel,
fantasme des autres et douloureuse corpulence : il faut qu'il
y en ait *un*. Quels sont au juste ses pouvoirs, est-il autre chose
qu'un point de passage, thèse des marxistes pour qui tout est
décidé par avance dans les profondeurs objectives des infrastruc-
tures, ou a-t-il une réelle autonomie, une responsabilité décisive,
comme l'assurent les libéraux et les partisans du point de vue
psychologique, la question est en toute rigueur indécidable.

D'autre part, c'est en fonction de ce moi que se pose le
problème de la liberté, dans la mesure où il est lui-même en
suspens et doit se définir : le sujet a à se décider, agir lui est
imposé, il faut qu'il s'y fasse. En l'occurrence, il est existence
pure, n'a pas de nature : je ne vais pas consulter gravement
mon essence pour déduire le choix qui s'impose dans la
situation ouverte, comme le politique ne peut s'en remettre
aux données objectives, aux rapports des experts, aux ordinateurs ou aux astres. Ce que je suis ou ce que j'ai été se
retrouvera très probablement dans ce que je serai, j'ai sans
doute quelque chose comme une nature, mais éclipsée par la
situation elle me laisse en plan comme le déterminisme de
l'être. Je ne puis l'invoquer pas plus que je ne puis me penser
comme absolument déterminé, pur résultat. Une philosophie de
la nécessité, on l'a déjà dit, ne peut être *pratiquée*. Le je du
choix est irréductible et n'a aucun alibi.

C'est dire qu'on en revient à la distinction kantienne : si je
me place du point de vue de la connaissance, je fais nécessairement l'hypothèse du déterminisme, mais du point de vue de
l'action j'en fais nécessairement abstraction. L'action me
contraint à la liberté. Jamais je ne suis plus libre que dans
la cure psychanalytique ; alors que l'association dite libre n'a
d'autre fonction que de mettre au jour un rigoureux déterminisme, je ne puis trouver un quelconque repos dans les forces
qui me feraient, me dire : je suis ainsi, je ne puis changer,
puisque la possibilité de me transformer m'est au contraire
ouverte si je m'engage dans le travail analytique. Si je dis :
c'est impossible, c'est moi qui décide de démissionner, si je me
vois soudain comme un objet constitué une fois pour toutes,
j'ai conscience que mon regard est libre et constitutif. Ainsi
donc l'affirmation de la liberté absolue se heurte à la contradiction, mais tout autant sa négation. Nous sommes condamnés
à penser que nous sommes libres.

1. *L'Etre et le Néant.*

Je ne suis pas élu mais au moins je suis damné, ou encore
à la fatalité par exemple qui est celle de la malédiction paternelle je puis opposer cette damnation singulière qu'est ma
liberté. Ainsi notre monde constitue une réplique acceptable
de l'enfer. L'enfer, justement, c'est la nécessité, comme volonté
ou comme efficace de l'Autre. Mais elle n'est pas incompatible
avec la liberté. C'est après coup qu'Inès dit : « Croyez-vous
qu'*ils* n'ont pas prévu nos paroles ? »[1]. Cela ne peut empêcher
de parler : ils ont bien prévu notre silence aussi. On est pris
au piège, et déjà figés dans l'être, ça n'empêche pas d'exister.

1. *Huis Clos.*

IV

LE REGARD ABSOLU

Pour ne pas me quitter des yeux, le regard n'a pas besoin d'yeux, il n'a besoin de personne. Il est incorporel. Je suis sous le regard comme je suis dans le monde. Les choses en sont le support inerte, et suffisent à désigner l'abjection du coupable, dit Sartre à propos de Genet. Et lui-même, ajoute-t-il, n'a pas eu besoin de pratiquer assidûment le crime pour faire connaissance avec « ce regard maussade » : ce fut « lors d'un moment de surmenage »[1], le regard le poursuivait partout, le traquait, « les fenêtres c'étaient des yeux, j'entrais dans un champ de visibilité absolue où se réalisait l'identité magique du regard et de la lumière. Regard mort, lumière morte. Je cherchais la source du regard et je ne voyais que des fenêtres, des fenêtres avec quelque chose en plus : l'éclat froid et blême d'une transcendance pétrifiée »[2].

Regard et lumière de la mort, signe de la présence du père par-delà le monde. Ailleurs, Sartre parle du « regard mineur » que l'enfant promène sur les choses déjà éclairées par le regard de ses parents (au reste la symbolique du soleil nous est connue aussi bien par Rimbaud que par Freud : « C'est rire aux parents qu'au soleil »...) Dans une nouvelle du *Mur*, le père quitte l'appartement de sa fille, remportant le regard haïssable qu'il a posé sur le gendre fou. « Je le hais quand il le regarde, quand je pense qu'il le *voit* », se dit Eve, qui avoue son désir : « Je voudrais qu'il meure. » Mais, le père parti, elle est éblouie par le soleil qui soudain remplit la pièce : « Eve avait perdu

1. Mais qu'est-ce qui le surmenait, sinon son surmoi ?
2. *Saint Genet.*

l'habitude de cette lumière indiscrète et diligente, qui furetait partout »... Dans *Les Mots*, Sartre s'interroge sur le regard de son père : a-t-il tourné « vers son fils ses yeux clairs, aujourd'hui mangés, personne n'en a gardé mémoire », c'est sans doute la raison pour laquelle il est devenu la lumière du monde, et cette mémoire déficiente l'intrigue d'une vie. Le père peut aussi se réincarner dans le fils, celui-ci devra voir le monde par ces yeux-là qui le parasitent et le digèrent sourdement, tel Nizan qui « se regardait écrire avec les yeux mornes de son père ».

En fait il y a là un problème de civilisation. Le christianisme nous a inculqué l'idée que le regard produit la lumière. Les Grecs pensaient au contraire que la lumière intervient en *tiers* dans la relation du sujet et de l'objet et la conditionne : dans le monde sensible, elle apparaît manifestement comme ce qui permet l'opération conjointe du voyant et du vu. Mais dans notre tradition l'Autre a reçu des pouvoirs exorbitants, en lui le voir et l'éclairer ne font qu'un. Le sujet est donc noyé dans sa splendeur, n'ayant à lui qu'un peu de nuit. Le problème est de tâcher de récupérer ce regard pour advenir comme sujet — sinon la subjectivité sera vécue en permanence comme imposture, présence à soi purement physiologique, malaise, nausée, d'une part, et jeu pour l'Autre, vain cabotinage d'autre part —, de se mettre donc à la place du regardant, d'obtenir en somme le droit de regard et d'être soi-même la lumière du monde. Le projet d'être soi ne peut se distinguer du projet d'être l'Autre. C'est ce qui explique chez Sartre cette volonté permanente d'*emprunter des yeux*. Pourquoi cela ? Serait-il aveugle ? Pas exactement, mais ses yeux sont inopérants, son regard mineur n'est pas la Vision qui fonde le monde. *Se voir* suppose un détour par l'Autre. On ne pourra jamais se voir qu'avec les yeux des autres puisque c'est dans leur pupille que se forme mon image, que réside par conséquent mon être. Il faut emprunter des yeux pour se voir objectivement tel qu'on est dans la réalité qui est l'être pour l'Autre. Ainsi Gustave essaie de s'approprier le coup d'œil chirurgical de son père. Et pour se situer dans la société, se saisir comme bourgeois, il faut emprunter leur regard aux prolétaires, de même on ne peut voir la réalité sociale telle qu'elle est sans porter sur elle le regard des plus exploités, des plus déshérités. Enfin, pour être un artiste, un homme sensible au travail de l'imaginaire et du néant dans le monde, il faut porter sur lui « les yeux égarés de ceux qui reviennent de l'au-delà »[1].

1. *L'Idiot de la Famille.*

LE REGARD ABSOLU 305

En tout état de cause, le regard du voyant invisible d'outre-tombe pèse *sur moi*. « L'œil était dans la tombe... » Il n'y a pas eu besoin d'attendre Freud pour saisir poétiquement l'essence de « la conscience », et Sartre ne pouvait manquer de faire allusion au héros millénaire de la culpabilité : Caïn, écrit-il, fuit sous l'œil de Dieu, « le pouvoir de devenir objet, qui nous est à tous dévolu, s'est exagéré, transformé en objectivité permanente : la *visibilité* est sa substance même, il est parce qu'il est perçu. Pour lui, avant même de se détailler en arbres, fleuves, maisons, bêtes et gens, le monde est un regard qui le tire du néant, l'enveloppe, le condamne »[1]. Le principe du monde est donc le regard, c'est sa substance, et non la matière ou l'esprit. L'être est regard, et les étants sont regards dégradés. C'est donc lui qui me tire du néant, et non plus la spontanéité absolue de ma conscience, thèse idéaliste du *cogito* — avec Caïn le coupable nous relevons un nouvel exemple de l'idéalisme inversé latent chez Sartre —, ni les coups de queue d'un père empirique, thèse réaliste à laquelle on sait que Sartre a fini par se rallier. Mais en même temps qu'il me tire du néant, me fait être, ce regard me condamne, me rejette. Je suis et je suis fautif tout ensemble. Voilà bien le péché originel.

Ici, Sartre donne une explication psychologique, apparemment particulière : un orphelin se sent toujours coupable ; offusqués à sa vue, ses parents se sont retirés dans leurs appartements du ciel. Il s'agit là d'un regard imaginaire, du regard supposé que le père a porté sur l'enfant, le condamnant du même coup au délaissement. Il est vrai que Sartre précise aussitôt que cet orphelin ce n'est pas lui, son père étant heureusement mort très vite, sans avoir eu le temps de porter ce regard fatal ou de le lui laisser imaginer. Mais c'est nous tous pour autant que nous ne croyons plus en Dieu et que, d'autre part, nous confondons notre désir avec l'acte. Dans sa réalité même, l'orphelin, comme le bâtard, est une métaphore. Et de même, l'homme étant, du fait de cette culpabilité anéantissante, traqué comme par essence, la réalité n'est jamais qu'une confirmation de l'horrible fantasme, par exemple quand Brunet s'évade du camp et que les projecteurs se braquent sur lui : « tout le monde le voit, *c'est un cauchemar* »[2]... L'image est permanente chez Sartre, elle apparaît jusque dans la *Critique de la Raison dialectique* où par une sorte de contre-point il parle du groupe prenant en point de mire un adversaire, un exclu en somme, dans lequel il projette son unité : le groupe

1. *Saint Genet.*
2. *Drôle d'Amitié.*

est là-bas sur cette éminence, qui lui permet de contrôler toute la région, de transformer tout ailleurs en ici... Sartre évoquait déjà dans *L'Etre et le Néant* le regard mortel qui se présente pour le hors-la-loi sous la forme d'un froissement des branches, du bruit d'un pas, de l'entrebâillement d'un volet. Tout cela pour dire que le regard dont parle Sartre est en quelque sorte unanime, dépassant même le collectif puisqu'il se communique aux choses, par là animées : la peur d'être vu « donne une âme au paysage »[1].

L'effectivité de la condamnation se traduit en ce qu'elle *peut* s'exécuter à tout moment. Je ne puis songer échapper au juge, tout ce que je puis espérer, comme le mauvais élève, c'est de ne pas faire expressément l'objet de son attention présente. En conséquence, je ne suis pas maître de mon temps, comme la mort le jugement peut le sectionner à n'importe quel endroit, de mon point de vue toujours trop tôt, ce qui veut dire que je suis forcé de travailler vite, de prendre des positions qui prouvent leur valeur dans le moment présent, de me tenir toujours prêt à rendre les comptes, de pouvoir toujours plaider que j'ai fait tout ce que je pouvais faire — Garcin, lui, n'avait pas pris ses précautions. Cela dit, quel que soit l'effort de l'existence pour se racheter, la culpabilité est littéralement essentielle. La nature est liée à la faute : ainsi, Kant expliquait que si les actes du criminel peuvent s'enchaîner sous nos yeux avec un déterminisme qui le rend irresponsable, il a antérieurement choisi librement sa nature avec son crime dans le monde nouménal. Pour Sartre, la situation originaire est d'être vu en faute par l'Autre — comment pourrait-il en être autrement, l'enfance est perverse, en proie à des désirs qui contestent tout ordre social —, et l'Autre, c'est sa fonction, me constitue dans l'objectivité, c'est-à-dire qu'il me confère une essence coupable. Que l'existence précède l'essence, c'est précisément ma chance d'échapper à mon caractère intelligible et à la culpabilité originaire.

C'est dire qu'il n'y a pas seulement un danger mais aussi un enjeu du regard : en étant son objet, je puis enfin être quelque chose, n'importe quoi mais cela vaut mieux que rien, il faut prendre la mesure ici de l'ambivalence du sujet, qui autant qu'il la fuit cherche à coïncider avec sa réalité, qui abomine plus que tout ce qui rappelle l'inertie de l'en-soi, et crève d'envie pour les êtres solides, impénétrables, lesquels, laids et sérieux, semblent avoir une consistance matérielle. Et ils la communiquent par leur regard, un regard de falaise fait de

1. *Saint Genet.*

moi un bloc de granit. Etre regardé par l'Autre est un moyen de jouir de soi, Sartre qualifie le regard d'agression, mais il sait aussi qu'on s'identifie à l'agresseur. On n'est donc pas nécessairement en danger sous le regard, on peut s'y sentir à l'abri, et c'est ce que recherchent Baudelaire et Flaubert. De même l'ascèse mystique veut nous emporter à l'opposé de la peur et de la culpabilité : « Il suffit qu'un regard nous pénètre pour que nous soyons nous-même valorisés absolument. [1] » Seulement voilà : le regard est toujours absolu, il émane d'une transcendance pétrifiée, morte, qui rend impensable la réciprocité. Naturellement, il en va de l'Autre comme du regard. Un sujet pur porte sur moi un regard pur de l'au-delà du monde. C'est l'Autre « pré-numérique, plural » qui me regarde, mentionne Sartre, et aussi bien il peut se passer d'une incarnation. Mettons que je sois dans la situation de toute façon emblématique du voleur, à un léger signe je me crois épié par quelqu'un. Et si c'était *personne* ? Rien que le vent qui agite le buisson ?... Aucune importance : le problème, c'est que je vis dans un monde *hanté* par l'Autre, c'est cette hantise qui est fondamentale, transcendantale, non ses confirmations empiriques. « Ce qui est certain, c'est que *je suis regardé* ; ce qui est seulement probable, c'est que le regard soit lié à telle ou telle présence intra-mondaine. [2] » Absent, l'Autre est omniprésent.

On n'a pas manqué d'objecter à Sartre que l'expérience d'autrui n'est pas réductible au terrorisme du regard. Pour lui, il est vrai, le regard de l'Autre est une catastrophe, de toute manière. Autrui me voit : du coup, moi qui n'en avais aucune, et qui la cherchais tout en me projetant par-delà le monde, j'occupe une place à laquelle je ne puis échapper. Certes, on l'a vu, une solution est possible, grâce à l'Autre je puis obtenir une place qui soit authentiquement la mienne, avant-centre ou chef de l'Etat, mais cela suppose la révolution. Ordinairement, autrui fait scandaleusement irruption dans mon tranquille solipsisme, et peut même aller jusqu'à me faire apparaître comme un intrus dans le monde, comme ce garçon de café qui tout à l'heure n'était qu'un objet sous mon regard, dont je contemplais le jeu dérisoire, et qui maintenant, posant les chaises sur la table et commençant ostensiblement à balayer, me marque bien que je suis de trop. L'autre est un intrus parce que du fond de ma solitude je *rêve* le monde, et il me tire brutalement de ce rêve. Il est un gêneur avant tout parce qu'il

1. *Saint Genet.*
2. *L'Etre et le Néant.*

est *réel,* et vient se substituer à cet autre imaginaire avec qui j'ai mes habitudes. C'est pourquoi il est toujours un Tiers intempestif. Le regard, en outre, est vécu comme possession : autrui façonne mon corps, le fait naître, le produit comme il est, bref, tout à la fois me donne et me confisque mon être réel, alors qu'auparavant je possédais toutes les apparences et entretenais à ma guise des images d'autre.

La seule alternative, c'est le renversement de la relation. Je suis objet pour l'Autre ou il est objet pour moi, je suis en son pouvoir ou il est au mien. Il n'y a pas de *milieu,* c'est-à-dire pas de terrain de cœxistence. La situation est au fond la même qu'avec les portraits : ou Parrottin me transperce de son regard de toile ou je le réduis à quelques taches cendreuses. En tout état de cause, l'un de nous deux est de trop, et la relation ne peut échapper à la culpabilité. Je suis coupable parce que je suis objet, puisque j'éprouve alors toute ma honte, mon aliénation, ma déchéance, ma nudité, ou parce que je le fais objet, alors que par ailleurs je sais qu'il me vaut. Qu'il me regarde, que je le regarde, la faute est l'invariant. « Ainsi, le péché originel, c'est mon surgissement dans un monde où il y a l'autre », même s'il est présenté comme surgissement de l'autre dans le monde où je suis.

De toutes les façons, qu'il se réduise à une ferme blanche sur la colline ou qu'il se présente sous forme humaine, l'Autre ne dit pas un mot, c'est-à-dire qu'il ne se détermine pas, qu'il échappe à la condition humaine, en quoi il lui est facile de me nier. J'ai affaire à l'Autre muet : tout est dit déjà, son silence marque bien la fin de l'histoire, et l'imminence d'un verdict décidé. Ce regard vide est regard de juge qui me fait être et me reproche mon être tout ensemble. Hypnotisé par ce regard, je ne puis prêter attention à ce qu'il me dit implicitement par son habillement, ses habitus, etc. Son regard noie tout cela dans une lumière éblouissante, étant en-deçà ou au-delà de la signification Lui qui m'épingle dans n'importe quel coin du monde, il n'est pas situé. On pourrait donc dire que dans une certaine mesure cet Autre n'est que la pure apparence où je projette ma négation, si bien que l'aliénation elle-même tient de l'illusion. D'ailleurs, le regard de l'Autre se présente bien chez Sartre comme l'actualisation d'une possibilité permanente, il arrive de temps en temps que l'atmosphère du monde se précise dangereusement comme le tonnerre éclate dans la journée orageuse.

Les exemples de Sartre n'en sont pas moins significatifs.

1. *L'Etre et le Néant.*

Ainsi, c'est une femme qui me hait [1] : pas si indéterminée !
— c'est cet homme qui me surprend en train de regarder par
le trou de la serrure, ce tiers qui survient alors que je
m'acharne sur un faible [2] L'Autre, qui semble n'être mû que
par sa partialité à mon encontre, comme asservi en ce sens à
sa nature, se définit comme celui qui me guette, me vole,
me désarme, me fait honte, me surprend dans des attitudes
« coupables ou simplement ridicules ». Force est de constater
qu'il arrive toujours quand il ne faudrait pas, et jamais pour
répondre à un désir que je pourrais avoir de lui, puisqu'au
contraire avant qu'il arrive j'avais tout ce qu'il me fallait.

D'ailleurs, le drame implique peut-être plusieurs personnages :
c'est ce que suggère un exemple de *L'Etre et le Néant* où je
regarde par le trou de la serrure, « par jalousie, par intérêt,
par vice ». Donc, l'Autre est déjà là, je le regarde sans qu'il
le sache, mais il existe bien une relation entre lui et moi.
Et naturellement, l'Autre, en ce cas, cela peut vouloir dire des
autres. Quoi qu'il en soit exactement, je le regarde sur le mode
du désir : jaloux, ou poussé, du moins en apparence, par la
simple curiosité, comme Proust, dissimulé dans la nuit, épie
les amours irrégulières de Mlle Vinteuil dans l'encadrement
d'une fenêtre éclairée. Seulement ici, voilà que le voyeur est
vu : l'Autre rétablit à mon désavantage une relation de réciprocité que j'avais interrompue en espionnant, bref, son irruption
en l'occurrence n'a rien d'originaire et prend même l'allure d'une
rétorsion, et il serait donc bien intéressant de savoir ce qui
se passait derrière la porte pour comprendre à quoi fait suite
le drame du regard.

Certains pourront trouver dans *L'Idiot de la Famille* une
petite indication. Dans son fantasme Gustave réserve une « pos-
ture ridicule et infamante » à la dame de ses pensées, Elisa
Schlesinger ; par le jeu de sa rancune et de sa perversité cet
Œdipe se plaît à imaginer ainsi son accouplement à son grossier
mari, derrière la porte de la chambre de Trouville. On pourrait
donc faire l'hypothèse d'un échange des rôles entre le voyeur
et l'objet de son désir, aussi bien entre le réel et l'imaginaire.
Par ailleurs, un passage de *Huis Clos* amène à poser la question :
qui est le Tiers, le Père interdicteur, ou l'enfant voyeur ? Inès,
amoureuse d'Estelle, veut empêcher Garcin de la toucher « de
ses sales pattes d'homme » et ne peut y parvenir. Mais elle
se console de son impuissance par cette menace : « Faites ce
que vous voudrez, vous êtes les plus forts, mais rappelez-vous,

----

1. « Voilà cette femme immobile, haineuse et perspicace, qui me
regarde sans mot dire... » (*Situations, I*).
2. Exemples de *L'Etre et le Néant*.

je suis là et je vous regarde. » Ici, c'est donc l'enfant débouté qui se sert du regard comme de la seule arme dont il dispose, comme vecteur de culpabilité.

**

A cette description on pourrait, ce qui ne serait pas la contredire bien sûr, en opposer une autre. Chez Proust, le regard est un événement dans le monde du désir, et la relation qu'il en fait, lourde de sensualité, n'évoque guère le cataclysme sartrien. Il parle d'une autre expérience où les rôles de sujet et d'objet ne sont pas encore répartis, où il n'y a que des êtres qui, si je puis dire, se cherchent à tâtons par le regard. Ainsi le regard d'Albertine opère comme un organe de préhension, vise à toucher l'autre en annulant la distance propre à la vision, comme pour anticiper la possession érotique qu'elle regrette de ne pouvoir réaliser à l'instant : « Son regard étroit et velouté se fixait, se collait sur la passante, si adhérent, si corrosif, qu'il semblait qu'en se retirant il aurait dû emporter la peau. »

Le regard dur de M. de Charlus, qui semble juger, condamner, pétrifier, prélude à une histoire qui démontrera que sa véritable intention était à l'opposé de cette apparence du premier instant ; l'erreur serait donc de l'y river puisque comme les premières notes de la mélodie il n'acquiert son sens que par la suite. Certes, le regard de l'autre me signifie mon importance ou ma nullité, me situe immédiatement dans une hiérarchie. C'est pourquoi, quand son regard tombe sur moi comme s'il ne me voyait pas — ce qui est ici l'expérience cruciale —, quand je m'imagine n'avoir attiré qu'un regard de dédain, je ne me sens pas à proprement parler objet, je suis plutôt un détail insignifiant qui n'arrive pas à émerger du monde, ou pour parler le langage gestaltiste, du fond, et je veux devenir la seule forme. Il faut que ces yeux qui se portent à l'infini ne soient plus obsédés que par mon image.

D'autre part, quand je vois le regard de l'autre, je ne le déchois pas du même coup au rang d'objet. Les yeux, dit Proust, ne se réduisant jamais à de jolies pierres précieuses, par ce rayon qui les irise, seul signe d'une vie ignorée que nous voudrions posséder, et qui contient, avec les précédentes amours, une maison familiale, une enfance légendaire. L'existence de l'autre ne se résume pas pour moi ici et maintenant à son corps, bien au contraire je me mets à languir des lointains inaccessibles auxquels renvoie ce regard. Et je désire à la vérité le désir de l'autre, car ce que je veux c'est abolir son mystère, sa fuite, me substituer à ces lointains-là, les occuper, car l'Autre est un pays, et un exil — il vient d'ailleurs, mais cet ailleurs est rêvé comme lieu originel. « Ses regards étaient des rayons venus d'un autre univers » : le désir porte sur cet univers, ou encore il désire le monde du désir qui s'ébauche sans cesse dans la réalité, y laisse traîner des antennes, s'y annonce par de multiples promesses. Le regard, loin de nous bloquer dans un présent plein et oppressant, suggère que l'accomplissement est possible, ailleurs, à proximité. « Au moment où son regard passa exactement sous le mien, sans ralentir sa marche, il se voila légèrement... » : l'œuvre de Proust est remplie de ces très brèves unions, de ces croisements furtifs qui ne sauraient trouver place dans une dialectique brutale. Les femmes que nous désirons, écrivait-il encore, sont voilées comme les Orientales, et seul le regard qui répond au nôtre pour y acquiescer lève ce voile et nous révèle le vrai visage.

Pour Merleau-Ponty [1], le rapport à autrui chez Sartre se réduit en définitive au rapport entre je et moi, au rapport de la conscience avec son être pour l'Autre : du fait de l'Autre, je découvre que je suis *cela*, et non plus « sur le mode de ne l'être pas », la fuite est maintenant arrêtée, figée. Je ne sombre pas pour autant dans l'en-soi, et ce qu'il faut expliquer c'est précisément que je me sente concerné, puisque le principal effet de l'Autre est cette réorganisation du rapport de la subjectivité à elle-même. Mais l'Autre, s'il me contraint à me présenter d'une nouvelle façon à moi-même, ne peut m'aliéner que parce que je suis déjà susceptible de m'aliéner dans mon corps, ma situation et d'abord mon *ego*. Il n'y a pas proprement expérience d'autrui, mais plutôt expérience de l'aliénation : moi (ou je) l'invisible je suis vu. Et l'Autre *enregistre* mon aliénation, c'est-à-dire ma réalisation dans un corps et dans une situation, dans mon humanité pour tout dire, laquelle est toujours implicite pour autant que je n'habite pas un monde naturel. Il me prend comme je suis et me prend de court parce que ce n'est que pour moi-même que je ne suis pas, le non-être est fête privée.

L'Autre qui m'annule ne serait donc que cela : négation de moi-même comme négativité, rétablissement de l'être. En outre, il est l'Autre parce qu'il ne peut y avoir qu'*une* négation de ce type. Donc, il ne s'agit pas d'*un autre*, mais d'un « non-moi neutre », négation en ce sens elle-même négative de mon néant, lequel d'ailleurs n'a peut-être jamais été qu'une ruse pour lui

1. Cf. *Le Visible et l'Invisible.*

échapper... Merleau-Ponty écrit encore : « une hantise anonyme, un autre en général ». Cet Autre anonyme correspond à l'anonymat du sujet comme pour-soi : au centre de moi-même je suis innommable et même absent. Un X en engendre un autre. L'Autre est comme le père du sujet, père ambigu qui l'annule tout en l'instaurant. D'ailleurs, il existe comme fonction itinérante, assumée par tel ou tel, peu importe : n'importe qui peut être le roi, « on peut faire un prince avec de la merde », comme disaient les Russes à l'époque de Pougatchev [1]. Le Jupiter de Sartre explique de la même manière que faire un roi n'est pas difficile : vous prenez un homme, avec sa physionomie, sa pesanteur charnelle, et vous en faites un mirage, au fond c'est le même procédé que pour faire un comédien, un artiste, un bouffon, un enfant-roi. L'Autre n'est rien que ce qu'il est pour les autres et sa substance humaine s'évapore. « Que suis-je sinon la peur que les autres ont de moi ? », se demande Egisthe. Il coïncide avec sa propre image pour les autres, il est condamné à être imaginaire. C'est dire que le drame de l'aliénation est partagé, il y a un malheur, une misère de l'Autre en tant qu'il lui est interdit d'être autre qu'autre. L'Autre n'est autre que pour l'autre et c'est sa définition exclusive dont il ne peut sortir : par une sorte d'effet en retour, sa propre aliénation est encore plus radicale que celle qu'il produit. Mais il faut bien que certains se dévouent car il n'est pas bon que cette fonction reste sans titulaire.

L'Autre de Sartre, dit Merleau-Ponty, est « le juge qui me condamne ou m'acquitte, mais à qui je ne pense pas même à opposer d'autres juges ». Ne peut-on dire que c'est mon sentiment de culpabilité qui fait de n'importe quel autre l'Autre — ou encore mon désir d'être reconnu ? Le narrateur d'*A la Recherche du Temps perdu* a d'abord vu en M. de Norpois le Juge : il ne doute pas de sa compétence, et il apprend de lui dans l'humiliation quelle place infime il occupe dans l'univers, alors que, seul, par un mirage trompeur de la subjectivité, il croyait atteindre aux vastitudes du génie. Mais quelques jours plus tard, le célèbre écrivain Bergotte lui dit tout de go que le solennel M. de Norpois n'est qu'un vieux serin, et puis d'ailleurs, nous, lecteurs, qui jugeons en dernier ressort avant d'autres, nous sommes d'avis que ce jeune homme est assez doué et ne manque pas d'avenir.

Par conséquent intervient un vaste réseau de relations qui semble confirmer la thèse de Merleau-Ponty que l'Autre est

1. Cela pose tout de même quelques problèmes dont nous avons parlé, et Pougatchev exhibait pour la forme une légitimité.

un cas particulier du problème des autres. Sartre pourrait admettre qu'il y a effectivement une « constellation des autres », un « système de pour-soi », une structure, mais il ajouterait que l'Autre est la condition de l'autre, la « raison de la série », qu'il faut un élément qui soit différent de tous les autres pour constituer un fondement, un lieu originaire du sens et de la vérité, et par conséquent un « juge élevé au-dessus de toute contestation ». Toutefois, ce système où l'Autre se relativise, et avec lui le jugement, où la réciprocité advient, c'est ce qu'il a entrepris de penser avec le groupe.

Bref, aux yeux de Merleau-Ponty, la rencontre d'autrui telle qu'elle se passe dans *L'Etre et le Néant* n'apporte rien d'essentiellement nouveau. Harcelé par Socrate, le sophiste Hippias lui oppose cette évidence : tu ne trouveras jamais une qualité qui soit étrangère à chacun de nous et que nous possédions tous deux [1]. Socrate lui répond que leur propre situation actuelle lui apporte le démenti : car ils sont deux, et forment ainsi une réalité particulière, un certain couple, dans et par leur dialogue. « Ensemble, nous ne sommes pas un mais deux. » Et dans la vie, nous faisons souvent l'expérience de cet *être deux*, dans ces situations où l'on cesse d'être seul sans se dédoubler pour autant, mais où, semble-t-il, on agit *autrement* sans devenir étranger à ses yeux, ce qui manifeste l'effectivité de la relation. Il y a de ces rencontres où sans qu'on se dise rien c'est comme si l'on était mystérieusement averti d'un secret partagé. D'ailleurs, sans vouloir voler au secours d'un sophiste un peu balourd, il est vrai que l'un est préparé à la dualité, qu'en lui-même négativement il comporte déjà l'autre, qui simplement se détermine tour à tour comme une certaine présence ou une certaine absence.

Mais dans *L'Etre et le Néant* le problème est déplacé parce que le pour-soi se présente plus comme un régime ontologique général que comme une expérience singulière. A la limite il ne s'agit ni de moi ni d'autrui, mais des aventures de Sa Majesté Impériale le Pour-Soi universel. Retour des solitudes transcendantales il fait dans un jardin public la rencontre d'un Pour Autrui qui est son image et sa négation, mais cela suppose que la découverte de l'Autre en réalité s'est effectuée depuis longtemps. L'auteur domine le problème et parle pour tous : ce qu'il dit est vrai de chaque pour-soi puisqu'il l'est du pour-soi en général. Il s'adresse sans difficultés de communication particulières aux autres pour leur parler du délicat problème d'autrui. C'est pourquoi Merleau-Ponty voulait opposer

1. *Hippias Majeur.*

à ce qu'il appelait une pensée de survol une autre démarche, qui fasse régression aux expériences constitutives, au berceau des phénomènes.

Il a donc opposé à la philosophie transcendantale de Sartre (car chez celui-ci il s'agit bien de conditions de possibilité et de déduction de l'expérience) un empirisme qui inclut aussi le symbolique, discerne une « syntaxe », opérant sur quatre termes et non deux : mon être pour moi, mon être pour autrui, le pour-soi d'autrui et son être pour moi. La notion d'intersubjectivité doit être prise globalement, comme une Gestalt, alors que Sartre la résout dans l'opposition indéfiniment alternée du sujet et de l'objet. Le différend est fondamental, parce que Merleau-Ponty récuse le présupposé de Sartre qui est l'antinomie de l'existence comme chose et de l'existence comme conscience, de l'être et du néant, qui ne peut ensuite que se répercuter en celle du moi et du non-moi (encore qu'il y ait ce problème dirimant que le moi est un existant et qu'il faut comprendre comment le pour-soi peut se compromettre avec lui). Merleau-Ponty pense au fond qu'il y a là une astuce rhétorique consistant à tirer de cette évidence analytique que la subjectivité n'est rien d'objectif la preuve qu'elle n'est rien du tout. Cela supposerait qu'il n'existe que de l'objectif, or il a entrepris de découvrir un autre domaine d'être, qu'on pourrait appeler le différentiel, et qui permet notamment de faire sa place à l'inconscient. On a vu au contraire comment Sartre, rencontrant l'image qui n'est apparemment ni conscience pure ni chose, a réduit l'énigme : il y a la conscience imageante d'une part et l'objet en image de l'autre. Merleau-Ponty, lui, pose inlassablement la question : que sont les choses ? Et il esquisse cette réponse : les effets de la différenciation de l'être où je suis également pris. En un mot, il y a chez Merleau-Ponty une autre idée du monde qui lui permet d'écrire à propos d'autrui : « Ses vues et les miennes sont d'avance insérées dans un système de perspectives partielles, référées à un même monde où nous cœxistons et où elles se recoupent. » L'expérience du regard, pour lui, c'est l'épreuve de l'attache au monde sensible, la mesure du rapport de la conscience à son corps, un corps qui de toute façon par lui-même, par sa vie silencieuse au milieu des phénomènes, *demande à être vu*. Merleau-Ponty cherchait à retrouver une substance primordiale afin d'éluder le rapport anéantissant par lequel un Dieu mort institue un sujet.

*
**

Chemin faisant, nous avons trouvé deux pensées de l'Autre chez Sartre, et il est temps maintenant de les mettre en relation. D'abord, « l'existence de l'autre est un scandale insurmontable » ; autrui est radicalement contingent, sa présence est un *fait* absolu qu'on ne peut « déduire des structures ontologiques du pour-soi », on peut donc lui dénier tout statut métaphysique. Mais cela ne l'empêche pas, bien au contraire, de faire brusquement une irruption dévastatrice dans le monde solipsiste de l'enfant choyé. Je ne puis plus me mettre au centre, place qui me revenait de principe, il me *vole* mon espace — mais d'où en tenais-je la propriété, la *Critique* il est vrai fait état de la légitimité du besoin qui organise en champ pratique la matérialité environnante. Et puis il voit des aspects du réel dont du même coup il me prive, il possède des cartes que par principe je ne puis avoir, et de ce fait il est le maître du jeu.

Mais par ailleurs, il est clair que l'Autre est impliqué dans la structure de la conscience comme Dieu dans le *cogito* cartésien, que sa rencontre « ultérieure » dans le discours n'est pas un fait, qu'au contraire elle y est présupposée, ayant déjà eu lieu. Simplement, comme chez Descartes, s'opposent la *ratio cognoscendi* et la *ratio essendi*, l'ordre de la connaissance (moi d'abord) et l'ordre de l'être (Dieu naturellement premier principe). Pas de pour-soi sans pour-autrui. Ainsi, Sartre parle de ce *témoin* pour qui la conscience existe mais qui est elle-même. La fissure « intra-consciencielle » est un effet de l'Autre, sa marque, sa rémanence, comme l'eau-mère dans l'indivision du diamant. Le pour-soi est hanté en son sein par le fantôme de l'Autre.

Le réfléchi, dit Sartre, est profondément altéré par la réflexion, *il se sait regardé* : d'où peut-il tenir ce savoir s'il n'a pas déjà fait l'épreuve d'autrui [1] ? Et Sartre poursuit d'ailleurs : « il ne saurait mieux se comparer... qu'à un homme qui écrit, courbé sur une table et qui, tout en écrivant, sait qu'il est observé par quelqu'un qui se tient derrière lui. »

Sartre pose le pour-soi d'abord, puis il rencontre soudain l'Autre, avec effroi, dans un jardin public, lieu privilégié pour les mauvaises rencontres, ainsi dans le square pourri de Bouville, la petite fille est fascinée par l'exhibitionniste, tandis que Roquentin exclu et sauvé de cette relation l'englobe dans un absolu divin. Au jardin du Luxembourg, le petit Sartre a aussi rencontré ses contemporains, ses pairs... En vérité, il s'agit d'un

---

1. Ce passage sur la réflexion prend place dans la section consacrée aux structures du pour-soi, donc avant l'introduction de la dimension Autrui.

retour de l'Autre, qui a d'abord été refoulé, non reconnu. De même, la *Critique de la Raison dialectique* place au début la robinsonnade de la praxis individuelle, et l'Autre apparaît comme le contre-coup d'une première négation. Là encore, on est bien proche des *Mots* malgré les apparences : moi, praxis individuelle, j'organise paisiblement mon champ pratique en fonction de mon besoin, quand tout à coup survient l'autre... Mais qui m'avait mis d'abord dans une telle situation de liberté ou de jeu ?

Sartre explique dans *L'Etre et le Néant* que la conscience de soi est identique à elle-même par l'exclusion de l'Autre : selon la leçon du *Sophiste*, le même est l'autre que l'autre. Entre l'Autre et moi, il y a donc au principe une relation réciproque d'exclusion, « c'est donc en mon cœur que l'autre me pénètre ». Mais le refus de l'Autre s'explique par le danger : je suis vulnérable, je suis une cible. Autre danger : pour exister *moi*, il faut que je ne sois pas l'Autre. C'est ce que dit bien Sartre : sans cet acte de refus, je resterais « sans défense vis-à-vis d'une assimilation totale de moi à autrui », et il ajoute : « faute de me tenir sur mes gardes ». L'Autre menace de me reprendre en soi, heureusement je sécrète ce « manchon de vide qui m'excipe comme totalité en me mettant hors jeu ». La conscience, dit Sartre, est l'Autre platonicien, qui ne jouit que d'un être emprunté, qui, considéré en lui-même, s'évanouit et ne reprend une existence marginale que si l'on fixe ses regards sur l'être, qui s'épuise à être autre que lui-même et autre que l'être. Bref, *je suis l'Autre*. « Etre autre que l'être, c'est être conscience (de) soi dans l'unité des ek-stases temporalisantes. Et que peut être, en effet, l'altérité, sinon le chassé-croisé de reflété et de reflétant que nous avons décrit au sein du pour-soi, car la seule façon dont l'autre puisse exister comme autre, c'est d'être conscience (d') être autre. » En un mot, l'altérité est bel et bien « intra-conscientielle ». Quittons un instant l'ontologie pour le domaine de l'amour, qui en fait en est le présupposé. Gœtz dit à Hilda : « Je voudrais devenir toi tout en restant moi-même. »

C'est tout le problème. Parce qu'il importe au plus haut point de veiller à la limite, de « tenir autrui à distance ». Ce moi sur lequel on s'est posé tant de question, il se réduit peut-être à ceci : mes gardes ou mes distances. Là-dessus, Sartre définit la peur comme une conduite magique tendant à supprimer par incantation les objets effrayants que nous ne pouvons tenir à distance. Et il y a différentes techniques de fuite qui se confondent avec l'être même du pour-soi. Je m'abandonne comme objet, me réfugiant dans ma subjectivité pure, à la manière de la femme de mauvaise foi, ou je contemple le moi-objet aux prises avec le faux-monnayeur, etc.

Comment aurais-je rapport à l'Autre sans une séparation primordiale, une mise à distance originelle, aussi bien que l'échec et la douleur sont des moments nécessaires de l'expérience de la réalité, faute desquels celle-ci se composerait avec moi-même ? Mais la honte tient à ce rejet, elle est donc indépendante de la présence empirique de l'Autre, elle est le signe de la chute, indiscernable de la faute : il serait vain de chercher à déterminer si la faute a causé la chute ou si c'est la chute qui la rend possible — controverses interminables de la théologie.

L'étude du regard peut se continuer suivant deux directions que nous verrons confluer. L'une est celle de la théologie. L'autre est celle de l'homosexualité.

Le regard est le regard de Dieu. C'est ce qui fait échouer l'amour comme tentative de résolution du rapport conflictuel à autrui. Il suffit qu'un tiers regarde les amoureux pour qu'ils soient objectivés tous deux, ce qui est l'échec, car leur amour, étant objet pour lui, s'aliène en bloc. Or, le tiers est déjà là, ajoute Sartre. Les amants recherchent la solitude, mais ils ne pourront jamais en atteindre une qui soit *de droit* : même si personne ne nous voit, le tiers est embusqué dans l'ombre. N'est-ce pas dire qu'il est Dieu ? Aussi Gœtz rembarre-t-il Hilda : « Coucher avec toi sous l'œil de Dieu ? Non merci, je n'aime pas les partouzes. » Thème très sartrien : deux créatures ne peuvent s'aimer que contre Dieu. « On ne peut s'aimer que sur terre et contre Dieu », et tout s'arrange puisque Gœtz s'aperçoit de son absence. Il peut alors se tourner vers sa femme et lui dire : « Comme tu es vraie depuis qu'il n'est plus... Regarde-moi, ne cesse pas un instant de me regarder ; le monde est devenu aveugle ; si tu détournais la tête, j'aurais peur de m'anéantir. » C'est dire que si Dieu ne me porte pas à l'être — on voit bien ici qu'il est le regard du monde, le monde comme regard —, la source de la vérité et de l'existence ne peut plus être que l'autre, mais comme tout devient fragile ! Mon existence est suspendue à son regard, comme elle l'est chez Descartes — mais momentanément — à ma propre pensée. C'est le mythe d'Orphée à l'envers. Là non plus, il ne faut pas s'étonner de l'échec qu'on constate quelques siècles après, puisque Sartre écrit dans *L'Etre et le Néant* que les amants ne pourront s'isoler, parce que toutes les consciences sont là, de même que nous existons pour elles toutes, c'est-à-dire que l'universel a pris le relais de la transcendance divine.

Dans *L'Etre et le Néant* d'ailleurs, Sartre exclut la solution du nous-sujet suivant laquelle, dans l'action commune, personne ne serait objet. Il y a toujours un Autre, un Tiers, qui se présente expressément comme le maître, le père : la collectivité se rue dans la servitude, « chacun fait le projet de se perdre dans cette objectité, de renoncer à son ipséité afin de n'être plus qu'un instrument aux mains du chef ». L'identification réciproque suppose cette aliénation radicale — et au niveau de la lutte des classes en particulier : « Le fait premier, c'est que le membre de la collectivité opprimée... saisit sa condition et celle des autres membres de cette collectivité comme regardée et pensée par des consciences qui lui échappent. Le maître, le seigneur féodal, le bourgeois ou le capitaliste apparaissent, non seulement comme des puissants qui commandent, mais, encore et avant tout, comme les *tiers*, c'est-à-dire ceux qui sont en dehors de la communauté opprimée et *pour qui* cette communauté existe. » Point de salut donc, la honte est indépassable comme le conflit. Il est frappant que Sartre réintroduise Dieu à ce moment, en le définissant simplement comme l'objet du concept-limite d'altérité, le regardant non-regardé, l'Irrelatif, l'Irréciproque. Et enfin il signale le terme de la possibilité du nous : « Chaque fois que nous utilisons le « nous » en ce sens (pour désigner l'humanité souffrante, l'humanité pécheresse, pour déterminer un sens objectif de l'histoire, en considérant l'homme comme un objet qui développe ses potentialités) nous nous bornons à indiquer une certaine épreuve concrète à subir *en présence* du tiers absolu, c'est-à-dire de Dieu. » Cette épreuve, c'est par excellence la guerre.

La guerre, dans *Le Sursis*, apparaît comme une sorte de Dieu négatif. Elle est transcendance voilée, et totalisation du monde pour une conscience impossible. « La guerre : chacun est libre et pourtant les jeux sont faits. Elle est là, elle est partout, c'est la totalité de toutes mes pensées, de toutes les paroles d'Hitler, de tous les actes de Gomez : mais personne n'est là pour faire le total. Elle n'existe que pour Dieu. Mais Dieu n'existe pas. Et pourtant la guerre existe. »

Passage admirable. La guerre mondiale est un spectacle donné pour le plaisir de Dieu, mais justement du fait de son absence, et qui se substitue en quelque sorte à lui. Tel aura été le quiproquo de notre siècle de braderie[1]. La guerre est le voyant invisible : elle « prend tout, ramasse tout, elle ne laisse rien

---

1. Franz : « Mon siècle fut une braderie, la liquidation de l'espèce humaine y fut décidée en haut lieu ».

perdre, pas une pensée, pas un geste et personne ne peut la voir, pas même Hitler ». Elle est décidément l'universel. « Avec quels yeux faut-il se voir ? » se demande un des personnages du roman, et il lui est indirectement répondu quelques pages plus loin : « avec les yeux de la guerre ».

Le sursis est un mot à double sens : c'est le sursis de Munich par rapport à la guerre inévitable, c'est aussi un sursis par rapport au sujet, au sens où sans cesse il s'ajourne à lui-même, est toujours en attente, pour ainsi dire *en puissance de l'être en acte*, et c'est particulièrement le cas de Mathieu. Exister, c'est toujours être en question, en train de se faire pour être, et il y a des gens qui précisément ne peuvent supporter ce trait de notre condition, veulent « exister tout à la fois ». Même pour l'homme authentique et libre il s'agit là d'une contrainte douloureuse. Et ce qu'il y a de génial dans *Le Sursis*, c'est justement de montrer la coïncidence de ces deux significations, ce qui fait apparaître la fonction ontologique de la guerre. Elle est vérité, parce qu'elle est, comme on l'a vu, totalisation : le monde est totalisé par la guerre, qui constitue l'universel concret. Elle surplombe le monde, à la manière d'un *surmoi pour tous*. Il n'y a plus de toutes parts qu'un *être-pour-la-guerre*. Elle est aussi le terme, l'aboutissement, l'accomplissement, la signification, par là elle est *horreur désirée*. Sartre exprime ouvertement ce désir : « Qu'elle vienne ! Qu'elle vienne donc, la guerre, qu'elle vienne mater mes yeux, les enfoncer dans leurs orbites, qu'elle leur montre enfin des corps souillés, saignants, désarticulés, qu'elle m'arrache à l'éternel, aux veules petits désirs éternels, aux sourires, aux feuillages, au bourdonnement des mouches... qu'il vienne enfin, *l'instant innommable qui ne rappelle rien*. » Cette dernière expression vise l'effectivité de la mort comme pure extériorité, privée de toute signification (la signification étant toujours renvoi à... et rappel), ainsi figure impitoyable de la transcendance, absolue négation.

Et Sartre de même fait penser ainsi Daladier : « J'ai tout fait pour maintenir la paix. Mais il se demandait à présent s'il ne désirait pas que ce torrent énorme l'emportât comme un brin de paille, il se demandait s'il ne désirait pas tout à coup cette énorme vacance : la guerre. »

Qu'est-ce que cela veut dire au juste, que nous désirons la guerre ? Essentiellement ceci que la guerre tourne vers elle notre désir, se l'approprie, le contraint, le réquisitionne, justement parce qu'elle est cette transcendance absolue. La technique que Sartre a emprunté fort à propos à Dos Passos vise à restituer cette ubiquité de la guerre : « Où est-elle ? Partout », comme la voix de Hitler que pourtant on ne peut toucher.

Elle universalise l'espace, c'est la même chose à Angoulême, à Marseille, à Gand, toutes les villes sont engagées pêle-mêle dans la même aventure. Gomez n'a pas honte, il le dit ouvertement : c'est beau, la guerre, j'aime la guerre. Mais ce désir, cet amour, peuvent être pensés comme des conséquences, au-delà des évidences polémologiques sur nos pulsions agressives. La guerre, comme le disait Hegel, est l'opération de l'universel qui nous détourne de la particularité où nous nous enfoncions, de la jouissance, de la sensation, par exemple de ces sourires, de ces feuillages, de ces bourdonnements de mouches... Elle est pratiquement l'opération du concept, faisant voler en éclats les caractéristiques individuelles. Pour se faire elle va prendre chaque homme où il est et le retourne comme un gant dans son sens. Elle atteint jusqu'à la conscience sauvage d'un Gros Louis, berger analphabète des Cévennes, et peu importe qu'il ne comprenne rien à ce qui se passe. — « Mathieu mangeait, Marcelle mangeait, Daniel mangeait, Boris mangeait, ils avaient des petites âmes instantanées qu'emplissaient jusqu'aux bords de pâteuses petites voluptés, un instant et elle entrerait bardée d'acier, redoutée par Pierre, acceptée par Boris, désirée par Daniel, la guerre, la grande guerre... » Elle est le plus grand dénominateur commun, qui abroge les modalités subjectives et entre autres la jouissance orale.

La guerre nie les subjectivités particulières, et s'affirme elle-même comme subjectivité absolue, l'Esprit qui est le négatif. Le négatif, elle l'est de toute évidence, elle ruine le fonds même de la positivité : la guerre est *contre nature* par excellence, en quoi toute philosophie du négatif et de l'histoire, même sartrienne, peut difficilement la désavouer. La paix « est là, elle a l'obstination hésitante de la Nature, elle est le retour éternel du soleil, l'immobilité frissonnante des campagnes, le sens des travaux des hommes » : le monde de l'essence exactement dont le sujet est exclu. Par la guerre, le sujet devient n'importe qui, son individualité est effacée, et du même coup son échec personnel. La vie est uniformisée, c'est « partout pareil », « partout les mêmes vies », Mathieu levant la tête aperçoit un ciel « de n'importe où, sans privilèges », et lui-même sous cette grande équivalence se voit « quelconque ». La guerre est la vérité du monde, puisqu'elle est le négatif, qui vient par l'homme, qui est l'auteur de la destruction. Mais cette fois les poètes sont armés et ce n'est pas seulement en mettant le feu au langage qu'on dévoile le monde comme présence nue. De fait, face à la subjectivité qui n'est qu'une chute infinie, une avalanche permanente, une désagrégation perpétuelle, les maisons elles-mêmes ne sont que des chutes arrêtées, une habitude donnée aux pierres de tomber longtemps de la même façon suivant un certain plan : « La mort est inscrite dans les hommes, la ruine est inscrite dans les choses. »

La guerre nous donne un destin : les soldats mobilisés peuvent bailler, dormir, jouer aux cartes, le roulis peut balloter leurs têtes vides, ils ont ce privilège des rois et des morts. On a vu que le petit Sartre en éprouvait le manque : la guerre permet aux pauvres, et à tout un chacun, d'accéder à ce luxe des grands de la terre, collectivement il est vrai. Maintenant, l'humanité entière reçoit une direction, menée par le *Surtous* elle va comme un seul homme vers la guerre, alors que d'ordinaire elle ne va nulle part. « Tout ce qu'ils disaient, tout ce qu'ils pensaient n'avait aucune importance : de petits scintillements furtifs en marge de leur destin. » Donc Munich marquera le retour à la contingence : « leur destin s'était évanoui, le temps s'était remis à couler au petit bonheur, sans but, le train roulait par habitude, le long du train une route flottait, inerte : à présent elle ne menait plus nulle part. » Plus de destin, plus de nécessité : de nouveau la liberté. La vie reflue et il n'y a plus moyen d'échapper à soi. « Et ma vie à moi, qu'est-ce que je vais en faire ? C'était tout simple : il y avait à Paris, rue Huyghens, un appartement qui l'attendait, deux pièces, chauffage central, eau, gaz, électricité, avec des fauteuils verts et un crabe de bronze sur la table... Je ne veux pas ! pensa-t-il en serrant les barreaux de toutes ses forces »... La paix, c'est la nécessité de vivre, c'est bien plus difficile que de faire la guerre : *Le Sursis* s'achève à peu près sur ce mot, « il allait falloir vivre »...

Le *cogito* a une contrepartie : l'Autre me voit, donc je suis. Chez Descartes un énoncé appelle l'autre, le sujet renvoyant à Dieu qui le fonde, alors que chez Sartre ils se combattent. Il reproche à Descartes d'avoir fait du sujet une *res cogitans*, au lieu d'en rester à la négativité pure, et attribue cette « erreur » au fait que justement Descartes se place sous le regard de Dieu. On se souvient de l'itinéraire cartésien : mon être réside en la pensée et en rien d'autre, mais je n'en suis pas le fondement, je ne me suis pas fait naître, de même que ce n'est pas moi qui me fais passer d'un instant à l'autre, au sein de mon rapport à moi-même j'aperçois la transcendance, d'autant qu'il y a en ma pensée même quelque chose qui la dépasse, l'idée de parfait, d'infini, que je n'ai pu tirer ni de moi, qui suis le contraire, ni des choses, qui n'a pu être mise en moi que par un être lui-même infini et parfait. Le chemin va du sujet à l'Autre et retourne par là à la réalité et à la vérité, désormais bien amarrées. Chez Sartre, cette deuxième partie de la méditation passe dans l'ombre, tout en se révélant par les à-coups d'un idéalisme mystique selon lequel, loin d'être ma pensée, je suis la pensée de l'Autre, et loin d'être absolu comme conscience, je suis relatif à un Penseur.

Mais Dieu est mort. On s'en passera donc : l'autre suffit, n'importe lequel. Chacun fera l'autre pour l'autre, *à huis clos*. L'Autre est maintenant partout et nulle part, itinérant, c'est une prestation que l'on se rend mutuellement comme si l'essentiel était que la transcendance soit sauve : les clients de l'enfer font ainsi le service eux-mêmes, chacun est le dieu et le diable de l'autre. Hegel a parlé d'une bacchanale de la vérité où nul ne peut rester sobre parce que le vrai n'a pas de domicile fixe, mais est le passage qui unit toutes les positions qui s'excluent l'une l'autre, qui les traverse et les illumine momentanément sans jamais être ailleurs que partout — si bien que ce déplacement universel est aussi stabilité, que cette ivresse est aussi le « repos translucide et simple ». Il a chez Sartre une bacchanale de l'Autre, ce qui donne : « Tu es un lâche, Garcin, un lâche parce que je le veux. Je le veux, tu entends, je le veux ! Et pourtant, vois comme je suis faible, un souffle ; je ne suis rien que le regard qui te voit, que cette pensée qui te pense »[1].

On voit bien là les inconvénients de la laïcité : l'enfer, c'est toujours l'absence de Dieu, mais en plus avec l'obligation harassante d'en exercer la fonction vis-à-vis de son prochain et pareillement de la subir sans que le cercle du supplice puisse jamais s'arrêter, c'est l'impossibilité d'un jugement *dernier*.

Se débarrasser de Dieu était un mauvais calcul, puisque ce qu'il y a d'intéressant dans le regard de l'Autre, c'est qu'il me donne de l'être. Daniel s'en explique très bien : il éprouvait ce sentiment bien connu de n'être qu'une matière molle et duveteuse, « pas assez lourd, Mathieu, jamais assez lourd ». Il fallait sans cesse, ajoute-t-il, que « je me sois », alors qu'avec Dieu il est posé dans l'être comme une chose. En confessant son homosexualité à Mathieu, il avait cru enfin pouvoir *se toucher* : « Tu me voyais, dans tes yeux j'étais solide et prévisible ; mes actes et mes humeurs n'étaient plus que les conséquences d'une essence fixe »... Lors de ce duo étonnant[2], les deux amis se renvoyaient comme une balle leur abjection :

1. Version plus légère dans *Kean* : « Trois reflets : chacun croit à la vérité des deux autres : voilà la comédie ».
2. A la fin de *l'Age de Raison*.

c'était à qui aurait le plus honte, se dégoûterait le plus, une sorte de jeu de la culpabilité dont le but est d'obtenir le titre de salaud par la surenchère. Quel est le plus ignoble ? Le lâche pédé ou le type immonde qui engrosse les filles et les force ensuite à se faire charcuter ? Aussi bien — en attendant le groupe — la relation pèche-t-elle par sa réciprocité même : « Que serais-tu sans moi, sinon cette même espèce d'inconsistance que je suis pour moi-même ?... Je nous ai vus alors, étayant nos deux néants l'un par l'autre. [1] » Gœtz et Heinrich jouent le même jeu : « Pourquoi me regardes-tu ? — C'est toi que je regarde et c'est de moi que j'ai pitié. [2] »

Mais cette réciprocité ne peut durer, la fraternité produit une tension qui ne peut se résoudre que par le rétablissement d'un sujet unique, au prix d'une épreuve de force qui ne s'inscrit pas dans la dialectique hégélienne. « Reste à savoir lequel de nous deux habite le rêve de l'autre. [2] » Ici, le Maître ne reconnaîtra pas à l'esclave une existence minorée, mais indépendante dans la mesure même où elle peut lui être utile. Au contraire, le sujet sartrien veut rester le seul être, ou le seul néant, il veut résorber l'autre en soi : tel est, on l'a vu, le projet du père.

Et puis, on a déjà noté la précarité de ce monde qui n'est soutenu qu'à bout de regard. Un clin d'œil et il s'anéantit, comme dit Garcin, c'est un merveilleux repos, parce qu'être absolument au monde est une torture, c'est le premier supplice de l'enfer. Et de même l'autre il ne faut pas le quitter des yeux si on veut lui rendre ce service, lui permettre d'être, comme la beauté de la plus belle femme sombre dans le néant dès que lui manque le miroir d'un regard. Ce rôle du témoin, si important pour Sartre — il faut avoir un témoin ou être témoin soi-même —, il faut le comprendre en son sens juridique : sans lui l'existence évanescente n'est pas ceci plutôt que cela, elle englobe les contraires comme la matière aristotélicienne. Le témoin, et en ce sens il peut être n'importe qui, c'est le garant de l'intersubjectivité et du droit, authentifie de l'extérieur un vécu qui en lui-même est douteux. Son rôle est donc de reconnaître, d'officialiser, d'instituer, de sacraliser éventuellement. Mais à la vérité, pour jouer ce rôle sublime du témoin sans lequel on s'évapore, un amateur, fût-il très versé dans les écritures, laissera toujours à désirer.

Voilà donc Daniel amené à réinventer Dieu, c'est-à-dire exactement l'inaltérable altérité, au lieu de l'ersatz fraternel : « Je

1. *Le Sursis.*
2. *Le Diable et le Bon Dieu.*

croyais m'écouler par tous les bouts, je réclamais ton intercession bienveillante et, pendant ce temps-là, on me voyait, le regard était là, inaltérable... » Mathieu lisant cette confession s'en tient à la thèse de l'insincérité du sujet : ce coup de tonnerre de la conversion, c'est un pétard qu'il a allumé lui-même. Toutefois, Daniel écrit donc de son côté que Dieu le voit, et que ce regard c'est comme la nuit la plus obscure et la plus éblouissante à la fois qui le regarde, et d'autre part Sartre comme narrateur, témoin, paraît bien ratifier ce vécu : « Il était l'objet d'un regard. Un regard qui le fouillait jusqu'au fond... un regard opaque, la nuit en personne... comme si la nuit était ce regard. »

Daniel expose très clairement l'opposition entre les deux perspectives métaphysiques : « Je sais enfin que je suis. Je transforme à mon usage et pour ta plus grande indignation, le mot imbécile et criminel de votre prophète, ce « je pense donc je suis » qui m'a tant fait souffrir — car plus je pensais, moins il me semblait être — et je dis : on me voit, donc je suis. Je n'ai plus à supporter la responsabilité de mon écoulement pâteux : celui qui me voit et me fait être, je suis comme il me voit... Une présence me soutient à l'être pour toujours. Je suis infini et infiniment coupable. Mais je suis... » Et de même à la troisième personne : « Daniel ôta son pantalon, il pensait : il y a un regard, il se dressait devant un regard, lâche, pédéraste, méchant comme un défi... » Par cet Autre nocturne, il est condamné à être lui-même, condamné, certes, mais du même coup en sécurité. Le châtiment, Sartre l'a dit souvent, est sacrement.

Mais il y a autre chose dont la prose de Daniel témoigne, c'est que, converti, il n'en reste pas moins homosexuel. « Quelquefois, la conscience d'être traversé par ce glaive me réveillait en sursaut », ou : « Crois bien que ce viol perpétuel m'a d'abord été odieux. » Dans tout cela, Sartre n'invente rien, il suit même d'assez près un texte de Georges Bataille, *Le Coupable*, et d'ailleurs, quarante ans plus tard, Maurice Clavel a subi lui aussi le « viol divin ». Il nous explique ainsi dans *Ce que je crois* que l'expression : « Dieu fouille les reins et les cœurs » doit s'entendre non seulement au sens métaphorique (Dieu pénètre nos pensées les plus intimes, ce qui n'est déjà pas mal), mais aussi au sens littéral — d'où des troubles dits psychosomatiques —, et il évoque la lance du picador vrillant la chair du taureau [1].

---

1. Cela naturellement ne met nullement en cause la valeur de sa conversion. Qu'on se reporte aux pertinentes critiques adressées à Kraepelin par le président Schreber (dans *Mémoires d'un Névropathe*).

« Le boucher le frôla au passage... Daniel pensa : il va se faire voir, le regard tombera sur lui des verrières et des vitraux, ils vont tous se faire voir... » Nous pouvons ici saisir parfaitement le sens de l'expression argotique : va te faire voir. Autre exemple : « A l'instant il y eut quelqu'un derrière son dos, il se retourna, ne vit personne et l'angoisse le fendit en deux. [1] » Notons simplement que le fantasme de la guerre se formule semblablement : « On les fendrait comme des outres, toutes les ordures sauteraient au-dehors, les intestins farceurs du serrurier... ils traîneraient dans la pousière, tragiques comme ceux du cheval éventré dans l'arène. [2] »

Regard de Dieu, regard du Père, regard de l'Homme : Daniel revenu à l'homosexualité simple, dans l'immanence pour ainsi dire, ne changera pas de langage, parlera au jeune Philippe de ce regard qui le saisit nu, qui le possède à distance. Le regard est dard. Dans le passage suivant, se lit en filigrane un fantasme d'acouplement des regards, il y a un regard mâle et un regard femelle, creux : « Deux petites filles le rejoignirent. Il les regarda. Darder sur elles mon regard regardé ! mon regard est creux, le regard de Dieu le traverse de part en part... »

Il est significatif que tout cet épisode se situe dans Le Sursis. L'ubiquité du regard divin est rétablie pour un personnage marginal : « Tu sais que mon plus ancien rêve, c'était d'être invisible... Quelle angoisse de découvrir soudain ce regard comme un milieu universel d'où je ne puis m'évader. Mais quel repos, aussi... » Les autres se sont convertis à la guerre, c'est cette ubiquité qu'ils dégustent, et singulièrement celle de la voix d'Hitler, qui n'est pas loin de valoir un regard — la résonance homosexuelle, Franz l'attestera plus tard.

Que Dieu regarde Daniel ne se distingue pas du fait que Daniel soit coupable. Etre regardé, être coupable, être, tout cela va ensemble. La honte est bien ce qui me confère l'être, ou en tout cas l'abjecte volupté avec laquelle je m'y plonge. « Daniel s'était senti Caïn... Eh bien ? C'est toi qui m'as fait, porte-moi », dit-il au Regardant. L'idéalisme à l'envers, avec un tel personnage, donne naturellement toute sa mesure : « Tu m'as créé tel que je suis et tes desseins sont impénétrables ; je suis la plus honteuse de tes pensées, tu me vois et je te sers, je me dresse contre toi, je t'insulte et en t'insultant je te sers. Je suis ta créature, tu t'aimes en moi, tu me portes, toi qui as créé les monstres. » Bref, la culpabilité est renvoyée à son pourvoyeur, tel est le bénéfice de l'opération. Au reste,

1. *La Mort dans l'Ame.*
2. *Le Sursis.*

326 DEUX ÉTUDES SUR SARTRE

si Dieu lui-même me viole, il serait mal venu de me reprocher
d'être pédéraste. Caïn n'a plus besoin de fuir comme le pour-
soi, au lieu de le néantiser il n'a qu'à assumer son être, et à
se présenter froidement dans la lumière divine en disant :
puisque je suis de l'être, je fais partie de toi, c'est toi qui
m'as fait ainsi parce que ça t'arrangeait : *ça te regarde*.

> — Etes-vous sûr que Dieu n'existe pas ?
> — J'en ai la certitude... Je pourrais vous le prouver,
> mais c'est un raisonnement philosophique qui nous
> entraînerait loin.
> Dans *Un théâtre de situations*.

Avec Sartre, la manœuvre divine a fait long feu : « Une seule
fois, j'eus le sentiment qu'il existait. J'avais joué avec des
allumettes et brûlé un petit tapis ; j'étais en train de maquiller
mon forfait quand soudain Dieu me vit, je sentis Son regard
à l'intérieur de ma tête et sur mes mains ; je tournoyai dans
la salle de bains, horriblement visible, une cible vivante. L'indignation me sauva : je me mis en fureur contre une indiscrétion
si grossière, je blasphémai, je murmurai comme mon grand-
père : « Sacré nom de Dieu de nom de Dieu de nom de
Dieu. » Il ne me regarda plus jamais » [1].

Vu et coupable (la masturbation étant ici probablement en
cause), ce jeune Prométhée a de la défense, mais aussi le regard
est à l'intérieur de sa tête, en est-il jamais sorti ? L'enfant
joue le Grand-Père contre Dieu, comme il le joue contre le
fantôme de Jean-Baptiste : est-il sûr qu'il gagne au change ?
Sa fureur le sauve, certes, mais aussi elle ne le lâchera plus.

Sartre exprime d'ailleurs un regret : « Dieu m'aurait tiré
de peine... » Je note (sans vouloir trop tirer de ce qu'on pourra
considérer comme une simple coïncidence) cet écho, quelques
pages plus loin : « Ce fut encore Charles qui me tira de peine. »
Comment, en l'occurrence ? En versant le Divin dans la Culture.
En faisant intervenir le Saint-Esprit, « patron des lettres et des
arts, des langues mortes ou vivantes et de la Méthode Directe,
blanche colombe qui comblait la famille Schweitzer de ses
apparitions ». Pour ce théologien très réformé qu'est Sartre,
le point primordial est que la création implique une négation :
le créé *n'est pas* le créateur, ne se confond pas avec lui, donc
est manquant, imparfait, et déterminé par ce manque. En un
mot, l'être de l'homme est de n'être pas Dieu. On pourra voir
ici la peur d'égaler Dieu ou de se résorber en lui. En tout
cas, cette faute positive implique une action négative, destruc-
tive : comment être autre que Dieu, c'est-à-dire exister ? Le

1. *Les Mots.*

seul moyen d'être autre que l'absolu est de n'être rien activement. *Le Diable et le Bon Dieu* portait à la scène cette dialectique : si Dieu existe, l'homme est néant, dit Goetz, tout en
rappelant que tout son effort a été d'être aux yeux de Dieu,
c'est-à-dire de ne pas être — il faisait consciencieusement le
Mal pour échapper à la positivité. Sartre disait dès *La Transcendance de l'Ego :* « Une existence relative ne peut être que
passive puisque la moindre activité la libérerait du relatif
et la constituerait en absolu. » Bref, Sartre, théologien de
l'homme, nous annonce que la faute est positive.

Naturellement, dans la relation à Dieu s'épanouit la honte.
On a vu que la faute ou la chute est la structure transcendantale
de la relation à autrui. Comme le respect pour la loi chez Kant,
la honte chez Sartre est le sentiment transcendantal, comme
honte devant Dieu ou devant son Absence ou à tout le moins
devant l'Autre. La relation à Dieu est la forme exemplaire de
la relation à l'Autre puisqu'il est le Sujet qui ne saurait devenir
objet, comme il est le Père qui n'a jamais été fils, qui m'impose
donc sans réversibilité aucune le statut d'objet ; la fixité de
cette relation me voue à une honte éternelle. Luther l'avait
bien vu, ayant particulièrement expérimenté les affres de cette
situation : « pas de recoin, de trou dans toute la création où
l'homme puisse aller se cacher, pas même en enfer [1], il est
exposé au regard de toute la création [2], se tient à découvert
dans toute sa honte ». Sartre, il est vrai, a trouvé un lieu,
ou plutôt un *non-lieu*, mais qui se révèle comme l'enfer de
l'imaginaire, et puis la notion même de conscience comporte
une équivoque très bien rendue par la langue française, et
Luther, pour qui conscience et culpabilité ne font qu'un, disait
encore que « la conscience ne peut se fuir elle-même, est
toujours présente à soi ».

Il est nécessaire d'éteindre le regard de Dieu parce qu'il
voit tout. Les morts déjà en voient beaucoup, ceux des *Jeux
sont faits* par exemple qui s'amusent à contempler les joueurs
de cartes, leurs dérisoires délibérations, puisque pour eux hasard
et liberté sont abolis. L'autre aussi voit plus que moi, il me
voit moi-même comme je ne me verrai jamais et il voit *un
autre réel*, et même le dessous des cartes. Or, qu'il y ait un
dessous des cartes, ou encore une part du diable, c'est ce que
Sartre ne supporte pas, tout son effort philosophique vise à
établir que c'est nous qui le constituons (c'est pourquoi la

1. Le point est notable.
2. Un autre saint, Genet, nous avait déjà appris que les choses elles-
mêmes regardent le fautif.

poésie n'est pas révélation mais pur artifice), comme s'il cherchait à prendre de vitesse le regard de l'Autre, à court-circuiter ce regard sur l'Etre qui le voit *tel que je n'y suis pas*, regard de la Mort, de ma Négation.

Dieu ne s'amuse même pas à regarder tous les jeux[1], étant absolue plénitude sa vision n'est assujettie à aucune perspective et pour lui il n'y a pas de différence entre voir et imaginer. Alors, parce que même quand on s'est débarrassé de Dieu il reste l'Etre, l'Autre, l'Inconscient, Sartre s'est attaché à constituer un *empire de l'homme* et c'est pourquoi il a fait la conquête du négatif. Il a tâché de circonscrire une zone où ce qui se passe n'est imputable qu'à ce que je fais. Tout n'est pas éclairci pour autant. D'abord, cette conquête se fait avec un sentiment de culpabilité rare dans de telles entreprises. D'une certaine manière, je ne fais ainsi que m'arranger de mon infortune, j'assume cette défaillance de l'être qui est moi. Qui en même temps a été produite par l'Etre lui-même, ce qui permet au demeurant de renvoyer la faute sur lui : en se singularisant en une créature, il la privait de lui et la vouait au néant. On connaît cette thèse que *la création est le péché de Dieu*.

En n'existant pas, d'autre part, Dieu nous fait cette grâce : il nous accorde la liberté, grâce d'autant plus intéressante qu'une autre plus pondérable risquerait de fondre sur moi comme un aigle et de présenter tous les dangers de l'homosexualité. Mais c'est dire aussi l'ambiguïté du négatif : on se met à *croire au néant*, et simplement l'absolu change de signe. Sartre le dit fort bien : la foi est doute, mais inversement le doute est foi[2]. Bref, il se maintient avec Dieu un rapport négatif. D'ailleurs, Goetz et Oreste le soutiennent ouvertement, et Gustave aussi cherche à épouvanter Dieu, ce qui veut dire lui renvoyer avec une énergie inattendue ce défaut dont il est lui-même l'auteur, lui casser les oreilles du scandale de la négativité, bien lui faire regretter, à cet Absolu, d'être sorti de son indifférence pour entretenir une relation dans on ne sait quel but de divertissement. La créature, dans sa misère et son orgueil, subvertit improbablement ce projet de dilatation narcissique en opposant à la souveraineté divine sa propre *toute-impuissance*.

Il est vrai que le christianisme pose un problème puisqu'il est justement la religion qui a intégré le drame de la finitude.

1. Indication donnée dans *Saint Genet*.
2. « Douter, c'est croire, puisque les objets dont on doute sont précisément les mêmes que ceux auxquels on attache foi ».

Dieu s'est assimilé à sa créature pour souffrir comme elle. Mais si Dieu a pu se distraire en se donnant la souffrance de l'homme comme un luxe, la situation est inégale, car l'homme sans espoir souffre de ne pas être Dieu. Dans un cas, le pour-soi n'est qu'une situation transitoire, une expérience, le problème du Soi étant résolu d'avance. Dans l'autre, il demeure un malheur indépassable. D'où le *qui perd gagne* et l'onto-théologie de *L'Etre et le Néant*. Mais cela même n'est pas un point d'aboutissement, car on pourra toujours se demander si l'on ne souffre pas de l'absence de Dieu dans l'idée même que cette souffrance lui est agréable. Voilà pourquoi Philoctète, infirme « magnifique et puant » qui a renoncé à tout, espère secrètement sa récompense. On connaît l'intérêt de Sartre pour la sainteté, le martyre. Eh bien, dans ce domaine, la modernité permet un progrès remarquable : subir le martyre dans la gratuité. En rester au Golgotha. D'ailleurs, de l'avis des théologiens les plus subtils, le plus grand miracle s'est produit ce jour-là, en ceci justement que ne s'est pas produit l'événement insolite que tout le monde attendait, et qui de ce fait aurait pris un caractère de banalité ou de prestation [1].

Deux attitudes s'opposent : celle de Daniel qui dit : Tu m'as créé, prends tes responsabilités — et celle d'Oreste : tu m'as créé, je ne t'appartiens plus !

L'Existentialisme est un Humanisme est une belle leçon de théologie humaniste. L'homme n'est pas un objet créé par Dieu, qui ne sait faire que ça, créer des objets suivant les règles du métier. C'est un structuraliste, qui oublie que l'homme, même s'il procède de sa Volonté ou donc de cette Structure qui semble à l'heure actuelle tout ce qu'on aperçoit encore de Lui, se reprend à son compte. L'homme fait l'homme, l'inégalité du lien de paternité est gommée : il n'y a ni père ni fils, pas plus qu'il n'y a maître et esclave. Et voici la loi : faire l'homme — le « surmoi » n'a pas d'autre contenu : l'image de l'homme est toujours à faire, puisqu'elle n'est pas déposée dans les cieux. Si je me marie, j'engage l'humanité entière sur la voie de la monogamie : quelle responsabilité ! En effet, c'est l'individuel qui supporte l'universel, qui en quelque sorte engendre le père. Je dois être dans ma singularité tout un chacun, un législateur choisissant en même temps que soi l'humanité entière. D'où l'angoisse morale. « Toute l'humanité

1. « Réclamé avec insolence, secrètement attendu, espéré dans la foi, demandé avec ardeur, le miracle ne se produisit pas. Et c'est précisément en cela que consistait le miracle suprême de Dieu ». Eduard Schweizer, *La Foi en Jésus-Christ*.

a les yeux fixés sur ce que fait un homme » : je l'ai déjà
dit, le regard est celui de l'universel, non plus celui de l'Un
mais du Multiple d'ailleurs unifié dans l'Histoire ou le Prolétariat. A Dieu se sont substituées toutes les consciences, il
s'est éparpillé. On l'a aboli et l'on a collectivisé les moyens
de production de la culpabilité. J'ai conscience d'être l'auteur
de l'événement, puisque je lui donne par mon attitude sens
et valeur, je suis responsable de tout parce que je fais tout
être à la fois, par cette admirable abnégation du pour-soi qui
porte l'être à bout de conscience. Par exemple, cette guerre est
ma guerre, je la mérite, je la suis, j'en suis aussi responsable
que si je l'avais personnellement déclarée. Par conséquent, la
destitution de l'Autre de principe ne supprime pas la honte,
bien au contraire elle en multiplie les occasions. J'ai honte,
donc, d'avoir déclenché la guerre, ou de ne pas être intervenu
en Espagne. Mais cette honte n'est plus exactement de même
nature, elle est dorénavant une manière de savourer mon identification à l'Homme sujet de l'univers, ma souveraineté. En
outre ce sentiment de responsabilité totale pourra calmer mon
aspiration à la destruction absolue.

Il n'empêche. Sartre ne s'est pas totalement débarrassé de
Dieu, pas plus que quiconque. Dire que l'homme est passion
inutile suggère ces questions : inutile à qui, à quelle *action* ?
La passion est inutile parce que l'action n'a plus de titulaire,
mais elle n'en persiste pas moins Dans *L'Etre et le Néant*,
Sartre précise le sens dernier de ce désir, de ce projet d'être
qui anime le pour-soi : « l'homme est l'être qui projette d'être
Dieu ». Il s'agit bel et bien de « tuer » Dieu, de prendre sa
place, c'est-à-dire que Sartre va un peu plus loin que Descartes
qui, en 1647, s'arrêtait à cette limite.

« Etre homme, c'est tendre à être Dieu. » Tel est le terme
du projet originel irréductible : « la conscience devenue substance, la substance devenue cause de soi, l'Homme-Dieu ».
Donc, finalement, le faire est subordonné à l'être. Nous suivons
cette « indication d'une jouissance suprême, celle de l'être
qui serait fondement de soi-même » : nos comportements sont
guidés non par le principe de plaisir, mais par ce principe
ontologique de jouissance. L'homme se fait homme pour être
Dieu, c'est le Christ à l'envers, qui chez Sartre se départit
enfin de son masochisme et annonce son désir *humain* : dégom-
mer le vieux qui l'a envoyé au casse-pipe à sa place. N'empêche
que la dimension du sacrifice perdure : l'homme se perd
pour que la cause de soi existe, et ce trait de pensée se
maintiendra intact dans la *Critique* : la praxis individuelle doit

se perdre pour que le groupe existe. Dix fois, vingt fois sous la plume de Sartre on retrouve cette formulation, presque un tic. Le comédien par exemple se sacrifie à cet être de culture qu'est son personnage, ou l'homme doit se perdre pour que l'humanité advienne, voire le surhomme, l'écrivain se tue au travail pour qu'un mort accède à la vie éternelle[1] ; de son côté le lecteur doit annuler sa temporalité propre pour que la durée romanesque s'y substitue, lire d'ailleurs c'est s'oublier pour que le sens prenne dans la matérialité spéciale de la lettre, etc. Toujours il s'agit des rapports du sujet à l'être, qui sont tels que son existence n'a d'autre possibilité que de se détruire elle-même, qu'il ne peut y avoir pour elle de salut que dans sa perte. La créature est l'inessentiel, elle doit se sacrifier à l'essentiel. Et si l'essentiel est réputé inexistant, eh bien ce sera plus beau encore, elle se sacrifiera *en vain*. Précisément, l'artiste se ruine en tant qu'homme pour laisser entrevoir à travers sa guenille ce mirage radio-actif, le Beau.

L'humain se révèle encore comme sacrifice avec le pitre qui délivre les autres de la risibilité, le héros qui prend sur lui la culpabilité de la foule assassine comme Oreste, sacrifices dont bien sûr nul ne leur saura gré, pas plus qu'on a de la reconnaissance envers celui qui plonge bravement dans l'abjection pour se faire à lui seul l'Inhumain et laisser leur chance aux autres. Mais il semble que l'homme n'ait d'autre essence que de se nier, de s'anéantir, de se faire disparaître pour qu'autre chose naisse enfin de son suicide. Le pour-soi se révèle donc comme un *moyen*, c'est en cela qu'il est essentiel par son inessentialité même, il reprend le projet du mystique d'être un outil de la transcendance, de la Fin suprême, comme sainte Thérèse par exemple voulait de manière féminine être une auberge pour Dieu, le pour-soi qui a un côté phallocratique se proposera plutôt d'être une épée. Sauver sa vie, ce serait donc être *un bon moyen*[2]. Mais c'est un échec : « Tout se passe comme si le monde, l'homme et l'homme dans le monde n'arrivaient à réaliser qu'un Dieu manqué. » Sartre a décrit le désir *moderne :* l'ontologie est en situation historique, elle se produit à une certaine date, mais surtout elle se situe dans la dimension spécifique de l'historicité, caractérisée par le *venir à soi* et par l'exigence d'un ordre *à faire* et non plus simplement à suivre, à respecter. C'est pourquoi, dans cette fin de *L'Etre et le Néant*, Sartre évoque celui qui conduit les peuples, et

---

1. On pourra prêter à cette remarque, toute sa résonance. En l'occurrence, il s'agit de Flaubert écrivant pour sauver du néant son ami Alfred Le Poittevin disparu.
2. « Gustave eut la révélation amère qu'*il n'était pas un bon moyen* ».

de fait le désir d'être ainsi le guide est bien celui d'être Dieu ou en tout cas son héritier, son fondé de pouvoir, mais il est à craindre que Moïse découragé ne s'attarde au bistrot du coin [1].

De son côté, Sartre veut *être l'homme* — désir dont il est revenu ou qu'il a compensé en désir d'être n'importe qui, estimant que c'était là la meilleure voie finalement. Toutefois, être l'homme, c'est être le fils de Dieu. Cela implique une large part de passivité, si bien que l'homme risque de se retrouver femme, c'est une aventure courante chez les mystiques. Ou si l'on range définitivement Dieu au magasin des accessoires, à tout le moins l'homme risque de se définir un jour ou l'autre comme le fils de l'homme. En conséquence, il importe de faire l'homme, de s'employer à le créer, étant entendu que c'est là une tâche infinie, interminable, nourrie par sa propre contradiction.

Souvent Sartre présente la création littéraire comme une vengeance de la créature. L'univers imaginaire est la « caricature diabolique de la Création ». Le ressentiment du sujet, il est vrai, déborde même la personne de Dieu, c'est au monde qu'il en veut de ne pas être sa propriété, c'est pourquoi il pratique sournoisement dans le réel des trous par lesquels il va s'écouler dans l'imaginaire. Le destin d'un Genet n'a rien d'étonnant : l'écrivain met le monde dans son livre comme le voleur la montre dans sa poche. Et ainsi il cherche à l'abolir, la destruction étant la plus belle réalisation de l'appropriation. Goetz montre bien l'équivalence entre donner et détruire : c'est par mauvaise foi qu'il se met à pratiquer la générosité, sans cesser pour autant d'exprimer sa rage de destruction, née de la frustration originaire de son appétit de propriété.

L'artiste veut donc détruire le monde comme création et propriété de l'Autre. Si Baudelaire a horreur de la nature, c'est d'abord parce qu'elle est l'œuvre de Dieu, c'est pourquoi il lui oppose avec acharnement une *anti-physis*, comme le fait à la même époque et à l'échelle mondiale une bourgeoisie avec laquelle il se trouve pourtant en désaccord. Détruire n'est pas facile : tout le monde ne peut pas être Néron ou Tamerlan. La littérature sera, dit Sartre, la « revanche du châtré », lequel tirera du néant un quasi-objet, un quasi-organisme, une sorte d'homonculus à sa propre image Par là il exprime à

1. Passage connu : « Ainsi revient-il au même de s'enivrer solitairement et de conduire les peuples ».

Dieu son reproche de ne l'avoir pas fait semblable à lui tout en témoignant de sa propre grandeur misérable. Ecrire, on l'a vu, c'est un certain échec à faire exister, à susciter ou à ressusciter.

Flaubert avouait crûment son désir d'anéantir la création, et plus près de nous on doit savoir gré à Louis-Ferdinand Céline d'avoir manifesté la même franchise : « Une haine immense me tient en vie, je vivrais mille ans si j'étais sûr de voir crever le monde » [1]. Cette haine de Céline participe elle aussi d'un rapport au père, sinon à Dieu, et en l'occurrence ce père, c'est moins le Juif [2] que Sartre (au reste enjuivé) : il a écrit ces lignes au même moment que son furieux pamphlet *A l'Agité du Bocal*, dont les fantasmes à l'état sauvage en disent long [3]. Sartre, assurément, l'avait touché au vif [4], mais plus profondément ce qui motivait Céline c'est qu'en Sartre, qui en la circonstance représentait les valeurs positives, se réalisait son projet d'être horrible, de pousser toujours plus loin l'abjection, afin d'épouvanter l'Homme à défaut de Dieu. Sartre était le témoin qui enregistrait sa sainteté noire, tout en le persécutant comme il convenait.

Mais encore une fois rien n'est simple : ce travail de l'artiste, ce travail négatif qui peut chez les tempéraments les plus riches renchérir en culture appliquée de tout ce qui peut détruire à travers soi l'homme et le monde, c'est aussi un travail du deuil. Sartre le souligne à propos de Flaubert : l'artiste, dans son acception moderne, est suscité par l'absence de Dieu. Il se substitue à lui autant que faire se peut, parce que le monde aspire à se délivrer du hasard, demande à être créé, à être l'objet d'une volonté, d'une liberté, d'un esprit,

1. Consulter *Le Gala des Vaches*, d'Albert Paraz.
2. Cette identification du Juif au Père, que Gérard Mendel a bien mise en évidence dans *La Révolte contre le Père*, rencontrera le scepticisme. Sans espérer ébranler les sceptiques, je leur dédie cette lucide réflexion de Céline : « Qui n'a pas pesté contre les Juifs ! Ce sont les pères de notre civilisation — on maudit toujours son père à un moment donné » (lettre de 1947). Et encore cette généalogie sentimentale dans *les Beaux Draps* : « quand tout sera plus que décombres, le nègre surgira... le nègre le vrai papa du juif, qu'a un membre encore bien plus gros ».
3. Renversant la relation, Céline imagine un laborieux engendrement anal : « Satanée petite saloperie gavée de merde, tu me sors de l'entre-fesse pour me salir au-dehors ! ». Mais, au-delà même de ces hyperboles, ce qu'il y a de plus piquant dans ce texte, c'est que celui qui signait du prénom de sa mère appelle Sartre Jean-Baptiste : faut-il attribuer à la haine un don de double vue ?
4. Sartre avait accusé Céline d'avoir été payé : c'était la seule raison pour laquelle selon lui il avait pu soutenir les thèses « sociales » des nazis, en contradiction avec son nihilisme absolu. Sartre oubliait qu'il y avait une autre explication rationnelle : la folie.

mais naturellement la création littéraire n'est qu'une pitoyable singerie, en quoi sa réussite et son échec sont rigoureusement inséparables, sa réussite même ne fait que manifester le plus grand échec, et son échec confirme son intention profonde. Faute de pouvoir dédier son martyre à Dieu, l'artiste entreprend de se sacrifier à une autre finalité transcendante, de son invention celle-là, le Beau ou l'Idée du Beau. L'absence de Dieu ne se traduit donc pas par l'instauration du monde de la relation dans l'immanence, aspect positif du projet révolutionnaire qu'on trouve par exemple dans les premiers écrits de Marx, définition du socialisme comme réalisation d'une société reprenant en elle sa finalité. Au contraire cette absence institue *de facto* l'absolu négatif, elle incite à une négation désespérée de l'être illégitime, mis hors-la-loi. Et il y a une manière de concevoir la Révolution comme divinité noire, le terrorisme anarchiste est apparu comme un mysticisme inversé, une pratique du négatif absolu. Ni Dieu, ni maître, c'est donc plus une amère constatation qu'une exigence. L'art est une version de ce militantisme nihiliste : comme le rappelle Sartre, pour Mallarmé la meilleure bombe était le vers[1]. Préludant aux grandes tueries du XXᵉ siècle, l'Art rêve de génocide, et le nazisme accomplira les fantasmes du romantisme. Car enfin, si l'on précipite le monde dans le néant, c'est à travers une œuvre qui se justifie par la justification qu'elle est susceptible d'apporter, c'est-à-dire le salut, la vie on l'a reniée pour en faire justement la simple occasion de sauver son âme, le corps on en fait la nourriture de la transcendance. Mourir pour renaître... Et le dévouement de l'artiste s'étend à toute la nature.

Sartre a connu cette tentation, il le confesse, vers l'âge de quinze ans il se délectait des poètes maudits et faisait de l'Art pour l'Art sa religion[2]. Elle demeurera chez lui à titre de moment dépassé. Car n'a-t-il pas entrepris, lui aussi, d'élever le néant à la dignité ontologique suprême, d'en faire l'absolu, parce qu'il est ce qu'il y a derrière l'être ou mieux encore *l'au-delà* de l'être, que l'être n'est à considérer que comme un intervalle maussade entre deux absences aussi divines que subjectives... A sa manière, certes fort différente de celle de Flaubert ou de Mallarmé, il s'est fait un « chevalier du Néant ». N'a-t-il pas éprouvé la même culpabilité, cette « souillure de vivre », la « honte permanente d'être trop humain », et de vivre quand Dieu est mort ? Ne s'est-il pas constitué en témoin de

---

1. Ceci est une phrase très lacanienne.
2. A la fois en révolte contre son grand-père et suivant son idéologie.

l'impossibilité d'être homme ? Ne rêve-t-il en la personne de Roquentin d'un cataclysme cosmique ?

Oui. Il n'empêche qu'aujourd'hui l'on fait de Sartre le porte-parole d'un humanisme bonasse, et on lui oppose les vérités scientifiquement établies du structuralisme. Or Sartre montre très bien [1] que la négation de l'homme est le fil conducteur de l'histoire depuis deux siècles, que les justifications ou les rationalisations apportées n'ont qu'une importance relative, et que l'humanisme n'a jamais été qu'un écran, un voile, tout au mieux un essai courageux à contre-courant. Par la mise à mort du Roi et de Dieu, l'Homme a été installé sur le trône mais aussi sous le couperet de la guillotine. Et voilà bien longtemps que dure son exécution, son sacrifice. Car qui ne pense qu'il ne soit à sacrifier ? Regardez les artistes : il faut le jeter en pâture à la Beauté dévorante. Les savants : ils n'ont d'autre but que de le dissoudre dans ce bain d'acide, le Savoir hypostasié. Et les bourgeois, vous pensez peut-être qu'ils croient une seconde aux droits de l'homme ? Pour eux, l'homme n'a qu'un seul droit, accumuler la Valeur qui est la négation progressive de son être. Le génocide est la vérité du capitalisme, selon lequel l'espèce humaine n'a d'autre finalité que de se détruire pour qu'advienne l'Autre-que-l'Homme. Et je passe sur les autres régimes. Bref, en profondeur, un immense consensus se dégage pour affirmer que l'homme est haïssable, et que la seule chance qu'il ait de justifier son existence est d'en organiser la disparition. L'homme n'est selon le mot de Flaubert qu'un « rêve d'enfer » [2], et Sartre vise et atteint sûrement, à travers les littérateurs du XIXᵉ siècle, les idéologues du nôtre : « et *qui* rêve l'homme ? Personne, comme diraient aujourd'hui nos habiles, le cauchemar advient comme un discours sans sujet ». Chez les uns et les autres, Sartre dévoile ce désir frénétique d'obtenir la mort de l'Homme *en tuant les frères*, parce que ces mystiques vengeurs se prennent pour des enfants de Dieu.

Et pourtant, créer est faire pour être. Je veux être à l'origine d'une existence qui me doive tout, et sur laquelle j'aurai un éminent droit de propriété. Mais une œuvre, si certes elle existe *par moi*, je ne la soutiens pas à l'être par une création continuée, pas plus qu'elle ne reste mienne en n'étant jamais qu'une sorte d'émanation. Elle existe par elle-même, de telle manière que je la rencontre après l'avoir conçue, au lieu qu'elle se résorbe en moi par défaut d'objectivité. Elle est synthèse de moi et de

1. Et notamment dans le troisième tome de *L'Idiot de la Famille*.
2. Ce que Sartre a représenté à sa manière.

non-moi *que je fais*, un mixte de présence à soi et d'opacité, de possession intérieure et de réalisation dans le monde qui me donne une idée de la jouissance divine.

L'œuvre permet donc une récupération de la dimension du non-moi, de l'Autre, de l'aliénation, laquelle, il faut s'en souvenir, a son pôle positif, si bien qu'autant que subie elle peut être choisie. Sartre dans *Les Mots* raconte qu'il fallait qu'une grande personne s'extasie sur ses produits, caca, puis pâtés, puis écrits, pour que ceux-ci à ses propres yeux aient du *prix*. Car enfin l'Autre est le pourvoyeur de la vérité et de la valeur.

Préparatoire au drame du regard, il y a une topologie. Tout ici est constitué comme la négation d'un là-bas, et en est le manque, si bien que l'écart entre l'autre et moi inaugure une dialectique du positif et du négatif. Pour que je sois ici il faut que je ne sois pas là-bas, pour me savoir ici il faut en quelque façon que je me voie là-bas négativement, *comme n'y étant pas*. Le positif, c'est moi, ici, maintenant, mais déterminé en creux par l'autre, l'occupant des lointains, et aussi l'homme d'autrefois, le grand-père, ou bien cet ange blondinet du XXVe siècle qui lira peut-être du Sartre. Mais par le fait même de cette détermination, puisque nécessairement je me vois de là-bas ou de l'Autre, je m'éprouve comme n'étant rien ici même, toute la positivité reflue en cet être qui m'échappe et vers lequel me porte ma transcendance, c'est là que ma réalité est emprisonnée. Comme si l'Autre avait gardé mon être au moment de la scission originaire et mythique. Ainsi l'on tâche de circonvenir l'Autre par *désir d'être réel*. Créer un personnage, c'est instituer l'autre imaginaire, négatif comme moi sans doute, mais c'est déjà une manière d'être à la fois ici et là-bas. Mais surtout, il y a le lecteur. L'auteur lui emprunte ses yeux, ou lui en fixe l'usage pour la durée de la lecture, le travail de ses yeux et son opération subjective le feront disparaître lui-même pour me faire être moi comme réalité et comme valeur.

Car être réel là-bas, c'est aussi bien exister comme valeur. C'est bien ce que pense le personnage qui veut manquer, qui s'exile dans n'importe quel ici uniquement afin de créer le vide de soi dans son lieu naturel, et qui peut songer avec délectation : là-bas j'existe enfin, je suis solide, je m'impose, je viens de naître[1]. Cette manœuvre opérée sur l'Autre dépasse le cogito et l'anti-cogito : ce n'est pas que je n'existe pas ni que je n'existe que comme rapport à moi-même, j'existe comme valeur pour

1. Cf. le jeune Philippe dans *Le Sursis*.

l'Autre, ailleurs. Cette réunification de l'être et de la valeur est l'aboutissement de la requête adressée à l'Autre par le sujet, à l'Autre ou aussi bien aux autres : j'existe, donc je vous vaux, se lamente le déplorable Philippe, vous n'avez pas le droit de me nier, moi aussi j'ai ma place dans le train puisque je suis né. Or il se trouve que tout cela qui paraît aller de soi est justement à établir, il faut obtenir confirmation et reconnaissance, car l'être diffère de la valeur comme ici diffère de là-bas, et l'être sans valeur n'est rien, l'existence qui se réduit au fait n'est qu'un déchet. Etre confirmé, c'est donc refermer l'écart spatial en quelque sorte, et c'est *valoir l'Autre*, s'identifier à lui dans la gloire. L'Autre, manifestement, a partie liée avec l'espace, mais aussi il le réorganise, il institue là-bas un nouveau centre, et au fond il le domine dans la mesure même où il m'y réduit, où je ne suis plus sous son regard qu'un objet virtuellement dissous dans l'extériorité mécanique. Il est détaché de cette servitude comme le maître l'est de la vie même. Par là il est doué d'une sorte d'ubiquité. De plus, l'Autre est double, à sa réalité empirique ici et maintenant s'ajoute sa vérité transcendantale selon laquelle il est toujours ailleurs, là où on ne l'attend pas — sa volonté imprévisible peut le situer n'importe où par une espèce de magie, puisqu'il excède le monde réaliste de la présence. D'où l'erreur du jeune Flaubert qui à six ans, quand un vieux domestique lui disait : « Va voir à la cuisine si j'y suis », y allait, et sous les rires des autres pressentait un mystère. Sartre a beau insister sur la dépendance de Gustave par rapport à l'Autre, il s'attache à démontrer que cette histoire est une pure invention, avec une adresse rhétorique qui n'emporte pas tout à fait la conviction. Il assure que le dédoublement d'un être individué, la désintégration de l'identité par gémellation, loin d'être spontanément enfantine, est une conception d'adulte. Et il dénonce une conspiration familiale qui vise à faire passer le grand homme pour un arriéré mental. Toutefois, en un sens, on peut dire que l'écrivain a toujours en tête d'aller voir dans le lecteur s'il y est.

Cette annulation de l'écart, cette fusion est analogue à la parousie de l'en-soi-pour-soi, mais c'est aussi une métaphore du rapport sexuel. L'acte créateur serait incomplet, a écrit Sartre, si l'effort de l'auteur et du lecteur ne s'y conjuguaient pas. Et il est encore beaucoup plus clair, il précise ce qu'il en est ici des rapports de l'actif et du passif : le public est une « masse indécise qu'on surprend, qu'on bouleverse, qui réclame qu'on la viole et qu'on la féconde », l'auteur d'ailleurs « entrevoit une attente informe et passionnée, un désir féminin, indifférencié », il a le sentiment d'une « immense interrogation féminine à combler » [1]. Et au-delà de l'acte même la création fait allusion à la procréation car l'auteur fait appel au désir du lecteur pour faire exister son œuvre, leur œuvre commune en fait, qui n'advient pas à l'être sans être le fruit de leur commun désir.

Mais ce qu'il y a d'intéressant dans le rapport sexuel ou du moins dans les fantasmes qui s'y rapportent, c'est qu'il est difficile de savoir qui y fait quoi, car les permutations sont incessantes. Le public apparaît donc dans un premier temps comme une femme qui se donne à pénétrer et à combler. Fort bien. Mais l'auteur, comme l'acteur, peut chercher à le captiver, ce public, à le fasciner en s'offrant à lui, en déployant une activité passive qui le met dans la position féminine, tandis que le public se révèle le véritable agent [2]. De toute façon, on n'en restera pas là non plus, parce que la relation sexuelle aussi est *qui perd gagne* : la femelle séduit le mâle pour « l'attirer dans un traquenard » qui lui sera fatal, et ainsi les auteurs romantiques, tout efféminés qu'ils aient pu être, ont châtré cent fois le malheureux Pagnerre de sa liberté.

Enfin, écrire, c'est faire la loi. Non plus subir la loi négative, l'absence de Dieu, non, faire la loi positive puisque dans cette situation justement l'homme doit inventer son chemin comme le romancier imagine ses œuvres. L'homme doit ressembler à ce créateur qui de son côté doit parler de cet homme qui s'invente. Sartre dit n'avoir jamais donné d'ordres, n'avoir pas été rongé par le chancre du pouvoir, n'avoir jamais su ni obéir ni commander. Soit. Mais il a tenu un discours assez autoritaire et qui fut bien ressenti comme tel avec *Qu'est-ce que la Littérature ?* Que nul n'ignore le monde comme nul ne doit ignorer la loi, telle était sa proclamation, d'un style presque kantien.

Lui-même le reconnaîtra plus tard : écrire, c'est se soumettre aux impératifs de l'Esprit objectif, qui détermine la littérature *à faire*. C'est aussi exercer un pouvoir, parce que c'est prendre la place du témoin, et que le témoin est aussi bien le juge, puisque c'est lui qui assure le passage de l'être à la valeur, à l'être de droit. Il ne s'agit plus de se chercher des témoins ou de souffrir de leur attitude, l'écrivain reçoit la tâche d'enregistrer les actes des autres et de ce fait de leur donner sens. La culpabilité se transforme en responsabilité exercée, l'écrivain est le greffier qui tient à jour la table des valeurs de la société historique.

1. *Qu'est-ce que la Littérature ?*
2. Cf. *L'Idiot de la Famille.*

Un huissier par exemple porte sur le monde un regard qui en lui-même ne diffère pas de celui de n'importe qui, et pourtant ce regard arrache la chose vue à la subjectivité, en fait une preuve qui pèsera dans le procès, alors que le propre d'une perception est de disparaître d'elle-même. Nous revenons au problème originel de l'être et du droit : l'existence peut parfaitement être révoquée en doute, et tenue pour une simple affirmation, une hypothèse ou une illusion, tant qu'elle n'est pas *jurée*. Quant à l'huissier, dont les exploits, comme le disent les mots croisés, n'ont rien d'éclatant, sa particularité est qu'il est supposé neutre, qu'il ne se projette pas dans la situation, à la manière du psychanalyste qui, à part cela, ne se distingue pas de quelqu'un qui écoute. L'écrivain engagé, il est vrai, n'est pas dans ce cas, mais il neutralise son individualité pour autant qu'il intervient au nom d'intérêts universels. Il est témoin assermenté, et nous retrouvons une fois de plus l'option réaliste, puisque pour dévoiler le monde tel qu'il est il doit se garder des vertiges de l'imaginaire, ne point trop y mettre du sien : ces nouvelles exigences statutaires disqualifient en même temps Céline et Giraudoux. L'écrivain engagé a prêté serment devant l'humanité, d'où il est admis que son témoignage rend compte d'une réalité constituée, ferme, incontestable, et en quoi la littérature devient précisément un acte. Toutefois, ce serment reste une fiction littéraire, et c'est seulement en abandonnant les belles-lettres pour la praxis révolutionnaire que Sartre trouvera son effectivité.

« On n'écrit pas pour s'amuser », écrit Sartre sans songer à rire. Bien au contraire, l'écriture est prise dans un système juridique contraignant : il faut écrire pour justifier sa vie, mais pour écrire il faut avoir des justifications. Qui les donne ? Encore une fois, le Père mort, ou l'Auteur mort, ou l'Auteur. L'imprimé est une inertie particulière : il a pouvoir de résurrection. A travers lui, les écrivains morts ressuscitent comme impératifs, c'est-à-dire exercent leur fonction culturelle — « à travers ce matériel pratico-inerte l'apprenti reçoit ce commandement : *sois cet écrivain que nous fûmes* »[1]. Ces maîtres sans entrailles — réduits à leur pure fonction surmoïque — peuvent même vous refiler une névrose si c'est la condition nécessaire de l'exécution du programme. Ces tombeaux que sont les grandes œuvres appellent les vivants à les rejoindre en en devenant d'autres. L'écriture séchée sur les pages du livre est décidément bien autre chose qu'un lichen, une moisissure : un ordre venu de l'au-delà. Mais qui naturellement s'adresse à un élu.

1. Cf. *L'Idiot de la Famille*, tome III.

V

LE TRIBUNAL INTERIEUR

Non seulement l'Autre a barre sur moi [1], mais il est en moi, ce qui ne m'empêche pas d'être seul, bien au contraire. Pour en finir avec une déclaration qui a fait couler beaucoup d'encre, disons que chez Sartre le surmoi manque positivement, ou exerce cette activité du néant dont il a si bien parlé. Mais, s'il a voulu faire le vide dans le monde intérieur, il n'en démontre pas moins qu'on peut trimbaler bien des choses en soi, un train par exemple... « Nous restions face à face, l'un muet, l'autre intarissable, dans le train qui nous emportait vers Dijon. Le train, le contrôleur et le délinquant, c'était moi. Et j'étais aussi un quatrième personnage ; celui-là, l'organisateur, n'avait qu'un seul désir : se duper, fût-ce une minute, oublier qu'il avait tout mis sur pied. » Face à face du sujet volubile — parce qu'injustifiable il n'en a jamais fini de se justifier — et de l'Autre, silencieux porteur de la loi... En tout cas, la psyché apparaît comme un théâtre, Sartre nous donne ici une topique imagée, ajoutant simplement à celle de Freud un *je* organisateur, dernier vestige de la conception unitaire, et qui n'est pas dupe où il croit. Car ce train, il ne dépend pas de lui qu'il roule. De même, si Genet porte en soi un tribunal, ce n'est pas de gaieté de cœur, et d'ailleurs Sartre subordonne son homosexualité à cette intrusion primordiale de la loi : « les gens de bien ont pénétré au plus profond de son cœur et y ont établi un délégué permanent qui est lui-même », « c'est lui-même qui sera en même temps le tribunal et l'accusé, le gendarme et le voleur ».

_____

1. Ce que Lacan écrit : $

Mais nous cherchons cet Autre qui est en nous-mêmes. Franz veut des juges, et s'invente à défaut un tribunal de crabes. Quant au père Gerlach il assure qu'en commandant il obéissait : peut-être à lui-même, convient-il, parce qu'il ne croit plus en rien. De fait, le capitaliste obéit au capital qui agit à travers lui, la valeur est son surmoi. Quant à Baudelaire, il souhaite que s'exerce à son égard une sévérité sans faiblesse, dont il varie indéfiniment les supports : une mère vieillissante et futile, un général, les gros messieurs du conseil judiciaire, les magistrats de Napoléon III, les membres de l'Académie française, en prime le pur regard de Dieu, et comme tout cela encore ne suffit pas, le tuteur le plus impitoyable, Joseph de Maistre, « dernière incarnation de *l'Autre* ». Enfin, Sartre lui-même : « Il me fallait une Cour suprême, un décret me rétablissant dans mes droits. Mais où étaient les magistrats ? Mes juges naturels s'étaient déconsidérés par leur cabotinage... Je leur substituai un tribunal rechigné, prêt à me condamner sans m'entendre : je lui arracherais l'acquittement, des félicitations, une récompense exemplaire. »

On devine la raison de cette démarche qui pourrait paraître singulière : c'est qu'être *jugé* c'est *être*. Le comédien par exemple se travaille pour obtenir du public objectivation et reconnaissance, il en va de même dans toute recherche de la célébrité, mais le plus intéressant c'est que le coupable n'a souvent pas d'autre mobile. Il a joué la culpabilité, au point de commettre un crime, pour recevoir son être de l'Autre. Pierre Goldmann [1] décrit ainsi son arrestation : « Je pensai simplement que j'avais cette fois franchi une frontière décisive. Ce que j'éprouvais, nulle expression ne peut mieux le traduire que cette phrase argotique : *j'y suis.* » L'expression est en effet très forte, elle avère que le sujet a le sentiment d'être passé dans la réalité, d'être enfin à sa place et de coïncider avec l'être. Et de même Goldmann ne cache pas la satisfaction que lui causa le réquisitoire de l'avocat général, qui le déterminait, le situait, l'instituait. L'inconsistance du moi, grevé d'un défaut, autant dire d'une faute, donc coupable par principe, le voue à la « comédie réalisante » — éventuellement réalisation de sa culpabilité — qui est appel à l'Autre, dont l'intervention décisive est à la fois désirée et redoutée. C'est l'Autre qui fera de la totalisation à laquelle je m'épuise enfin une totalité, de l'esquisse un dessin terminé, qui achèvera le travail du seul fait qu'il le prendra à son compte — le meilleur Autre étant la Mort.

La loi, c'est la parole de l'Autre, la volonté de la transcen-

1. Cf. son livre *Souvenirs obscurs d'un juif polonais né en France.*

dance. « Ce qui est juste, c'est ce que veut Jupiter », dit Egisthe, et Odette : « Ce qui était vrai, c'est ce que disait Jacques », c'est-à-dire l'Autre par rapport à elle, l'Homme, le Bourgeois — « elle courut à l'auto, elle voulait le réveiller tout de suite, réveiller la Science, l'Industrie, et la Morale ». Hélas, nous sommes dans l'histoire, Dieu est mort et la bourgeoisie qui l'a tué ne s'en remet pas, la loi elle-même est en litige, le roi Egisthe est une vieille fripouille qui n'aura pas volé son châtiment, quant à Jacques, la débâcle de l'exode l'a dépouillé de ses attributs, il ne représente plus rien, il se réduit à ce qu'il est, une chair effondrée dans cette auto en panne, une flaque d'existence.

La mort de Dieu, l'escroquerie des valeurs bourgeoises, rendent d'autant plus impérieuse la quête de l'Autre. Eh bien justement, la transcendance, ce pourrait être l'historicité pure. Puisqu'il a aboli les autres, « l'événement sera notre maître intérieur », comme on l'a dit dans une période troublée. Même s'il se réduit au fait pur, toute la signification venant du poursoi, il n'en reste pas moins un signe de l'Autre. Va donc pour l'événement comme substitut de Dieu, parce qu'on ne sait pas d'où il vient, nous tombe dessus ou nous prend par-derrière. « Quelque chose était arrivé », ou « quelque chose est en train d'arriver », constatent avec fascination les personnages de Sartre, à moins qu'ils se lamentent : il ne m'arrive jamais rien, tout se passe toujours ailleurs, la guerre est pour les autres. Affamé de signes, Goetz ne demande pas qu'une voix tonnante se fasse entendre de derrière les nuages, mais simplement de glisser par terre sur un crachat, il se contentera de la plus minable des ordalies, il en est réduit à attendre un acte manqué, et finalement il force l'événement à sa manière militaire.

Ainsi l'Autre est rétabli comme lieu du sens, du sens des événements, de leur lien, de leur suite, bref, de l'histoire. Une action est possible qui me fournira une justification, une *cause*, je prends ainsi place dans une chaîne, un ordre, je ne suis pas être-pour-le-pouvoir, mais je suis dans le pouvoir, instrument de la transcendance et de la valeur — puisqu'il s'agit de faire advenir ce qui n'est pas. « On me donnait des ordres. J'obéissais. Je me sentais justifié », dit un personnage de *Morts sans Sépulture*. Mais il se retrouve soudain face à lui-même dans la prison où il attend la mort, face à l'abîme, parce que la cause historique nous abandonne encore plus facilement que Dieu, nous laisse à notre contingence qui n'a plus qu'à accepter la négation qu'elle porte en elle-même. « A présent personne ne peut plus me donner d'ordres et rien ne peut plus me justifier. Un petit morceau de vie en trop : oui. » Lâché par la cause, je ne suis plus qu'un effet qui s'annule, un déchet. Cette cause sévère, anonyme, transcendance sans figure, ne nous porte aucun amour, et, vouée au négatif, n'a pas plus les avantages de la raison sociale. On lui est utile, c'est bien, tant mieux pour nous, on a fait son temps, on est hors d'usage : aux poubelles de l'histoire. Telle est la dure éthique de la fonction. « Tant qu'on peut travailler pour elle, ça va. Après il faut se taire et surtout ne pas s'en servir pour notre consolation personnelle. Elle nous a rejetés parce que nous sommes inutilisables : elle en trouvera d'autres pour la servir... Nous avons essayé de justifier notre vie et nous avons manqué notre coup. A présent nous allons mourir et nous ferons des morts injustifiables. » En un mot, la cause ne nous doit rien : ce n'est pas parce que nous-mêmes, quand nous avons de la chance, nous devons tout à la cause — tout : notre salut — qu'elle-même nous doit quoi que ce soit.

Au fond, elle ne nous a rien demandé. « La cause ne donne jamais d'ordre, elle ne dit jamais rien ; c'est nous qui décidons de ses besoins. » Et l'événement n'est pas plus bavard, nous parlons pour lui, nous l'interprétons. Tout l'effort de Goetz est de faire apparaître une exigence objective de la situation, pour enfin pouvoir obéir, et à la fin de la pièce, il trouve du sens qu'il n'a pas constitué, relatif et péremptoire : « Il y a cette guerre à faire et je la ferai. » La communiste Olga raisonne de la même façon : « Il y a un travail à faire et il faut qu'il soit fait. » Certes, on pourrait dire que ce « il y a », ce sens qui se présente sur le mode de la donnée, dépend d'une pensée elle-même objectivée, et par là soustraite au sujet et au doute. Or, il se trouve que le marxisme-léninisme a formulé les lois de l'histoire, et que le Parti l'incarne. Voilà le juge, le tribunal. A lui échoit cet universel propre à la situation historique, où « toutes les consciences » ont remplacé Dieu. Cela dit, ce n'est que virtuellement qu'il représente tous les hommes : pour le moment, c'est le parti d'une classe en lutte contre une autre.

Dans *Les Mains Sales*, le jeune bourgeois Hugo veut entrer au Parti comme l'homme de la campagne de Kafka veut entrer dans la loi, et devant la porte il faut qu'il plaide sa cause. S'il y vient, c'est qu'il ne peut s'accepter, mais justement le Parti ne fait que lui renvoyer ce refus que l'Autre a déjà prononcé en lui. Il est un jeune bourgeois gâté et gavé, traînant sa contingence, de trop — et le Parti lui renvoie cette image. « J'ai lutté, je me suis humilié, j'ai tout fait pour qu'ils oublient, je leur ai répété que je les aimais, que je les enviais, que je les admirais. Rien à faire ! » Les militants restent de glace :

Hugo est monté frauduleusement dans le train prolétarien.
— Seuls les « fils du besoin », disait l'intelligent camarade
Staline, peuvent postuler à l'honneur suprême d'être membres
du Parti. Tout ralliement libre d'ailleurs est difficile, parce que
la liberté est suspecte. Dans *La Mort dans l'Ame*, peu avant la
fin des combats, au lieu de rester avec les vaincus qui vont
se rendre, Mathieu et son copain Pinette se joignent à ceux
qui se battent encore. Mais ceux-ci, qui ne le font que parce
que c'est leur mission, les accueillent froidement : quelle idée
de risquer sa peau quand on n'y est pas forcé ! Du coup, ils
risquent leur vie et se font engueuler, telle est la rançon de
l'engagement. Encore une fois, Mathieu ne sait pas où est sa
place, et se partage entre la honte et l'orgueil. Il cherche à se
faire accepter par les héros — mais ceux-ci ne le sont aucunement par goût, simplement par position : « Nous, c'est pas
pareil : on est chasseurs... Si tu es chasseur, tu te bats » — le
courage est comme la conséquence nécessaire de leur essence
de chasseurs, non un choix, mais une implication. Dès lors,
Mathieu a honte d'avoir voulu à toute force être parmi les
bons, de ne pas être resté « avec ceux qui croupissent dans
la honte », qui en somme étaient les siens, il voit bien que les
autres « ne l'accepteront jamais »...

Les paysans révoltés déboutent Heinrich le défroqué : « Tu
nous as fait que tu es curé et qu'un curé reste curé quoi
qu'il fasse » — on ne peut racheter l'être coupable par le
faire, apparemment. Dans *Les Mains Sales*, c'est la même chose :
nous, c'est pas pareil, on est ouvriers, si tu es ouvrier tu te
bats, répondent à peu près les militants à Hugo, renvoyé à sa
liberté comme à sa nature et à sa faute originelle.

La différence des classes, avant d'être théorisée par le
marxisme, intervient comme différence pure, ou comme cette
frontière entre le sujet et l'être dont parle Pierre Goldmann.
Le conflit des classes peut d'ailleurs venir recouvrir le conflit
œdipien des générations (« Nizan parlait avec amertume des
vieux qui baisaient nos femmes et prétendaient nous châtrer »),
la sexualité peut être prise pour terrain du conflit, Kean couche
avec les femmes des seigneurs pour les supplanter, sans s'émouvoir ils lui répondent : « Penses-tu que *nos* femmes puissent
tenir à *vous* pour de bon ? »

Kean est un déclassé, il cherche vainement son image sociale
entre les aristocrates et les saltimbanques, fréquentant une
classe supérieure qui le fascine et l'humilie, éprouvant une
nostalgie intermittente, mêlée de remords, pour la classe inférieure qu'il a quittée et où il avait sa place. Dans *Nekrassov*,
Valera est un personnage comparable : il est l'homme seul

entre les salauds et les hommes, position qui va se détruire sous nos yeux. Valera est un génie — car il lui a fallu choisir, comme à tous les génies, entre le génie et la mort —, il est l'escroc du siècle, un personnage à dimension historique donc, fils de ses œuvres et responsable de tout, le Bien et le Mal sont ce qu'il décide, etc. — en même temps il éprouve qu'il n'est jamais qu'une image en l'Autre, un feu follet qui crève d'orgueil, un pantin que manipulent les vrais puissants. Car l'escroc, ne vivant que de faux-semblants, habite l'imaginaire comme le comédien et l'écrivain, il n'est qu'une apparence, et sa supériorité n'est qu'un mirage narcissique. Au-delà du contexte des années 50, la pièce est intéressante par les éléments qu'elle met en jeu : d'abord, les maîtres, les bourgeois, les salauds, qui produisent le mensonge pour perpétuer leur pouvoir et gagner de l'argent, ce sont en l'occurrence les patrons de la presse pourrie, ensuite le Seul qui, doté de sa morale personnelle, tâche de les vaincre à leur propre jeu, et, troisième terme qui n'existait pas dans *La Nausée* par exemple, les exploités, qui sont aussi les hommes. Le Seul devra choisir, il ne pourra se maintenir dans sa position intermédiaire, illusoire comme lui. Son opposition aux salauds se révèlera factice, objectivement il est leur complice. Mais s'il s'oppose au prolétariat, alors il devient odieux à ses propres yeux. Donc, il doit éliminer sa fausse singularité au profit de la seule opposition véritablement réelle et valable, celle des deux classes. La négativité subjective est abolie au nom de l'Homme possible. Il faut ajouter qu'une autre opposition est exclue, celle du parti de la classe ouvrière et de sa mission : le trotskyste n'est peut-être pas un salaud, mais c'est un fantoche tragi-comique. Il va de soi que ce qui est démontré ici pour l'escroc vaut pour l'homme seul, résident de l'imaginaire, quel qu'il soit — même s'il touche en toute honnêteté bourgeoise des droits d'auteur.

Bref, la situation historique met en demeure de renoncer au cavalier seul de la négativité. Ce faisant, elle me rend d'ailleurs un immense service, parce que dans le prolétariat elle réalise cette merveilleuse coïncidence qui avait disparu avec Dieu, celle de l'être et de la vérité. Au lieu de jouer indéfiniment à cache-cache avec soi-même et avec l'Autre, on peut du coup rejoindre l'universel concret des hommes simplement hommes, qui sont ce qu'ils sont et disent ce qui est. En effet, le problème fondamental, c'est que la réalité est décidée, on ne l'atteint pas par la simple perception contrairement à ce que croyait Feurbach jetant un coup d'œil sur le cerisier de son jardin. Toute la question est donc de savoir qui en décide et il semble bien, historiquement, que ce rôle revienne au Parti.

Toutefois, Sartre a peint dans *Les Mains Sales* une jeunesse qui n'arrive pas à rejoindre le Parti à cause de sa formation, transposant dans une certaine mesure son propre cas [1]. Il n'a jamais adhéré au Parti, à cause des dangers que présente toute entrée quelque part, et puis on a vu ses réactions au phénomène de possession, elles ne pouvaient le porter à une sympathie excessive pour le stalinisme, qui en a réalisé une de quelque ampleur. Tout d'abord, il a exprimé son opposition du point de vue de sa pensée, si l'on veut du *cogito*, bref de la vérité philosophique. Dans *Matérialisme et Révolution*, il commence par parler de cette jeunesse dont Hugo est un représentant, qui a honte d'elle-même, de ses origines, de ses facilités, mais qui reste prise au piège de la subjectivité pour autant qu'elle ne saurait s'en dépouiller que pour des raisons subjectives. Le Parti lui propose le *credo* matérialiste, mais on ne peut l'accepter que par un acte de foi et par soumission au principe d'autorité.

En effet, le matérialisme présente le sujet d'abord comme simple effet de la réalité matérielle, qui comme tel ne saurait rien en connaître, et ensuite lui reconnaît la capacité de prendre une vue globale sur cette réalité. Pareillement, il enseigne que l'histoire est à faire et en même temps déjà faite, déjà inscrite dans les structures objectives. L'histoire s'oppose à la nature, puisque nous devons militer, et en même temps elle est contenue en elle, puisqu'elle est matérielle. Il faut admettre enfin que la matière est sa propre réflexion, inclut la conscience, alors que pourtant la conscience implique manifestement une prise de distance par rapport à l'être matériel. Bref, comme système philosophique, le matérialisme est intenable, et d'ailleurs ce n'en est pas un, il ne se présente ainsi que par convenance, en réalité il est un mythe. Comme tout mythe, il comporte une théorie des origines, faisant procéder les formes de vie les plus complexes des plus simples, et une action de la vérité : son efficacité tient à la fois à ce qu'il en retient et à ce qu'il en déforme. Or, Sartre ne saurait admettre un tel compromis : pour lui, la philosophie révolutionnaire doit être philosophie, c'est-à-dire vérité. Mais n'est-ce pas de nouveau une illusion que d'estimer que la vérité puisse exister sous forme positive ?

Soit, par exemple, la nature. Pour Sartre, les choses sont claires : « ce que l'on nomme nature, c'est l'ensemble de ce qui existe sans avoir le droit d'exister ». Un tel énoncé paraît au-dessus de la contestation puisqu'il se présente sous la forme d'une définition, purement analytique. En fait, ce que Sartre ne prend pas en compte ici, mais qui s'exprime si largement par

---

1. Cf. *Un théâtre de situations*.

ailleurs dans son œuvre, c'est que cette nature qui existe en dehors du droit est *coupable*. Voilà ce qui échappe à la positivité de l'analyse conceptuelle et qui pourtant la sous-tend. Or, tout est là, car avec le matérialisme le prolétariat se découvre justement un droit dans la nature, une loi historique à son avantage, c'est-à-dire que l'histoire doit être pensée comme partie de la nature. Sartre, au demeurant, voit fort bien que le matérialisme comme mythe, en même temps qu'il comporte une part de vérité, a une *fonction* : soulager de la culpabilité de la révolte. C'est pourquoi, pour le prolétariat comme antérieurement pour la bourgeoisie, le matérialisme est l'idéologie de la libération : parce qu'il nie le transcendant (négation apparente et temporaire), si bien qu'il ne reste personne devant qui être en faute. Ce que nous faisons est naturel, déterminé par les lois d'une matière qui est mauvaise en elle-même, disent les personnages de Sade. Et Sartre remonte à Epicure, montre bien que son dessein était de libérer l'homme de la peur : ainsi s'est-il employé à détruire la « fiction de tribunaux souterrains ». Car, dit Sartre, si l'état de choses dont nous souffrons résulte de fins transcendantes qui nous sont impénétrables, alors tout effort pour le modifier est vain et coupable. Il importe donc au premier chef de nier les valeurs de la classe dominante, qui se posent comme universelles : « s'il était vrai que leur Bien fût *a priori*, alors la Révolution serait empoisonnée dans son essence : se dresser contre la classe opprimante serait se dresser contre le Bien en général ». Le curé Heinrich s'interroge : « Si Dieu est avec les pauvres, d'où vient que leurs révoltes aient toujours échoué ? » La réponse est dans la question à condition de la remettre sur ses pieds : si leurs révoltes ont échoué, c'est probablement parce qu'ils n'étaient pas tout à fait sûrs que Dieu soit avec eux. Voyez dans *Nekrassov* l'honnête journaliste Sibilot : ses mensonges ordinaires, professionnels, ne le gênent pas, étant estampillés d'intérêt public par la garantie gouvernementale, Vérité ultime dont les voies sont impénétrables. Mais il lui est insupportable de mentir *tout seul*, comme l'escroc, alors même qu'il s'agit de se sauver et à juste titre, car il est victime de la noire ingratitude du patronat.

Mais Sartre écrit ensuite que « le sentiment continuel de sa contingence » dispose le prolétaire « à se reconnaître comme un fait injustifiable », en quoi il le confond un peu trop vite avec lui-même, oublie ce qu'a d'insupportable cette expérience, et demande l'impossible. L'effort de destruction du droit qu'il préconise — non de déplacement ou de nouvelle fondation — ne peut être que littéraire, et encore. Il veut poser comme premier principe d'une philosophie révolutionnaire « que l'homme est injustifiable, que son existence est contingente en ceci que ni lui ni aucune Providence ne l'ont produite », alors que le prolétariat rallie le Parti pour retrouver un ancrage, une filiation, de Marx à Staline et aux suivants, ainsi qu'une providence. Les idéologues du Parti ont pu dire que la pensée de Sartre était « petite-bourgeoise ». A la vérité, c'est de lui seul qu'il parle quand il écrit : « Un être contingent, injustifiable, mais libre, entièrement plongé dans une société qui l'opprime, mais capable de dépasser cette société par ses efforts pour la changer, voilà ce que réclame d'être l'homme révolutionnaire. » L'acte de naissance de soi par soi que constitue la conversion révolutionnaire, s'il est bien sartrien, et s'il correspond aux moments paroxystiques, ne saurait être une valeur reçue au Parti, qui incarne tout ce qu'il reste de pouvoir paternel dans notre société. Le révolutionnaire, dit-il encore, réclame pour l'homme la possibilité d'inventer sa propre loi, voilà qui ne saurait être plus pertinent du point de vue de l'institution qui vit au contraire d'apaiser l'angoisse, et qui pas davantage ne peut tolérer l'éloge sartrien de la négativité, elle qui se veut clôture, plénitude, exorcisant le manque, quitte à lui reconnaître un statut très surveillé comme dans le christianisme. Or, telles sont les conditions pour Sartre de l'identification de l'existence et de la valeur dont il cherche désespérément le lieu : pour la voir réalisée dans le Parti, il devra donc en rabattre.

Du reste, dans *Les Mains Sales*, Sartre représente une politique révolutionnaire qui ne se distingue en rien de la politique traditionnelle, purement machiavélienne et restant le fait du prince, même prolétarien, combinant des moyens pour une fin qui est le pouvoir ; le mensonge est l'un de ces moyens, avec le compromis tactique et l'assassinat, comme la discipline est la même partout — dans une armée de paysans en révolte comme dans une armée de mercenaires elle implique des pendaisons pour l'exemple. Certains, convaincus que « seule la vérité est révolutionnaire », ont invoqué un idéal de la politique prolétarienne, qui serait d'être à partir du marxisme une pédagogie historique ; par son style déjà elle doit signifier le changement historique radical. Pour Brunet, cette exigence est chimérique, « c'est du trotskysme ». De fait, Trotsky pensait que les moyens employés ne sont pas seulement des outils mais des signes, qu'ils doivent déjà indiquer les rapports sociaux socialistes dans la mesure du possible, que les dirigeants doivent donc toujours faire en sorte d'augmenter la conscience et la capacité d'initiative du prolétariat. Dans *Les Mains Sales*, la politique menée au nom du prolétariat ne préfigure en rien une société supérieure, tout se passe en combinaisons d'état-major bien loin des larges masses. L'expérience ou la conscience de classe prolétarienne compte pour rien dans la détermination de la ligne.

Cet Hœderer qui bafoue paisiblement les principes démocratiques au nom de l'efficacité pure pourrait être un militaire progressiste d'Amérique latine, pour ne pas dire le chef pur et dur d'un parti de droite sociale. La pièce réfute l'illusion de Hugo, plus bourgeoise que marxiste, suivant laquelle la politique serait une science, pareillement Hugo s'en tient à la morale abstraite de la bourgeoisie, mais ce n'est pas l'idée neuve de la *praxis* que le marxisme a forgée que lui oppose Hœderer, c'est, dans le cadre de la réalité instituée, la rationalité cynique de la domination.

Bref, il n'y a aucune spécificité du prolétariat et aucune spécificité du Parti. Le prolétariat est une classe opprimée comme une autre, comme les paysans allemands de l'époque de la Réforme, il ne porte pas en lui les éléments du socialisme. Il est malheureux et voilà tout. Hœderer, c'est simplement Pardaillan ou Michel Strogoff déguisé en *leader* prolétarien — le héros, le chef, l'homme de pouvoir archétypique, le père idéal. Finalement, c'est l'image de l'homme qui est inchangée. Même dans la version positive, Sartre en reste à une conception archaïque de l'autorité. Le fait est qu'il n'imagine pas autre chose, même si la réalité n'est pas là pour lui donner tort.

Hugo, Hœderer, au demeurant, c'est une nouvelle variante du meurtre du père et de l'enfance d'un chef. A la différence de Lucien, Hugo récuse l'identification ordinaire : « Je regarde si je ressemble à mon père (*Un temps*). Avec des moustaches, ce serait frappant. » Contrairement à Franz, il dispose d'une alternative : trouver un père préférable dans la classe opposée. Seulement, de l'autre côté aussi, le conflit interne sévit, le père est en opposition avec lui-même, et il ne s'y retrouvera pas. C'était pourtant sa chance que ce père lui-même en lutte, et non institué par l'imposture de l'ordre. Sartre le dit : « Hugo a ma sympathie dans la mesure où Hœderer aurait pu faire quelqu'un de lui » [1], et il compense l'échec de son héros par cette inférence un peu rapide : « Hœderer est celui que je voudrais être si j'étais révolutionnaire, donc je suis Hœderer. » Hœderer fait confiance à Hugo, dont il connaît pourtant l'intention meurtrière, et au-delà de la querelle de la ligne lui propose en père idéal de l'aider à résoudre son Œdipe : « Tu es un

---

1. Cf. *Un théâtre de situations.*

môme qui a de la peine à passer à l'âge d'homme, mais tu feras un adulte très acceptable si quelqu'un te facilite le passage. » Cela prouve qu'être adulte ne signifie pas nécessairement être fasciste. Au lieu d'un chef français, d'un salaud, norme répulsive de l'identification, on peut être un militant prolétarien. Et ici, c'est donc le père qui prend en charge le fils, le porte sur son dos, c'est Anchise qui, plein de mûre vigueur, empoigne un Enée fragile pour le faire passer du bon côté. Toute l'opération échouera du fait de la culpabilité inapaisable de Hugo, qui a la mort dans l'âme. Pour lui, semble-t-il, les jeux étaient faits, le destin noué, il ne se sentait pas fait pour vivre, n'étant pas « de la bonne *espèce*, celle des durs, des conquérants, des chefs » — sous-homme égaré chez les sur-hommes ou du moins les vrais hommes, il ne verra d'autre possibilité que d'assumer son « erreur ». Hœderer l'a senti, Hugo parce qu'il ne s'accepte pas est un destructeur, d'ailleurs amoureux de la fatalité : il est condamné d'avance par son conflit mortel avec le père, le détestant à mort il se déteste à mort, il se tuera *de sa mort*. Anchise et Enée coulent à pic, Gribouille se retrouve au fond de l'eau.

Hugo était dans le Parti pour s'oublier (s'oublier, s'accepter, c'est tout un), pour oublier sa honte, mais par là il reste pris dans le jeu de la subjectivité libérale. « Et tu te rappelles à chaque minute qu'il faut que tu t'oublies », dit Hœderer. Mais on voit que n'est pas sans issue la situation décrite dans *La Nausée* : je ne peux me débarrasser de moi-même, je m'encombre et m'entrave, ma conscience ne peut s'oublier, elle devient seulement une conscience d'être une conscience qui s'oublie, etc. Hœderer est sorti de ce tourniquet existentiel.

Le point essentiel, c'est que le Parti, étant l'Autre, est constitutif de la *réalité*. Non seulement de la valeur, comme dira aussi Sartre : il s'agit de choisir pour ou contre l'homme, et l'homme c'est le prolétaire et non le bourgeois. C'est pour des raisons plus profondes en vérité qu'au Parti se trouvent *les vrais hommes*, au Parti et aussi de l'autre côté de la barrière des classes. « C'est la première fois que je te vois aux prises avec de vrais hommes », dit Jessica, la femme-enfant, que le traitement de choc prolétarien va faire évoluer : « Je ne sais rien, je ne suis ni femme ni fille, j'ai vécu dans un songe et quand on m'embrassait ça me donnait envie de rire. A présent je suis là devant vous, il me semble que je viens de me réveiller... Vous êtes vrai. Un vrai homme de chair et d'os. » Effet de la fonction paternelle, soit, mais pourquoi ici ? Les vrais hommes, parce qu'ils ont ce fondement, à la fois négatif et réel, le besoin, mais ce n'est pas tout.

Qu'arrive-t-il donc à cette petite fille prolongée qui ne sait pas faire l'amour, qui rit quand on l'embrasse, qui vit dans la non-réalité, dans la non-vérité ? Elle ne parvient pas à s'évader du monde de l'enfance et de l'inceste et en désespoir de cause continue à y jouer : « Ce n'est pas ton mari ? — C'est mon petit frère. »

Un élément de cette tragédie moderne, c'est que les deux jeunes héros sont prisonniers de la comédie, se sentent jouer et jouer faux, n'ayant pas accès à des rôles réels déterminés par des places. Le sérieux, sinon le tragique, du marxisme-léninisme pourrait donc les aider. Les camarades ne rigolent pas, comme dit Olga ; « l'Internationale communiste ne plaisante pas », disait pour sa part Zinoviev qui a pu le vérifier à ses dépens. Ecoutons Hugo : « Vous croyez peut-être que je suis désespéré ? Pas du tout : je joue la comédie du désespoir. » Comédie du désespoir, désespoir de la comédie, cela nous rappelle la souffrance qui est autant jouée qu'endurée. A Jessica qui lui demande prosaïquement s'il veut s'en aller, Hugo ne sait que répondre : « Comment peut-on dire : je veux ou je ne veux pas ? » Le sujet dérive, faute d'identité et en définitive d'altérité. La mort serait-elle la solution ? « A moins que les morts aussi ne jouent la comédie : supposez qu'on découvre que les morts jouent à être morts ! » Hugo mourra théâtralement, en fait c'est seulement dans la mort qu'il a vu la chance de coïncider avec soi.

Pour en sortir, donc, Hugo demandait à Hœderer d'obéir, et formulait cet idéal hygiénique : « Manger, dormir, obéir », faisant de l'autorité un besoin, tout comme Charles de Gaulle écrivant dans Le Fil de l'Epée que les hommes, ces animaux politiques, ne se passent pas d'être gouvernés « non plus que de manger, boire et dormir ». Mais il ne faut pas perdre de vue que le Parti est la chance d'arriver à l'humanité, il est Père et même Dieu en ce sens : il va faire naître l'Homme. « Nous ne sommes pas des hommes, mon vieux, pas encore. Nous sommes des fausses couches, des demi-portions, des moitiés de bêtes. Tout ce que nous pouvons faire, c'est travailler pour que ceux qui viennent *ne nous ressemblent pas*[1]. » Tel est le sens dernier de cet immense travail historique : chez Sartre en tout cas, la passion communiste est toute entière mise en perspective sur le problème de l'identification, posé initialement par le refus : ne soyons pas comme nos pères, que nos fils, ou nos successeurs, ne soient pas comme nous. Encore une fois, il s'agit, en rupture avec le passé, d'engendrer à partir de notre acte une lignée nouvelle.

1. Brunet dans *Drôle d'Amitié*.

Fonder la réalité humaine, au prix du tragique, échapper à la comédie bourgeoise. C'est d'abord la « comédie familiale » dont il est si souvent question dans *Les Mots*, et qui consiste notamment dans les cérémonies visant à masquer notre contingence. Dans *L'Enfance d'un Chef*, le sentiment de la comédie semble découler de la « scène primitive » : ayant couché dans la chambre de ses parents, le petit Lucien (ne l'appelons pas encore ce salaud de Lucien) se demande si ce sont bien les vrais, et quant à lui se met à jouer à être orphelin. Je fais cette remarque parce que, dans *Le Sursis*, l'accouplement des adultes (prolétariens) apparaît manifestement comme le fondement de la réalité : le jeune Philippe, qui fuyant son beau-père traîne lamentablement son insignifiance dans un monde où tout a l'air faux, même les faussaires, découvre soudain une solidité dans la chambre d'hôtel où en rupture de famille il a échoué. « Il crut d'abord qu'elle pleurait, mais non, il connaissait bien ces plaintes-là, il les avait écoutées souvent, l'oreille collée contre la porte, pâle de rage et de froid. Mais, cette fois-ci, ça ne le dégoûtait pas. C'était tout neuf et tendre : la musique des anges. » Et plus loin : « La voix était vraie, vrai aussi le doux visage invisible... La tête de Maurice sortit de l'ombre, dure et massive, vraie. » C'est à ce couple que Philippe va demander la reconnaissance, interrompant leurs rapports pour leur prêcher le pacifisme (nous sommes à la veille de Munich). Insuccès, naturellement. L'ouvrier Maurice voit en lui un provocateur et l'expulse rudement, il se retrouve « exilé dans la nuit froide et minable ».

Le prolétariat et singulièrement le Parti, c'est l'Autre, le Droit, l'Ordre, pas celui des salauds, celui des hommes. S'y opposer est sans espoir. « Si le Parti a raison, je suis plus seul qu'un fou », pense Brunet, il retombe dans la gratuité injustifiable qu'il reprochait à un Mathieu, devient Roquentin. Mais, ajoute-t-il, « s'il a tort, tous les hommes sont seuls et le monde est foutu ». Brunet souhaite donc que le Parti ait raison sur lui, voire de lui : lui, ce n'est rien, et le Parti représente la cause de tous les hommes, de l'espèce, le salut mondial. Qu'est-il donc arrivé à ce militant ? Reprenons les choses du début, quand il vient rendre visite à Mathieu dans *L'Age de Raison*.

« Tu manques du Parti, le Parti ne manque pas de toi » : cette relation en rappelle une autre : le pour-soi manque de l'en-soi qui ne manque pas de lui. L'en-soi est l'absolu, d'une certaine manière l'Autre. Dans les deux cas, il y a le même rapport du sujet à l'Etre, l'Etre comme Autre, à la différence de ce qu'enseigne Platon (c'est un moment de la dialectique). Mais le Parti est un Autre véritablement constituant, et à la différence

de l'en-soi on peut y entrer, *en être*. La preuve : Brunet est
un homme qui n'est pas seul, qui a « la vie lente, silencieuse
et bruissante d'une foule ». Il échappe à la condition humaine,
du moins telle que la vit Mathieu, il existe en force, comme
un roc, mais ne ressemble pas pour autant au salaud ou à
l'antisémite .

Simplement, il y a que le Parti repose sur son adéquation
à l'être : il est effectivement *fondé*. Tel est le sens de la théorie
du reflet, de l'affirmation que le réel est rationnel, du processus historique objectif, en un mot de tout le matérialisme
dialectique qui encore une fois est un mythe et non une philosophie. Que la matière soit dialectique, cela veut dire que le
discours est identifié à l'être, qu'il n'y a pas de différence entre
l'être et la parole, que le discours du Parti c'est l'être qui
parle. Une telle égalité de la certitude et de la vérité se
traduit dans le comportement individuel et collectif (comment
faire la différence, ici le comportement individuel est encore
un comportement collectif) par une notable suffisance, mais
c'est d'abord un principe de constitution. Cette adéquation à
l'être signifie que le Parti baigne dans la Vérité. Pour le sujet,
la coïncidence de l'être et de la vérité est exceptionnelle, elle
n'existe que dans l'unique énoncé du *cogito*, qui ne dit pas
grand-chose, sinon que je suis sujet, précisément. Pour le Parti,
cette coïncidence est au contraire la règle. Ce que dit le Parti
est vrai parce qu'il le dit. Il lui suffit d'énoncer le fait pour
que le fait soit. Par rapport à un cartésianisme sans Dieu, dont
on a vu avec quel soulagement un homme aussi intelligent
que Daniel pouvait l'abandonner, l'avantage est considérable.
Parce que le Parti coïncide, au moins présomptivement, avec
la subjectivité de l'Histoire, parce qu'il représente *l'autorité*
ultime, ses énoncés ont force de loi : ils décrivent moins le
réel qu'ils ne le définissent. Pour le Parti, l'énoncé a valeur
constituante, comme il en va avec ces « performatifs » qui
sont le triomphe de la philosophie analytique anglaise, ces
formules privilégiées telles que : je le jure, je vous souhaite
la bienvenue, je déclare la séance ouverte.

Par rapport à Mathieu, « nu sous ses regards, un grand
type nu en mie de pain », Brunet est en position de juge.
Il ne tient aucun compte de son avis, ce que Mathieu trouve
tout naturel : « Qui suis-je pour donner des conseils ? Et
qu'ai-je fait de ma vie ? » Brunet tente de lui faire la leçon,
de le rééduquer, de le sauver. Que Mathieu s'engage, il en a
le plus grand besoin. « Tu as renoncé à tout pour être libre.
Fais un pas de plus, renonce à ta liberté elle-même : et tout
te sera rendu. » Tu parles comme un curé, répond Mathieu

en riant, mais c'est aussi la pensée politique de Rousseau :
les individus n'ont rien à perdre dans leur aliénation en communauté, y gagnent leur véritable existence, la liberté se remplit.
Mathieu en est conscient : « Je sais bien que je retrouverais
tout, de la chair, du sang, de vraies passions. Tu sais, Brunet,
j'ai fini par perdre le sens de la réalité : rien ne me paraît
plus tout à fait vrai. » Mieux que sauver son âme : Mathieu
retrouverait son corps, son être réel, matériel, il serait un
homme, comme Brunet, au lieu d'être hanté par l'inhumain :
« Toi, tu es bien réel... Tout ce que tu touches a l'air réel...
Tu es un homme. » Et encore : « Un homme aux muscles
puissants et un peu noués, qui pensait par courtes vérités
sévères, un homme droit, fermé, sûr de soi... Et Mathieu était
là en face de lui, indécis, mal vieilli, mal cuit, assiégé par tous
les vertiges de l'inhumain : il pensa : Moi, je n'ai pas l'air
d'un homme. » Mal déjà diagnostiqué, mais nous avons maintenant le remède.

Après le départ de Brunet, qui n'a pas emporté le morceau,
la chambre, ce lieu clos de l'inceste, transformé par l'âge en
solitude, retombe dans l'imaginaire : « Il s'en allait par les
rues, et les rues devenaient réelles une à une. Mais la réalité
de la chambre avait disparu avec lui, elle n'était plus qu'une
tache de lumière verte qui tremblait au passage des autobus. »
Brunet est parti, porteur de l'image de l'homme, étant celui
par qui le monde devient réel et par là satisfaisant, presque
beau... Mathieu songe à sa fenêtre : « je ne pouvais pas
accepter — et la chambre était derrière lui comme une eau
tranquille, il n'y avait que sa tête qui sortait de l'eau, la
chambre corruptrice était derrière lui ». Prix du refus : le
naufrage dans le glauque univers maternel. Et bientôt cette
question : « Est-ce vrai que je suis un salaud ? Le bourgeois
Jacques le pense, le militant prolétarien Brunet aussi. Alors ? »

Brunet est le représentant de l'Homme et agit comme tel.
Fait prisonnier, il voit ses compagnons de captivité comme
des esclaves dont il doit faire des hommes : c'est « l'espèce »,
« le matériau » qu'il doit travailler, leur haine est « son outil ».
Il emploie les méthodes traditionnelles de l'Eglise et de l'Armée,
pas étonnant s'il a pour concurrent le curé, il se conduit ouvertement en chef, recrutant les « récupérables » : « Trop de
graisse, un peu de laisser-aller, mais, au total, il se tient bien :
pourra peut-être servir », — il juge les hommes d'un coup
d'œil, note favorablement ceux qui sont rasés. Dur pour lui-
même comme il l'est pour les autres, il mate son corps, « fait
pour obéir », s'oblige à faire de la gymnastique, se douche
dans le froid, et pour une fois Sartre décrit une sensation de

bonheur physique : « sa chair jubile sous la grêle astringente »...
Brunet, quoique sans consignes, continue à obéir au Comité
Central et à l'U.R.S.S. Il écarte l'hypothèse peu probable que
le Politburo ait sombré dans la folie et suivant les lois historiques permanentes il se livre à une tâche qui se détermine ici
comme constitution d'un front anti-fasciste sur une large base
démocratique. Manque de chance : survient le camarade Chalais,
Brunet est d'abord tout heureux, « celui-là, c'est comme si
c'était moi », dit-il aux gars qu'il encadre : son alter ego, le
Pylade de cet Oreste, son Pollux, son Nizan. Seulement, Chalais
lui demande de démanteler son organisation, et vite. Il a travaillé sans liaison, dans le brouillard, objectivement il fait de
la retape pour les valets de Churchill. L'U.R.S.S. veut éviter
la guerre, c'est donc le moment de mettre une sourdine à l'anti-
fascisme, d'ailleurs l'occupant va laisser reparaître l'Humanité.
Halte à l'aventurisme [1].

Marxisme ou pas, Sartre semble bien penser comme Napoléon que la politique est la tragédie moderne. De même, il voit
le Parti comme une formation collective, au sens de Freud,
comparable à l'Eglise ou à l'Armée, société fortement intégrée,
nullement entamée par les sirènes émollientes du libéralisme.
Le Parti, dira Sartre dans Les Communistes et la Paix, « est
un Ordre qui fait régner l'ordre et qui donne des ordres ».
Il a une fonction : mener la lutte du prolétariat, puis gouverner. Comme l'Etat, il a droit de vie et de mort sur ses membres : « Crois-tu qu'on peut quitter le Parti ? Nous sommes
en guerre, Hugo, et les camarades ne rigolent pas. Le Parti,
ça se quitte les pieds devant. » Socrate a bien accepté le
jugement d'Athènes, pour sauver cette cohésion sociale qui
justement se défaisait, lui-même y contribuant... L'exclu de la
société archaïque, même pas la peine de porter la main sur
lui : il dépérit et meurt très vite tout seul. « Mourir, quitter
le Parti, c'est tout un », dira Brunet, cela en fonction de cette
opération de la loi sur la nature dont nous avons déjà parlé
et dont nous reparlerons.

D'ailleurs, toute solitude est coupable. On l'a vu, quand je
suis seul face à moi-même, face à ma mort, je ne suis plus en
position de quérir le soutien de la cause, il ne me reste que
ma culpabilité contingente sans rien pour l'éponger. Et, ce qui
est plus redoutable encore, dans ma solitude, c'est que la cause

---

1. Dans le chaos de cette période, cette ligne fut effectivement élaborée et mise en pratique par certains dirigeants du P.C.F. à qui le
pacte germano-soviétique avait donné le tournis. La répression immédiatement déclenchée par Vichy, allant au-devant des volontés nazies,
devait les faire revenir de cette tentation dès avant l'entrée de l'U.R.S.S.
dans la guerre.

ne disant par elle-même rien de déterminé — elle est l'universel ! —, lutter pour la victoire du prolétariat mondial bien sûr
mais comment, je suis contraint, pour suivre l'impératif qui
est devenu ma nature, de décider à sa place, et je signe ma
perte. Si ce que je fais ne correspond pas à la ligne du Parti,
je ne suis rien, un effet sans cause, un phénomène disparais-
sant. Ma seule chance est dans le désaveu sans nuances, et
encore cela ne suffit pas vraiment et ne peut constituer qu'un
sursis. Le camarade Brunet, à la fin des *Chemins de la Liberté*,
est pris dans ce dilemme. Sa faute, c'est de s'être retrouvé isolé,
loin du Parti, et de s'être pris pour lui. « Le Parti *ne peut pas*
nous abandonner », pense-t-il au stalag. Mais cette certitude
est vite érodée par son esseulement, et la mort vient rôder
autour de lui « comme une odeur, comme la fin d'un dimanche. » Et il se sent coupable, « coupable d'être seul, coupable
de penser et de vivre », coupable du *cogito*. On n'a pas de
subjectivité au Parti, on l'a déposée en entrant comme son
narcissisme, elle et lui sont projetés sur le collectif et sur son
chef. On peut les reprendre à la sortie, mais dans quel état.
La subjectivité, c'est bourgeois, puisque c'est ce par quoi le
militant n'est pas entièrement engagé dans le Parti, lui reste
extérieur et peut s'en détacher. Il ne faut pas voir là de la
part de l'organisation un monstrueux sadisme, il s'agit d'une
loi de structure. Brunet est donc inquiet à juste titre, au stalag,
quand successivement il éprouve une nausée, sent un goût
d'ananas sur sa langue, se remémore des scènes d'enfance et
de jeunesse : ce sont tous les signes caractéristiques de la
subjectivité. Le ski, les montagnes, les femmes, l'ananas, toutes
ces images se brouillent dans sa tête et menacent de l'engloutir
dans une « sève gluante ». Soudain, il se met à rire, soulagé :
« Cet immense désir coupable, ce n'était que la faim... L'enfance, l'amour, la « subjectivité », ce n'était rien : tout juste
un rêve d'inanition. » Fausse alerte donc, il se retrouve solidement amarré à ses justifications, puisque, comme on sait,
le besoin est légitimé.

Mais, dira-t-on, la ligne du Parti, qui la fait ? Pour ainsi dire
personne. Le Chef génial, certes, mais c'est simplement que
son cerveau prodigieux reflète le mieux la nécessité objective,
le processus en soi. La ligne a donc l'inflexibilité d'une loi
naturelle, et le droit est fondé sérieusement. Brunet ne s'y
trompera pas : à Mathieu qui lui demande pourquoi il ne
resterait pas dans le Parti pour infléchir sa politique, il répond
sur le ton de l'évidence : tu confonds avec un congrès radical-
socialiste. Et *Les Mains Sales* représentent cette tragédie de la
ligne, qui écrase le sujet qui la produit, parce qu'elle doit

exister à la manière d'une chose. Le Parti fait ce que veut l'Histoire, et même s'il change complètement de ligne, cela n'a pas d'importance, car l'Histoire n'a pas cessé de vouloir. Cet atermoiement qui n'est qu'un phénomène empirique ne saurait mettre en cause la structure métaphysique et s'efface de lui-même comme la science ne se souvient pas de ses errements. En droit, un énoncé du Parti est valable en tous temps et en tous lieux, et le Parti n'a jamais cessé de dire la même chose.

A la ligne du Parti, Brunet serait mal venu d'opposer son « opinion ». Chalais l'informe, c'est tout. « Ni ta personne ni la mienne ne sont en cause. » Brunet a l'impression que Chalais parle avec une « voix de haut-parleur », comme celle du camp, c'est « la voix de personne, du processus historique, de la vérité ».

Dans ces conditions, il est normal que Chalais supplante Brunet auprès des militants. Brunet, discipliné, essaie de s'effacer autant qu'il peut, cela ne suffit pas, la « base » suit mal. Chalais lui casse le morceau : « Tu incarnes une déviation et tu dois disparaître avec elle : c'est une loi d'airain. Tu es brûlé, comprends-tu. Si tu te tais, si tu te caches, tu gardes une autorité regrettable. Mais si tu parlais, si c'était toi qui leur disait ce que je leur dis, ils te riraient au nez. »

Brunet accuse le coup : il est à moitié complice de Chalais, la loi du Parti qui le régit étouffe sa colère d'homme. Mais une pensée sacrilège se forme en lui, éclate comme une fusée dans la nuit : « l'U.R.S.S. sera battue » — et il faut prendre la mesure ici de tout l'investissement imaginaire et affectif dont elle était le support, l'attachement plus fort que la vie dont elle était l'objet. Subissant la loi du père, Brunet voit la mère patrie du socialisme écrasée, violée, niée. Et les hommes abandonnés par la transcendance coupable se retrouvent encore plus coupables, profondément seuls dans leur « drôle d'amitié » de faillis, sans autre lien que la honte — Brunet va partager son amertume avec l'exclu Vicarios.

« La vérité, c'est ce que le Parti décide. La vérité, le Parti, c'est tout un... On ne pense pas contre le Parti, les pensées sont des mots, les mots appartiennent au Parti, c'est le Parti qui les définit, c'est le Parti qui les prête... » Méditation étonnante, qui fait bien ressortir d'une part que le Parti est l'Autre, d'autre part que l'Autre est le lieu de la vérité, des significations, du code, comme dira Lacan. Tout ce qu'on lui a abandonné, il le détient en propriétaire, de toute éternité : il a tous les droits, celui de vie et de mort, mais encore plus profondément le droit du langage, ce qui rend vain par principe toute pensée à son encontre, en fait une conséquence en révolte contre ses propres prémisses. Brunet, le solide Brunet, se retrouve dans la situation du petit Gustave Flaubert, il n'est plus qu'un malheureux hystérique qui tirait toute sa vérité de l'Autre, n'en ayant lui-même aucune, et qui quand l'Autre reprend ses billes se trouve au bord du délire.

Sartre écrit dans *Saint Genet :* « L'Autre envoie le message et la conscience le déchiffre. » Genet était également exproprié du langage, quoique d'une autre manière, c'est pourquoi il s'est livré sur les mots à un cérémonial d'appropriation comparable au vol, et qui ne peut être qu'un qui perd gagne, une reconnaissance de son échec fondamental et désiré — car ce n'est que dans la conscience du Juste que les mots ont le lieu de leur sens. Mais, du fond de son aliénation, Genet se livre à cette tentative absurde qui vise à mettre l'Autre en contradiction avec lui-même, à lui faire découvrir en quelque sorte son altérité. Par là, il n'arrive qu'à redoubler sa dépendance, car l'Autre à la fois se vide et s'accomplit en acquérant des déterminations opposées qui en lui font bon ménage. Rien ne l'empêche d'être en même temps le Juste et l'Esprit du Mal. Il n'est nullement ébranlé par le terrorisme poétique de Genet, au contraire c'est lui qui « effectue les significations maudites ».

A l'arrière de la tête de Brunet, la place est brusquement libérée, et la folie menace de s'engouffrer dans l'appel d'air : « Derrière lui, oubliés, les mots s'assemblent et bavardent tout seuls ; ça doit être comme ça chez des types qui se prennent pour Napoléon... » Le malheureux n'a plus d'identité. Il a vu avec effarement se disjoindre la certitude et la vérité. L'une gît en morceaux, l'autre s'est retirée dans son énigme, tout en condamnant par principe ces mornes champignons qui lui poussent dans le cerveau. La pensée solitaire est l'expérience du néant. Ta pensée, c'est ton non-être, ta destruction, se dit à peu près Brunet qui en arrive à cette limite : je n'existe pas, du moment même qu'il pense par soi seul, et naturellement il ne saurait se raccrocher à la conscience de soi pour remplacer la conscience de classe. En outre, le moi, ce n'est pas seulement le sujet de la connaissance, le problème est aussi que Brunet avait appris à ne plus s'aimer autrement que comme militant, et peut-être ne s'était-il jamais aimé ?

C'est comme si Mathieu se vengeait : voilà le héros permanent de notre temps ramené au niveau de l'humaine condition. De fait, les chapitres inédits contiennent une scène qui est le renversement de celle de *L'Age de Raison :* Mathieu s'est engendré par le meurtre honorable (« Mathieu n'était pas prisonnier : il venait de naître »), qui est devenu sa vocation :

pendant qu'il discute avec Brunet, il dirige de loin l'exécution
du traître Moulu. A l'aise dans son nouveau rôle de justicier
et de militant de l'homme (tel le capitaine sur le navire, il a
mis sur pied un réseau organisant des évasions, de l'action
propre et non-violente), chef serein et grave au-delà de la honte
comme de l'orgueil, il explique son cas à Brunet d'un peu
haut : Tu es devenu quelqu'un et donc tu as rompu avec le
Parti, tu n'avais plus de moi, la rancune t'en a redonné un,
mais on ne peut pas dire qu'il soit très reluisant. Brunet avoue
piteusement que ce moi ne passe pas, en effet : cet homme
viril, néophyte du *cogito*, l'éprouve comme une boule hystérique : « je ne peux ni l'avaler, ni le recracher... » La nausée
n'est pas loin. Coup de grâce, Mathieu lui conseille de rester
au Parti : « le Parti, c'est toi au-delà de toi-même. Ta raison,
c'est la nécessité du Parti, ta liberté, c'était sa volonté, et, tu
vois, ta propreté elle-même, c'était son inflexibilité... Toi sans
le Parti ? De la merde. Un peu d'orgueil et de crasse ». Brunet,
à la fin du chapitre, regardera longuement un rasoir.

Auparavant, il s'était donc retrouvé aux côtés de Vicarios,
en qui Chalais avait démasqué un « indicateur » contre lequel
le Parti avait publié une mise en garde. Tu ne le crois pas ?
demande Vicarios au bord des larmes à Brunet qui ne peut
que répondre : « Je crois tout ce que dit le Parti. » Plus tard,
les camarades prévenus cassent la gueule à Vicarios. Celui-ci,
qui se dissimulait sous le nom de Schneider, n'avait d'ailleurs
pas su se faire aimer : il en faisait trop, et l'on devinait vaguement que c'était pour se dédouaner, la base a du flair, comme
dit Chalais. Brunet était déconcerté par son attitude : en un
mot, « Schneider » refusait les secours de la transcendance.
Lui qui, comme Nizan, avait quitté le Parti au moment du
pacte germano-soviétique, répond tristement à Brunet, trop sûr
que la patrie des travailleurs va voler à l'aide du prolétariat
européen : tu vis d'espoir. Et quand Brunet, trouvant que le
travail n'avance pas, traite ses compagnons de salauds, Schneider explose : « C'est toi le salaud ! C'est facile d'être fort quand
on a un parti derrière soi ! » Lui qui se retrouve nu et traître,
il s'acharne à être au même niveau que ceux qu'on appelle
fort bien dans l'armée « les hommes », veut partager avec
eux le pain de la honte, d'un effort trop sensible. Il retourne
l'accusation contre Brunet : vous êtes tous d'accord, Staline,
Pétain, Hitler, pour empoisonner tous ces pauvres types, vous
les rendez « doublement coupables : d'avoir fait la guerre et
de l'avoir perdue », « vous leur avez tous foutu la mort dans
l'âme »... Quelle plus belle expression pour désigner la culpabilité ?

Plus tard donc, tout s'explique, et Vicarios raconte son drame à son drôle d'ami : « Du jour où je vous ai quittés, je n'ai fait que me survivre... Vous avez installé en moi un tribunal d'inquisition : le Grand Inquisiteur, c'était moi, j'ai tout le temps été votre complice et vous saviez que vous pouviez compter sur moi. Par moment, j'étais fou : je ne savais plus qui parlait, de vous ou de moi-même... Vous m'avez appris à penser en traître, à vivre en traître, j'ai fait toutes les expériences de la honte et de la peur... »

Il se trouva contraint à un choix forcément perdant : haïr le Parti, et la haine l'aurait conduit au fascisme : « c'est ce qu'il fallait démontrer » — ou se prendre en horreur lui-même et aller au suicide. Vicarios essaie de s'adresser à ses anciens camarades de l'extérieur, en écrivant dans les journaux bourgeois qui l'accueillent à bras ouverts, et c'est comme si communistes et réactionnaires s'entendaient sur son dos : « Vous conspiriez avec eux pour m'offrir une image de moi-même qui me répugnait et me fascinait, j'avais le vertige, j'allais tomber... » Perte de l'image, du moi, vertige : séquence connue. Vicarios n'est pas Judas, évidemment, il est traître au sens de Gorz : déchiré entre deux systèmes d'identification qui se contredisent, l'excluent, l'anéantissent.

Il ne reste pour Brunet et Vicarios qu'une possibilité : fuir. Dans cette tentative, Vicarios sera abattu, et meurt affreusement, convaincu qu'il a été donné par le Parti aux Allemands : « C'est le Parti qui me fait crever » — ce n'était pas vrai, les chapitres suivants devaient révéler que c'était un sale coup de Moulu, mais pour lui cela ne change rien.

Quelle fut donc la faute de Vicarios ? Il a douté, il s'est retiré du Parti, et surtout il l'a fait savoir. Cela équivaut à un crime, c'est comme s'il l'avait effectivement commis : peu importe que Vicarios ne soit pas matériellement un traître, répondra Chalais, le fait est qu'il est passé à l'extérieur, et s'il s'est donné pour rien au diable, c'est simplement un imbécile en plus d'un salaud Il y va de la cohésion du collectif : l'institution, voulant persévérer dans son être, se méfie plus que tout du libre examen, c'est pourquoi l'Eglise demande le sacrifice de notre orgueil intellectuel [1]. Ce n'est pas tout : ce grand organisme a besoin de se purger de la culpabilité qui s'amasse en lui. Il faut des procès et des exclusions, il faut des Vicarios, des Nizan, des London. En l'occurrence, on voit même que c'est le meilleur militant qui prend la faute sur lui, et assume le destin tragique du coupable : c'était véritablement le plus dévoué, et le plus voué au calvaire.

1. Point développé dans *Saint Genet*.

Il est bien normal que Sartre nous en ait fait un portrait émouvant, pas seulement par souvenir de Nizan, mais aussi bien presque tous ses héros, de Roquentin à Flaubert, sont des exclus. Lui-même, n'étant pas entré, s'identifie par avance au personnage : n'était-il pas, à l'époque, un « chacal à stylographe » ? Le drame est que l'homme moderne est un exclu, un ange luciférien déchu du « paradis de l'amour », et la réintégration proposée par le Parti n'offre pas que des avantages.

Fort critique et même hostile à l'égard du Parti avant 1950, Sartre y verra plus tard un mal nécessaire, un moindre mal, puis un bien relatif. Mais il ne changera pas d'avis sur sa nature, son fonctionnement, sa structure : sous les oscillations de l'homme, réagissant avec sa sensibilité aux événements, la constance du penseur est remarquable. D'où d'ailleurs la critique de Merleau-Ponty[1] : si le Parti est bien tel que Sartre le décrit, on ne peut que s'opposer à lui, « si Sartre a raison, Sartre a tort ». Pour Merleau-Ponty comme pour les trotkystes, le Parti aurait dû être autrement, pour Sartre il ne pouvait être que ce qu'il était. Encore une fois, il n'a pas pris en considération l'idée d'une spécificité prolétarienne, et l'apologie des *Communistes et la Paix* reprend sur plusieurs points essentiels la pensée politique du *Contrat social*.

Premièrement, il y a chez Sartre l'équivalent de « l'état de nature » de Rousseau : le prolétariat n'est qu'une poussière d'individus, agglomérée aux points de production par le capital, c'est une pure pluralité, les relations dominantes étant de rivalité et de concurrence. En quelque sorte, la guerre de tous contre tous. La violence subie du fait du capital se répercute à l'intérieur de cette classe encore purement virtuelle. Le second temps est donc celui d'une aliénation à soi-même constitutive : la classe lie contrat avec le Parti qui n'est rien d'autre qu'elle-même en tant qu'elle se voit, se représente. L'image de la classe la constitue. Ou encore, le Parti est *l'acte* par lequel la classe est la classe, à partir de rien, ou presque : le désordre empirique, moléculaire. Le pouvoir est donc foncièrement innocent : il est pour ainsi dire l'être-là de l'universel. Lequel — la classe — se divise ensuite en autant de militants qu'il y avait d'individus. Le prolétaire ne compte pas plus que l'homme naturel chez Rousseau. Ce qui compte, ce qui seul a valeur juridique, et sacrée, c'est cette existence abstraite qu'il a reçue de la partition du concept. Il est donc un *effet* de cet acte de signification, au sens actif, qui par rapport à lui est en l'Autre tout en

1. *Les Aventures de la Dialectique.*

étant lui-même, sa vérité. C'est seulement à cette condition qu'il est *sujet*.

Le Parti est donc l'opérateur de l'identification. Comme disait Trotsky, « il personnifie la classe ouvrière », à tel point qu'il peut l'identifier à une personne, et qu'en tout cas le modèle du corps est prévalent : on peut le voir chez Lénine, le Parti a une tête et un corps « fait pour obéir ». Pour édifier, dit Sartre, ne faut-il pas l'unité d'une personne ou du moins d'une entreprise ? Lénine a bien vanté le modèle organisationnel de l'usine, parfaitement rationnel et qu'il faut simplement placer en bonnes mains. Bref, le Parti ne comporte aucune innovation quant à la structure du collectif.

Sartre ajoute d'ailleurs qu'il y a une difficulté intrinsèque dans l'identification du prolétaire à lui-même, qui rend d'autant plus indispensable la médiation du Parti. Le prolétariat est à ses yeux pure passivité : « comment la passivité imaginerait-elle l'activité ? » Il faudra donc que celle-ci vienne tout entière de l'Autre, ce qui ne changera guère la situation. Sartre dit aussi que le prolétariat est pénétré et infiltré par la bourgeoisie. Cette analyse est nécessairement commandée par l'opposition conceptuelle de l'autre et du même, et il est possible de discerner certaines références au schème primordial qui la constitue : la différence des sexes. On peut les trouver aussi bien chez Lénine, qui explique que le Parti doit pénétrer le prolétariat, lui inculquer la science, le féconder. Le prolétariat est d'abord matière exploitée. Le prolétaire est un être ambigu : homme, certes, mais séparé de sa puissance, femme en tant qu'il est être-pour-l'Autre, relatif à l'absolu du capital. Les prolétaires en ont et n'en ont pas : ils ont des forces matérielles, un potentiel de combat, une mission historique, mais sont privés des moyens de production (littéralement châtrés, dit Marx dans les *Manuscrits de 44*, et livrés à la prostitution pour le plus grand déshonneur du capitaliste), et aussi des capacités intellectuelles nécessaires à la lutte révolutionnaire. Les intellectuels étant symétriquement dépourvus, il s'agit en somme de former le couple de l'aveugle et du paralytique. C'est pourquoi il y a, me semble-t-il, dans ce qu'écrit Sartre sur ce problème politique, une résonance du drame de l'identification tel qu'il se déroule d'abord. « Etre bourgeois, ce n'est pas difficile : il suffit de bien viser l'utérus natal, ensuite on se laisse porter. Rien de moins facile, au contraire, que *d'être prolétaire* : on ne s'affirme que par une action ingrate et pénible, en dépassant la fatigue, la faim, en mourant pour renaître. » Notons en passant que Sartre fait ici bon marché des difficultés infantiles rencontrées par le chef. Soulignons l'allusion à la

conversion, qui hier le faisait ricaner comme un truc de curé :
à Brunet qui lui disait qu'il avait donné sa vie au Parti,
Mathieu répondait : pour qu'il te la rende après l'avoir consacrée, air connu [1]. Maintenant, il écrit tout uniment : « Il s'agit
d'accéder à une vie neuve en se dépouillant de sa personnalité
présente » [2]. Nous avons vu là l'imminence de la terreur,
l'homme naturel n'étant naturellement pas mort.

Rousseau avait très bien vu que le problème du collectif se
résumait à celui de la collectivisation du narcissisme. Il faut
que chacun se définisse exclusivement comme partie du tout,
d'absolu devienne relatif, de numérique fractionnaire. Or,
« l'amour de soi » est à ses yeux la passion fondamentale, la
plus naturelle : par conséquent la difficulté essentielle du
politique. Les formations collectives la résolvent en se faisant
l'image même du chef, son corps — comme la communauté
chrétienne est celui du Christ, ou comme la foule chinoise
forme sur la place Rouge l'effigie de Mao. Cela implique notamment certains processus de digestion et d'excrétion. Dans tous
les cas, il se passe que le chef s'institue à la place de la cause
première, l'amour comme force créatrice et liante, si bien
que l'on est fondé à s'aimer comme son produit, son fils, c'est-à-
dire sans prendre sur cet amour qui est de droit celui qu'il se
porte à lui-même, sans en dérober une part, ce qui est la définition du péché selon Malebranche : car l'amour est à Dieu et on
doit le lui retourner. Ainsi les poèmes de la grande époque
célèbrent Staline comme le soleil reflété par des millions de
cœurs qui fait pousser les plantes, nourrit le monde, qui d'ailleurs a fait naître l'homme. Sartre assurément n'est jamais
allé jusque-là, et on doit lui en savoir gré : contestable dans la
mesure où il était rationnellement argumenté, son quasi-rallie-
ment ne fut pas comme celui de tant d'autres intellectuels une
déshonorante régression.

Mais il faut poser la question : un collectif comme le Parti
est-il pensable à partir de la série et du groupe ? Le schéma
serait à peu près le suivant : un groupe, le bureau politique,
accaparant la réflexion, la souveraineté, la présence à soi,
manipulerait la masse sérialisée. Toutefois, il faut noter que le

---

1. Et dans *Saint Genet* : « ils retrouveront à titre de membres de la
communauté religieuse beaucoup plus que ce qu'ils perdent en tant
qu'individus ; en troquant leur individualité contingente, obscure et
subjective contre une personnalité objective et sacrée, ils ne peuvent
que gagner au change ».
2. De la même manière, il est frappant que dans cet article Sartre
raisonne comme Brunet dans *la Mort dans l'Ame* : « le Politburo
peut se tromper..., quoi qu'il fasse il ne sacrifiera pas le travailleur à
la nation russe ». Sartre converti en Brunet rencontra son Vicarios en
la personne de Claude Lefort, mais ne sut pas le reconnaître.

bureau politique n'est pas véritablement un groupe, il est sérialisé par l'existence *d'un* dirigeant suprême, avec lequel chacun cherche à avoir une relation privilégiée, à moins de vouloir se substituer à lui, d'où une atmosphère opaque de méfiance et de manœuvres dont la « fraternité-terreur » révolutionnaire ne saurait être que l'alibi [1]. La masse des militants, d'autre part, n'est pas strictement sérielle, elle comporte un certain nombre de groupes, formels et même informels, tissés par des relations latérales qui, il est vrai, restent suspendues au sommet de la pyramide. Il existe parmi les militants une réelle fraternité, mêlée bien sûr d'une culpabilité qui rend facile l'acceptation du rituel. Mais enfin il reste que le militant s'est engagé pour donner un sens à sa souffrance, la transformer en espoir, et se reconnaît ainsi en l'autre.

Sartre a négligé le désir social, avec ses deux faces d'appétit et d'angoisse. Pourtant, il le signale au passage dans la *Critique de la Raison dialectique* en des termes percutants : le hit-parade, dit-il par exemple, est une « exigence », « le coupable » qui n'y a pas satisfait peut « réparer sa faute » en achetant le disque classé premier. Bref, « l'opinion des autres l'écrase », mais pourquoi ? Pourquoi l'individu se prête-t-il si bien à faire comme les autres afin d'être le même qu'eux ? Sartre répond que l'action du groupe publicitaire détermine en lui le « projet imprécis de s'unir aux Autres en aimant du plus profond de sa spontanéité ce qu'ils ont aimé le plus spontanément » : en cela il est vraiment à deux doigts de reconnaître la part de l'amour et de la culpabilité dans le phénomène social. Mais cela supposerait qu'il admette, en-deçà des relations entre les praxis définissant des structures, l'opacité de la libido et de l'affect.

Donc, le Parti organise la classe de la même manière que l'Etat selon Rousseau organise la nation [2]. Il gère la lutte des classes, et l'on sait par ailleurs qu'il n'y a pas de meilleure méthode pour fondre une nation que de la faire combattre contre une autre. Précisément, la rivalité explique la ressemblance : face à la bourgeoisie, il faut bien que le prolétariat se donne lui aussi des structures efficaces, dit Sartre après Lénine. Les gauchistes ont attaqué le léninisme sur ce point : par exemple, ils critiquaient la participation aux élections non parce qu'ils ne voulaient pas se « salir les mains », chipotaient en moralistes sur les moyens, mais parce qu'elle entraîne le prolétariat dans une logique bourgeoise de la délégation et de

1. Merleau-Ponty a donné une explication inadéquate des procès de Moscou dans *Humanisme et Terreur*, confondant avec la tragédie révolutionnaire les purges indispensables au fonctionnement bureaucratique.
2. La pensée de Rousseau est « idéologique » dans la mesure où elle porte sur le politique pur, séparé de l'économique.

la représentation [1]. Le Parti se constitue en contre-Etat destiné
à devenir un Etat tout positif et nullement dépérissant. L'essentiel est toutefois que le Parti est radicalement autre, parce
qu'il dispose de ce qui fait cruellement défaut à la bourgeoisie,
le Père et la Loi.

Alors, Merleau-Ponty a reproché à Sartre d'approuver un
Parti tel qu'il le voyait, l'interprétait, le reconstruisait. Certes,
il vient s'inscrire à une place bien déterminée dans la philosophie sartrienne, celle de l'Autre. Pour Sartre, écrit Merleau-
Ponty, on ne peut pas juger le Parti, parce qu'il est l'instance
suprême, le *nom* suprême pour ainsi dire. Comme Robespierre
refusant de signer l'appel à l'insurrection. (« Au nom de qui ? »),
Sartre n'a pas voulu penser qu'il pouvait représenter en face
du Parti une légitimité prolétarienne, ni que quiconque pouvait
le faire : à ses yeux il s'agissait d'une chimère de l'ultra-gauche.

On peut donc relever chez Sartre trois positions vis-à-vis de
l'Autre en tant qu'il se propose d'être l'expression de la vérité
de mon être, ma révélation à moi-même, comme le héros historique de Hegel apprend aux masses ce qu'elles désiraient dans
leur intériorité, pour elles indéterminé. La première est la simple
négation : l'inconscient n'existe pas, je n'ai pas de surmoi,
je sais ce que je veux, je n'ai besoin de personne pour voir clair
en moi-même. La seconde, c'est que l'Autre existe, mais qu'il
faut s'affirmer contre lui et refuser ses offres trompeuses. Par
exemple, le parricide et la culpabilité, c'est une institution des
dieux, c'est une invention de Jupiter. On tue le père et puis
on implore son pardon, on reconnaît son suprême pouvoir,
tout rentre dans l'ordre. Dieu est l'Excuse d'exister, sinon
l'existence est défaut et faute. En effet, Dieu ne demande qu'une
chose, c'est qu'on lui *renvoie* la faute, avec accusé de réception,
qu'on lui dédie comme un sacrifice sa culpabilité, c'est comme
cela qu'on le fait exister. Alors, prendre sa faute sur son dos,
la garder comme son bien le plus précieux, c'est s'attirer des
ennuis mais c'est lui jouer un très mauvais tour.

Et puis il y a la troisième position qui ne se situe plus
dans le registre du psychique ni du religieux, mais de l'historique. C'est là que Sartre capitule, se rendant à ces plénipoten-
tiaires du discours que sont Hegel et Marx. Dans *L'Idiot de la
Famille*, Sartre écrit que le jeune Flaubert a appris à penser
contre son tempérament, en admettant le rationalisme analy-

1. Les réponses de Lénine à l'argumentation de Rosa Luxemburg et
de Bordiga témoignent d'une incompréhension qui frise la mauvaise
foi (*La Maladie infantile du communisme*). Il est vrai que ce sera à
peu près le point de vue de Hoederer.

tique du père, bien qu'il niât son expérience subjective : il en vient à « mesurer la crédibilité de la théorie étrangère à l'intensité du déplaisir qu'elle lui cause ». Sartre emploie à peu près la même phrase à son propre sujet dans *Les Mots*, et certainement il fait là allusion à son difficile apprentissage marxiste[1]. Il a cédé au marxisme pour se voir comme autre à travers lui et non sans déplaisir, comme intellectuel bourgeois, etc.

Mais aussi l'idée d'une culpabilité *historique* présente des avantages. Par exemple, Sartre ramène l'immense sentiment de culpabilité qui ravage les cerveaux bourgeois de l'époque de Flaubert au massacre des ouvriers en juin 1848. Ils ne forgent l'idée d'une culpabilité originelle de l'homme que pour masquer ce forfait bien réel du proche passé. On voit l'intérêt d'une telle position, mais il est clair qu'elle n'est vraie que partiellement. En tout cas, Sartre lui-même a sans doute éprouvé un certain bonheur à ramener ses grandes thèses ontologiques universalisantes à des événements historiques particuliers. Simplement, ce qu'on peut lui objecter, c'est que l'historicité même, au-delà des événements dans lesquels elle se monnaye, est la culpabilité. Mais lui y a trouvé la chance de se sauver par l'avenir, de récupérer sa naissance, d'échapper au hideux pouvoir de la mort qui le tirait en arrière en le maudissant.

Merleau-Ponty rappelait que l'histoire ne doit pas être représentée comme une idole barbouillée de sang, qu'elle doit être pensée comme ce que nous faisons, et comme le terrain même sur lequel l'aliénation doit être combattue et disparaître. Mais c'est aussi du fait de cette présence de l'histoire en nous que nous ne nous appartenons pas. Quelles qu'aient été les intentions de Marx, le fait est que le Parti a constitué une formidable société en fonction d'une Histoire bel et bien pensée comme transcendance, suscitant comme il se doit l'adoration, l'enthousiasme, ou le blasphème et le désespoir. Le Parti, c'est la figure de notre culpabilité historique, le tribunal sans appel qui s'est institué de lui-même après le déicide, sans qu'il y ait eu tellement besoin pour cela de Marx et de Hegel — les hommes de 93 en appelaient à grands cris à la postérité. Nous sommes déjà transis, déjà objets, déjà morts « sous le regard éternel et médusant de l'histoire »[2]. Comment en finir, Monsieur Artaud, avec le jugement de Dieu ?

Ce point de vue de l'Histoire, Sartre en a dépeint les effets tout au long de son roman. En tant que sujet, s'il n'y a plus

1. Qu'il raconte dans *Question de Méthode*.
2. *La Mort dans l'Ame*.

de Grand Sujet à qui en référer, je suis l'universel ou plutôt sa proie, comme Mathieu qui devant Gomez se reproche d'avoir décidé la non-intervention en Espagne et de ne pas avoir envoyé d'armes aux volontaires : « il était Français sous ce regard, coupable et Français. » Précisément parce que l'histoire est *ce que nous faisons*, elle nous échappe et nous juge. La notion de tribunal de l'histoire est au reste ambiguë : « Je n'aurais pas le droit de comparaître devant l'Histoire d'Allemagne », hurle Hitler...

Sartre disait que Gœtz remplace finalement l'absolu, c'est-à-dire le divin, par l'histoire : fort bien, mais dès lors l'histoire devient l'absolu. Et il dira quelques années plus tard que Franz la substitue à Dieu — au Dieu des protestants vis-à-vis duquel il n'y a pas d'intercession. Version bouffonne dans *Nekrassov* : « On dira : Demidoff le traître buvait de la vodka française chez Mme Bounoumi, j'ai honte devant les siècles futurs »... Nous sommes soumis à l'obligation historique, de même qu'on n'échappe pas à la liberté. On ne peut trouver de refuge dans la certitude freudienne qu'il n'y a pas d'inquiétude à avoir parce que de toute façon tout ira toujours mal, et reconnaître l'ampleur des illusions ne dégage pas de l'emprise du devoir.

Notre époque a mauvaise conscience devant l'histoire, écrit Sartre à la fin de *Saint Genêt*. « Ces hommes masqués qui nous succéderont et qui auront sur tout des lumières que nous ne pouvons pas même entrevoir, nous sentons qu'ils nous jugent. » Nos juges, les voilà : ni les Anciens déconsidérés, ni même nos contemporains, nos pairs, mais les crabes de l'avenir. L'Histoire, c'est ce « on » anonyme, pôle de notre honte quand il n'y a plus personne en titre pour en assurer la gestion, afin que nous continuions d'être vus, dénudés, transpercés par la hantise d'un Regard.

Sartre compare Genet et Boukharine : deux exclus, deux coupables, mystérieusement consacrés dans la mesure où l'Autre exerce sur eux sa sanction, et où ils se réclament des principes qui les condamnent. Preuve par le néant de la subjectivité : Boukharine a jugé en tant que sujet, il est jugé comme tel : il s'est décroché de l'objectivité qui s'incarne dans le sujet Staline, il est purement négatif, apparence disparaissante, comme le *ceci* sensible dont parle Hegel. L'histoire le réfute : il ne coïncide pas avec l'Etre, avec le Destin matériel, et cet écart en même temps le constitue et l'annule. L'histoire est la tragédie, l'opéra de la culpabilité — pour quel public ?

Il n'est pas impossible qu'à la faveur de circonstances diffi-

1. *Un théâtre de situations.*
2. *Ibid.*

ciles à prévoir le mouvement révolutionnaire définisse un jour, au-delà de l'économie traditionnelle du pouvoir et de la culpabilité, une synthèse de l'organisation et de la liberté. En tout cas, Sartre a frayé la voie à une démarche qui, selon le mot de Spinoza, ne consiste plus à incriminer ou à gémir, mais à essayer de comprendre. Cependant, même si, comme l'a dit Freud, la voix de l'intellect finit toujours par se faire entendre, il y faut un autre unisson.

TROISIÈME PARTIE

L'IMMANENCE

I

LA FAUTE

Pour être, il faut que l'homme échappe à l'être, l'omnitude divine l'oblige à s'affirmer en se niant. La création est illusoire, puisque la créature, dans la mesure même où elle est, appartient à l'être créateur, et non à soi, de telle sorte qu'elle se fond en lui. Problème purement métaphysique, théologique, mythologique ? Ce n'est pas si sûr, voyez ce que Marx nous dit du capital, qui a la mystérieuse faculté de se reproduire lui-même : la plus-value, ce qui est créé, ne se pose pas en existence indépendante, elle se résorbe aussitôt dans la « valeur-mère », dont elle n'a jamais été qu'une « pousse ».

La substance, comme cause immanente, ce n'est pas seulement Dieu, ou son substitut le capital, c'est d'abord la famille, comme Sartre l'a développé à propos de Flaubert. Relisons le début des *Mots*. Sartre remonte à ses origines : l'Alsace, 1850, un jeune protestant voué au sacerdoce, qui lui préférera une écuyère et finira professeur d'allemand, c'est le grand-père Charles. Il reconstitue une généalogie presque exclusivement maternelle, la rencontre avec la lignée Sartre apparaissant comme un accident plutôt fâcheux. Croisement presque imperceptible de toute façon, les quelques gouttes de sperme paternel ont été absorbées par la substance Schweitzer. L'exogamie a été réduite au strict nécessaire, comme chez les abeilles le bourdon s'est discrètement effacé après avoir rendu le service qu'on attendait de lui. Dans la ruche Schweitzer, le grand-père est un être ambigu, incarnant la toute-puissance d'une substance maternelle.

Le petit Jean-Paul en éprouve une grande difficulté à se définir. D'ordinaire, le sujet se constitue en intériorisant le signe paternel présent dans son environnement, propriété qui lui revient par voie de droit, il en fait le principe de sa propre substance, qui n'est jamais qu'emprunt et en ce sens aliénation. On a vu que cette voie est barrée pour le jeune Sartre. Enlisé dans un milieu féminin et maternel, il ne parvient pas à se projeter dans la forme du moi qui, comme on sait, comporte toujours la notation du sexe. Flaubert pour qui le moi est introuvable et qui lui substitue la parodie du Garçon, Mlle Franconay qui imite dérisoirement Maurice Chevalier, tournent en dérision leur être viril ou féminin, c'est là là faire le clown, et c'est aussi exister puisque l'existence est désaveu de l'être naturel.

« C'est une vraie petite fille », dit-on de Lucien, cette parole venant de l'Autre le constitue, il se sent tout doux « en dedans », d'une douceur écœurante, il est une « petite poupée pour grandes personnes » et tout cela aboutira à l'épisode homosexuel de l'adolescence, avant que le statut social l'aide à conforter sa virilité faiblarde. Quant à Poulou, c'est un petit garçon gardé dans le gynécée avec la complicité équivoque du *pater familias* [1]. Il a un rapport littéralement spéculaire avec la petite voisine (« elle était ma jeune féminité »), un ange qui devait vite retourner au ciel, comme sa propre féminité devra bien lui être arrachée — et restera en lui comme *imaginaire*.

« Mon grand-père s'agaçait de ma longue chevelure : c'est un garçon, disait-il à ma mère, tu vas en faire une fille ; je ne veux pas que mon petit-fils devienne une poule mouillée ! » Mais n'est-ce pas le désir de la mère ? Sartre le suppose : « le Ciel ne l'ayant pas exaucée, elle s'arrangea : j'aurais le sexe des anges, indéterminé mais féminin sur les bords. Tendre, elle m'apprit la tendresse, ma solitude fit le reste et m'écarta des jeux violents. » Le sexe des anges convient à un enfant du miracle, venu au monde dans des conditions spéciales, qui est hors la loi de la génération. Malheureusement, ce domaine ne tolère pas l'indéfini [2]. Or, l'intervention virilisante tentée par le grand-père avec l'aide du coiffeur échoue : la fillette devient crapaud. « Ma mère s'enferma dans sa chambre pour pleurer : on avait troqué sa fillette contre un garçonnet. Il y avait pis : tant qu'elles voltigeaient autour de mes oreilles, mes belles anglaises lui avaient permis de refuser l'évidence de ma laideur. » Catastrophe, donc : le petit garçon ne peut assumer son sexe qu'avec la laideur dans le lot, il cesse de répondre au

---

1. Sartre confiait récemment à Simone de Beauvoir : « Dans mon enfance, j'ai été surtout entouré de femmes... et j'ai toujours pensé qu'il y avait en moi une sorte de femme ». *Situations*, X.
2. « ... j'étais l'indéfini en chair et en os ».

désir de sa mère, et le patriarche lui-même n'est pas fier.

Le personnage d'Ivich atteste la sensibilité de Sartre au drame de la femme avec son être. La sexualité fournit le modèle originaire de la différence, c'est pourquoi on retrouve en filigrane les théories primitives quand il est question beaucoup plus tard de l'opposition des classes, si bien que par un mouvement régressif on pourrait hasarder une paraphrase qui ne trahirait vraisemblablement pas la pensée de Sartre : être homme, ce n'est pas difficile — le phallus est un privilège de nanti —, il suffit de bien viser le trou, rien de moins facile au contraire que d'être femme, parce qu'elle a à être passive, *à se faire objet*. De fait, l'identification est sans doute plus ardue à une femme qu'à un homme, sauf dans le cas d'un homme qui s'identifie à une femme, évidemment. Dans l'obstination enfantine à ne pas admettre la séparation, la répartition des rôles, la féminité est recherchée sur le double mode coalescent de l'identification et de la possession. La dialectique subjective ne laisse pas d'en être enrichie, le même et l'autre, avant d'être devenus de simples catégories logiques, s'y livrent à leur jeu de furet.

Ce sera plus tard un motif de honte. Mathieu découvrira soudain qu'il désire Ivich, « honteusement, à travers le désir d'un autre », c'est-à-dire par la médiation d'un tiers qui perturbe la douce relation originaire mais apporte aussi la vérité. La honte résulte donc pour Mathieu de l'identification au mâle désirant, trahison de son identification à Ivich elle-même qui se révèle rétrospectivement comme une imposture. Le désir sexuel, par l'Autre, fait intrusion dans cet univers où il était soigneusement nié. Du coup, Ivich est objet pour lui aussi, ce qu'il ne peut pas plus supporter que d'être sujet « ayant à faire son métier d'homme ». Il se voit enfin tel qu'il est, tel qu'il ne voulait pas se voir, la désirant bassement. Il doit s'avouer toute la mauvaise foi qu'il avait mise à signer le pacte hystérique.

« Sous ces regards, je me sentai devenir un objet, une fleur en pot » — c'est ce qui le conduira à vouloir manquer, c'est-à-dire à s'affirmer comme sujet. Etre objet semble bien la plus grande terreur de Sartre, coïncidant avec celle de la mort. Ce qu'il y a de plus douloureux pour Garcin dans le fait d'être mort, c'est d'avoir laissé sa vie entre les mains des vivants, d'être tombé dans le domaine public. Pour bien dire, il est entre les mains du Diable, qui n'est absent qu'en apparence de cet enfer, il s'y manifeste par ses effets, comme loi de l'Autre, de l'extériorité, de la série. Aussi bien, le Diable, c'est la Science, le déterminisme. Et entre Dieu et le Diable, à la vérité, il n'y a guère moyen de distinguer. Du reste, Sartre a refusé d'être *déjà pensé*, cette facilité du chrétien (« Vous avez pensé à moi de toute éternité »), d'avoir reçu du Tout-Puissant une essence brevetée et la place idoine. Pareillement il a refusé la psychanalyse, puisque selon lui elle subordonne la conscience à la chose et au déterminisme : accepter que grouillent derrière elle des « complexes » qui sont des êtres objectifs, cette démission est un premier pas vers le fascisme, Lucien n'aura qu'à remplacer l'Œdipe par le terroir de Barrès pour y être.

Cependant, quand Sartre nous prie de croire que Genet a la passivité en horreur, force est de penser que cette horreur n'est pas sans équivoque. Baudelaire et Flaubert ne regrettent-ils pas l'état du nourrisson, que de fortes et belles mains pétrissent, lavent, nourrissent, habillent ? Gœtz s'exclame avec complaisance : « Je fais trembler l'Allemagne et me voici sur le dos comme un nourrisson aux mains d'une nourrice. » Ceci compense cela. Cas-limite dans *Le Sursis* : l'infirmière est debout, experte, inconnue, tandis que le paralytique subit dans la honte son statut de pur objet, devenu réellement une poupée pour grandes personnes. « Mme Louise le retourna comme un paquet. » C'est vraiment ici l'être-objet absolu, mais un éclair de plaisir dans cet abîme de honte est le signe du fantasme. « Je suis une chose », se répète ce malheureux, et la représentation de son sort exorcise peut-être la tentation, dans la mesure du bonheur qu'il y a tout de même à pouvoir dire : je ne suis pas une chose.

Mais Flaubert n'a pas besoin de l'alibi de l'impotence : il profitera de son voyage en Egypte pour se faire lascivement masser au hammam, quoiqu'il ne négligera pas non plus les possibilités qu'offre la maladie de redevenir un « nourrisson désarmé » entre les mains d'un adulte attentionné. Par un surcroît de régression, ce qu'il cherche en l'occurrence c'est même un nouvel enfantement, où la diligence de l'Autre l'assurerait qu'il est désiré et ainsi lui donnerait cette valeur dont il se sent en manque — la légitimité viendrait avec le plaisir, avec le plat-bassin que l'ami Laporte est chargé d'apporter.

L'idéal serait de parvenir à requérir Dieu, et Flaubert ne manque pas de gémir après l'Etre suprême comme après la mère toute-puissante qui vient de quitter la chambre. Tomber en pâmoison et jouir de Dieu, dont la force chaleureuse pénétrerait et irradierait son pauvre corps engourdi, tel est le rêve de Gustave. La passivité est un pari dans l'accomplissement aussi, dans « la brusque fulguration qui nous comblera *d'être*, qui fera de notre conscience le fourreau de Dieu. Genet est la dévôte pâmée qui réclame d'être percée par l'épée divine ».

Et cette finitude par laquelle nous ne sommes pas Dieu et pouvons lui arracher notre autonomie, le meilleur usage qu'on puisse en faire c'est de la vouer à sa visitation : « l'être créé, par son total néant, se fait l'hôte d'une puissance infinie qui tout à la fois daigne se contenir dans cette étroite lacune, la sanctifie, la valorise, la déborde, supprime ses limites et la résorbe en soi-même »[1]. Le plus sûr moyen pour le pour-soi d'être Dieu, comme il le désire, c'est d'y croire, de telle sorte qu'en lui-même ce sera Dieu qui s'atteindra et réalisera la fusion extatique du sujet et de l'objet. Dans cette mesure, la subjectivité s'identifie aisément à la féminité, la théologie se mêle de porno, l'âme, tourment de la matière, manque déterminé, « défaut de l'être », est en proie à cet infini désir qui résulte d'une castration fondamentale, comme « le désir insatiable de Mazza est l'absence en son sexe du sexe d'Ernest »[2].

« Les jeunes filles désirent faire l'objet de l'amour paternel », écrit Sartre tout uniment dans L'Idiot de la Famille sans y voir de scandale ontologique. Mais pour l'homme en tout cas, cette objectivation ne va pas sans honte, elle est régression et défaite. Flaubert sera finalement étendu à terre par le Prussien, défaite qui pour le petit Sartre est intervenue avant sa naissance, il appartient à une génération qui a été marquée par cet événement, comme de Gaulle et Arsène Lupin. C'est pourquoi, dans le cas de Genet, Sartre s'attache à démontrer qu'il est devenu pédéraste parce qu'il était d'abord voleur, voleur qui fut pris sur le fait et par-derrière : telle fut la scène primitive, en elle-même non sexuelle, mais « passivante ». Vu, jugé, condamné, violé. « Une étreinte de fer l'a rendu femme » : Genet est disculpé du même coup, c'est-à-dire que son propre désir est hors de cause. En la circonstance, on pourrait critiquer la thèse de Sartre en utilisant ses propres arguments : c'est le choix qu'on a fait de soi-même qui donne sens à l'événement.

Il y a bien quelque part une tendance à la passivité, qui est vécue comme « chute toujours imminente et provisoirement différée »[3], ce qui fait la fascination de l'abîme. On ressent « l'appel du pire » comme le jeune Frédéric entendait « l'appel du maître », venant de cette réalité étrangère qui est l'Autre et l'Inertie, qui contient votre vérité de « matière inerte ». Retour du pour-soi à l'en-soi. Régression à l'état de nourrison, pétri par de fortes mains qui tâchent de le constituer en

1. Saint Genet.
2. L'Idiot de la Famille.
3. L'Idiot de la Famille.

homme futur. Etre la chose de l'Autre, « s'abandonner à sa poigne », dit Sartre, ce qui évoque la masturbation du paralytique par l'infirmière dans *Le Sursis* : « Il sentit la caresse des doigts experts. C'était le moment qu'il préférait. Une chose. Une pauvre petite chose abandonnée. »

La mère (l'Autre) est partie, s'est dépassée vers d'autres fins, laissant là sa tâche et le pitoyable nourrisson. Le fantasme devient : être une chose *abandonnée*. Ainsi Flaubert se montre ignoble, se vautre dans l'abjection pour que ses amis dégoûtés se désolidarisent de lui, le laissent choir, odieusement *de trop* dans le monde. Etre une charogne. Il ne cessera d'appartenir aux autres qui, écœurés, le toucheront avec des pincettes, le disséqueront. Il a peur, dit Sartre qui du coup se trouve en cause, d'être encore *vu* après sa disparition — des inconnus viendront pour analyser son caractère, interpréter son échec. Dans l'au-delà, il s'est déjà assuré une jouissance atroce, pour ses jours posthumes. La charogne, à vrai dire, c'est un peu du raffinement. En fait, pour Flaubert, la position idéale c'est la triomphale inertie du gisant, synthèse de l'état primitif et d'une mort glorieusement réifiante. Cesser d'exister pour être, devenir par exemple cadavre de mots. Tel est le sens du suicide, qui n'est pas forcément un acte bref : constituer sa vie en totalité, en essence, en mélodie — mais on ne peut se la chanter à soi-même que si l'on s'identifie aux autres, en devenant dans son fantasme « sa propre notice nécrologique ». Dans un mort ou dans une œuvre, dit Sartre, on entre comme dans un moulin.

L'Etre et le Néant témoigne de cette ambiguïté, posant que la passivité est impensable, mais définissant finalement l'homme comme passion, inutile de surcroît. L'homme, que veut-il essentiellement, sinon *se produire*, c'est-à-dire à la fois se créer et s'exhiber ? C'est en tout le cas le sens de l'entreprise esthétique et en particulier le propos de Genet : « *se* chier pour figurer comme un excrément sur la table des justes. »

La hantise chez Sartre est aussi désir, ne veut-il pas se transformer en une œuvre publique, ouverte à tous ? Il veut devenir objet, exactement : livre. Il sera mort, inerte, passif, dans son cercueil de cuir, toujours prêt à être possédé... « Je vais voir, se dit l'honnête homme, ce que ce gaillard a dans le ventre. » Mais lui qui croyait prendre est soudain pris, selon un mécanisme inspiré de la relation sexuelle où la femme, pas si passive, châtre le mâle présomptueux. Le livre est objet piégé, il est passivité feinte pour exercer tout au contraire une activité de foudre. « On me prend, on m'ouvre, on m'étale sur la table, on me lisse du plat de la main et parfois on me fait craquer. Je me laisse faire et puis tout à coup je fulgure, j'éblouis, je m'impose à distance, mes pouvoirs traversent le temps [1] » — le livre, objet piégé, conserve le pouvoir foudroyant de la signification, les attributs magiques de l'Esprit et de la Mort.

Le désir chez Sartre pourrait se résumer à un problème de *livraison*. La femme se livre mais l'homme aussi aimerait se livrer à elle. D'autre part, les œuvres sont livrées, et l'auteur se livre en même temps qu'il se fait livre, se donnant ainsi la pesanteur et l'objectivité, et se fournissant aux autres. Puisque je leur livre déjà mon corps par sa visibilité, estime Sartre, je dois essayer aussi de leur *livrer* ma subjectivité [2].

Dans son étude sur *L'Etre et le Néant*, Merleau-Ponty disait non sans arrière-pensée : « On attend de l'auteur une théorie de la passivité » [3]. La *Critique de la Raison dialectique* la donne sans la donner, puisqu'elle fait apparaître la passivité comme résultat et comme envers de l'activité. Aussi bien, dans *Saint Genet* par exemple, l'activité apparaît comme une passivité qui se nie — et l'on peut dire que Sartre, comme Freud, a fait de ce retournement un symptôme irréductible de l'homme. Ainsi nous appliquons-nous à vouloir notre infortune pour ne la tenir que de nous-mêmes.

Le refus de la passivité, de l'inertie, de ce qui en soi-même ne saurait trouver la raison de son apparition, la théorie politique des *Communistes et la Paix* l'illustre encore, on l'a vu, subordonnant la praxis à un acte pur, et très classiquement la matière à l'esprit ou à la forme, l'objet au sujet. Merleau-Ponty a choisi cette occasion pour exprimer un désaccord qui est d'abord philosophique. De fait, il n'accepte aucun des dualismes sur lesquels la pensée de Sartre s'arqueboute. Pour lui, on l'a vu, le réel et l'imaginaire appartiennent à la même chair du monde, dans l'épaisseur de laquelle nous sommes pris, et le regard n'est pas épreuve catastrophique, mais d'abord accouplement.

Merleau-Ponty s'interroge sur le sommeil, y voyant une pierre d'achoppement pour la philosophie de la conscience. *Qui dort ?* Ce n'est pas le sujet du *cogito* : il se réveillerait aussitôt, dormir est irréductible à un « je pense que je dors ». Merleau-Ponty fait du sommeil une « modalité du cheminement perceptif » [4]. Certes, il y a bien une intentionalité, je veux m'endormir, je

1. *Les Mots.*
2. Cf. « Auto-portrait à soixante-dix ans », dans *Situations, X.*
3. *Sens et Non-Sens.*
4. *Résumé de cours.*

me désintéresse du monde, comme dit Bergson, mais l'intention
doit recevoir d'ailleurs sa confirmation. L'endormissement est
comme un acte sans sujet, lequel est pris de court : « mes yeux
se fermaient si vite que je n'avais pas le temps de me dire :
je m'endors »... La preuve en est l'insomnie, quand je veille
sans le vouloir, ne parviens pas à me désintéresser sans savoir
ce qui m'intéresse, ce qui me tient en éveil, et à l'écart de
mon statut habituel de sujet projetant des fins, éclatant de
possibilités.

De fait, Sartre se méfie du sommeil, comme Ivich qui se
bourre de café pour ne pas lui succomber. Daniel méprise cette
femme devant lui en qui rien ne ressemble à cette « fuite
éperdue devant soi » qui est le prestige du sujet : au lieu de
cela il voit en elle la « pâte épaisse du sommeil ». Si Mathieu
refuse l'engagement que lui propose Brunet, c'est qu'il le
trouve « tentant comme le sommeil ». Tentation à combattre.
Franz force sur le doping, considérant que s'endormir est une
faute grave : c'est abandonner le poste de la conscience. Il
est vrai qu'il avoue une autre raison de sa vigilance : il ne veut
pas que Johanna couche avec Werner pendant qu'il dort, comme
Inès il veut être ce tiers qui regarde — sans voir, peu importe.

Il s'agit de ne pas se laisser aller, car la pente naturelle nous
ramènerait trop vite d'où nous venons. Ce que Sartre récuse,
c'est la nature, et en cela il assume toute une tradition occi-
dentale et se trouve très proche d'un auteur comme Lévi-Strauss,
avec lequel son opposition paraît par ailleurs radicale. Lévi-
Strauss[1], tout en montrant que la nature n'est qu'une idée
variable de la culture, qu'il n'y a pas plus un état de nature
originaire sans règles ni frontières que de langue primitive,
ne nie pas pour autant *l'existence* de la nature, qui persiste
comme la chose en soi dans l'idéalisme, absolu devenu limite.
Elle demeure comme ce à quoi la culture s'est arrachée et où
elle risque de retomber, ce qui suscite l'horreur[2]. Pourtant,
elle est aussi la vie, l'affect, la sensibilité, bref, ce qui est irrécupérable pour un intellect qui se définit, aussi bien chez cet
anthropologue positiviste que chez Hegel, comme le négatif, la
mort.

Etre objet, cela peut encore vouloir dire : être fétiche.
Cela se comprend très bien : comme sujet, je suis manque,
mais je n'échappe pas pour autant à la substance, en tant que
manque je la complète, elle qui m'a créé, je suis une annexe
de l'être absolu. Si Sartre ne fait pas comme Merleau-Ponty

1. Cf Jean Pouillon, *Fétiches sans Fétichisme*.
2. Horreur qui peut être projetée : « La nature a horreur de l'homme »,
pense Oreste.

une philosophie de la chair ou de la nature, c'est qu'il a bien trop la pénible impression d'y être englouti. — L'homme, le petit homme, n'est et ne peut être qu'un morceau de la chair maternelle : « C'est *toute la mère* qui se projette dans la chair de sa chair. » Peut-on s'étonner qu'il s'écrie : « je n'ai que l'âme ! » — ce qui veut dire : je n'ai point de corps ? Dans un régime aussi archaïque, il ne saurait y avoir d'*habeas corpus*. Il est caractérisé au contraire par un échange absolu, qui peut se formuler ainsi : la mère se donne le fils [1]. D'autre part, le fils n'a rien d'autre à donner que soi, tout entier, si bien qu'il n'a décidément aucune chance de s'appartenir. « En un mot, je me donne, je me donne toujours et partout, je donne tout », écrit Sartre dans *Les Mots*, et sa vocation d'écrivain ne fera que confirmer cette attitude originelle : « Je découvris que le Donateur, dans les Belles-Lettres peut se transformer en son propre Don, c'est-à-dire en objet pur. » Et Sartre se voit par-delà la mort existant sous la forme du Livre : « Je suis un grand fétiche maniable et terrible. »

Le donateur est le don *parce qu'il n'a que ce qu'il est*, et que ce qu'il est même ne lui appartient pas. Tout cela remonte aux origines : il y a eu d'abord l'être-donné dans la passivité totale, suivant lequel il était un « don du Ciel ». Il n'échappe pas à ce statut primitif, toute son activité se cantonnera à *se* donner, à se transmettre. Il est, dit-il, un « bien culturel », circulant donc selon les règles de l'échange. Et plus tard il sera livre comme Arthur Cravan était cigare. La théorie de l'intentionalité insistera sur cette impossibilité pour le sujet d'être une chose, sur l'ajournement indéfini de la réalisation de ce désir ambigu. Mais être une chose — comme être n'importe qui — c'est ce qui est réalisé au départ. Aujourd'hui, Sartre explique qu'un livre est une manière de se livrer ; une livre de chair en quelque sorte, qui suppose un échange, celui de la santé contre la gloire, de la vie contre la mort glorieuse [2]. Car de toute façon il faut payer, et payer *de soi* faute d'autre monnaie. Sartre dit toujours qu'il « se donne tout entier », — mon œuvre c'est moi, aussi vrai que moi c'est mon œuvre.

Petit-fils, « polichinelle » aux yeux de la grand-mère, de petite taille de surcroît, toutes ces formules indiquent nettement le statut de cet enfant. Il ajoute : « ma mère aimait que je fusse, à huit ans, resté portatif et d'un maniement aisé : mon format réduit passait à ses yeux pour un premier âge prolongé. » Fétiche, don se donnant, plutôt *se rendant* — lui qui

1. Cf. *L'Idiot de la Famille.*
2. Cf. *Situations, X.*

à part cela veut tant nier sa dette, ne se tenir que de soi —, disons-le en un mot : il est le phallus, ce qui lui en rendra difficile l'acquisition. Ne pas être gratuit, c'est répondre au désir de la mère, le combler. De sa mère, le petit Sartre est le possesseur illégitime, il a obtenu une étrange dérogation. Mais la possession de la mère est incompatible avec celle du phallus, injustifiable dans la mesure où prévaut l'identification ou l'alliance maternelle. De trop, en trop, ce petit morceau de chair, que dans l'épisode du *Sursis* déjà cité l'infirmière ramasse, mou et passif, abandonné. En effet sa possession est illégitime, ne peut devenir propriété garantie par la loi, n'étant pas confirmée par l'épreuve symbolique, d'autant que la castration, par une série de précautions intempestives, est infligée par la mère autant qu'elle lui est demandée.

Le phallus, on peut le réduire à ce qu'il est, un petit organe, une « pauvre petite chose », comme on peut valoriser son pouvoir de se lever vers le monde, ainsi que Merleau-Ponty dit du corps. Il comporte cette opposition de la facticité et de la transcendeance qui est la clé de formules ambiguës telles que « l'amour c'est beaucoup plus que l'amour » ou « je suis trop grand pour moi ». Le phallus, c'est beaucoup plus que le pénis. Mais, dit Sartre à propos de Genet, l'érection est un fait brut, on peut la vivre diversement : « gonflement d'une chambre à air inerte ou dégainement de l'épée, rien n'est décidé d'avance. » Epée, faux, couteau, pour le coq de village, limace ou crampon pour l'homosexuel.

Si l'homme est injustifiable, c'est en grande partie parce qu'il est porteur injustifiable du phallus : « le salaud, il m'a fait ça », se dit Marcelle enceinte — du moins c'est ce que pense Mathieu —, « il s'est oublié en moi comme un gosse qui fait dans ses draps ». Une double culpabilité pèse sur le malheureux organe : premièrement, il constitue la différence du fils par rapport à la mère, et cela est déjà une faute en soi ; ensuite, il est l'instrument, l'arme du père, dont on sait qu'il n'a jamais le beau rôle, ce salaud. Et Mathieu remâche son ignominie : « Ce qu'elle doit me détester, ce qu'elle doit avoir envie de me châtrer. » On comprend que cet instrument odieux soit souvent figuré par une innocente moustache : celle du père sur le portrait, du père Fleurier, du père de Hugo entre autres [1]. La moustache est trait discriminatoire ; le phallus vient aussi soutenir l'identification, mais sous quelle forme :

---

1. « Il me faut, du moins la nuit, produire l'effet d'un être féminin, et naturellement une moustache eût mis à cette fiction un obstacle quasi insurmontable », note avec son bon sens coutumier le président Schreber dans ses mémoires, après avoir expliqué que les miracles divins empêchent la pousse de son poil.

« L'antisémitisme de Lucien pointait hors de lui comme une lame d'acier, menaçant d'autres poitrines. » Lui aussi n'a fait que retourner sa passivité, son homosexualité, et s'est doté d'un phallus agressif, sadique, d'un phallus de chef, de salaud.

La dimension du fétiche va très loin : on peut mettre en perspective sur elle une bonne part des thèmes sartriens, pour autant qu'ils font appel au défaut, au manque, à l'imperfection, à la pièce manquante. Ontologie fétichiste, en un sens : d'une part, l'esprit est néant, et scandale dans les choses, mais aussi merveilleux supplément, parce que les choses dans leur existence nue sont insupportables ; le néant est l'appendice inespéré de l'être. L'horreur et le fétiche, voilà sur quoi Genet travaille avec prédilection. Il fabrique des objets chatoyants, mystifiants, qui d'une part nous dévoilent l'horreur du monde, d'autre part nous font glisser dans la royale absence de l'imaginaire. L'horreur est « immédiatement irréalisée par la volonté de l'assumer et de la communiquer à tous par une exhibition scandaleuse », et cette horreur diligente, ajoute Sartre, sait se choisir ses accessoires...

Le fétiche nous jette dans l'imaginaire pour peu que nous entretenions le fantasme de la déesse-mère [1]. Sartre en vient à considérer comme fétichiste la valorisation même de l'imaginaire, puisqu'elle suppose la disqualification obstinée du réel. C'est une nouvelle raison de discréditer le désir qui se prête trop volontiers à ce jeu, qui d'ailleurs se fétichise lui-même, s'enfle, se gonfle artificiellement, s'érige tout comme la nausée transcendantale, lui qui n'est que manque. Cet orgueilleux néant en se dilatant vise à engloutir la totalité de l'être comme rien, ayant son impuissance à honneur en quelque sorte. Au reste, ce désir de l'infini, propre au pour-soi semblait-il, a son origine dans une *envie* dont Sartre démonte le mécanisme à propos de Flaubert mais qui n'en ressemble pas moins de très près à la classique « envie du pénis ». De toute façon, le fétichisme ayant pour définition de substituer quelque chose à rien, on ne s'étonnera pas que son procès puisse mettre en cause la subjectivité, « ventouse de vide qui aspire la réalité ». Une remarque de Boris sur Mathieu dans *L'Age de Raison* indique aussi bien la fétichisation de la liberté : « Sa liberté ne se voit pas, elle est en dedans. » — Franz veut la grandeur, Johanna son équivalent féminin, la beauté. Ces deux orgueilleux ne rencontrent que le vide et sont renvoyés à l'horreur de la castration. Johanna est une jolie femme, mais pas la *star*

1. « A l'origine, il y a le fantasme de la virilité maternelle... le désir de se faire prendre par une femme virilisée, déesse mère qui le soumettrait à la rigidité de son phallus imaginaire ». *L'Idiot de la Famille.*

inaccessible comme les créatures de cinéma. Le regard humain, certes, a la faculté de voir ce qui n'existe pas, et précisément c'est le regard de l'Autre qui reconnaît à la femme une beauté qu'elle ne peut surprendre elle-même sur son visage. Par exemple c'est l'engouement du public pour l'actrice, mais que ce caprice cesse, ne reste que le néant. « Mon pauvre ami, toutes les femmes sont laides », dit Elena à Kean, parce que leur beauté est le signe de leur relativité, la marque de leur aliénation ; elles n'en disposent que pour autant qu'elles sont des reflets reflétés. Du reste, le montreur d'ombres, l'homme de l'imaginaire, quel que soit son génie, est logé à la même enseigne.

Sartre doit combattre sur ce front, refuser cette facilité de l'illusion, car pour lui le fétiche est une activité déchue en vestige, une retombée dans la choséité, un cas du pratico-inerte. Il faut maintenir la théorie du néant qui n'est pas, du *rien en tant que rien*, qui toutefois peut apparaître comme une forme de fétichisme radical.

Ce serait peu de dire que Sartre fut un enfant incestueux. Son enfance paraît caractérisée par deux incestes : celui de sa mère avec le grand-père double le sien. C'est un peu comme s'il était le fils de son grand-père, tout en ne l'étant pas, heureusement, on l'a vu. La position de sa mère est si imprécise dans la constellation familiale qu'il n'est pas étonnant qu'il l'appelle Anne-Marie, elle est à la fois sa mère et sa sœur, de même qu'elle est pour ainsi dire fille-mère — la famille lui fait doucement ressentir sa faute d'avoir choisi un mari qui « fit si peu d'usage » — et mère-fille d'un père qui la tient serrée. Elle est elle-même en situation illégitime, si bien qu'on peut dire que Sartre qui n'a pas eu de père n'a pas eu non plus de mère par conséquence. Il retrouve ce statut insolite en Caroline Flaubert, qui est selon lui « plus que mère fille incestueuse », la « sœur cachée de ses fils », ainsi qu'une « femme-enfant ».

Toutefois, si le grand-père sur sa lancée continue à exercer son autorité sur celle qui est restée sa fille, l'homme à qui il l'avait remise s'étant montré indigne de confiance, il n'y en a pas moins défaillance de l'interdit, parce que la mère et le petit-fils, Anne-Marie et Poulou, ce sont tout simplement deux enfants du père Chronos qui ne distingue guère entre les générations. Du père lui-même, au sujet de son fils, on ne se souvient que d'une formule : « Mon fils n'entrera pas dans la Marine », ce qui marque bien à quel point l'interdit était méconnaissable et asthénique.

Voilà pourquoi Sartre est comme un agnostique de la loi. Dans *L'Etre et le Néant*, il explique par exemple que la possibilité est comme le droit d'être ce que je suis, mais « ce droit même me sépare de ce que j'ai le droit d'être », ainsi « le droit de propriété n'apparaît que lorsqu'on me conteste ma propriété, lorsque déjà, en fait, par quelque côté, elle n'est plus à moi. La jouissance tranquille de ce que je possède est un pur et simple fait, non un droit ». On se souvient de la phrase des *Mots* : « Ma mère était à moi, personne ne m'en contestait la tranquille possession. » Dans *L'Etre et le Néant* encore, Sartre explique que la société ne fait que *légitimer* le rapport d'appropriation qui, à la base, a ce sens : avoir pour être. Sur quoi il parle des sociétés où le lien conjugal n'est pas encore légitimé, où la transmission des qualités est *encore* matronymique. Le lien sexuel existe comme une sorte de concubinage, antérieur à la législation. Mais nous avons vu ce qu'il faut penser de ce paradis du fait avant la loi : pure et simple fiction. Il y a en vérité une loi encore plus archaïque et impérieuse : tu ne t'appartiens pas, tu es absolument à l'Autre — loi qui oblige à l'absolu don de soi. Au reste, même dans cette relation absolue qu'est l'inceste, le Tiers est toujours témoin d'une manière ou d'une autre — ce que *L'Etre et le Néant* dit aussi bien que *Les Mots*. En outre, la transmission du nom signifie bien qu'il existe un ordre. Sartre, toujours dans *L'Etre et le Néant*, écrit que l'amour qu'on me porte fait de moi celui dont la fonction est de faire exister le monde, *tout de même que* la mère, dans les sociétés matronymiques, « reçoit les titres et le nom, non pour les garder, mais pour les transmettre immédiatement à ses enfants ». C'est bien ainsi qu'Anne-Marie Schweitzer a reçu le nom de Sartre. Quant au rôle de Poulou, on ne cesse d'en parler.

Sartre, à propos de Baudelaire, explique qu'il a connu la déchéance et la honte du moment même qu'il a été précipité par le remariage de sa mère hors de la relation incestueuse, il a découvert tout ensemble le malheur et la faute. Auparavant, il se pensait comme fils de droit divin. Et toute sa vie sera tendue par l'effort de reconstituer cette relation, d'annuler le drame qui lui a fait perdre ses anciennes justifications. Il se voue par conséquent à l'impossible : satisfaire sa mère. Tant qu'il n'y est pas parvenu, sa vie est en proie à l'affreuse gratuité, mais il continue à rêver qu'un jour... Alors il aurait fait son salut, « sa grande conscience vague serait entérinée ». Toute sa vie Baudelaire jouera à l'inceste, donnant par exemple à sa mère des rendez-vous adultères dans les musées.

Dans *Les Mots*, Sartre nous décrit également des situations qui réalisent symboliquement l'inceste, par exemple la lecture du matin : « je n'avais d'yeux que pour Anne-Marie, je n'avais d'oreilles que pour sa voix troublée par la servitude. » Tous les deux habitent le « doux monde servile de l'enfance », abandonnés seulement en apparence, le Maître les guette du coin de l'œil. Notons-le, ce philosophe de la liberté a connu un doux esclavage. Par rapport au patriarche, mais aussi à sa mère dont il s'imagine le maître parce qu'il dépend étroitement d'elle, et qui évidemment ne tiendra pas tellement par la suite à le voir affirmer sa liberté. Cet esclavage passe dans le registre du fantasme et se retrouve plus tard marqué par le clivage de l'image maternelle : Oreste revenant à Argos trouve « sa mère dans le lit du meurtrier et sa sœur en esclavage ».

Le livre consacre l'inceste : « je n'arrivais pas à croire qu'on eût composé tout un livre pour y faire figurer cet épisode de notre vie profane, qui sentait le savon et l'eau de Cologne. » Vie profane au demeurant bien proche de l'imaginaire : « Tout le temps qu'elle parlait, nous étions seuls et clandestins, loin des hommes, des dieux et des prêtres, deux biches au bois, avec ces autres biches, les fées. » La réalité est celle de la faute : ce couple est hors-la-loi, constitue l'exception dans un monde ordonné. « Dans mes rares minutes de dissipation, ma mère me chuchotait à l'oreille : Prends garde ! Nous ne sommes pas chez nous ! » — ce qui était le rappeler à sa dépossession mais aussi insister sur leur commune culpabilité. « Tu n'es pas chez toi, intrus ! » lancera plus tard Jupiter à Oreste.

Contre la loi, contre le père, contre l'homme. « Dès que deux personnes s'aiment, elles s'aiment contre Dieu », dit Sartre, de même qu'il soutient que la femme aime son enfant contre son mari. Absolu contre absolu. C'est pourquoi le Tiers est mortel puisqu'il introduit la relativité. « Poulou » est l'objet par où Anne-Marie échappe à son père — loin que le père soit le lieu par où elle échappe à son fils. Donc, on aime contre la loi, l'amour est délicieuse et impardonnable faute.

Sartre est rejeté du côté maternel et féminin, le désir de l'homme est irrecevable dans ce système. « Ce désir, je l'avais ressenti à travers Anne-Marie, à travers elle, j'appris à flairer le mâle, à le craindre, à le détester. » Un jour, un gommeux cherche à entrer en relations avec la belle par l'intermédiaire du petit garçon, « nous ne fûmes plus, Anne-Marie et moi, qu'une seule jeune fille effarouchée qui bondit en arrière ». Bref, Sartre s'identifie à sa mère qui veut se protéger du désir de l'homme : naturellement, il trouve son compte à un tel régime. Peut-être que l'intrusion soudaine de l'Autre, plus tard, dans la philosophie, constituera un écho de cet incident exemplaire. Relation fusionnelle, identificatoire, l'enfant devient femme, la femme enfant, l'enfant est trop sérieux pour son âge, la mère un peu puérile : ils forment un être indistinct avec des caractéristiques mixtes [1]. « Aujourd'hui encore, je ne puis voir sans plaisir un enfant trop sérieux parler gravement, tendrement à sa mère enfant ; j'aime ces douces amitiés sauvages qui naissent loin des hommes et contre eux. Je regarde longuement ces couples puérils et puis je me rappelle que je suis un homme et je détourne la tête. » Avec un peu de honte, bien sûr : il a trahi, il est passé de l'autre côté.

Autre réalisation symbolique de l'inceste, le délire à deux, une manière de jouer la relation (« nous prîmes l'habitude de nous raconter les menus incidents de notre vie en style épique, nous parlions de nous à la troisième personne du pluriel », etc.), qui se reconstituera avec Simone de Beauvoir [2], et qui caractérisera bien des couples de l'œuvre. Et puis surtout Sartre parle de la chambre des enfants : la sienne et celle de sa mère. De Caroline Flaubert, il dit d'ailleurs que sa relation essentielle avec ses enfants est la cohabitation, sous la responsabilité éminente du *pater familias*. La chambre devient l'univers de l'inceste décrit Cocteau dans *Les Enfants Terribles*. Dans la nouvelle que Sartre a précisément intitulée *La Chambre*, la situation incestueuse est sous-jacente, le père se scandalise que sa fille fasse encore l'amour avec un mari devenu fou, redevenu un enfant. Il la considère comme veuve, elle devrait retourner chez ses parents, les rapports louches qu'elle entretient avec ce malade représentent une transgression, se situent en dehors de l'humain.

Naturellement, en rapport avec l'inceste, avec cette alliance de la mère et du fils privilégié, il y a le thème héroïque, fondé sur la synthèse de l'illégalité et de la légitimité. Le héros est destiné à tuer le père et aussi à hériter des rois de France, comme Napoléon, ou comme Arsène Lupin, tout au moins il fera parler de lui comme Pardaillan, Gœtz ou encore Genet. Le cas de Sartre est légèrement spécifique puisque le père est *déjà mort*. Toujours est-il que d'entrée il est un être *hors série*.

Parvenu trop vite, important trop tôt, sans l'être vraiment, cet enfant déplacé ne saura plus où il est. Enfant public, dépendant dans son être comme le comédien de la galerie, il est

1. Cf. ce qui a été dit plus haut de *l'être-deux*.
2. Cf. *La Force de l'Âge*. « Notre couple possédait une double identité. D'ordinaire nous étions M. et Mme Organatique, des fonctionnaires pas riches, sans ambition et satisfaits de peu... Parfois nous étions des milliardaires américains, M. et Mme Morgan Hattick ».

appelé à des rôles contradictoires : faux adulte, faux mâle et
faux enfant. Il est criblé d'injonctions paradoxales, telles que
le conseil de sincérité alors que son cabotinage est sa justification et qu'on lui demande de trahir sa vérité intérieure et
jusqu'à ses émotions — il n'est en droit de ressentir que ce
qui est réputé valable par l'Autre. Faire l'intéressant est la
condition de sa légitimité et c'est ce qu'on lui reproche. On
détermine un enfant à vivre au-dessus de son âge, au-dessus
de ses moyens, et ensuite on raille son imposture, on le renvoie
sans ménagements à sa place — mais c'est qu'il n'en a pas !
« Je faisais ma moue la plus adorable, celle dont j'étais le
plus sûr et on me disait d'une voix vraie : Va jouer plus loin,
petit, nous causons. » Cet enfant dont on s'occupe trop, dont
on fait un point de mire, qui est la chance de tout le monde,
en tout cas de ce couple baroque : le grand-père et sa fille —
on le range en même temps dans une sorte de classe ou de
race inférieure, dans la sous-humanité et l'apparence. Les enfants
sont sans pouvoir, dira plus tard Sartre, les puissants sont les
adultes. Au collège de Rouen, en 1830, la classe de quatrième
a ridiculisé les autorités — le temps d'un groupe en fusion.
Et puis de toute façon, on l'a vu, le XXᵉ siècle, c'est un peu
les enfants au pouvoir... Dans cette perspective donc, la révolution paraît bloquée.

Mais le nœud de cet inceste, c'est que sa mère est aussi sa
sœur, qu'elle se divise : femme-enfant, femme et enfant. Aussi
la relation sexuelle sera-t-elle conçue comme une relation de
ressemblance, intenable dans *Les Mains Sales* (« on ne s'aime
pas, on se ressemble trop », dit à peu près Jessica), qui dans
Les Mouches semble un instant mieux réussir. La charmante
Electre évoquait ainsi son frère lointain : « celui que j'attends
avec sa grande épée. » Arrive un enfant perdu à son image.
Il est vrai qu'il n'en a pas moins le goût de l'épée, statut
honorable du phallus selon l'amour courtois : on la met au
service de la femme pour la défendre et la protéger. Mais on
comprend que le petit Sartre ait dû se retenir de cracher sur
la gravure qui montrait Horace « casqué, l'épée nue, courant
après la pauvre Camille ».

Le grand-père fredonnait parfois : *On ne peut pas êt' plus
proch'parents, Que frère et sœur assurément...* Ce qui troublait
le petit garçon : « Si l'on m'eût donné, par chance, une sœur,
m'eût-elle été plus proche qu'Anne-Marie ? Que Karlémami ?
Alors c'eût été mon amante. Amante n'était encore qu'un mot
ténébreux que je rencontrais souvent dans les tragédies de Corneille. Des amants s'embrassent et se promettent de dormir
dans le même lit (étrange coutume : pourquoi pas dans des lits

jumeaux comme nous faisions ma mère et moi ?). » Où l'on peut voir que l'inceste est le sens latent d'une autre nouvelle du *Mur, Intimité*, qui tourne autour de l'impuissance du malheureux Riri : « nous nous tiendrions par la main et nous coucherions dans des lits jumeaux et nous parlerions jusqu'au matin »...

Revenons aux *Mots* : « Je ne savais rien de plus mais sous la surface lumineuse de l'idée, je pressentais une masse velue » (le désastre obscur de la scène primitive ?). « Frère, en tout cas, j'eusse été incestueux. J'y rêvais. Dérivation ? Camouflage de sentiments interdits ? C'est bien possible. J'avais une sœur aînée, ma mère, et je souhaitais une sœur cadette. Aujourd'hui encore — 1963 — c'est le seul lien de parenté qui m'émeuve. J'ai commis la grave erreur de chercher souvent parmi les femmes cette sœur qui n'avait pas eu lieu : débouté, condamné aux dépens. » Il n'y a décidément pas de justice. Au surplus, ce dédoublement ne va pas sans difficultés nouvelles, parce qu'alors on se retrouve à trois, et qu'on peut se demander si l'enfer ce n'est pas cette structure tierce. Il y a le Tiers qui fige l'amour, Dieu, ou n'importe qui, le premier venu, bref, l'universel, le père absent et représenté qui hante la relation incestueuse, le mâle interchangeable qui y fourre son sale regard — mais aussi bien la sœur aînée et la sœur cadette risquent de ne pas faire bon ménage : pour Garcin, c'est cela aussi l'enfer, d'avoir deux femmes sur le dos, et Franz connaît la même épreuve. Au demeurant, la mère quant à la femme, c'est-à-dire quant à sa propre représentation, constitue une interdiction et une protection : ainsi grâce à la sienne, Flaubert échappe à sa maîtresse dont il craint les tendances possessives, à vrai dire symétriques.

N'oublions pas que la petite sœur, c'est cette « sorte de femme » qui est en lui et qui réapparaît dans le réel, qui est lui-même avec en plus la légitimité, car elle a été désirée comme telle, elle. A propos de la petite Caroline Flaubert, Sartre va jusqu'à soutenir qu'elle échappe à la malédiction ontologique du sujet, « il n'y a chez elle ni vide à combler ni abandon à compenser », elle est née de l'abondance et non de la pénurie. Elle est à la bonne place, celle que Gustave a tenté d'usurper. Gustave, pour elle, ne cesse de se prodiguer, de se donner, comme s'il lui appartenait de la faire exister et de la combler d'être. Cette générosité illusoire consiste donc à *se donner en spectacle*, c'est-à-dire à se faire imaginaire pour celle qui est une image de lui-même à ses yeux. En même temps qu'il s'identifie à elle il joue pour elle le rôle du père, dans un monde féodal reconstitué. Cas unique, exclusif à vrai dire, de réciprocité *dans l'imaginaire*, qui en l'occurrence ne dévore par la communication vivante, la permet au contraire[1]. Tandis qu'il n'y a aucune réciprocité véritable entre Kean et son public. Pour en rester à Kean, ce coureur de femmes cynique, motivé en fait par son rapport aux hommes et au pouvoir, fait soudain exception pour la « petite sœur » qui obtient le mariage[2].

L'inceste sera illustré tout au long de l'œuvre par une rêverie : celle des deux orphelins — consommant la négation du père-tiers. Sartre n'aurait-il pas souhaité que le grand-père suive l'exemple du père, très attendu son décès ? « Je te regarde et je vois que nous sommes deux orphelins », dit Electre à Oreste. Boris, jeté par un cahot contre Ivich, se remémore le temps où « ils s'amusaient à se croire deux orphelins perdus dans la capitale, et souvent ils se serraient comme ça, l'un contre l'autre, sur une banquette du Dôme ou de la Coupole »[3]. Ce qu'on est seuls, nous avons l'air de deux orphelins, dit la putain respectueuse au Noir pourchassé. Et dans *Intimité* : « Si on pouvait rester comme ça toujours, purs et tristes comme deux orphelins — mais ce n'est pas possible. » Pas possible, mais il y a bien le projet de ruser avec la loi. Dans le grand roman de Sartre, le couple de Boris et d'Ivich représente la perfection au même titre que *Some time of the days* dans *La Nausée*. Ils sont intimidants parce que beaux. Perfection impitoyable de l'absolu qui confirme au malheureux Mathieu sa déchéance d'être contingent et parasitaire : « Ivich et Boris dansaient, aussi purs qu'un air de musique, à peine moins impitoyables... Ils se penchaient l'un vers l'autre avec une austérité pleine de grâce et il avait l'impression de les regarder par le trou de la serrure. » Au reste, le lien que Mathieu rêve d'établir avec Ivich est à l'image de celui qu'elle a avec son frère, c'est-à-dire comportant l'interdiction ou en tout cas la dénégation du désir sexuel. Frère et sœur, c'est bien la proximité absolue. — Il est vrai que la famille du jeune Sartre qu'on ne peut guère appeler que la famille Schweitzer est déjà on ne peut plus compacte, le vocable « Karlémami » symbolisant ce haut degré d'intégration. Dans cet être plein on ne saurait

1. Simone de Beauvoir dans *La Force de l'Age* : « ... Quand il lui contait des histoires et lui inventait des chansons, il se souciait moins de la charmer que de se distraire de soi... Il lui répugnait d'infliger à une étrangère la compagnie de ce minable névrosé auquel il s'identifiait, il lui substituait pour quelques heures un brillant baladin, les homards surpris le quittaient... Ces liens qu'il créait entre eux, il n'envisageait pas qu'aucun acte, aucun geste les incarnât jamais, puisque Olga était sacrée ; c'est seulement d'une manière négative que leur caractère privilégié pouvait se manifester : Sartre en exigea l'exclusivité, personne ne devait compter pour Olga autant que lui ».
2. « Viens là, petite sœur. Tiens, tu es encore plus folle et romanesque que moi ».
3. *La Mort dans l'Ame.*

glisser une feuille de papier à cigarette, mais la proximité totale comporte également l'interdiction, suppose la castration, dans la mesure où elle exclut la différence.

Sartre s'est expliqué dans une note des *Mots* : « Vers dix ans, je me délectais en lisant *les Transatlantiques* : on y montre un petit Américain et sa sœur, fort innocents d'ailleurs. Je m'incarnais dans le garçon et j'aimais, à travers lui, Biddy, la fillette. J'ai longtemps rêvé d'écrire un conte sur deux enfants perdus et discrètement incestueux. On trouverait dans mes écrits des traces de ce fantasme : Oreste et Electre dans *les Mouches*, Boris et Ivich dans *les Chemins de la Liberté*, Franz et Leni dans *les Séquestrés d'Altona*. Ce dernier couple est le seul à passer aux actes. Ce qui me séduisait dans ce lien de famille, c'était moins la tentation amoureuse que l'interdiction de faire l'amour : feu et glace, délices et frustration mêlés, l'inceste me plaisait s'il restait platonique. »

Bref, il s'agit d'un fantasme majeur, souvent abordé, jamais vraiment traité. Après avoir exposé l'éthique rigide de l'engagement, Sartre écrit dans *Qu'est-ce que la Littérature ?* : « Je ne dis pas que nous ayons choisi ces chemins austères, et il en est sûrement parmi nous qui portaient en eux quelque roman d'amour charmant et désolé qui ne verra jamais le jour. » Quel dommage, sous prétexte qu'il faut vivre avec son temps ! D'autant qu'ici Sartre se combat lui-même, il essaie d'oublier ses contemporains d'élection, qui sont ses arrière-petits-neveux. Il donne à son renoncement le sceau de la nécessité : l'époque décide. Mais sans doute commet-elle une erreur de principe en nous obligeant à soumettre à la temporalité de la politique la littérature qui a la sienne propre, le « temps perdu », l'actualité inactuelle qui se noue lors de l'enfance et ne cesse de nous accompagner notre vie durant en silence — c'est pourquoi les livres qui descendent à cette profondeur atteignent du même coup à l'universel et ont toute la vie devant eux.

L'acte interdit a donc lieu dans *Les Séquestrés d'Altona*. Franz aggrave son cas : après la torture, l'inceste. En fait, la première faute paraît essentielle, c'est elle qui voue Franz à sa perte, la seconde est mineure, relative, accessoire. Ne serait-ce pas un trompe-l'œil ? L'histoire, la toute-puissante transcendance des temps modernes, avec tout son poids d'universel, que diriez-vous si elle était utilisée comme faux-fuyant pour éluder un petit drame familial ? Un frère qui couche avec sa sœur : bagatelle à côté des crimes nazis ! Mais imaginez un général, un de ceux par exemple qui étaient à la tête de l'armée française pendant la guerre d'Algérie : il vous dira que la torture n'est qu'un acte de guerre, nécessaire dans certaines circonstances, et réservera sa sévérité à l'inceste. Eh bien, l'inconscient, dont il ne faut pas oublier le caractère archaïque, raisonne un peu comme ce général : il sait bien par état qu'il existe des pulsions sadiques et ne s'en formalise guère, mais l'inceste, c'est quelque chose de sacré, c'est le tabou fondamental. Dans ces conditions, par une sorte de paradoxe, cette accusation d'avoir été un tortionnaire serait brandie pour faire écran au crime le plus grave. Supposez que vous ayez commis une faute extrêmement grave, qui fait de vous, irrémédiablement, un grand coupable : vous ne pouvez plus plaider l'innocence. Alors, la seule solution, c'est de revendiquer votre culpabilité mais pour une faute moins importante. Coupable, soit, c'est l'évidence, mais moins qu'il n'y paraît [1]. Les actes de guerre sont justifiés, tandis que transgresser le fondement de l'ordre humain est inexpiable.

De fait, interviewé quelques années plus tard, Sartre dit tout uniment que si la torture était un problème de l'époque (celle de la guerre d'Algérie), la pièce n'a nullement perdu de son actualité, parce que nous ressemblons à Franz et que sa faute est la nôtre. « Nous aussi nous nous fuyons, en ce sens Franz, cas-limite, fuyard qui se questionne implacablement sur ses responsabilités historiques, devrait nous fasciner et nous faire horreur dans la mesure où nous lui ressemblons. [2] » Les points communs entre Franz et Sartre sont nombreux, de la corydrane aux crabes, mais enfin Sartre n'a jamais fait de mal à une mouche, ou à peine [3]. Alors ? on peut faire l'hypothèse d'un déplacement, d'un renversement. Sartre dit encore dans une interview : « Leni demeure toute fière d'accepter, elle, son inceste, en criant : Moi, j'accepte. Pourquoi n'en fais-tu pas autant ? Elle ne voit pas du tout que ce n'est absolument pas la même chose de revendiquer son inceste dans une famille déjà pas mal détruite, à une époque où la moralité est très assouplie, ou de revendiquer tranquillement le fait d'avoir fait souffrir des hommes jusqu'à la mort. » Sartre a évidemment raison, pour autant qu'on peut avoir raison contre l'inconscient [4].

« Tu es là, je t'étreins, l'espèce couche avec l'espèce — comme

1. Cf. La théorie du « moindre crime » dans *La Névrose de Base* d'E. Bergler.
2. Cf. comme pour toutes les citations qui suivent *Un théâtre de situations*.
3. « Puisqu'on me refuse un destin d'homme, je serai le destin d'une mouche. Je ne me presse pas, je lui laisse le loisir de deviner le géant qui se penche sur elle : j'avance le doigt, elle éclate, je suis joué ! Il ne fallait pas la tuer, bon Dieu ! » *Les Mots*.
4. Il y a eu un événement qui a fait écho à la scène du rabbin et qui la complète : un officier américain a tenté de violer Leni, elle l'a assommé, Franz en a assumé la responsabilité.

elle fait chaque nuit sur cette terre un million de fois. (*Au plafond :*) Mais je tiens à déclarer que jamais Franz, fils aîné des Gerlach, n'a désiré Léni, sa sœur cadette »... Pour lui, la sœur cadette a eu lieu, et l'acte. Il n'en a pas moins affaire au tribunal, et plaide dérisoirement sa cause en déniant son désir. « Il me désire sans m'aimer », dit de son côté Léni, « il crève de honte »... — Autre dénégation : il présente son accouplement comme celui de l'espèce avec l'espèce, alors que c'est tout le contraire, il va contre la loi de l'espèce, il fait ce qui ne se fait *jamais*, pas une fois — du moins en droit.

Léni, Sartre dit que c'est un vampire. Que cherche-t-elle dans cette relation ? C'est clair comme le jour : elle, elle n'a pas honte, au contraire de Franz c'est même pour elle la seule manière d'échapper à l'humiliation dans la jouissance. Car elle aussi, comme Anne-Marie, elle refuse le désir du mâle, et comme Lulu dans *Intimité*, elle peut dire : « Il n'y a que toi qui ne me dégoûte pas, mon chéri. » C'est ce qu'elle dit, d'ailleurs, dans le style germanique : « J'ai besoin que tu existes, toi, l'héritier du nom, le seul dont les caresses me troublent sans m'humilier. » Que la femme rencontre la honte dans la sexualité, cela certes la concerne ; mais il y en a *un* que ça arrange, et qui ne doit pas être trop mécontent qu'il en soit ainsi.

Selon la psychanalyse, tout acte horrible, sacrilège, peut constituer un équivalent de l'inceste. Dans *Les Mouches*, Jupiter pose le problème comme il faut : ce qui est en cause, ce n'est pas un ou deux assassinats, c'est l'ordre du monde comme ordre des générations selon le plan de la Création. Cette pièce comporte un déplacement analogue à celui des *Séquestrés*. « Electre, nous avons décidé ce meurtre ensemble », dit Oreste qui ajoute : « Il me semble que je t'ai fait naître et que je viens de naître avec toi » — car c'est le nœud du fantasme, annuler le géniteur, prendre ses pouvoirs, faire naître sa mère, sa sœur, sa femme.

A travers tout cela, la théorie de la liberté vacille. Sartre indique lui-même qu'il s'est employé à montrer que le crime de Franz était à peu près inévitable — cherchant par là à le disculper autant que faire se peut, il le fait bénéficier de la circonstance très atténuante de son « horrible impuissance ». Il n'y a qu'un « instant de liberté », dit Sartre, « tout concourait à conduire Franz à son acte ». Il y a à cela une raison absolument décisive : c'est que *le crime est déjà commis*, ensuite il ne s'agit plus que de commémoration et de métaphore. Dans un instant, il ne peut pas y avoir de liberté plus que de vérité [1].

1. « La vérité se développe dans le temps. Dans un instant borné, limité à lui-même, il n'y a pas de vérité ». *Situations, X.*

Sartre, pour ne pas faire soudain de la liberté une illusion
contre toute sa philosophie, défend néanmoins cette position,
et emprunte à la psychanalyse le curieux exemple d'un jeune
homme qui « a un complexe d'Œdipe et sent très bien que cela
peut le conduire à des actes de violence contre sa mère. En
même temps il ne s'en va pas et reste avec elle. Des gens
connaissant ses problèmes lui font une proposition : du travail
dans une ville de province. Le moment où il est responsable
est celui où il refuse cette proposition, où il s'engage dans cette
vie à deux qui le mène au meurtre » [1]. Point de père, apparemment, voilà le déterminisme, et les braves gens, avec leur
honnête proposition, ne peuvent se faire écouter, il faudrait une
obligation, le service militaire, l'agrégation et l'envoi à Aurillac.
Inutile d'ailleurs d'insister sur le sens d'un tel meurtre, symbolisant l'acte accompli dans l'exclusion du père tout en le niant.
Mais est-il besoin de le préciser, pareille vie à deux ne mène pas
nécessairement à cette extrémité, même si elle comporte des
impulsions en ce sens [2]. En tout cas, elle suffit à lancer la
dialectique du crime et du châtiment. On notera l'analogie éloquente de cet exemple de choix moral et d'intervention de la
liberté avec celui de *L'Existentialisme est un Humanisme* [3].
La liberté, c'est de s'éloigner de la mère, c'est l'exil par rapport
au lieu maternel, comme pour le camarade Oreste.

Tous ces séquestrés à qui nous ressemblons sont désarmés
devant une « faute absolue , par rapport à un « Dieu qu'ils
n'ont plus ». Quand Franz se prend pour le Témoin du siècle
(être l'enfant du siècle, sinon de Dieu, le fils aîné de l'Histoire),
il « déplace le problème », dit Sartre : mais serait-il le seul ?
Sartre ajoute que son malheur réside dans sa fuite même ;
c'est pourquoi « le père qui aime son fils préférera la mort
à cette fuite et la transformera en suicide ». Franz fuit, comme
Caïn, comme Daniel, comme Genet. Ce sont des coupables,
ils ont commis des fautes qualifiées, sans commune mesure
d'ailleurs. Fuir, se fuir, mentir et se mentir, telle est la condamnation. Mais le pour-soi fuit lui aussi, dans la mauvaise foi
— fuite ontologique qui est suicide, puisque le sujet est cause
de soi comme néant. Le pour-soi, naturellement, n'a pas tué,
n'a pas torturé, n'a pas volé, n'est pas spécialement homosexuel
selon toute apparence, mais il essaie sans cesse d'échapper à

---

1. *Un théâtre de situations*, toujours.
2. Sartre glisse sur le conflit de Flaubert avec sa mère, alors que
Marthe Robert attire l'attention sur cette phrase un peu trop insistante
dans sa correspondance : « Si ma mère meurt, mon plan est fait ».
L'acharnement sur la figure maternelle est d'ailleurs une constante de
son œuvre.
3. Cité dans *Le Mécanisme de la liberté*, III.

son passé et son être qui sont sa négation. Donc, les personnages littéraire *figurent* la faute, et la fuite apparaît comme la conséquence d'une condamnation qui ne correspond pas à l'ordre du fait, de l'événement — à laquelle on veut se soustraire et qu'on subit par là même. Le châtiment réel serait un apaisement, mais qui pourrait l'infliger ? Le père, pardieu, il réapparaît opportunément pour suicider le fils, qui n'a jamais souhaité autre chose, on dirait, qu'il sorte de la tombe pour venir lui régler son compte d'usurpateur. C'est dire l'échec du héros pourtant né selon le mythe.

*
**

Ivich est l'enfant terrible et sacrée qu'on aime parce qu'elle n'est pas vraiment une femme. *Une femme*, c'est Odette, comme par hasard elle est l'épouse du salaud. Gentiment, elle avoue elle-même qu'elle est une bourgeoise, quelqu'un d'assez commun. Elle est aussi une adulte. Elle dort quand elle en a envie, elle mange et boit sans remords, elle accepte la nature, ce qui lui donne la « grâce et la tranquillité d'une bête familière ».

La guerre des hommes menace. Mais Mathieu et Odette sur la plage échappent à l'histoire et même au temps ordinaire, ils se retrouvent dans un autre temps, équivalent de l'éternité, permanent et fondateur « Elle gisait sur le sable au fond d'une chaleur sans date, sans âge... Même chaleur, même caresse humide du maillot, même brûlure du sable sous sa nuque, les autres années... elle ne distinguait plus le passé du présent ». Les années forment bloc selon le *toujours* qui organise la durée. Et Mathieu de son côté regardait « droit devant lui, d'une regard à fendre le cœur, pendant que ses grandes mains s'occupaient sagement à faire un pâté de sable ». C'est bien de son âge.

Mathieu après avoir traversé la mort devait retrouver Odette, vivre avec elle une merveilleuse histoire. Mais Sartre n'a pas écrit la fin du roman.

Le scénario des *Jeux sont faits* raconte une histoire d'amour impossible. Impossibilité plus forte que la mort.

A la porte d'enfers plus sympathiques que celui de *Huis Clos*, Eve et Pierre se rencontrent et s'imaginent avoir été faits l'un pour l'autre : ce n'est que par une malheureuse contingence que cette nécessité ne s'est pas traduite. On leur donne une nouvelle chance qui prouve que la vie a bien été ce qu'elle devait être. Pierre s'apercevra que la femme qu'il croyait faite pour lui était celle de son pire ennemi, celui-là même qu'il devait tuer. Encore une fois, le social habille un autre drame. Il n'y a pas de *pour* qui tienne : c'était une illusion, car les jeux sont faits quoique mal faits. Cet apologue nous enferme dans un monde de la prédestination où il n'y a ni erreur ni errement : si je n'ai pas rencontré cette femme, c'est que je ne devais pas la rencontrer, que ce n'était pas ma vie, et simplement je découvre en elle aux enfers — vérité du monde — la figuration de l'impossible amour. L'enfer ? Mais c'est la vie même. Et le monde *d'avant* alors, qu'est-il donc ?

En enfer, tout a été prévu, et les personnages sont bien assortis malgré les apparences. Mais être attendu, ici, n'a rien de satisfaisant. Faits comme des rats, nus comme des vers, ces morts bien de chez nous n'ont plus qu'à jouer indéfiniment la comédie de la culpabilité pour le plaisir des dieux. Jupiter dans *Les Mouches* se présente comme un amateur raffiné.

Etre mort signifie être prévisible par l'Autre, pas tout à fait objet, mais les décisions prises librement, les conduites improvisées, ne font que confirmer une essence établie à partir de laquelle elles sont calculables. La mort apparaît donc comme quelque chose de déjà arrivé qui commande le « toujours » qui est la vérité profonde de notre temporalisation, simple variation sur le thème. Qu'est-ce qui est déjà fait ? Les jeux. Quand les jeux sont-ils faits ? Au moment de la mort. Donc, la mort est au commencement, qui d'ailleurs porte en soi la fin comme sa vérité.

Ce fatalisme de Sartre perce souvent à vrai dire, avec cette petite formule sèche, les jeux sont faits. Ne serait-ce par contre lui que se serait constituée pour occuper le devant de la scène une philosophie de la liberté ? Que le temps ait été noué une fois pour toutes, c'est ce qu'on ne peut s'empêcher de penser quand on lit, rapportée par Simone de Beauvoir, cette réflexion de la mère de Sartre quand elle s'installa avec lui rue Bonaparte : « C'est mon troisième mariage ! »[1]. Sartre le dit à propos de Merleau-Ponty : tout est joué d'avance, et il faut se faire ! La contingence est le masque de la nécessité que nous ne pouvons jamais contempler face à face. Que le temps soit une illusion, « l'image mobile de l'éternité », ces lignes bouleversantes des *Mots* en apportent une autre présomption : « Anne-Marie me trouvait à mon pupitre, gribouillant, elle disait : Comme il fait sombre ! Mon petit chéri se crève les yeux... Elle riait, m'appelait petit sot, donnait de la lumière, le tour était joué, nous ignorions l'un et l'autre que je venais d'informer l'an trois mille de ma future infirmité. En effet, sur la fin de ma vie, plus aveugle encore que Beethoven ne fût sourd, je confectionnerais à tâtons mon dernier ouvrage... »

---

1. *Tout compte fait.*

Le temps est organisé de telle manière que ma vie est préfigurée, le *temps sacré*, tel qu'il est défini dans *Les Mots*, la dimension de la vocation et du salut, régit la durée profane. Dans *Saint Genet*, Sartre insiste d'entrée sur le caractère *fatal* de l'instant, négation du temps et de la liberté. « Des années sont présentes en un seul instant. » Elles se déplieront à leur rythme, s'échangeant avec indifférence le malheureux coupable, déjà accusé, déjà prisonnier. De toute façon, Genet ne rencontrera personne. Seul dans la réalité désertée, quelquefois il se heurte à des somnambules, il reconnaît en eux des archétypes qu'il a contemplés *autrefois*, le Matelot, le Criminel, le Flic, le Juge. Les autres sont des revenants, des fantômes qui remontent d'un temps et d'un monde oubliés. Nous sommes sans y penser des voyageurs de l'irréel, qui en frôlent d'autres aussi invisibles qu'eux, dissimulés sous les notions, les signalements, les caractères, tout ce qu'on dit.

Chacun rêve d'une temporalité mélodique et non pas amorphe, on souhaite « vivre en musique » comme le petit Sartre, de telle sorte que le présent soit gouverné par un esprit mystérieux et tutélaire, que possédé par le rythme on soit porté comme une image par la flèche du temps. On a le goût du destin. Oreste et Hugo commettent des crimes pour que leur vie soit régie du dehors, mais ces crimes sont des métaphores. Car qu'on le veuille ou non, le temps est circulaire. Flaubert le savait bien qui disait : « J'ai eu un pressentiment complet de ma vie », cette vie, ajoutait-il avec une belle lucidité, ce ne sont pas des faits, c'est une pensée qui l'a dévorée comme une hydre. Quant à Sartre, il est prédestiné, et « rassuré sur la victoire finale », il a reçu une essence qui se déroulera dans le temps comme les prédicats de la monade, il pourra toujours la dénier puisque justement son oubli est une condition de sa réalisation. Entre le moment du programme et celui du bilan, pendant plus d'un demi-siècle, rien n'arrive que la réalisation, c'est-à-dire que les images se font rencontres, événements, histoire, caractère ; ainsi tout commence et finit par des images.

Le fatalisme, indique Sartre[1], c'est le contraire du déterminisme, puisque selon lui le futur gouverne et non le passé. Mais déterminisme et fatalisme coïncident dans la mesure où le futur n'est qu'une certaine mémoire. Dans l'avenir, je suis attendu par le passé. Tel est l'envers de la liberté qu'on rencontre dans les mondes imaginaires, la fatalité préside au rêve comme à l'inconscient, voilà pourquoi Sartre rabat tout

---

1. *L'Imaginaire.*

sur le plan du réel pour nous laisser nos chances, mais la vie est assujettie au rêve de la vie et ne s'en distingue quand le rêve s'est réalisé que par une déception vague, un fond d'amertume, ultime marque du désir [1].

Si je ne suis pas à ma place, si je la cherche en me plaignant de ne pas la trouver, c'est aussi parce que je veux garder ma place inouïe, ma non-place, au lieu de venir occuper celle de tout le monde. Etre comme tout le monde n'est pas donné à quiconque. Sartre a subi une loi d'exception. Son rêve s'est souvent exprimé d'être soumis à la loi commune, comme sa joie d'être à sa place parmi les copains. Mais son origine a la ténacité d'une exigence : *hors de père, hors de pair.* Il ne sera pas dessinateur industriel ou trappiste, il sera le maître à penser, mondialement célèbre, de plusieurs générations. Il gardera le goût de ne pas être à sa place, de quitter sa classe, d'avoir une double appartenance, il se plaira à être militant prolétarien en même temps qu'un bourgeois qui s'occupe à écrire sur Flaubert [2]. Avoir une place, c'est *se ranger*, se définir par une fonction à l'intérieur d'une classe, sans autre mandat que celui d'être banalement « utile » à la société. Lui a reçu le « beau mandat d'être infidèle à tout »... D'être l'Artiste, et non le Bourgeois. La fonction de la loi est d'assurer l'appartenance de l'individu au tout, l'identification, mais la vocation de l'individu est de faire face, négatif orgueilleux. Sartre recherche le bonheur simple d'être accepté sans façons, le bonheur en fait d'échapper grâce aux autres à cet Autre qui est le masque de la Mort. Valoir autant que les autres, ni plus ni moins, être n'importe qui — mais le sort de tout un chacun est d'osciller autour de ces normes. Le petit Sartre ne comptait pas s'illustrer par la guerre : elle ne permet que des victoires collectives. Mathieu parmi ses camarades de combat essaie bien de se répéter : je ne vaux pas mieux qu'eux, je dois me mettre à leur hauteur... Mais il reste attaché à son encombrant privilège, ce qui lui avait déjà fait repousser les offres de Brunet : « J'aurais peur qu'on essaye pour de bon de construire un monde vivable, parce que je n'aurais plus qu'à dire oui et à faire comme les autres. » C'est par un monde invivable qu'il est fasciné.

Gœtz veut être le seul à être en rapport avec Dieu, c'est pourquoi il fait le Mal, et comme Heinrich lui crie que l'enfer

1. « ... Ça, c'est toute la vie dont j'ai rêvé étant gosse, d'une certaine façon je l'ai eue. Mais ça représentait autre chose, je ne sais trop quoi. Et ça, je ne l'ai pas eu ». *Situations*, X.
2. Cf. *Situations*, X.

est une foire, alors que tous les autres arguments avaient échoué, il l'abandonne pour le Bien. « Ta place t'attend, prends-la », lui dit plus tard Nasty, qui est un ancêtre du camarade Brunet, mais Gœtz ça ne lui plaît pas d'être l'égal de tous. La mort de Dieu, en un sens, a créé l'égalité, puisque lui seul était en position d'établir une échelle des mérites. L'existence ne peut plus faire l'objet d'une évaluation. Un personnage tel que Philippe est particulièrement vain parce qu'il s'angoisse de connaître son *prix*, alors qu'il n'est aucun Autre en mesure de le fixer, qu'il n'y a point de valeur en dehors de la relation et de l'échange.

Plus de père, nous sommes tous frères. Soit. Mais il y en a qui sont plus frères que d'autres, pour autant qu'ils visent à assumer l'héritage, dans une conjoncture qui offre des carrières aux héros. Gœtz donnera le spectacle de cette comédie de la fraternité.

Seul. La solitude décrite dans *Les Mots* : seul avec sa mère, isolé des autres enfants — solitude qui n'est pas de hasard et que la mère ne cherche pas vraiment à briser. Dans *L'Idiot de la Famille* : « Ainsi lorsqu'un enfant, affolé de solitude et d'ennui, s'approche d'une fenêtre et regarde avec envie des gamins qui jouent dans la rue, il se trouve des parents pour lui dire : Ce sont des petits voyous, je t'interdis d'aller les rejoindre. »

Le rapport à l'absolu isole. Sartre tente d'en sortir. La *Critique de la raison dialectique* fait de la série la raison de la solitude. Intuition profonde de la modernité, même si elle achoppe, comme on l'a vu, sur la mort. De fait, la solitude moderne est rapport à la mort, dernière transcendance irréductible, « maître absolu ». Nous sommes condamnés, autant qu'à la liberté, à la réclusion perpétuelle dans cette cellule sans limites et plus étroite que nature, notre peau, philosophiquement notre subjectivité. Le groupe est d'ailleurs envisagé comme échappatoire, il donne au moins l'illusion d'une substance commune, faisant finalement assez bien admettre la perte d'un ou de l'individu, comme dans les familles de l'Ancien Régime. La rançon de l'imaginaire, c'est que la réciprocité est impossible. En sortir, c'est perdre ses privilèges, mais c'est aussi prendre sa place dans la réalité, homme simplement homme, coïncider avec son être général. Dans le collectif, on cesse de valoir pour soi, on n'est qu'un dividende interchangeable de la valeur. Mais le groupe n'est pas à l'opposé de la régression, il apparaît comme le seul moyen de *vivre entre soi*, cette « douceur » éternellement déniée, selon Lévi-Strauss, à l'être social.

Deux postulations se combattent. S'intégrer comme n'importe quel autre, s'oublier, rentrer dans le bal : désir qui procède de ce qui est interdit par le vœu maternel. D'autre part : réaliser ce vœu même, qui est le désir et la loi, préserver son privilège. Favori et vassal, ayant à être pour elle, pour sa gloire, investi par là de la *qualité*. Car c'est sa mère et pas seulement le grand-père et sa voix mécanique gravée dans son cerveau qui lui enjoint d'écrire. Elle le serre dans ses bras et murmure : « Mon petit bonhomme écrira ! » Plus tard, elle définit sa vie, la construit jusqu'au fond de l'avenir : rentrant du lycée, seul dans sa chambre noyée d'ombre, il écrira infatigablement sur un cahier de toile noire. La tendre Anne-Marie restera présente en lui comme cette mère abusive dont il parle à propos de Flaubert et qui habite en son fils sous forme d'impératifs. Cette subjectivité que Sartre voulait nous présenter comme un désert ou plutôt même comme un vent de sable, nous avons appris que c'est en réalité un endroit très fréquenté, sans compter que l'Autre y a un droit de premier occupant. Ainsi on s'imagine travailler pour l'humanité, en fait on se tue à la tâche pour séduire une vieille dame, pour faire plaisir à un grand-père mort depuis trente ans.

Sartre n'est jamais seul, il est toujours avec l'Autre — qui est la vraie et transcendentale solitude. Toujours avec un fantôme d'autre. Seul avec l'Absence. Il est connaisseur. « Avant la guerre, j'aimais bien aller dîner seul au *Balzac*, je sentais ma solitude. [1] » Sartre à propos de Genet parle d'un ogre narcissique qui est occupé à traîner un mort dans son antre. C'est précisément parce qu'il ne cesse pas de digérer le fantôme qu'il ne peut sortir de soi. Il est vrai que la conscience et la liberté, parce qu'elles n'ont pas de recours contre elles-mêmes, décrivent aussi ce cercle dont il est impossible de sortir.

Il cherche l'issue cependant, et le génie, comme dit l'escroc, c'est la dernière possibilité dans une situation bloquée. C'est l'équivalent de la folie aussi, on le voit bien dans le cas du littérateur, qui est fou par écrit tandis que le fou s'obstine à ses dépens à faire de la littérature orale dans une société où ce n'est plus de mise [2]. Mais comme le délire la littérature est une tentative de guérison.

Le regard de l'Autre dessine un cercle magique dans lequel tous les actes se transforment en gestes, en spectacle, en exhibition. Comment briser le cercle, atteindre le réel ? Il faut un acte. Surtout que l'acte est en retard, n'a pas eu lieu : je veux

1. *Siuations*, X.
2. Cf. *Les Ecrits de Sartre*, « De la Vocation d'écrivain ».

parler de l'acte sexuel qui aurait dû l'engendrer. Il n'est pas né, de même qu'il n'a pas de sexe. Naître, c'est venir à son sexe, au lieu d'être un ange trop pur comme la petite voisine. Et c'est un acte de violence, c'est pourquoi Daniel et Mathieu attendent de la guerre qu'elle les accouche. Kean dit très bien : je risquais la mort parce que je n'étais pas né (c'est l'aventure de Mathieu dans son clocher), c'est pourquoi, gardé par l'Autre dans la cage de l'imaginaire il fantasmait une sorte de privilège, symétrique de celui de l'aristocratie, s'estimant acteur comme on est prince. De nouveau, Sartre nous présente le héros comme un pauvre type qui essaie de se débrouiller comme il peut des vicissitudes de son origine.

Pour s'évader du cabotinage par un acte vrai, que faire, sinon détruire ? Kean commet un crime de lèse-majesté, qui ruine sa propre vie. Mais de toute façon, l'acte est coupable comme tel, car son intention est de permettre d'échapper à l'Autre pour parvenir à une existence indépendante. L'acte est crime en lui-même, aussi le crime le figure-t-il aisément. Le crime est d'ailleurs le *négatif* d'une place, d'un être. Hugo s'en leste, Oreste s'installe dans le sien. « Il faudra bien qu'il charge son meurtre sur ses épaules et qu'il le passe sur l'autre rive.[1] » Que passe donc Enée sur l'autre rive, son père ou son crime ? Comme Œdipe Oreste était libre pour le crime. Il a commis le « forfait d'apparence le plus inhumain », mais ce forfait est la seule possibilité d'accès à l'humanité. Ma place, c'est mon crime, revendique Oreste. Pour être homme parmi les hommes, l'un d'entre eux tout simplement, quand on a un certain handicap originel, il faut donc un meurtre, ou à tout le moins la philosophie sartrienne de la conscience : « c'est sur la route, dans la ville, que nous nous découvrirons, homme parmi les hommes » — car elle aussi est arrachement à ce qui a été, au temps d'avant, naissance renouvelée.

Nous comprenons mieux ce qu'il en est de cet acte pur, faisant ce qui n'est pas, défaisant ce qui est, soumettant l'être à la valeur avec la brutalité qui découle de leur contradiction originelle. Pas de transition, de continuité relative, de reprise — pas de dialectique non plus à ce niveau. Cet acte pur, c'est le fantasme de l'inconditionné, un peu comme dans l'acte gratuit cher à Gide. Du reste, se jeter dans l'abîme ou dans la prostitution sont des actes purs, indéterminés du point de vue du moi, les déterminations venant d'ailleurs pour réaliser à l'instant la fusion fabuleuse et explosive de la présence et de la valeur. Lucien rêve d'un « acte vraiment désespéré », montrant « en pleine lumière le néant du monde ». Faute de le

1. *Un théâtre de situations.*

jeter à la Seine, il refusera de serrer la main à un juif. C'est
aussi l'intention de Paul Hilbert, le tueur indécis de la rue
d'Odessa. Mathieu en brisant un vieux vase s'est senti « sans
origines », neuf, commençant, comme s'il s'était délivré d'un
sort. Cela n'a pas suffi pourtant, il remâche son amertume :
ce qu'il fait, il le fait pour rien, on lui vole les suites de ses
actes, il ne sait pas ce qu'il donnerait pour en faire un qui
serait irrémédiable. C'est la question : que faut-il sacrifier
pour cela ? Franz s'attache avec une certaine complaisance à
son crime, sans pouvoir surmonter d'ailleurs sa culpabilité.
Mais enfin, cet acte-là, le père ne peut le reprendre sauf en lui
ôtant la vie en même temps : *c'est bien lui*, on ne peut l'en
dissocier pas plus qu'on ne peut détacher la pensée du sujet
sans l'anéantir. Par l'acte, il a atteint ce qui est son être,
hors de l'Autre en un sens, mais aussi *irrémédiablement* coupable. Tuer, se tuer, fête funèbre de la naissance.

Un jour, on montra à Sartre des tests projectifs, il y avait
là un cheval au galop, un aigle en plein vol et un canot
automobile bondissant. Il s'agissait de désigner l'image qui
donnait le plus vif sentiment de vitesse. Sartre choisit le
canot, la vitesse à ses yeux se marquant avant tout par le
« pouvoir d'arrachement ». Ce passage des *Mots* est intéressant
parce qu'il comporte implicitement de la part de Sartre une
demande d'interprétation. Pour s'arracher au monde de l'être
et de l'immanence, il a choisi la conscience, le meilleur moyen
de s'enfuir là-bas *vers* le monde, en fuyant l'engluement dans
l'en-soi, jusqu'à la victoire finale de cet être-là. La conscience
est d'abord une technique d'évasion. Quant au canot du test,
il s'arrache à l'élément liquide, contrairement à celui dont
parle Rimbaud, immobile, toujours fixe sur « l'œil d'eau sans
bords », attaché à quelle boue ? C'est dans un poème intitulé
Mémoire où il évoque Madame Mère : « Madame se tient trop
debout dans la prairie. » De toute façon, le bateau ivre est
destiné à retourner sur la flache d'Ardenne noire et froide.
On pourrait dire, sans préjudice de cette nostalgie, que la
véritable antithèse du pour-soi n'est pas l'en-soi mais le *chez-
soi* : une conscience qui ferme ses volets s'anéantit[1]. C'est
pourquoi Sartre aimera le café, au risque d'une vive polémique,
en 1946[2], avec le Père Troisfontaines, selon lequel l'être du café,
consommant les produits terrestres « en petits verres et dans
un état de fermentation avancée », a été poussé dédaigneusement
sur sa banquette de moleskine par le doigt de Dieu, tel un

1. « Que la conscience essaye de se reprendre..., tout au chaud, volets
clos, elle s'énéantit ». *Situations, I.*
2. Cf. *Les Ecrits de Sartre.*

poisson égaré sur la berge. Cettte âme flétrie est damnée par avance et vouée au morne supplice de l'apéro. Au café, répondait Sartre, rien ne fait obstacle à ma libre transcendance, à mon activité de signification : les autres sont là sans plus, même leurs disputes ne me dérangent pas, je suis tout entier à ma feuille blanche.

Vu sous l'angle de la transcendance, le phallus est pouvoir d'arrachement, spécialement à la mère. Seulement, le phallus est injustifiable, impardonnable comme le nez de Cyrano, que Sartre dans *Les Mots* feint de mépriser pour sa timidité devant les femmes ou la femme. Mais qu'il le dénie n'y change rien, je soutiens qu'il souffre du complexe de Cyrano. D'ailleurs, trois pages plus loin, il trahit sa ressemblance avec ce « faux Pardaillan » en racontant cette rêverie : il se cachera à la ravissante admiratrice qui le reconnaîtra trop tard — elle l'accepterait tel qu'il est ? mais il est trop pauvre, ayant distribué ses droits d'auteur, l'incomparable héros meurt au moment de toucher la récompense. C'est tout à fait le dernier acte de *Cyrano* : Je vous aime, clame Roxane, vivez ! Non, répond Cyrano sans se laisser dévier de son fantasme, je suis trop laid, je m'en vais avec mon panache.

Comment Roquentin pourra-t-il s'en sortir ? Par la littérature, en écrivant un beau livre qui justifiera sa vie au passé et fera honte aux autres ? Faible. Par le viol et le meurtre, prévoyait une suite qui n'a pas été écrite[1]. Il ne liquide pas son Œdipe, il le réalise, comme ce devait être le cas de Mathieu qui, après s'être transformé par le meurtre (« Après avoir tué, on n'est plus le même ») devait obtenir Odette.

C'est dire que l'acte irréparable qui devait briser l'enchantement est truqué puisque de façon à peine voilée il équivaut à l'inceste. Mais Sartre, lui, de toute façon, en est resté à la littérature. Possédé, séquestré. L'issue n'est qu'une voie détournée qui ramène au cœur du domaine ensorcelé du privilège.

Revenons-en pour finir au commencement, c'est-à-dire à la première mort, à la mort initiale, qui d'un vivant indéterminé, en un seul instant fatal, fait un voleur, un artiste, un vieillard, mort qui se vit elle-même ensuite puisque l'existence est déjà révolue, a déjà tourné une fois sur soi. Baudelaire et Flaubert feignent de s'être tués pour prendre le point de vue de la mort qui convient à l'esthète. On est pour soi-même un bel objet, on échappe au besoin de l'Autre : je joue la mélodie au lieu

1. Cf. *Les Ecrits de Sartre*, 38/13.

d'être joué, je me chante ma chanson à moi-même. Garantie absolue de sécurité : le moi est dès lors comme un brise-lames pour lequel l'événement ne sera plus qu'écume. Et puis plus besoin de se courir après, naissance et mort se confondent comme le serpent Ourouboros, symbole du monde, se mord la queue. Enfin il y a aussi l'idée de prendre les devants, de survivre à la mort, de l'ensevelir, de s'en prémunir en en faisant quelque chose de déjà arrivé suivant une stratégie également employée quant à la castration dont elle peut être une métaphore — comme aussi le père pour Jean-Paul est *déjà tué*. La fausse mort, au demeurant, est un meurtre du père pour une part, car se tuer est tuer.

Sartre raconte que Giacometti, renversé par une voiture, éprouva une espèce de joie. C'est que de toute façon il attendait le pire, il savait bien qu'il n'était fait pour rien, pas même pour vivre, « ce qui l'exaltait c'était l'ordre menaçant des causes enfin démasqué », et, fixé sur lui, le « regard pétrifiant du cataclysme » [1]. On pourrait voir là une sorte de besoin catastrophique de l'Autre, d'être objet, d'être pour la Mort parce qu'elle est par excellence la Méduse et le meilleur artisan de notre être. Cette rencontre est donc attendue ainsi que le dévoilement de la vérité comme horreur du monde. Un homme tel que Giacometti l'accueille sans déplaisir parce qu'il la connaît depuis toujours et a gardé avec elle une certaine familiarité malgré l'éloignement quotidien. On se donne tant de mal pour se convaincre que le monde n'est pas tout à fait inhabitable, que l'existence n'est pas complètement invivable, que l'homme est possible, on se fait tant de soucis avec le projet, les ustensiles, la praxis. Cette révélation finale devait bien arriver un jour, elle nous avait été annoncée, et puis indéfiniment ajournée, si bien qu'on vivait sur les nerfs, aux aguets sans se l'avouer, cela disposait notre conscience aux émotions. Voilà par exemple un visage grimaçant qui se colle à la vitre de la fenêtre, « je me sens envahi de terreur [2] » : tout d'un coup se révèle le vrai monde, pas celui qu'organise la praxis, non, un monde magique, sauvage, sans espace, sans distance, car l'horreur à peine entrevue est déjà sur moi. L'horrible exclut le déterminisme comme on le voit dans le rêve, où tous ces instruments que sont les portes, les serrures, les armes, cessent d'être efficaces contre *le pire*. Mais enfin pour aujourd'hui, on est quitte, c'était une erreur, même si l'on peut y lire un avertissement.

1. *Les Mots*. D'après Simone de Beauvoir dans *Tout compte fait*, Sartre a d'ailleurs quelque peu interprété le récit de Giacometti.
2. *Esquisse d'une Théorie des Emotions*.

A vrai dire, Sartre le connaît bien, en a une longue pratique, de ce visage qui grimace à la fenêtre, ce n'est pas un exemple inventé au hasard pour les besoins de la démonstration phénoménologique. Ainsi quand il lisait dans la bibliothèque du grand-père, « les pages c'étaient des fenêtres, du dehors un visage se collait contre la vitre, quelqu'un m'épiait, je feignais de ne rien remarquer ». Les écrivains sont des morts turbulents mais plutôt braves, il en va autrement avec la Mort elle-même. « A cinq ans, elle me guettait, le soir elle rôdait sur le balcon, collait son mufle au carreau, je la voyais mais je n'osais rien dire. » Un conte lu dans *Le Matin* confirme son fantasme : une jeune femme meurt en désignant le marronnier du jardin. Qu'a-t-elle donc vu ? « S'il faut en croire les gens du village, c'était la Mort qui secouait les branches du marronnier. »

L'enfer est proche comme une banlieue, il envoie de discrets émissaires, plus ou moins imaginaires, comme les extra-terrestres, enfin on ne peut douter de cet « envers horrible des choses ». Quand il se dévoile soudain, on murmure : je l'ai toujours su, parce qu'en effet il fait l'objet du plus primitif des savoirs, recouvert ensuite par nos sciences prétentieuses. C'est pourquoi la farce réussit quand ayant pris un morceau de sucre je le vois qui flotte dans ma tasse au lieu de fondre [1]. Les garanties ordinaires s'effondrent, la légalité de la matière est suspendue *sine die*, tout devient possible : « A vrai dire je m'en doutais, je m'en suis douté toute ma vie », je savais bien que mon rapport conventionnel avec l'être était une pure apparence, qu'en vérité je suis horriblement abandonné dans un monde absolument étranger et monstrueux. Pour le coup, la réminiscence et l'effroi ne durent qu'un instant, je comprends qu'on avait glissé un morceau de celluloïd dans le sucrier, les constantes cosmiques sont rétablies jusqu'à nouvel ordre.

Nous savons maintenant qui est la belle admiratrice qui se montre au dernier acte : ce n'est pas Roxane, c'est la mort. Au siècle dernier, dans une halte sibérienne, un écrivain attend le train. Soudain, dans la steppe déserte surgit une comtesse qui en passant le reconnaît d'après un daguerréotype, s'incline, lui prend la main et la baise. On pourrait citer ici le mot de Tirésias à la fin de la tragédie de Sophocle : « Ce jour vous aura donné la naissance et la mort. » Ecoutons Sartre : « A neuf ans j'étais émerveillé que cet auteur bougon se trouvât des lectrices dans la steppe et qu'une si belle personne vînt

1. Cf. *L'Idiot de la Famille*.

lui rappeler la gloire qu'il avait oublié : c'était naître. Plus
au fond, c'était mourir : je le sentais, je le voulais ainsi...
Tué par un baise-main ! » Mais cette mort-là n'est pas une
violence absurde surgie d'on ne sait où : elle prend le sens
d'un retour à soi, à la vérité, au do majeur. La naissance et
la mort renvoient l'une à l'autre, comme les deux faces de la
même énigme de l'être. Le décor est bien mis en place, mais
une providence veille dans le paysage désolé de la déréliction
et récompense l'acte de foi du commencement.

Le secret de sa vie, c'est un ancien mariage clandestin avec
la mort. Ce n'est pas le sort commun : ce qui le met à part
parmi les mortels, c'est qu'il en conserve le souvenir (peut-être
à cause de cette maladie qui faillit lui faire suivre son père à
moins d'un an, de toutes ces circonstances), et de toute façon il
sait qu'elle l'accompagne, qu'elle a toujours l'œil sur lui, qu'elle
le *regarde*, par la fenêtre, à travers un livre, ou la page qu'il écrit.
« Je sentais au creux des reins le frisson de la peur et je me
disais : la Comtesse, c'est la mort. Elle viendrait : un jour,
sur une route déserte, elle baiserait mes doigts. » Ce froid qui
lui glace les os, ce n'est pas que de la peur, ainsi les amoureux
se mettent à trembler quand ils réalisent que la vérité de leur
vie est tout entière là, fragile et difficilement saisissable, et
qu'en même temps se profile le risque d'un échec absolu.
D'ailleurs, il n'est pas rare que les hommes aient une telle
passion, mais ils y mettent davantage de prétextes et de mauvaise foi : l'un aime la guerre, l'autre brûle sa vie par les deux
bouts et disparaît dans un accident d'automobile. La passion
de Sartre est plus durable, fidélité sans défaut à la nécessité
pure. N'est-il pas prédestiné à mourir ? La mort l'a tiré du
néant pour sa gloire, il a fait d'elle une étrange image, comme
la maîtresse émouvante et austère des films de Cocteau, pure
de toute chair. Il y a dans cet amour — qui d'ailleurs symbolise
notre vocation à l'impossible, dont l'assomption est le privilège — quelque chose de comparable à l'inceste : on ne le fait
pas, on ne saurait le consommer. Mais il sait qu'elle l'attend,
à la dernière halte, indifférente au vent de la steppe.

II

« LE REEL N'EST JAMAIS BEAU »

Par rapport au dualisme de la philosophie de la conscience, à l'en-soi et au pour-soi, l'élément nouveau, dans la *Critique*, c'est la prise en considération de la vie comme type d'intériorité. Les gestaltistes, Goldstein, Merleau-Ponty avaient opposé au matérialisme mécaniste du behaviorisme et du pavlovisme l'idée de l'organisme comme totalité ou image d'ensemble régissant les phénomènes partiels, réagissant à un sens global de la situation, créant son milieu à partir de l'environnement objectif, si bien que le stimulus constitue en fait sa première réaction — en quoi l'on peut voir un commencement de dialectique.

Sartre ne se préoccupe pas du lien entre les deux types d'intériorité ainsi reconnus, il ne cherche pas à penser la jonction entre la vie et la conscience dans une philosophie du comportement, de la vie il passe tout de suite à l'histoire. D'autre part, au lieu de s'arrêter à la notion d'une vie désirante, opérant en-deçà de la représentation, il régresse jusqu'au besoin, à un degré de généralité biologique qui n'est même pas celui du mammifère supérieur, dont la sexualité comporte une ébauche de relation à l'Autre et introduit la division dans le vivant. Sartre veut en effet retrouver son idéal d'une unité indifférenciée, d'une individualité pure et translucide, même si elle ne peut être à y regarder de près que celle d'un organisme élémentaire.

Il veut aussi retrouver un vecteur d'activité pure, il faut prendre une nouvelle fois la mesure de son refus de la passivité. Quand il énonce sa thèse philosophique fondamentale et permanente : le sens vient à la matière par l'homme, il faut bien entendre par homme *l'agent actif*, non le dérisoire traîne-patins

affecté d'une constitution passive qui rêvasse au lieu d'organiser
le champ pratique. Sartre raille âprement Flaubert qui est
« en travail », comme une femme, au lieu de travailler, qui
laisse l'œuvre se produire en lui au lieu de la produire. Flaubert
se laisse joindre sans résistance à son être de chair, à sa
« palpitante inertie », sans avoir les circonstances atténuantes
du nourrisson et de l'infirme, il s'abandonne à la féminité de
l'existence. Il est vrai qu'être agent suppose le sacrifice de la
jouissance qui est identifiée à la passivité, à l'abandon, à la
femme en un mot qui « jouit parce qu'elle est prise ». L'opposition de l'actif et du passif est celle du corps et de la chair
et aussi du masculin et du féminin. Etre agent, dit clairement
Sartre, c'est notamment être à la différence de Gustave agent
sexuel *agresseur*, transformer l'autre en objet en échappant
soi-même à l'inertie.

Mais que font les agents pratiques ? Par exemple « ils
détrônent leur Moïse et se substituent à lui en fondant à leur
tour une famille ou en le remplaçant à la tête de l'entreprise
ou en s'élevant plus haut dans la hiérarchie sociale »[1].

Mieux encore, la praxis, c'est l'action capitaliste, et pas par
hasard puisque le capitalisme a définitivement épuré et rationa-
lisé la conception de l'action qui a fait la force et la faiblesse
de l'Occident. Tout comme Lénine, Sartre la reprend sans la
moindre critique et même ne mâche pas ses mots. Il explique
ainsi que l'action doit être décomposée en ses parties consti-
tuantes, on commence par poser ses fins à distance avant
de choisir « le moyen le plus économique » pour les atteindre :
« supputations, calculs des chances, inventions, décisions, tout a
dû se faire en pleine conscience comme l'établissement d'un
budget »[2]. L'homme, pesant le coût et l'intérêt, manifeste son
autonomie dans le miroir de son *entreprise*, il révèle sa « souveraineté sur les choses », délivré de l'angoisse par la décision
il agit comme sujet défini par la seule volonté dont le *fiat*
est constitutif d'un monde.

C'est par cette praxis souveraine que le monde se dévoile
et se constitue, plié à l'ordre humain du projet, alors que
pour Gustave, les objets inutilisés se contentent de cœxister
dans leur inertie, par exemple l'arbre glisse comme une inutile
apparition, « puisqu'il ne s'insère dans aucune praxis », alors
qu'il prend tout son poids de réalité dans le regard de l'exploitant forestier. Etre actif, c'est être hors de soi, c'est être en
route *vers* — on pourrait dire aussi que c'est être en fuite,
être en sursis par rapport à l'exécution de la sentence.

1. *L'Idiot de la Famille.*
2. *Ibid.*

La praxis ne connaît jamais de repos, elle va toujours plus loin. Sartre nous explique que si Flaubert trahit l'humanité active, c'est par nostalgie de cet état primitif où il était l'objet des mains maternelles qui le pétrissaient, le modelaient. « Le but des mains était pratique, utilitaire, l'asservissement de l'enfant n'était qu'un moyen. » Appliquée à la conduite maternelle, la conception capitaliste de la praxis rencontre sans doute sa limite, mais peu importe. Nous voyons que ce que souhaite Flaubert, c'est l'inutile, c'est-à-dire la jouissance, ce qui constitue un terme, un repos, à partir de quoi il n'y a plus de dépassement (au vrai, ce qu'il souhaite, c'est probablement que la mère n'aille pas vers le père). Mais le corps doit être matière pratique, l'instrument qui instrumentalise l'environnement. Sartre refuse toujours au corps le pouvoir de produire une situation, de faire apparaître en marge de la conscience la vérité du désir. Le langage et le corps sont pour lui des mixtes inquiétants, et il réduit la difficulté philosophique et le danger existentiel en expliquant que la conscience, ou la praxis, les existe à ses fins.

Sartre fait grief à Flaubert de ne pas avoir fait sienne une conception de l'action aujourd'hui assez généralement mise en cause : l'administration est consciente des limites de la rationalisation des choix budgétaires, et il lui arrive de programmer des recherches sur le désir et la folie. Dans l'idéologie suivant laquelle la pensée naît comme moment du travail et saisit le monde à travers l'outil, l'historien américain Lewis Mumford dénonce le *mythe de la machine*. Gustave n'était donc pas si niais quand il refusait un utilitarisme qui refoule et mortifie toutes les significations symboliques des choses et critiquait l'activisme paternel.

En revanche, l'attitude de Sartre est paradoxale parce qu'en fait il accepte le *credo* bourgeois, qu'on pourrait résumer en un mot : l'homme, c'est l'acte, — il est caractérisé dans sa virilité par l'ampleur et la réussite de son entreprise, conquérant qui prend le monde sur ses épaules, qui substitue à la nature une antiphysis. Sartre ne fait-il pas l'apologie de la valeur, du négatif, du suicide ontologique même, et à cet égard la praxis avec ses connotations historiques rentre parfaitement dans le cadre philosophique de *L'Etre et le Néant*. Ce qui motive personnellement Sartre, c'est évidemment son refus de l'inerte, et par exemple il refuse de prendre en considération le symbolique parce que pour lui il est inerte matérialité — en cela encore il rejoint cet esprit capitaliste qui a opéré le « désenchantement du monde », comme a dit Weber, qui l'a nettoyé de tous les signes dont il était porteur pour le réduire à la pure matière manipulable. Les choses ne sont pas de lourdes présences poétiques, mais des matériaux à traiter, dit à peu près Sartre avec la brutalité du capitaine d'industrie. On ne s'étonnera pas de le voir obstinément rejeter la cérémonie, l'éternel retour, le mythe, finalement la poésie comme action symbolique — il s'acharne même à ramener sur le plan des outils l'acte de langage.

Une fois encore, on pourrait dire que ce qui est en cause, c'est la philosophie de l'imaginaire. Sartre critique l'attitude de Flaubert qui transforme le réel en possible, sans admettre que le réel puisse être un cas du possible. L'artiste doit ménager une distance avec la réalité, introduit la négativité en quelque sorte — Sartre ne veut point reconnaître une équivoque de la perception suivant laquelle tout homme serait déjà un peu artiste, et l'art une dimension de la vie, parce que la distance serait en fait une donnée permanente. A cette instance du fantasme il oppose les impératifs de l'action technique, qui n'a affaire qu'à des objets univoques. Tout est en acte, tout est actuel. Sartre considère que c'est uniquement à la passivité constituée de Gustave qu'il faut attribuer le fait qu'à ses yeux la cérémonie se déroule en même temps maintenant et autrefois : comment un sujet digne de ce nom pourrait-il être possédé par le rite, manipulé par la liturgie, habité par des gestes qu'il ferait sans les comprendre parce qu'ils chercheraient à renaître à travers lui ?

Nous avons pris conscience aujourd'hui de la pauvreté de cette praxis qui est à la base de l'enrichissement capitaliste. Ce qui lui est opposé, ce n'est pas seulement la contemplation, l'idéal de la pensée antique, mais c'est surtout l'expression : le geste du danseur n'est pas pratique. En outre, comme le disait à peu près Merleau-Ponty, ma conduite vis-à-vis de ma femme ou de mes enfants n'est pas organisation de moyens en vue d'une fin. Ce qui est acte et comportement actif n'est donc pas pour autant praxis au sens de Sartre. Tout le monde ne peut pas avoir le rapport à l'être du garagiste ou du plombier, et comme Sartre finit par le reconnaître, un écrivain aussi peut être un peu utile, d'ailleurs la littérature est une « minipraxis ». — En fait, ce qu'il faut bien comprendre, là encore, c'est en quoi Sartre cherche le salut. Là-dessus une note de *L'Idiot de la Famille* dit sans doute l'essentiel : « La laideur d'un agent pratique et engagé dans une entreprise collective n'intervient guère dans ses motivations. Réciproquement ses camarades ne la notent pas, ou l'oublient. C'est que la praxis a d'autres critères. » La praxis ignore ces catégories du désir que sont le beau et le laid, comme Rousseau expliquait que dans l'état de nature n'intervenait pas la comparaison ni la préférence et qu'en ce sens chacun y était également justifié. L'idéal de Sartre, c'est l'homme quelconque, qui n'est pas distingué, que n'encombrent ou n'aliènent ni laideur ni beauté, qu'une chance miraculeuse sauve des jeux de la différence et du désir — homme simplement homme, ni plus ni moins.

Certains ont dû supporter, sinon aimer, le réalisme socialiste dans un esprit proche : refusant les mirages bourgeois de l'imaginaire, comportant une pleine positivité, il donne une image fidèle, le reflet, d'une robuste praxis. Pour Sartre, il faut admettre que la réalité est prolétarienne, c'est justement son mérite, en quoi il existe une issue.

La beauté, c'est le néant, l'absence, le mal, une nuisance. Elle est l'Autre, insaisissable et produisant une aliénation sans recours. Non seulement elle est inaccessible, elle est la « cruelle déesse de l'impossible ». Elle est ce qui devrait être et qui manque douloureusement, c'est une obligation irrésistible et effrayante qui dévoie le désir. Elle est donc en dehors de la praxis puisqu'elle est gratuité pure, elle est injustifiable en un sens, et subvertit le monde bourgeois de l'utile — bien que l'utile bourgeois ne le soit que pour la Valeur, que l'utile de proche en proche doive conduire à un devenir-Dieu. Sartre montre comment la belle Mme Le Poittevin, mère d'un ami de Gustave, créait sournoisement le désordre dans l'*establishment*, entourée de son petit monde narcissique comme Mme Swann. « La volière était belle et ne servait pas : Mme Le Poittevin, plus belle encore, ne servait pas non plus », cette créature non asservie au principe de rendement est elle-même un luxe, « la plus étincelante et la plus inutile parure » de son propre salon. En sa personne, Gustave rencontrera cette « Beauté déchirante, inaccessible, qui ne donne rien et prend tout », il fera connaissance avec « l'inutile merveille de l'apparence », « gracieuse et inerte » (?). Il comprendra que la beauté est trahison, puisqu'elle mène cette femme superbe toujours ailleurs ; impropre à tout usage elle fait de son mari un cocu, de son enfant un névrosé ; sa beauté la rend impossible à posséder, oblige donc l'homme de la praxis à renoncer à la réalité, à opter pour la déréalisation esthétique.

Cette beauté, c'est la mère idéalisée dont Gustave se fait le vassal, échappant du même coup à la médiocrité réelle de son être-de-classe, sans prendre garde qu'elle est la « fin inhumaine qui dévore ses ministres ». C'est une ogresse, le vampire par excellence, l'idéal vertigineux de l'être. En fait, la beauté comme telle, par définition, par principe, ne saurait exister, et l'on ne peut avoir d'autre relation avec elle que la dégradation masochiste, comme avec la « Vénus à la fourrure » qui tout comme elle *n'existe pas.* Le beau et l'imaginaire sont des pièges-à-hommes.

Le réel n'est jamais beau, dit Sartre à la fin de *L'Imaginaire :* la beauté même désarme le désir, l'extrême beauté d'une femme « tue » le désir qu'on a d'elle, parce que le désir implique le passage sur le « plan réalisant de la possession physique », c'est-à-dire « une plongée au cœur de l'existence dans ce qu'elle a de plus contingent et de plus absurde ». Tout au long du livre, Sartre a usé de techniques très fines pour exorciser le fantasme, pour nier la possibilité même de ces images libres qui viendraient de l'intérieur ou par-derrière obséder la conscience. A la fin de cette démonstration menée de main de maître, le fantasme privé de tous ses droits fait brusquement retour, se disant dans les mots mêmes du discours qui l'exclut. Un rapprochement inattendu subvertit la rationalité phénoménologique : « *Lorsque je contemple une belle femme ou la mise à mort dans une course de taureaux...* » Ce qui se produit ici *in fine*, comme la vérité soudainement révélée de tout ce qui a précédé, c'est l'anéantissement du désir, soit qu'une femme terriblement belle le mette à mort par son inaccessibilité, soit simplement qu'il se réalise et détruise lui-même cette inaccessibilité, pour trouver le plus cruel démenti dans l'horreur contingente de l'existence.

Autrement dit, le désir porte nécessairement sur un spectacle, d'une part, et sur quelque chose qui manque, de l'autre, et le beau est l'irréel, l'impossible. Stendhal a dit que la beauté est une promesse de bonheur, et inversement, a ajouté Proust, la possibilité du plaisir peut être un commencement de beauté. Sartre n'en disconvient pas, mais il précise que la promesse ne saurait être tenue, et que la possibilité ne se réalise pas sans se perdre. Le réel est constitutivement décevant. Le désirable en soi, et le beau lui-même, c'est sans nul doute une très belle femme, comme le répondait Hippias à Socrate qui pour diverses raisons n'était pas de cet avis. Mais le désir porte sur un manque et le beau est fiction. L'objet désiré est imaginaire, « un désir n'est jamais exaucé ». Bref, parce qu'il est une image, l'objet du désir manque dans le réel où il faut se rendre à l'évidence du vagin.

Il y a chez Sartre une réminiscence de Kant, pour qui le sentiment du beau suppose la renonciation à la possession de l'objet. Celle-ci implique une perspective particulière et exclusive, et le beau ne saurait être divisé, ayant l'universalité de la loi : il n'apparaît donc qu'à un sujet du même coup expulsé de son désir. Pour Kant comme pour Sartre, jouir exclut toute esthétique. Pour Kant aussi, le beau renvoie à l'imaginaire, celui de la finalité sans fin. C'est pourquoi il se rend bien compte que l'exemple de la femme ne convient pas tout à fait, il ne lui reconnaîtra donc qu'une beauté toute relative et pour ainsi dire accessoire. Cela dit, la femme pourra évidemment retrouver toute sa beauté si cette fin possible est exclue, si par là elle accède au statut de pur spectacle indépendant de mes intérêts. Désintéressement, dit Kant, tandis que Sartre parle d'un « désintérêt douloureux ». De fait, il y a nécessairement un effet du beau sur la sensibilité, même si Kant entend mettre en parenthèses cette « pathologie ». Pareillement, la loi morale suppose l'abolition de toute sentimentalité, mais cette abolition même produit des effets sensibles, le respect pour la loi, ainsi qu'une certaine douleur, concède Kant, douleur qui prouve bien qu'il s'agit du pur devoir — le marcheur de Kœnigsberg n'était pas informé de l'existence du masochisme.

Il est vrai : l'objet du désir figure dans le réel comme manque et comme image. C'est ce que Sartre lui-même a bien montré : je vois l'absence de Pierre, je constate que l'objet de mon attente n'est pas dans le champ perceptif, et c'est une situation permanente, ce qui fait de la perception une politique, de recherche, ou d'évitement. Proust dit ainsi que chacun porte, « inscrit en ces yeux à travers lesquels il voit toutes choses de l'univers, une silhouette intaillée dans la facette de la prunelle », et que pour certains « ce n'est pas celle d'une nymphe, mais d'un éphèbe ». Pour l'homme aux loups que traita Freud, cette image est celle d'une femme accroupie, qui jaillit du fond indifférencié du paysage où elle resterait enfouie pour un autre.

Trouver beau le réel, c'est suspendre la praxis, faire glisser le paysage dans le néant, bref, c'est le confondre avec l'imaginaire. La réalité n'est belle qu'en s'épanchant dans le rêve. Si la thèse de Sartre paraît solide sur le plan du discours, on essaiera de la réfuter par l'expérience, l'immédiat. Qu'on se souvienne comme le monde est beau le jour où l'on aime, et nullement comme spectacle, intime et chaleureux au contraire, *plus réel,* et cette beauté du monde nous invite à l'aimer tout entier, à faire quelque chose d'elle ou avec elle, à faire l'amour en somme. Mais on se trompe, dit Sartre — en quoi on peut espérer qu'il n'est lucide qu'à moitié. On pourra dire que sa conception est romantique, qu'elle suppose la rupture de l'intérieur et de l'extérieur, de l'esprit et des choses, impensable aux heureux temps de l'harmonie hellénique. Et puis il n'y a pas que les Grecs qui aient mis en place une *belle réalité,* ceux qui ont connu l'expérience atroce de l'irréalisation dans la psychose ont parfois la chance de la découvrir ou de la retrouver, cette réalité où existe la possibilité de l'accomplissement, où l'on peut investir, où le désir et le dialogue peuvent se déployer. Les hommes redeviennent des êtres de chair, au lieu d'être d'atroces automates imaginaires, les objets eux-mêmes retrouvent cette vie qui tient à leur complicité avec la perception, revigorés par le regard d'un sujet qui en attend quelque chose, au lieu d'être mécaniques, isolés, inertes [1].

Voir la beauté du réel dépend d'une faculté de l'âme qui s'appelle la sensualité, et qui est aussi la sensibilité aux signes qui nous indiquent cet objet dont nous sommes en quête. Chez Sartre, il semble plutôt que joue une sorte d'anti-sensualité, sauf à de rares moments, sous la forme d'un compromis, comme dans ce roman de jeunesse où le héros, en proie à un âpre conflit avec le père, s'arrête un instant dans sa marche nerveuse pour respirer le délectable parfum d'une poubelle. Il y a aussi quelques moments où Sartre ou son représentant éprouve le sentiment d'être face à du sens (et non à de la signification), désemparé, malgré le petit bonheur qu'il en ressent : il retourne s'occuper des concepts, où l'on sait exactement ce qu'il y a parce qu'on l'y a mis par l'opération expresse de l'esprit. Ainsi Roquentin pénètre un dimanche matin dans le jardin public, et cette fois n'a pas l'intuition du laisser-aller écœurant de la nature, mais cet « autre chose », ce vague sourire du monde, il n'est pas fait pour le saisir, il se replie sur une formulation banale qui doit chasser l'énigme : « C'est un jardin public, l'hiver, un matin de dimanche. » Le narrateur d'*A la Recherche du temps perdu* n'aurait eu de cesse de savoir ce que c'était au juste que ce « petit sens » qui se manifestait à travers son plaisir, il aurait questionné la sensation avec acharnement, sûre qu'elle détient un secret, de l'ordre de la vérité quoique plus profond que les significations conventionnelles de l'intelligence. Pour Sartre, le petit sens n'a rien à dire, il n'y a rien derrière le phénomène qui s'épuise à apparaître rien ne se cache.

La poésie pourtant contient une vérité irrécupérable, qui s'enracine dans l'existence comme contact et chiasme de notre vie avec le monde ; elle y puise ses privilèges mais aussi cette adversité qui fait qu'on ne peut savoir précisément ce qui est dit. Ainsi ce passage de la fin de *L'Imaginaire*, solidement construit sur le terrain de la philosophie, touche à la poésie par cette soudaine apparition, sur un fond de raisonnements qui sont gris comme l'a dit Hegel, de cette image venue de loin, éclatante de lumière et de sang, la corrida de l'amour,

1. Cf. p. ex. A.-M. Sechelaye, *Journal d'une Schizophrène*.

le désir pris au piège. Sartre prouve que le plus bel effet de l'art déborde la volonté, tout en étant porteur de sens : on peut écrire et écrire pour enchaîner les significations, tout ce papier noirci n'atténue pas les couleurs vives, ou tendres, des expériences qui nous ont formés, même si le philosophe refuse de penser qu'une couleur puisse être une tranche d'histoire.

Sartre refuse de penser avec la métaphysique traditionnelle qu'il y a une seconde, une véritable positivité : il y a le réel et il y a *nulle part*, le monde simplement est troué, si bien que notre vie est perturbée par des allusions fascinantes à la simple inexistence. L'image, le beau, ne renvoient à rien et ne font qu'affecter notre réel misérable du signe de sa négation. La contemplation esthétique a la même structure que la para-mnésie « dans laquelle l'objet réel fonctionne comme analogue de lui-même au passé ». Simplement, conclut Sartre, « la para-mnésie diffère de l'attitude esthétique comme la mémoire diffère de l'imagination » [1].

Mais l'erreur de Sartre est de considérer avec les psycho-logues du XIXe siècle la paramnésie comme « illusion de fausse reconnaissance », alors que la reconnaissance est vraie, mais déplacée et déguisée. La connaissance est là, il n'y aurait pour l'atteindre qu'un geste à faire ou un acte de foi : mais pour l'arracher à l'oubli il faut avoir admis que de la pensée puisse exister hors de la conscience, comme Proust imagine que les âmes de ceux que nous avons connus — ou que nous avons été — sont prisonnières d'un arbre ou de n'importe quel objet. La paramnésie est rapport à un intersigne, à un événement de référence, elle indique la permanence d'une situation fonda-mentale, au sens où comme disait Stendhal « ce qui est inac-compli est éternel ». Elle renvoie à un passé constitutif, archi-tectonique, ce que Sartre ne peut comprendre puisqu'il n'admet qu'une actualité pleine, ne veut pas reconnaître que le temps soit gouverné par le rêve du temps. Qu'il y ait des idées « sous la vie », comme le disait fort bien Flaubert, cela lui paraît une illusion névrotique, et non une manifestation particulière de la sensibilité que l'artiste peut recevoir de sa névrose. La « contem-plation longue et déréalisante » par laquelle selon Sartre Flau-bert s'abstrait du voyage qu'il est en train de faire pour lui donner un statut à la fois esthétique et onirique, c'est une attention légitimement portée au fantasme. On sait que Sartre le nie, alors qu'il devrait pourtant reconnaître son importance dans le mouvement fondamental selon lui par lequel le sujet intériorise son entourage avant de le réextérioriser sous forme

1. Fin de *L'Imaginaire*.

de comportement, mouvement qui sans cet écart improbable échapperait difficilement au causalisme.

Sartre critique encore Flaubert qui à travers la femme présente s'adresse à l'absente. Mais n'est-ce pas que l'inconscient voit Hélène en toute femme, comme l'a dit Freud ? Cette propriété du présent et de l'objet de se dédoubler, Sartre n'y voit qu'un truquage. L'artiste truque l'expérience en se plaisant à « constituer un moment neuf de son expérience comme le simple retour cyclique de l'éternité », à résorber les événements dans une « totalité singulière et fantastique » qui est sa création intérieure. En l'occurrence, l'artiste manifeste simplement son intuition, et c'est Sartre qui pose comme pathologique la structure même de l'expérience, articulée par des archétypes, comportant la répétition. Chaque vie rêve sur son énigme, travaille sur un thème qui est le sien, à partir d'un imaginaire structurel. Voilà comment le désir peut se faire poignant comme un regret et l'imaginaire se donner comme un souvenir anticipé, le passé et l'imaginaire étant de l'existence *non-pratique*.

⁂

Le désir n'a pas d'objet. Ni la réalité ni l'image ne sont satisfaisantes. On hésite nécessairement devant la réalité de l'objet désiré, en un sens ce n'est pas *le même*, celui qu'on désirait, et d'ailleurs le « rêveur morbide » s'en détourne. Elisa Schlésinger dérange Flaubert par sa présence inopportune, alors qu'il aime l'irréaliser, la créer à sa guise. Bref, le désir est truqué, bloqué. Dans *L'Imaginaire*, Sartre signale sa vaine émergence : après une nuit blanche, on éprouve un désir indéterminé — désir sexuel, désir d'une tasse de café ? —, là encore l'affleurement du fantasme est éphémère et ne livre aucune indication. Mathieu éprouve un « désir âpre et désespéré », ou ce « désir triste et résigné qui n'était désir de rien » ; « je ne la désire pas, je ne l'ai jamais désirée », dit-il à propos d'Ivich, comme Franz jurera à son tribunal de crabes qu'il ne couche avec sa sœur que pour suivre la loi de l'espèce.

En d'autres termes, il apparaît ici que la négation, ce cache posé sur l'objet du désir, procède de l'interdit. C'est lui qui rend l'objet intouchable, le met hors de notre portée, suscitant un désintérêt douloureux, qui le rend dangereux aussi, menaçant d'opérer une désintégration qui se traduit par le glissement de la réalité dans le non-être. Le réel n'est *jamais* beau : jamais, pas rarement, ce qu'on eut volontiers accordé. Jamais, comme l'a dit Hume, ce n'est pas un terme empirique, cela veut dire que le transcendantal intervient ici, soit ce qui constitue *a priori* l'expérience. Jamais, c'est l'écho d'un interdit originel qui bien sûr n'a pas eu besoin d'être formulé à haute et intelligible voix. Sartre lui-même aborde ici le rapport de l'éthique et de l'esthétique, pour dire qu'elles ne sauraient être confondues puisque le beau, à la différence des valeurs morales qui sollicitent des conduites réelles, n'est pas dans le monde et suppose de notre part une attitude « irréalisante ». On pourrait dire, à la fois dans la ligne de Sartre et pour l'infirmer, que l'éthique est l'esthétique initialement, puisque c'est la loi qui fait qu'un objet se constitue pour nous en pôle inaccessible et fascinant.

Cela dit, ce désir malheureux, paumé, il est tout de même en relation avec quelqu'un, nommément Ivich, dont la beauté n'est pas celle de la féminité accomplie mais justement du désir récusé : ainsi Mathieu, tout en pensant qu'il n'a pas de *droits* sur elle, s'imagine qu'elle n'appartient qu'à lui et ne peut lui échapper. Soudain, il doit pourtant s'apercevoir qu'elle est une femme, c'est-à-dire qu'elle est en proie au désir d'un homme, qui n'est pas prévenu et qui ne joue pas le jeu. « Il s'aperçut qu'il la désirait, honteusement, à travers le désir d'un autre... » Bref, cette relation implique une certaine mise en scène : l'autre est nécessairement convoqué, avec la fonction d'authentifier la réalité du désir, qui sans lui resterait flottant, transformé par la dénégation en un curieux malaise. Désirant, il peut être aussi objet de désir, comme dans la scène du cabaret où une fille faisant un numéro de strip-tease, l'idée qu'Ivich puisse en être excitée met Mathieu au supplice. « Elle dévorait des yeux, avec les sentiments d'un mufle, cette pauvre viande nue ». Mais Ivich, elle, connaît la règle du jeu, c'est-à-dire la dénégation : « Pouah ! », s'écrie-t-elle, mot de passe qui dissipe magiquement le désespoir de Mathieu. « Elle n'est pas troublée, pensa-t-il avec reconnaissance » — de nouveau autorisé à révérer, avec amertume et tranquillité comme un semblant de perfection la chère froideur, la frigidité sacrée de cet ange filou.

Bref, il s'agit de créer un monde où le désir est prohibé, tout en restant là bien sûr, lové dans le négatif, et menaçant de resurgir du fait de l'Autre. Si cet Autre est un mâle, Mathieu, déchiré entre ses deux identifications, doit constater la mauvaise foi de sa généreuse imposture : il ne peut plus maintenir la fiction de ce statut sexuel inouï dont il voulait faire bénéficier sa petite reine, car enfin tout repose sur le fait qu'il est quand même un homme, qu'elle n'est interdite que pour lui, et parce qu'il s'y applique. Certes, son drame recroise celui d'Ivich, dont tout le problème est d'être une femme. Elle attache le plus grand prix au désir qu'on a d'elle, et si elle refuse d'en accepter les conséquences, elle sait bien elle aussi que cette attitude n'est pas soutenable. Elle veut rester intouchable, mais elle a la terreur de mourir vierge...

Ce qui va se passer c'est qu'elle va mourir comme vierge, c'est-à-dire que son dépucelage est vécu de son côté, et représenté de l'autre, comme un meurtre. Mieux encore, le texte du *Sursis* juxtapose deux assassinats : l'Homme dépucèle Ivich (il n'est autre que l'étudiant qui la désirait devant Mathieu), Hitler étrangle la Tchécoslovaquie. Hitler et l'Homme, comme le confirmera Franz, c'est le même camp, et dans l'autre il y a Ivich et la Tchécoslovaquie qui succombent en même temps, victimes de la même cruauté, de la même lâcheté des hommes. S'il y a une certaine misogynie chez Sartre, il y a aussi l'attitude équivalente envers l'homme. La femme est un marécage et l'homme un bourreau. Ce qu'il refuse en vérité, c'est entre l'Homme et la Femme une certaine relation qui les définit.

Suivons le texte du *Sursis*. « Un trouble gluant comme du sang poissait les cuisses et le ventre d'Ivich, il se glissa dans son sang, je ne suis pas une fille qu'on viole, elle s'ouvrit, se laissa poignarder, mais pendant que des frissons de glace et de feu montaient jusqu'à sa poitrine, sa tête restait froide, elle avait sauvé sa tête et elle lui criait dans sa tête : je te hais ! » Feu et glace : l'amour en proie à l'interdit. La froideur d'Ivich se réfugie dans sa tête — qui démentait pareillement l'émotion du corps dans la scène du strip-tease —, elle emploie la technique bien connue de la mauvaise foi, abandonne son corps comme un faux moi, et son dépucelage est une fausse mort. « C'était fini, la Tchécoslovaquie de 1918 avait cessé d'exister. »

Pas si fausse, comme celle de Thomas l'imposteur. Ivich ne s'en relèvera pas. Elle paiera son dépucelage d'un avortement qui ruinera sa santé et la vieillira irréparablement. Elle n'est plus ce qu'elle a été ; comme ce qu'elle était c'était la vierge souverainement interdite et désirable, elle n'est plus qu'une ombre. « Par le fait, Ivich avait beaucoup vieilli et enlaidi depuis sa fausse couche [1]. »

L'analyse du désir dans *L'Etre et le Néant* marque un tournant dans l'ontologie. Par rapport à la conscience, au pour-soi, tels qu'ils ont été décrits ou glorifiés jusque-là, le désir cons-

1. *La Mort dans l'Ame.*

titue une subversion : il « empâte » la conscience, immerge
le pour-soi dans la facticité. Contre la transcendance légère
de la conscience, il déclenche le « soulèvement pâteux du fait ».
La conscience « se laisse aller au corps » qui n'est plus pur
dépassement vers soi, mais donné inerte, non plus instrument,
mais passion par laquelle je suis en danger. Le problème, c'est
que la conscience se laisse faire par le désir : le désir *me
compromet*, souligne Sartre, et le pire est que j'accepte trop
volontiers la compromission, je m'abandonne lâchement au
désir comme « chute dans la complicité avec le corps ». C'est
comme si le désir se vengeait de la conscience et l'humiliait :
il la prend, la submerge, la transit, la cloue à terre, c'est-à-dire
à la chair, à la nature, elle dont c'est l'honneur et la raison
d'être que de se lever et d'éclater vers le monde. Il la plonge
dans un « alanguissement comparable au sommeil », dont Sartre
se méfie, on l'a vu, parce qu'il se traduit par une passivité qui
ramène au plus près de l'existence en soi, et peut-être aussi
parce qu'il libère les rêves — ce qui inclinerait à penser que
l'en-soi est autre chose que ce qu'il paraît, quelque chose dont
on peut rêver...

Dans le désir, il y a donc un choix de la conscience qui en
quelque sorte trahit sa vocation, car elle *consent* à cette douce
violence ; le désir est consentement passif au désir, dit Sartre,
suggérant par là que les autres attitudes plus ou moins le
refusent. En un mot, le désir est négation de la conscience,
à moins qu'il ne faille lire en sens inverse... Désirant, je cesse
de transcender le présent vers l'avenir toujours ouvert, indéfini,
de dépasser inlassablement mes possibles, je me mets à croire
à un terme imminent — comme c'était le cas déjà dans les
exemples de l'abîme et de la fenêtre, et pas par hasard : il
s'agissait de réalisation du fantasme, et de devenir objet. Car
l'essentiel est là : la régression de l'activité à la passivité, celle-ci
étant en vérité primordiale. Je cesse de la fuir, je cesse de fuir
devant le désir, me désavouant comme transcendance, je me
reconnais comme *étant désir*. Dirai-je que « se fuir », « se
poursuivre » peut s'interpréter comme narcissisme, sinon comme
homosexualité — les métaphysiciens y verraient une scandaleuse confusion du transcendantal et de l'empirique, et il faudrait leur répondre que chacun n'est possible qu'à partir de
l'autre, que pour nous la *ratio cognoscendi* précède la *ratio
essendi*, en d'autres termes que les thèmes philosophiques les
plus abstraits ne se formulent pas sans schèmes affectifs. Le
rapport à soi ou au soi témoigne d'un échec primitif du narcissisme, constituant le projet de le restaurer absolument dans la
béatitude divine, si bien que la brèche paternelle est une fois

de plus en cause. Aussi bien pourrait-on dire qu'il s'agit d'échapper à un « soi » primitif qui n'est pas une forme vide comme dans l'équation philosophique de la subjectivité : échappement de soi à soi vers soi — mais contenu refusé, comme s'il s'agissait de liquider son enfance en la fuyant, en n'étant plus rien que contact avec les choses actuelles.

En tout cas, l'accouplement n'est pas pour Sartre ce qu'il est pour Montaigne : « tout le mouvement du monde s'y résout, c'est un centre où toutes choses regardent »... Sartre dirait plutôt, à la manière de Malebranche, que nous avons toujours du mouvement pour aller plus loin, et qu'on ne laisse pas de regarder ailleurs. Plutôt que de faire l'amour, le héros sartrien souhaite être, sans odeur et sans ombre, sans passé, un « invisible arrachement à soi vers l'avenir »... Il semble même qu'aux yeux de Sartre lecteur de Flaubert, quand Emma et Léon copulent dans la boîte noire et cahotante du fiacre à travers les rues de Rouen, c'est-à-dire sombrent dans l'inertie, le cocher reste seul à maintenir l'ordre humain de la praxis et du projet, bien que ses clients indignes ne lui indiquent aucune direction et le fassent aller n'importe où...

Au reste, nous avons déjà opposé l'expérience sartrienne du regard à la description sensuelle de Proust, nous avons enregistré le refus de Sartre de situer l'événement dans le monde du désir. Ne serait-on pas objet ou sujet du regard pour ne pas l'être du désir ? Sartre oppose l'illusion de la fusion à soi au mythe érotique. Dans les deux cas, après tout, il s'agit de désir — mais la sexualité présente des dangers particuliers. Elle nous conduit au terme de notre projet, la décharge sexuelle est comme l'expulsion du négatif, les possibilités sont réduites, on s'est rejoint selon la téléologie du principe de plaisir — au milieu du monde. Le risque du désir dans la sexualité, c'est de disparaître. Etre bien est dangereux, puisque notre vie est liée à l'inquiétude et au malaise, le bonheur dans l'inertie est trop proche de la mort.

La sexualité aménage au milieu du monde un terrain où la rencontre est possible, alors que d'ordinaire il n'y a pas de milieu entre le sujet et l'objet, c'est-à-dire l'autre sujet. La chair est cet intermédiaire, au prix d'un engluement réciproque des subjectivités. Merleau-Ponty a décrit avec bonheur ce monde narcissique, érotisé, où le regard est une caresse — qui est pour lui le milieu formateur du sujet et de l'objet. Sans doute a-t-il raison d'ailleurs d'accorder à cette « chair » la priorité par rapport à l'en-soi, car il n'est pas constitutif du sens de la chose perçue d'être là dans l'indifférence de l'identité ; l'en-soi désigne plutôt la chose construite, comme l'objet de la science

résulte de l'activité scientifique, comme la Nature sans addi-
tion étrangère est le plus sophistiqué des concepts culturels.
Au-dessous du *cogito*, qui comporte l'opposition irréductible
d'un « je pense » et d'un ceci pensé — mais qui lui-même
est une conséquence de l'expérience —, se trouve ce niveau
où le désirant et le désiré passent l'un dans l'autre, la jouissance
étant la vérité de ce rapport. Perspective qui est donc celle
de Merleau-Ponty, décrivant la vision comme ajustement, accouplement des « noires issues de deux regards », au lieu que
deux consciences s'opposent leurs téléologies incompossibles :
« Elle esquisse ce que le désir accomplit quand il expulse
deux pensées vers cette ligne de feu entre elles, cette brûlante
surface où elles cherchent un accomplissement qui soit le
même identiquement pour elles deux, comme le monde sensible
est à tous[1]. »

Sartre refuse ce monde de la chair, c'est pourquoi il se méfie
par exemple du chant[2], « l'étrangeté sensuelle » du rythme et
des mots anticipant les caresses amoureuses : l'inertie, en
ce sens, c'est aussi l'inarticulé, des liaisons entre les vocables
qui sont physiques et non métaphysiques. Il craint que l'on
s'arrête à la matière au lieu de la transcender pour atteindre
ce qui n'est pas là. Toute matière est pour lui dangereusement
sexualisée, ainsi met-il en garde contre « le pouvoir persuasif
de mauvais aloi »[3] qu'a l'image, par laquelle la pensée s'absorbe
dans la matière comme l'eau dans le sable, substituant à la
rationalité un lien mystique de participation. Mais la transparence qu'il impute à la conscience, c'est aussi une image, qui
suggère même que la lumière venant d'ailleurs la traverse sans
être altérée...

La caresse, dit Sartre, révèle la chair comme inertie, comme
pur être-là. Elle crée deux inerties, ou plutôt une inertie commune, à leur contact, l'une se composant avec l'autre. Ma main
inerte caresse l'Autre qui se rend inerte pour l'éprouver. « Dans
la caresse en effet, lorsque je glisse lentement ma main inerte
contre le flanc de l'Autre, je lui fais tâter ma chair et c'est ce
qu'il ne peut faire, lui-même, qu'en se rendant inerte, le frisson
de plaisir qui le parcourt alors est précisément l'éveil de sa
conscience de chair »[4]. Ce terme d'inertie, dont on voit le rôle
décisif dans la description, peut surprendre. Ne s'agit-il pas
d'une main vivante caressant une chair vivante ? Ce que Sartre
veut dire, c'est qu'elles sont en proie au désir, qu'elles ne pos-

1. *Signes.*
2. Exception faite pour *Some time of the days.*
3. *L'Imaginaire.*
4. *L'Etre et le Néant.*

sèdent pas en elles la raison de leur évolution, qui est maintenant l'instinct, la vie...

La chair ne comporte pas de spontanéité. Sartre insiste sur
le fait que la conduite érotique vise « les masses de chair les
moins différenciées, les plus grossièrement innervées, les moins
capables de mouvements spontanés ». Dans le meilleur style
théologique, il oppose le corps et la chair : une danseuse nue
n'est pas *en chair*, parce qu'elle est habillée de mouvements,
vêtue de sa transcendance. Telle est la grâce, et il faut prendre
le mot dans tout son sens : la justification absolue, qui masque
heureusement la facticité par le pardon de Dieu. Sartre distingue
ce qui s'offre et par là se dévalorise, déchoit dans l'être factice
et vulgaire, et ce qui se refuse, qui est au goût de son ascétisme : la grâce est le propre de ce qui s'appartient, se reprend
et se constitue par soi-même, c'est là au moins l'illusion que
donne la danseuse. La chair dévoilée est aussitôt voilée, signifiant l'inaccesibilité, *profil de l'Autre*. Rien à voir avec la
malheureuse fille qui s'exhibe, dans une grande scène de *L'Age
de Raison*, et dont la croupe semble un pouf accroché au bas
de son échine pour le plus grand ennui de Mathieu : couvrez
cette facticité que je ne saurais voir !

On connaît l'inquiétude de Sartre quant à tout ce qui n'arrive
pas de face ; le cul étant éminemment derrière, son animosité
à l'égard de cette partie de notre constitution physique est
compréhensible. Dans l'optique sartrienne, le cul, le derrière,
ne peut être qu'un objet de honte, spécialement pour la femme :
« Genet, déshabillé par les yeux des braves gens comme les
femmes par ceux des mâles, porte sa faute comme elles portent
leurs seins et leur croupe. Beaucoup d'entre elles ont horreur de
leur dos, cette masse aveugle et publique qui cst à tous avant
d'être à elles ; frôlées par derrière, leur trouble et leur honte iront
ensemble à l'extrême. » Le derrière, c'est en somme la transcendance à l'envers. « Je suis sûre qu'il fait exprès de me
toucher le derrière, parce qu'il sait que je meurs de honte
d'en avoir un », pense Lulu[1], qui dit aussi de Rirette, dont elle
trouve les formes obscènes : « elle dit qu'elle a honte de son
derrière et elle met des jupes qui lui collent aux fesses ».

Après tout, comme dirait Sartre, tout dépend du choix fondamental qu'on fait de la corporéité ou de la sexualité : si
elle est vécue comme *chute*, alors le plaisir n'est possible que
dans la honte, a le parfum sulfureux de l'abjection, et si le
derrière est particulièrement objet de honte, c'est aussi pour
être d'abord électivement zone de plaisir. La honte, nous savons

1. *Intimité*, dans *Le Mur*.

bien que toutes les occasions sont bonnes pour l'éprouver, comme le héros de Proust n'en rate pas une pour concevoir un désir impossible à satisfaire, nous savons que cela va du frisson à l'orgasme, de la petite honte légère et fugace à la grande honte brûlante et anéantissante, si bien qu'elle prend l'allure d'une décharge, du double point de vue de la libido et de la culpabilité. Avec une bonne honte, on est sûr d'être en règle, on paye, on déguste, tout en frôlant la jouissance abyssale. Une femme est fière de son corps sans qu'il faille voir dans cette fierté une honte compensée, elle est satisfaite de pouvoir déclencher le désir masculin d'une manière presque automatique, comme sans avoir à y mettre du sien, de sa responsabilité. Et la honte est souvent liée à une incertitude quant à ce pouvoir, à une inquiétude narcissique, à une crainte par rapport à une image de perfection (« ne regardez pas, j'ai honte à cause de mon derrière qui est trop gros et trop bas », dit Irène dans *Le Sursis*). De surcroît, l'humiliation peut être érotisée, et pas spécialement chez la femme, comme Rousseau l'a prouvé par ses exhibitions de « l'objet ridicule ».

Etre nu, répète inlassablement Sartre, c'est être sans défense, se livrer. Il aime mieux être au-dehors de ce monde du désir, qu'il n'en décrit pas moins fort bien, mais ce n'est pas pour lui à peu près le seul comme pour Proust par exemple. Quant à Merleau-Ponty faisant de la chair la substance du monde, il développe une description que Sartre avait ébauchée en ne lui donnant qu'une signification locale ; dans ce monde, « un contact est caresse, c'est-à-dire que ma perception n'est pas utilisation de l'objet et dépassement du présent en vue d'une fin, mais percevoir un objet dans l'attitude désirante c'est me caresser à lui. Ainsi suis-je sensible plus qu'à la forme de l'objet et plus qu'à son instrumentalité à sa matière (grumeleuse, tiède, graisseuse, rêche, etc.) et je découvre dans ma perception désirante quelque chose comme une chair des objets... Tout m'est présent d'une certaine manière, comme posé sans distance sur moi et révélant ma chair par sa chair »[1]. De la même façon Merleau-Ponty dira que notre chair s'ouvre à la chair du monde pour en être aussitôt remplie.

Le désir étant la seule valeur, il peut arriver que le sens s'inverse, ce que Sartre a aussi envisagé : « Dans la perspective générale de la caresse, les objets peuvent apparaître aussi comme anti-caresses », rudes, cacophoniques... D'ailleurs, Sartre précise que le monde du désir, en lui-même, est destructuré, ayant perdu son sens, et les choses y sont saillantes comme des

1. *L'Etre et le Néant.*

fragments de matière pure — ce qui rappelle le monde qui se dévoile à l'horizon des instruments brisés, monde sans points d'appui, poétique et d'une fraîcheur enfantine et terrible, monde dont parle Merleau-Ponty, qu'il appelle sauvage, brut : « les choses sont là, debout, écorchant le regard de leurs arêtes, chacune revendiquant une présence absolue [1] ». Dira-t-on que ce n'est pas le monde réel ? En tout cas c'est un monde sensible, esthétique...

Sartre, profondément cartésien, considère que la passion fondamentale, condition de toutes les autres, est notre incarnation, le corps étant en lui-même inerte, inanimé. Mais tandis que Descartes l'abandonne à l'extériorité pure, à l'étendue et au mouvement, Sartre le sauve ou le fait sauver par le pour-soi, qui généreusement l'existe, jusqu'au moment où ce corps peu reconnaissant l'entraîne et le fait tomber dans la chair... La chair s'oppose à l'acte, qui consiste à se reprendre, à s'en déprendre, en se raidissant, en bandant ses muscles. « Etendre ma main, l'écarter ou la serrer, c'est redevenir corps en acte, mais du même coup c'est faire s'évanouir ma main comme chair. » La chair signifie la perte de soi, la perte du sens, une renonciation essentielle.

« Laisser couler ma main insensiblement le long de son corps, la réduire à un doux frôlement presque dénué de sens, à une pure existence, à une pure matière un peu soyeuse, un peu satinée, un peu rêche, c'est renoncer pour soi-même à être celui qui établit les repères et déploie les distances, c'est se faire muqueuse pure. » C'est en revenir à l'enlisement natal dans la douce et écœurante confusion. La possession est donc double incarnation réciproque. Tel est le désir : un projet de réciprocité dans la chair comme milieu indivis entre le sujet et l'objet, de telle sorte que les rôles peuvent en être abandonnés. Mais, pour Sartre, c'est là une relation qui n'est que momentanée. Je me fais chair pour m'approprier la chair d'autrui, saisir le corps en tant qu'il empâte dès lors la conscience : d'un même mouvement je me subordonne à ma contingence et à une autre, je désire la facticité dans une démission sans réserve, mais le désir échoue, c'est-à-dire que la différence resurgit — non plus celle du sujet et de l'objet peut-être, mais tout comme, celle de l'actif et du passif, du mâle et de la femelle. Jusqu'ici, il ne s'agissait que de l'Autre. Maintenant, la description est soudain sexuée, et me révèle comme corps en face d'une chair.

Voilà autre chose : l'accouplement est praxis, et le sadisme

1. *Signes.*

est le « projet de parvenir à la *praxis absolue* par le plein emploi de l'autre »[1]; l'homme d'action, comme on l'a dit, ne se conçoit pas sans égoïsme et cruauté, et la praxis suppose une répartition du sadisme et du masochisme. Il faut donc se défendre contre cette tentation. Sartre ne présente-t-il pas l'homme comme un bourreau : Garcin a martyrisé sa femme, Goetz a fait de Catherine une putain, l'étudiant en médecine dépucèle Ivich comme Hitler étrangle la Tchécoslovaquie[2]. D'une manière générale et à un autre niveau, c'est d'ailleurs un problème de Sartre que de savoir comment on peut assumer la violence : c'est le problème résolu en Hœderer, voire en Gœtz à la fin de la pièce.

Bref, la chair n'est qu'une étape illusoire, qui mène soit au sadisme, soit au masochisme, l'autre est chair tandis que je suis corps ou inversement. « Dès que je cherche à prendre le corps de l'autre », le tournant est pris, dit en somme Sartre, c'est-à-dire : dès que je suis homme. Dans ces conditions, on comprend mieux le refus du désir, mais il n'est pas facile de se débarrasser pour autant du sadisme. Car la condamnation sartrienne de la chair n'en est-elle pas imprégnée en quelque manière ? Le sadisme, c'est le refus de s'incarner, la fuite de la facticité — tandis que l'ustensilité est la fuite organisée hors de la chair comme monde destructuré, sans marques, vierge, non cisaillé par le travail de la différence, l'instrumental apparaît comme une défense et l'instrument, rappelle Sartre, est sadique en lui-même.

Le désir se traduisant par la domination de la passivité, la passivité étant féminité, le monde du désir est féminin, et maternel. La chair est la facticité, la non-transcendance — le sadisme vise précisément à réduire l'autre à sa chair, à le châtrer de sa transcendance, il vise à incarner autrui par la force, à le dénuder de ses actes, à découvrir la chair d'ordinaire cachée sous le comportement. En un mot, la chair est en-soi, et d'autre part elle est femme. Sartre attribue l'idée à Flaubert : « la coïncidence avec le corps charnel ne peut se réaliser, il en est convaincu, que chez la femme » — puisque la chair est le pur pâtir et que la jouissance « naît d'un abandon pâmé ». Le féminin Gustave veut se réduire à une « fragile nudité, tripotée, explorée, violée par des mains trop expertes, par un

1. *L'Idiot de la Famille.*
2. Un passage de *l'Age de Raison*, qu'on pourra juger d'un goût contestable, témoigne du problème : « Il y avait dans ce visage une humilité troublante et presque voluptueuse qui donnait l'envie sournoise de lui faire du mal, de l'accabler de honte : « Quand je la vois, disait Daniel, je comprends le sadisme. »
3. *L'Être et le Néant.*

regard trop pénétrant ». La femme s'identifie naturellement à
l'être, elle s'y étale, coïncide avec lui, s'y laisse aller, alors que
l'homme se redresse et lutte. Dans une certaine mesure, la
féminité s'accommode du pratico-inerte : ainsi, dans les premiers temps de la mécanisation, les ouvrières s'abandonnaient
tout en travaillant à une rêverie d'ordre sexuel, se rappelaient
« la chambre, le lit, tout ce qui ne concerne que la personne
dans la solitude du couple fermé sur soi — mais c'est la machine
en elle qui rêvait de caresses »[1]. L'homme, représentant le sexe
actif, ne pouvait se laisser distraire ainsi de la praxis, s'il avait
songé à prendre, et non à s'abandonner, le travail s'en serait
ressenti — à moins d'être affecté d'une nature passive comme
Gustave dont même le phallus relève du pratico-inerte.

La substance est féminine, la femme est substantielle. Marcelle est « pis que nue, sans défense, comme une grosse poti-
che, au fond de la chambre rose »[2]. Marcelle est si souvent la
cible des comparaisons les plus désobligeantes — grosse poti-
che, motte de beurre, tas de viande — que c'est presque pour
elle une promotion que de passer dans le règne animal : « elle
avait l'air noble, ombrageux et triste, comme un cheval »[3].
Sa chair est matière, presque inanimée, inerte : onctueuse,
beurreuse, mûre, déjà un peu usée. Avec un tel être on sent
bien que ne peut s'établir en réalité qu'un courant de haine,
et Mathieu partage la honte, lui aussi nu et sans défense sous
le regard de l'Autre, jugé « sans pouvoir même se cacher le
ventre »[4]. Ce qui est en question ici, c'est cette « fleur coupable
qui reposait douillettement sur ses cuisses avec un air imper-
tinent d'innocence ». Le phallus est souvent comparé à une
fleur — une grosse fleur, pense Lulu de ce phallus passif qu'elle
aime manipuler sans qu'il durcisse[5] — métaphore végétale
également dans Le Sursis : « l'énorme fruit s'épanouit ». La
chair et la fleur de toute façon se ressemblent : la petite amie
de Lucien est une « grosse fleur de chair mouillée »[6]. Si Kant
faisait de la fleur l'exemple même du beau comme finalité sans
fin, il est clair que Sartre déteste les fleurs parce qu'elles sont
passivité épanouie (au point de baptiser du nom douceâtre,
écœurant de Fleurier son salaud archétypique). Pareillement,
il réfute les théoriciens de la spontanéité en refusant d'entendre
parler d'un « prolétariat-fleur »[7].

1. *Critique de la Raison dialectique.*
2. *L'Age de Raison.*
3. *Ibid.*
4. *Ibid.*
5. *Intimité.*
6. *L'Enfance d'un Chef.*
7. *Les Communistes et la Paix.*

La chair, féminine par essence, est végétale, *La Nausée* en témoigne. Roquentin décrit le jardin public où toutes choses se laissent aller à l'existence comme ces femmes qui s'abandonnent au rire en disant : « c'est bon de rire » d'une voix mouillée... La féminité, la sexualité, c'est un jardin pourri. Roquentin est allé baiser la patronne du bistrot par habitude, par politesse, en fait ça le dégoûte plutôt, d'autant qu'elle sent le nouveau-né. Là-dessus il s'endort et rêve d'un petit jardin avec des arbres bas d'où pendent des feuilles couvertes de poils, des fourmis courent, des mille-pattes, des teignes, des bêtes encore plus horribles, il se réveille en sursaut en criant : « ce jardin sent le vomi ! ». Ailleurs il est question de son « extase horrible », de son « atroce jouissance » devant la chair végétale [1], et il souffre d'être prisonnier de cette substance, d'y être englué. Le phallus ne fait pas la différence : les arbres au lieu de jaillir vers le ciel s'affalent dans une lamentable détumescence, Roquentin s'attend à voir les troncs se rider « comme des verges lasses, se recroqueviller et choir sur le sol en un tas noir et mou ». Eux n'ont pas envie d'exister — exister, c'est-à-dire se sentir exister dans les liqueurs et les florescences de la chair, dans les lèvres barbouillées de pus clair...

Dans *Le Sursis*, la nudité du corps d'Irène lui remonte au visage dans le sommeil, le corps la reprend comme la nature risque de reprendre les jardins abandonnés de Bouville. L'en-soi est totalité enveloppante. On pourrait en dire autant de la nuit, elle aussi enveloppement, menace sur l'identité personnelle. Sartre parle de la « grande nuit féminine », et aussi il l'identifie à Dieu, c'est le cas pour Daniel et pour Gœtz. Ce dernier personnage précise la référence sexuelle : « L'homme est fait pour détruire l'homme en lui-même et pour s'ouvrir comme une femelle au grand corps noir de la nuit... » La nuit est immanente, substantielle, tout lui est intérieur, elle est intérieure à tout, elle est une représentation de l'être. Elle constitue un univers louche où la différence devient illégitime, où elle-même règne comme synthèse de tous les pouvoirs archaïques, célèbre une présence et une révélation *obscures*.

Tout écrivain moderne a sa nuit, de Novalis à Céline. Celle de Sartre s'exprime à travers celle de Flaubert — cette fameuse nuit de Pont-l'Evêque qui devait faire un malheureux reclus et un écrivain illustre. Dans cette nuit, le jeune Gustave est

---

1. Roquentin pense douloureusement à cette femme aperçue, toute en épaules et en gorge, « de l'existence nue », qui doit continuer quelque part à caresser sa poitrine contre des étoffes douces en murmurant « mes nénés, mes beaux fruits » — chair sournoisement désirante, prête à s'ouvrir.

dans la situation du pour-soi, c'est-à-dire d'une illusion, d'un épiphénomène, que l'obscurité, la grande nuit de l'en-soi, ne manquera pas d'écraser en se rejoignant à soi. La nuit elle-même n'a qu'un désir, dont Gustave se fait le complice, retrouver sa pureté par l'élimination de l'intrus, du gêneur. L'alternative est : l'Etre ou moi — et j'ai choisi l'Etre. Le passif Gustave se laisse faire, laisse « invertir son champ pratique », laisse la nuit prendre sa mort en charge, annuler son voyage.

La femme, elle, a dans la nature un alibi trop facile. Voici par exemple le soldat Pinette qui fait son métier d'homme : la femme, il la « fond à la terre, à l'herbe, elle était eau, femme, miroir... La Nature haletante, à la renverse, l'absolvait de toutes les défaites ». La femme se vautre dans l'être. Au contraire, l'homosexuel se lance dans l'effort impossible d'être une femme, et nul enchanteur, dit Sartre, ne pourrait lui jouer pire tour que de le transformer en véritable femelle (encore qu'il y ait de nos jours nombre d'enchanteurs chirurgiens qui ne manquent pas de travail) : femme, il deviendrait nature, espèce, ses désirs d'être pris par un homme deviendraient licites, s'empâteraient, au lieu que par une perversité dialectique il s'emploie à faire de la féminité une mascarade, un mardi gras prolongé.

Quant à Genet, on l'a vu, c'est une étreinte de fer qui l'a rendu femme, il a sexualisé sa passivité primordiale. L'important est qu'on pourrait voir dans cette « étreinte de fer » une théorie sur l'origine de la féminité. La femme est humainement impossible, dans une optique philosophique, parce qu'être femme c'est coïncider avec soi-même comme nature, se faire objet. D'ailleurs, on ressent son objectivation comme une faute et comme une honte [1] — mais la honte est aussi la possibilité de goûter son objectivité, de se délivrer de l'existence pour-soi, et un plaisir sournois peut s'y glisser. Dans le masochisme, j'ai choisi la honte comme moyen d'accéder à l'être, dit Sartre. Au reste, le masochiste, qui recherche l'échec, est-il si bête, pour autant que le pour-soi lui-même est voué à l'échec ? Le masochiste s'exhibe dans des postures ridicules, mais n'a-t-on pas vu que de toute façon autrui a une tendance spontanée à me surprendre dans de telles positions ? Au fond, le masochisme assume simplement ma culpabilité de principe, puisque c'est en face de l'Autre que je suis coupable, sa présence étant le péché originel. Le masochisme tire les conséquences de cette vérité de fait : je suis coupable du fait que je suis objet.

En ce qui concerne la femme, Sartre énonce bon nombre

---

1. « Nous l'avons fait crier comme une femme », disent les tortionnaires de *Morts sans Sépulture*.

de thèmes dont la banalité est aujourd'ui reconnue, comme s'il faisait exprès d'alimenter le florilège. Par exemple, la putain s'oppose catégoriquement à la mère dans la vision du salaud : « Je te conseille de ne pas trop parler de leurs mères aux gars d'ici », dit Fred à la respectueuse Lizzie. Elles s'identifient dans l'optique du héros, puisque Oreste revenant à Argos soupire que c'est là qu'une putain et son maquereau ont assassiné son père, tandis que Gœtz tient à faire coucher Catherine, après l'avoir amplement déshonorée, dans le lit de sa mère.

Ailleurs Sartre explique que l'attirance de son ami Nizan pour les femmes s'accompagnait d'un fort dégoût, et qu'il lui fallut longtemps pour admettre la « beauté de *tout* le corps féminin », « jusqu'aux signes secrets de la fécondité ». Chez Sartre lui-même on trouve assez largement les éléments d'une philosophie du trou dont il est difficile de nier la connotation sexuelle. A la fin de *L'Etre et le Néant*, il décrit le trou comme cette excavation qui se moulera soigneusement sur ma chair, de sorte qu'en m'y adaptant étroitement je contribuerai à rétablir le plein de l'être dans le monde. Une nouvelle fois, nous constatons la vocation du pour-soi au sacrifice : le pour-soi, quoique trou lui-même, est aussi bouche-trou. D'ailleurs, comme le vagin, la conscience est appel d'être, le problème étant que le vagin absorbe la conscience, suivant la ruse féminine du coït, triomphe de la mante religieuse. Sartre accepte difficilement que la chair soit trouée et puisse s'ouvrir, cela lui paraît la pire démission, et le personnage qui peut le moins échapper à cette vicissitude de l'immanence, le paralytique du *Sursis*, éprouve dans la honte cette « sombre et violente envie de s'ouvrir et de pleuvoir par en bas ». Mais ce drame intime de la chair implique aussi la présence de l'Autre : « toutes ses envies de chier étaient empoisonnées par l'envie pâmée de s'ouvrir sous un regard, de béer sous des yeux professionnels ».

S'arracher à... A l'être, à soi, mais d'abord à la substance maternelle, comme le canot s'enlève sur l'eau. Pour mieux décrire cette horreur de l'immersion, Sartre a remplacé l'eau par une substance de son invention : le visqueux. Ce n'est plus la mer, c'est le marécage. « Je ne veux pas m'enliser dans tes yeux », hurle Garcin. Pas de personnage sartrien qui entreprenne de conquérir une femme : on ne conquiert pas un marais, la femme est l'engluement du guerrier. Le visqueux, dit Sartre, est l'agonie de l'eau, l'empâtement de la liquidité, qui a tout de même ses mérites, la légèreté, la transparence, si bien même que je puis m'en sortir en faisant d'elle le symbole de la conscience : « Si je pouvais concevoir la liquéfaction de moi-même, c'est-à-dire une transformation de mon être en eau, je n'en serais pas outre mesure affecté, car l'eau est le symbole de la conscience, par son mouvement, sa fluidité » [1].

En revanche, le visqueux ébauche l'horrible fusion de moi et du monde, l'immanence absolue et irrémédiable par la reprise du pour-soi par l'en-soi. Il comporte une sorte de « dégonflage », comparable à l'étalement, au « raplatissement des seins un peu mûrs d'une femme qui s'étend sur le dos ». Le visqueux me pompe, m'aspire, suscite en moi le vertige : il m'attire en lui comme le fond d'un précipice. Face à lui, je perds ma maîtrise, il exerce dans sa docilité sournoise une activité « molle, baveuse et féminine d'aspiration ». Il est en apparence inertie, mais il comporte une feinte, au moment où je crois le posséder, il se referme sur moi, s'empare de moi, me piège, me possède comme une sangsue. Par le visqueux, comme par le désir, comme par l'Autre, le pour-soi est donc compromis : peut-on en conclure que le désir porte par lui-même sur un Autre visqueux ? Comme le désir représente l'inversion du projet, comme l'Autre constitue ma négation, le visqueux est *l'anti-valeur* — il est vrai qu'on pourrait soutenir que la valeur se constitue par suite, après coup, comme négation de la négation, fuite éperdue...

Le visqueux apparaît comme une « revanche de l'en-soi douceâtre et féminine » — un en-soi qui de toute façon avait d'abord la primauté puisqu'il a fallu s'en détacher. L'en-soi visqueux me suce, me déglutit, jusqu'à cette « mort sucrée » qui a lieu par exemple dans la chambre rose de Marcelle, pire encore que la noyade, « mort féminine entre toutes ». Ce n'est pas seulement l'organe vaginal qui est en cause, c'est la *substance*, féminine et maternelle, la substance Schweitzer en particulier, c'est notamment le passé, cette origine qui bée derrière le sujet comme un entonnoir menaçant de l'aspirer.

***

« Le couple essaie vraiment de n'être plus qu'une seule bête qui se sent, se rumine, se renifle et se touche de ses huit pattes tâtonnantes et poursuit dans la moiteur du lit le rêve triste de l'immanence absolue » [2]. Sartre ajoute que l'amour, du moins « chez nous », tient des fonctions digestives, les prolonge, que le climat conjugal dispose à la coprophagie même : c'est sa vérité, que seul le préjugé bourgeois, la « dignité humaine », empêche de pratiquer assidûment. Ce n'est sans doute pas une pratique générale de l'humanité, mais le jeune Flaubert en a

1. *L'Etre et le Néant.*
2. *Saint Genet.*

fait une représentation symbolique de la condition humaine, imité quelques années plus tard par Alfred Jarry. Et comme le Frédéric d'*Une Défaite* hume extatiquement le fumet d'une poubelle, le héros de Joyce, Mr Bloom, s'enveloppe avec délectation de l'odeur de ses excréments, qui avec la lecture du journal constitue un univers matinal où il s'attarde volontiers.

Par rapport à ce climat étouffant, la guerre constitue une protection dont on ne discute pas les conditions, et le héros prolétarien se précipite dans la rue, malgré la sueur qui colle son maillot de corps à sa peau comme une « angoisse fade et tendre », il rigole à l'air libre : les femmes sont de trop, la guerre est là, la révolution, les fusils, la victoire [1]. Le corps est-il autre chose qu'un malaise, une digestion difficile, une aigreur bourgeoise ? L'amour, quant à lui, nous enferme dans un monde végétal qui n'a d'autre destin que de croupir, de moisir, de se dissoudre dans l'eau originelle en passant interminablement par l'étape de la viscosité.

Le pire danger, c'est l'immanence primordiale, *l'existence* comme nappe d'être brut où tous les êtres sont pris ensemble comme dans une marmelade infâme. L'existence est l'absolu, avant de devenir la relation fondamentale aux pôles de laquelle se forment un sujet et un monde. La sexualité y ramène obligatoirement, et cette imminence de l'immanence se marque par de nombreuses impressions coenesthésiques. Une sensation, une impression, c'est déjà une introjection de l'existence en moi. Fadeur, douceur, écœurement, nausée. Le goût semble avoir pour Sartre une importance décisive, constituant comme une expérience permanente. Ainsi, la conscience est saveur de soi, goût des pensées, comme d'autre part l'amour est une tentative pour goûter la conscience de l'autre en la mêlant à sa chair. Le goût est le modèle du rapport à soi, le contact et le décalage originel, une sorte de *cogito* archaïque : à l'exclusion d'autre chose je me savoure et je me déguste. « Je suis mon propre goût, j'existe », pense Mathieu par exemple. Et se retenir d'exister, s'anéantir, c'est s'empêcher de déglutir, ne pas faire couler ce goût d'existence dans son arrière-gorge — tel est le second temps de la réflexivité.

Par ailleurs, le goût est *sens*, c'est-à-dire message, vouloir-dire. La sensation n'est pas sans épaisseur, elle est un hiéroglyphe comme la saveur de la madeleine proustienne est un talisman du temps perdu. Les perceptions s'affinent en même temps qu'elles sont infiltrées par les fantasmes ; ainsi le militant Brunet, héros de l'objectif, doit faire face au retour de

---

1. *Le Sursis.*

la subjectivité et de l'enfance à travers un goût d'ananas. La fadeur, la douceur, renvoient souvent à une situation de passivité, d'indécision sexuelle, d'autres nuances de ces impressions évoquent la chair maternelle, donnent à sentir son « odeur mûre ». La femme enceinte du reste ne fait que concentrer la réalité maternelle du monde, du cosmos, aussi bien qu'elle féconde l'air autour d'elle, elle est la voie lactée traînant sa poussière d'étoiles, et sa chair saturante, qualifiée à la fois de nourricière et d'ennemie [1], fait l'objet de sentiments ambivalents, désir de l'anéantir, désir d'être elle, etc. Chez un personnage du *Sursis*, le sens de la nausée se dévoile clairement comme nostalgie de la mère nourricière, nostalgie de *vitellone* comme on dit en Italie. « Il se sentait doux et fade, une nausée lui remontait de l'estomac à la gorge et il ne savait pas ce qui l'écœurait le plus de ce désert miroitant, de cette terre rouge ou de cette femme qui se blotissait dans ses bras... Il aurait voulu déjà être à Tours, dans la maison de ses parents et que ce fût le matin et que sa mère vînt lui porter son petit déjeuner au lit... »

Le goût s'éprouve comme dégoût, la fadeur du goût de soi est déjà la nausée. « Cette saisie perpétuelle par mon pour-soi d'un goût fade et sans distance qui m'accompagne jusque dans mes efforts pour m'en délivrer et qui est *mon* goût, c'est ce que nous avons décrit ailleurs sous le nom de *Nausée*. Une nausée discrète et insurmontable révèle perpétuellement mon corps à ma conscience [2]. » Discrète, mais insurmontable et permanente : transcendantale. La nausée en effet est inhérente à la révélation même de mon être matériel, de ma réalité. Elle se déclare immanquablement au moment où la négativité existentielle se dégrade en chair, en inertie. La chair est la contingence pure de la présence : en général, elle n'est qu'entrevue, elle est voilée, masquée par le vêtement, le maquillage, l'expression, dépassée vers les situations, mais vient toujours, dit Sartre, un instant d'horrible nudité où tout cet ensemble bascule dans le néant, me laissant affronter la sinistre évidence. Bref, la nausée est liée *a priori* à cet être de chair auquel je ne puis complètement échapper puisqu'il est moi, dont la menace pèse constamment sur le projet du pour-soi. On retombe toujours dans la nausée, Roquentin avait fui pour des aventures lointaines, mais l'illusion se dissipe tôt ou tard et il ne reste plus qu'à déguster cette conscience sans rime ni raison que l'existence est contingence pure, que la réalité détruit l'imaginaire.

1. Cf. la description du personnage de Marcelle dans *Les Chemins de la Liberté*.
2. *L'Etre et le Néant*.

Il est vrai qu'autrui peut m'apporter son aide. La nausée étant le lien qui m'unit à mon corps est aussi la condition de la jouissance. Mon goût de moi-même, c'est ma chair pour autrui, et inversement : Sartre, qui signale le « caractère nauséeux de toute chair », précise donc qu'autrui saisit ma nausée comme chair, veut par conséquent goûter ma nausée, vomir ma chair avec moi. D'où ce passage des *Chemins de la Liberté* qui fit scandale : Mathieu respire passionnément une aigre petite odeur de vomi s'échappant de la bouche pure d'Ivich qui s'est saoûlée.

Le dégoût est la vérité de l'immanence, du rapport fermé, et toute retombée du projet y ramène, renouvelle son évidence. Mathieu démobilisé rentre chez lui et contemple avec écœurement son appartement jonché de restes d'activités, à l'image des mégots refroidis et puants qui remplissent les cendriers. L'amour étant auto-destruction de la transcendance, que peut-il arriver sinon que je sente mon corps s'y épanouir jusqu'à la nausée ? Mais le goût et le dégoût s'échangent, Sartre l'indique à propos de l'homosexualité par exemple : le dégoût est l'effet sexuel de l'interdit. Le désir et le dégoût sont liés intimement dans le *trouble*. Je désire le dégoûtant, j'ai du dégoût pour le désir, pour ce que je désire. De cette parenté essentielle s'organise une sorte de comédie du dégoût, masquant habilement le désir. *La Mort dans l'Ame* en donne une illustration grandiose quand Mathieu participe à la saoûlerie collective des soldats vaincus dans la mairie, boit avec eux la honte de la défaite jusqu'à la lie. Aimer, dans ces conditions, c'est surmonter le dégoût, et Sartre souscrit à cette thèse de Genet : « le plus beau cadeau qu'on puisse faire à sa mère, c'est de lui vomir sur les mains ». D'ailleurs, il appartient à une bonne mère de réhabiliter la matière, de sauver l'immanence : ainsi Hilda répond à Gœtz, qui lui a exprimé les thèses mystiques sur le corps comme « sac d'excréments », qu'il n'y a de chiennerie que dans son âme malade.

La nausée est aussi conduite imaginaire d'abolition. Le corps, on ne peut véritablement le vomir, mais on peut le constituer en déchet de la transcendance, comme Baudelaire, en le souillant de voluptés dégradantes, en le chargeant de maladies honteuses. D'autre part, *L'Imaginaire* décrit cette nausée transcendantale, c'est-à-dire purement subjective : c'est moi qui la conçois, la produis, elle est moi-même, le monde ne me l'inflige pas, je ne la subis pas. Elle est assimilable à cette activité imaginaire qui ne grossit que de sa propre tension et qu'une loi d'avalanche entraîne vers le néant. La conscience décide de vomir, et là-dessus constitue un monde vomitif. Certes, les vomissements

seront subis, mais ce minimum de passivité est comme la
matière de l'image, une occasion. Toujours est-il que « nous
vomissons *à cause de rien* », puisque nous avons repris notre
nausée à notre compte, annulé l'objet qui la suscitait. Le mal
de mer pourrait-il constituer une cause objective ? Même pas :
pour vomir, il faut vouloir vomir, le mal de mer confirme le
projet originel, le choix fondamental de ses relations avec le
corps et le monde, la matière. Ainsi dans *Le Sursis* le personnage déjà cité, prédestiné à la nausée, se laisse doucement
aller sur le bateau, s'abandonne sans honte avec une sorte
de plaisir à cet accomplissement.

Mais cette douceur de la nausée érotisée n'est pas tout, vomir
est aussi refuser. Tel personnage par exemple « vomit les mots »
qui ont été mis en lui par l'Autre. La nausée de Flaubert
ressemble à celle des femmes enceintes, soulevées de révolte
contre leur état — d'ailleurs, l'enfant lui-même n'est peut-être
rien d'autre que chose vomie [1]. A l'origine, il y a ce fait que
l'Autre essaie de me remplir, et que cette introjection est à la
fois désirée et refusée. Quoi qu'il en soit, elle est inéluctable,
puisque mon corps, cet intime étranger, doit se nourrir. Tout
passe donc et éventuellement repasse par la bouche [2]. La nourriture signifie la première intrusion de l'Autre — le sein, le
biberon, la cuiller. Sartre explique dans *Les Mots* comment,
gavé par les grandes personnes, il lui fallait « remplir ses
devoirs alimentaires », en espérant cette « grâce qui permet
de manger sans dégoût, l'appétit », et on trouve un écho de
cette enfance dans *Les Mains Sales* : ce qui fait la différence
de classe insurmontable entre Hugo et le militant venu du
prolétariat, c'est qu'il laissait la moitié de ses phosphatines,
et qu'on lui ouvrait la bouche en lui disant : une cuillerée
pour papa, une cuillerée pour maman — « et on m'enfonçait
la cuiller jusqu'au fond de la bouche ». Le corps de l'enfant
bourgeois est un « compagnon gavé et sans désirs », si bien
que le manque ne peut réapparaître avec ses prestiges que sous
la forme du besoin, par où l'on échappe à la toute-puissance
de l'Autre. Mais Gœtz veut-il résister à la volonté de Dieu ?
« Il t'ouvrira les mâchoires, il te gavera de sa bienveillance,
et tu te sentiras devenir bon malgré toi », le prévient Heinrich.

---

1. « ... il n'y avait pas longtemps que le môme était sorti d'un ventre et ça se voyait, il gardait encore un velouté malsain de chose vomie ».
L'Age de Raison.
2. Et le « nourrissage » est un modèle général de la relation au
monde. Dans la chambre de Marcelle, que sa grossesse transforme en
« garde-manger », on respire, on mange du rose. Même en plein air,
ce fantasme condamne le héros à vivre dans une atmosphère moite, où
les odeurs flottent comme des paquets d'algues, où l'on a les narines
et la bouche pleines de feuillage.

Sartre n'en refuse pas moins désespérément l'immanence digestive, et c'est en un sens au refus de cette fonction élémentaire que l'on doit sa philosophie de la conscience. Il refuse énergiquement l'idée que connaître soit manger, il ne veut pas que l'esprit soit une poche, un estomac, c'est pourquoi il remercie la phénoménologie de nous faire échapper à la moite intimité de l'idéalisme. Mais dans l'amour aussi il se passe que l'homme se fait manger par une chair plus vorace qu'inerte, par la bouche-ventouse du vagin. Les nourritures terrestres, décidément, sont bien affligeantes, et Roquentin n'éprouve pas plus d'enthousiasme pour les aliments macérant dans le visqueux où sa conscience (de) nausée, son projet de vomir découvrent sans cesse de nouveaux motifs de répugnance, que pour la patronne elle-même. Bref, Sartre semble s'engager sur la voie d'un ascétisme complet, se condamne à refuser tous les plaisirs humains, y compris ceux, pourtant modestes, du cervelas rémoulade et du bœuf mironton.

Il a expérimenté à Naples la « parenté immonde de l'amour et de la nourriture »[1]. La réalité de la ville, ce n'est pas comme voudrait le faire croire un nominalisme rassurant la loi qui coordonne toutes les perspectives qu'on peut prendre sur elle, c'est l'immanence charnelle, féminine, enfiévrée. De chaque côté de la Via Roma, « sombre comme une aisselle », les ruelles paraissent des plaies, des fistules, le touriste s'engage dangereusement dans l'ombre chaude et vaguement obscène. La ville est chair carnivore, « je me sentis digéré à mon tour, ça commença par une envie de vomir, mais très douce et très sucrée » — la ville est une ogresse comestible, « je regardais ces viandes toutes ces viandes... et il me semblait qu'il y avait quelque chose à en faire. Mais quoi ? Manger ? Caresser ? Vomir ? »

Sartre note souvent cette dégradation de la chair en viande, la maladroite danseuse du cabaret n'est que « pauvre viande nue », ou tel personnage féminin disgrâcié est croqué en quelques mots : « de la vieille chair qui avait l'air de sortir de la salure ». Et quand Mathieu a réussi enfin à faire le geste audacieux qui consiste à se saisir dans un taxi de la main d'Ivich, son démon intérieur glisse aussitôt dans sa conscience l'image d'un malheureux qui, dans une friterie de la rue Mouffetard, s'était emparé d'une « tranche de viande froide ». Le patron avait crié, un agent avait surgi qui avait emmené le type... Contre Mathieu, inutile de réquisitionner la force publique, l'image suffit, il se sent jugé, importun, vulgaire, injustifiable, la honte l'écrase.

1. Cf. dans *Les Ecrits de Sartre* le texte intitulé « Nourritures ».

436 DEUX ÉTUDES SUR SARTRE

En un sens, la déchéance de la chair en viande a un aspect positif : elle devient mangeable. Mais justement, il faut se défendre de la tentation du cannibalisme comme de celle du sadisme. Gustave ainsi essaie de chasser le goût douceâtre de chair qu'un rêve lui laisse dans la bouche, même s'il essaie de s'innocenter en s'y présentant lui-même comme l'aliment totémique.

« Lorsque nous mangeons, écrit Sartre dans *l'Etre et le Néant*, nous ne nous bornons pas, par le goût, à *connaître* certaines qualités de cet être, en les goûtant, nous nous les approprions. Le goût est assimilation, me révèle l'être avec lequel je vais faire ma chair. » L'être mangé est chair de ma chair, manger est connaître en ce sens, et inversement « pour l'enfant connaître, c'est manger », ainsi veut-il « goûter ce qu'il voit ». La conscience ici *s'incorpore* l'objet. Du coup, le problème est de protéger l'objet et non plus le sujet. « Le désir détruit son objet », écrit Sartre ayant à l'esprit le modèle de la négativité représenté par l'oralité. « Il faut bien tuer ce qu'on aime », dit Gœtz, héros infantile comme on sait. Et il faut donc se protéger contre le désir de manger l'objet et d'en être mangé par représailles. L'attitude de connaissance sera valorisée puisqu'elle permet qu'à la fois l'objet soit dévoré et laissé là-bas, intact, dans le monde. Connaître est la meilleure façon d'aimer car c'est manger sans consommer, l'objet est à la fois dedans et dehors. Pareillement, Sartre se rassure en évoquant le corps féminin possédé et en même temps toujours neuf, comme l'eau a le mérite de déjouer la pénétration. Le rêve du pour-soi aimant n'est-il pas de « s'identifier l'objet aimé », de se l'incorporer tout en préservant son individualité ? — Sartre avoue donc çà et là que connaître, c'est manger, comme baiser, mais il importe précisément d'établir une ligne de défense, de réfuter philosophiquement l'illusion primitive de la connaissance vorace, de montrer que l'objet est immédiatement hors d'atteinte, comme la nourriture pour Tantale, qu'il y a une négation, un écartement, une mise à distance originelle. Comment d'ailleurs mon désir pourrait-il faire courir le moindre risque à un objet qui, étant en-soi, est indigeste comme un caillou ? Mais du coup c'est ma position qui devient pénible. Comme Villon, comme Flaubert selon Sartre, « *je meurs de soif auprès de la fontaine* ».

Il n'en reste pas moins qu'il faut boucher la bouche, vide avide. Sartre célèbre l'ivrogne, aussi valable pour lui que le héros, mais boire présente ce risque essentiel : *être bu* — le monde est parsemé de ces diligents buvards que sont la chair, la facticité, le visqueux. Quand je me projette dans le monde

sans réflexion, je m'y perds, me fais boire par les choses
comme l'encre par le buvard, ce qui n'est pas trop désagréable,
mais il existe aussi un risque de dilution effrayant, la définitive
absorption du pour-soi par l'en-soi. La tentation du masochisme
se profile : je m'abandonne à cette possibilité d'être bu par
mon corps, par mon pur être-là, de me dissoudre dans ma
chair pour m'en remettre entièrement au bon plaisir de l'Autre.
On pourra rêver sur cette comparaison du pour-soi avec l'encre
qui sèche, le schème sexuel étant en filigrane. — Autre activité
de bouche, fumer signifie une « destruction appropriative » :
le monde brûle dans ma pipe, se résorbe en vapeur pour entrer
en moi [1]. Fumer est une consommation narcissique de moi et
du monde l'un dans l'autre, l'un par l'autre se consument en
un incendie étouffé.

La conscience mange et se fait manger, s'épuise dans un
rituel de cannibale, dit Sartre à propos de Genet, et plus
loin il rattache ce cannibalisme au travail du deuil, parle de
ce veuf funambulesque occupé à déglutir son mort, non-être
s'attachant à dissoudre une absence. Peut-être la conscience
n'est-elle aussi anthropophage que parce qu'elle est endeuillée ;
manger est le travail du négatif, comme la jouissance de la
mante religieuse. Dans une certaine mesure, l'écriture aura
été pour Sartre la « destruction appropriative » du monde,
dans son intériorité il a traîné des morceaux de choix comme
Genet et Flaubert, et à sa table de brasserie, il a commandé
le monde.

A la fin de L'Etre et le Néant, Sartre met en garde vivement
contre la psychanalyse freudienne, son esprit réducteur et systé-
matique, son symbolisme sexuel de basse espèce. Ainsi tran-
quillisé, sous le nom de « psychanalyse existentielle », il peut
dire ce qui l'intéresse, et se livre à un véritable festival fantas-
matique ; une justification du monde prend forme, une théodicée qui lui pardonnerait de contenir le mal, et la confiture.
En un sens, il avoue : la nausée, le dégoût, la honte, ce sont
des réactions secondaires et obnubilantes, derrière lesquelles
il faut retrouver le courant primordial et positif. La fin de ce
livre assez noir est ainsi traversée par un pressentiment de
bonheur. Et Sartre écrit d'ailleurs, comme si c'était la vérité
fondamentale et le secret de toute la construction, que le projet
du pour-soi ne peut être que joui
Derrière la nausée s'est révélé le désir de l'ogre. De la même

1. Sartre soutient dans L'Etre et le Néant que cette découverte phénoménologique lui a permis de s'arrêter instantanément de fumer.

façon, le regard retrouve son investissement érotique. La vue
est jouissance, reconnaît Sartre sans plus de façons, et connaître, ce n'est pas seulement manger, c'est « manger des yeux »,
et c'est violer par la vue. L'objet inconnu est vierge, immaculé,
le savant lui arrache ses secrets, il est le « chasseur qui surprend une nudité blanche et qui la viole de son regard ». Le
drame du regard, auparavant situé dans le système exclusif du
pouvoir, se transforme en une esquisse libertine du XVIII° siècle : l'objet est atteint par le regard sans en avoir connaissance lui-même « comme une femme qu'un passant surprend
à son bain ». Le regard du censeur, instaurateur de la loi,
ne survient que plus tard, châtiment du voyeur. Mais voir, c'est
dévoiler, avant que le dévoilement devienne une hantise, l'amère
évidence de l'obscénité de toute chair. Voir, dit même Sartre,
c'est déflorer. Et tandis que la connaissance est une chasse,
« toute recherche comprend toujours l'idée d'une nudité qu'on
met à l'air en écartant les obstacles qui la couvrent, comme
Actéon écarte les branches pour mieux voir Diane au bain ».

Il y a donc un rapport érotique avec l'être qui est au fondement de l'ontologie, pour autant qu'il est dans la nature de
l'être « d'une manière ou d'une autre, de se découvrir et de
se faire posséder ». A ce niveau, le manchon de néant qui
entoure le « il y a » n'est plus ressenti comme une structure
obligatoire de la réalité, encore moins comme une protection,
et le sujet emploie toutes ses forces à le traverser pour pénétrer jusqu'à l'en-soi pur. Malgré certaines descriptions, Sartre
n'a aucune répugnance de principe pour l'accouplement, mais
la forme qu'il en préfère est le ski. Sans parler du visqueux,
l'eau présente le danger de l'immersion — mais la neige est la
substance idéale, liquidité sublimée. Voir le champ de neige,
c'est déjà le posséder, tout en se pénétrant de sa nudité, de sa
vierge blancheur encore plus éclatante que celle de Diane, dans
cette lumière qui est révélation, non sur le mode de la connaissance analytique et objectivante, mais de l'évidence de mon
projet *joui*. Le champ de neige présente l'en-soi pur, qui au-delà
ou en-deçà de la philosophie apparaît comme souverainement
désirable, participant profondément au fantasme. Il fait surgir
en moi une question qui est précisément l'expression du désir :
qu'en faire, que faire avec toute cette neige ? — comme le
touriste de Naples se demandait que faire de la ville charnelle
et carnivore et voyait trois possibilités : manger, caresser, vomir.
Mais il ne saurait être question de manger ou de vomir la
neige, et faire du ski est la manière de la caresser.

Le skieur possède le champ de neige, en a la *propriété*,

mieux encore il affirme en toute légitimité son droit sur lui[1].
Et au lieu de s'engluer dans une matière louche, le pour-soi
glisse en éprouvant une admirable impression de *puissance*,
et en même temps le champ de neige entretient avec lui une
relation intime, exclusive, « strictement individuelle ». La neige,
pâmée, comme satisfaite, retombe derrière le skieur... Un seul
regret : le passage laisse des traces, bien régulières et irréfu-
tables. « L'idéal serait un glissement qui ne laisse pas de traces », parfaitement pur, qui ne laisserait aucune prise au regard
de l'Autre, qui se refermerait absolument sur son heureux
secret. Ainsi s'accomplirait la vérité d'une relation absolument
unique, intime et privée. D'autre part, toute idée de consommation, avec le danger de destruction qu'elle contient, serait
écartée, la neige serait pleinement assimilée à cette nudité
merveilleuse de la femme que la caresse « trouble jusqu'en son
tréfonds » sans aucunement l'entamer. De toute façon, la neige
est mystérieusement eau, comme telle elle est impénétrable et
hors d'atteinte, satisfaisant symbole de la gloire féminine. Par
là, elle est aussi l'autorisation donnée à l'homme d'exercer sans
crainte ni remords son activité de conquérant.

Sartre n'a pas fait de son inconscient une affaire personnelle,
du coup il a donné à ses rêves une signification historique, se
manquant lui-même dans une certaine mesure il a atteint l'époque et l'universel. Pour des raisons familiales, il se voulait
l'enfant du siècle. En somme, il n'est guère de thème sartrien,
aussi fortement qu'il soit affirmé, qu'on ne puise suivre avec
patience jusqu'au point où il se retourne en son contraire. La
pensée de Sartre, qui n'admettait pas de passage entre l'en-soi
et le pour-soi, a été contrainte à la dialectique — quand il a
reconnu par exemple que le fondement ne peut être considéré
que comme une fonction passant d'un terme à l'autre, le père
lui-même n'ayant été qu'une invention historique, une hypothèse
qui s'est imposée. « J'ai écrit exactement le contraire de ce que
je voulais écrire », a dit Sartre une fois, mais aussi ce contraire
se lit dans ce qu'il a écrit. Cela parce que comme tous les
hommes il a refusé de dire ce qu'il désirait tout en le disant,
et puis parce qu'aucune réalisation ne répond jamais sans
reste à notre désir et ne réduit tout à fait la part d'insuccès à
laquelle nous voue notre naissance, mais lui aura plus gagné
que perdu puisque pour dominer le maléfice de ses origines il
est devenu la conscience de son temps.

1. Par exemple : « Cette synthèse du moi et du non-moi que réalise
ici l'action sportive s'exprime... par l'affirmation du droit du skieur
sur la neige. C'est *mon* champ de neige..., il est *à moi* ».

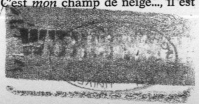

TABLE DES MATIERES

ACHEVÉ D'IMPRIMER
SUR LES PRESSES DE
L'IMPRIMERIE HÉRISSEY
A ÉVREUX (EURE)
LE 21 OCTOBRE 1976

No d'Éditeur : 347
No d'Imprimeur : 18446
Dépôt légal : 4e trimestre 1976